曲一线科学备考
让每一位学生分享高品质教育

初中 知识清单

化 学

丛书主编：曲一线
专家顾问：徐克兴　乔家瑞　李俊和　洪安生　刘振贵　王永惠　梁　侠　李晓风　王树声
本册主编：李　永
副 主 编：王淑贤　靳　悦　卓玉茹
编　　委：史新英　姚连莹　王学辉　王燕平　丁　兰　苏立敏　袁月华　邓连君

首都师范大学出版社
CAPITAL NORMAL UNIVERSITY PRESS

教育科学出版社
ESPH　Educational Science Publishing House

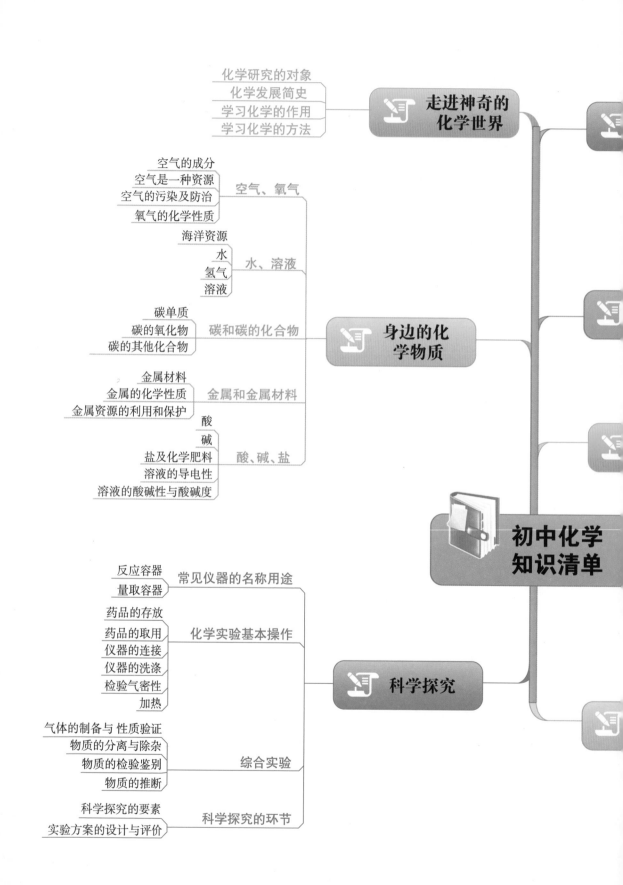

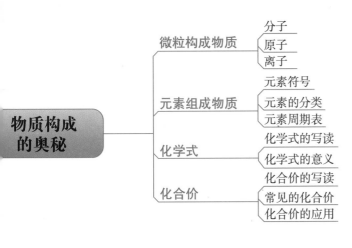

物质构成
的奥秘
- 微粒构成物质
  - 分子
  - 原子
  - 离子
- 元素组成物质
  - 元素符号
  - 元素的分类
  - 元素周期表
- 化学式
  - 化学式的写读
  - 化学式的意义
- 化合价
  - 化合价的写读
  - 常见的化合价
  - 化合价的应用

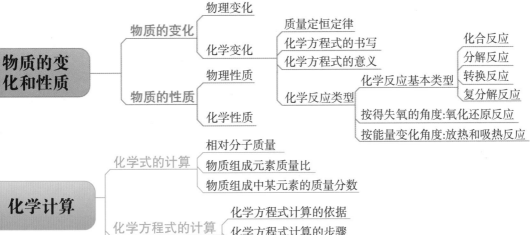

物质的变
化和性质
- 物质的变化
  - 物理变化
  - 化学变化
    - 质量定恒定律
    - 化学方程式的书写
    - 化学方程式的意义
    - 化学反应类型
      - 化学反应基本类型
        - 化合反应
        - 分解反应
        - 转换反应
        - 复分解反应
      - 按得失氧的角度:氧化还原反应
      - 按能量变化角度:放热和吸热反应
- 物质的性质
  - 物理性质
  - 化学性质

化学计算
- 化学式的计算
  - 相对分子质量
  - 物质组成元素质量比
  - 物质组成中某元素的质量分数
- 化学方程式的计算
  - 化学方程式计算的依据
  - 化学方程式计算的步骤
  - 化学方程式计算的类型
- 溶液的计算
  - 溶质质量分数的计算
  - 综合计算

化学
与社会
- 化学与健康
  - 营养素
  - 人体中的元素
  - 有害物质
- 化学与材料
  - 金属材料
  - 无机非金属材料
  - 有机高分子材料
  - 复合材料
  - 新型合成材料
- 化学与能源
  - 化石燃料
  - 新能源
- 化学与环境
  - 空气污染及防治
  - 水污染及防治
  - 土壤污染及防治
  - 白色污染

智慧 启航

Zhi hui qi hang.

我要把人生变成科学的梦，
然后再把梦变成现实。

——（德）居里夫人

Contents 目录

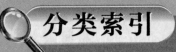

初中化学·知识清单

方法

专题1 走进神奇的化学世界

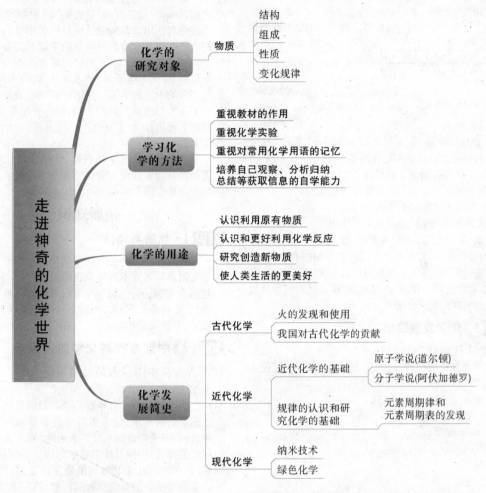

走进神奇的化学世界

- 化学的研究对象 —— 物质
  - 结构
  - 组成
  - 性质
  - 变化规律

- 学习化学的方法
  - 重视教材的作用
  - 重视化学实验
  - 重视对常用化学用语的记忆
  - 培养自己观察、分析归纳总结等获取信息的自学能力

- 化学的用途
  - 认识利用原有物质
  - 认识和更好利用化学反应
  - 研究创造新物质
  - 使人类生活的更美好

- 化学发展简史
  - 古代化学
    - 火的发现和使用
    - 我国对古代化学的贡献
  - 近代化学
    - 近代化学的基础
      - 原子学说(道尔顿)
      - 分子学说(阿伏加德罗)
    - 规律的认识和研究化学的基础
      - 元素周期律和元素周期表的发现
  - 现代化学
    - 纳米技术
    - 绿色化学

知识清单

基础知识

知识1 化学的研究对象

1. **化学的概念**:化学是在原子、分子水平上研究物质的组成、结构、性质以及变化规律的基础自然科学。

2. **化学研究的对象**:物质。

3. **化学研究的内容**:物质的组成、结构、性质、变化规律以及物质的制备和用途,但物质的空间形式、数量关系、宏观运动不属于化学的研究范畴。

例 (2010 福建南安,1,2 分)下列各项产业群项目中,不属于化学研究范畴的是 (　　)
A.化学纤维的合成与加工
B.钨的冶炼与加工
C.软件的开发与应用
D.橡胶的合成与加工

答案 C 软件的开发与应用属于计算机技术的研究范畴,不属于化学的研究范畴。

科学元典

钾在人体中的功能 钾是人体必需的常量元素,钾离子是人体内维持渗透压的主要阳离子。钾能增加肌肉的兴奋性,维持心跳的规律,保护心肌。如果缺乏钾,就会使人感到肌肉无力,对心肌产生危害。严重缺乏时,会产生肠麻痹、低血压、心律失常等症状。如果钾的摄入量过多,则会出现虚弱无力、恶心腹泻、心跳减慢等症状。食物中的钾主要来源于水果(柑橘、苹果等)及蔬菜中。

知识2 化学的用途

研究化学的意义

(1)了解自然界中已经存在的物质及其变化,知道它们的性质和用途;

(2)知道物质的组成、结构以及变化规律,知道如何利用它们来制造新产品,使其更好地满足人们不断增长的物质和文化生活的需要。

其关系可表示如下:

例 (2010 新疆,7,2 分)下面是某同学关于化学的一些看法,你认为不正确的是 ( )

A.化学为人类研制了新材料

B.化学的发展导致了生态环境的恶化

C.化学为人类提供了新能源

D.化学为环境保护发挥着重要作用

答案 B 通过学习研究化学,知道物质的组成、结构及变化规律,就可以利用它们来制造新产品,故A、C正确。根据化学知识可以综合利用自然资源,减少有害物质的排放,治理污染,从而达到保护环境的目的,D正确。故选 B。

知识3 化学发展简史

1. 人类古代的化学知识

(1)火的发现和使用:改善了人类的生存条件,使人类变得聪明强大;

(2)冶金工业:如炼铜、炼铁;

(3)陶瓷工业;

(4)酿酒、酿醋;

(5)黑火药;

(6)造纸;

(7)染料。

在古代化学的发展过程中,我国作出了突出的贡献。我国古代的三大化学工艺是制火药、造纸和烧瓷器。

2. 近代化学理论的建立

(1)原子学说和分子学说的建立

①英国科学家道尔顿提出了近代原子学说,对化学的发展有十分重要的作用。

②意大利科学家阿伏加德罗提出了分子学说,进一步完善了化学的研究理论,原子学说和分子学说奠定了近代化学的基础。

(2)元素周期表的创建和元素周期律的发现

俄国化学家门捷列夫发现元素周期律并创建了元素周期表,使化学学习和研究变得有规律可循。

3. 现代化学的发展

(1)纳米技术

纳米科学与技术是在纳米尺度(0.1~100 nm之间,$1 nm = 10^{-9} m$)上研究物质(包括原子、分子)的特性和作用以及利用这些特性的多学科技术。它使人类认识和改造物质世界的手段和能力延伸到原子和分子的水平。纳米科技的研究范围主要包括纳米材料学、纳米电子学、纳米机械学、纳米制造、纳米化学和纳米生物学等。用纳米材料制成的用品具有很多奇特的性质。例如,纳米铜具有超塑延展性,在室温下可拉长 50 多倍而不出现裂纹。

(2)绿色化学

近年来绿色化学的提出,使更多的化学生产工艺和产品向着环境友好的方向发展,化学必将使世界变得更加绚丽多彩。

拓展知识

知识1 物质与物体

物质和物体分别是化学和物理的研究对象。物体可以由同种或不同种物质组成,是一个实物概念,包括汽车、桌子、轮船等是我们可以通过各种方式看得见、摸得着的东西。物质是一个宏观概念,如铁是物质,而铁块是物体。

知识2 中国古代对化学的贡献

1. 考古发现中国猿人是最早使用火的人种。

2. 陶瓷技术

中国早在约一万年前的新石器时代就已经发明了原始的制陶术,成为世界上最早制陶的国家。在距今四、五千年以前形成了著名的"彩陶文化";三千年前的商代,中国开始以精细的陶土为原料制胎、挂釉,并在较高温度下烧制出最早的瓷器;汉代,中国已能造出精细的青瓷;后经晋、唐、两宋和明清,已能制出极其精美的瓷器,并远销国外。瓷器(china)成了中国的代名词。

3. 炼铜

中国的湿法炼铜是世界上最早的湿法冶金技术。湿法炼铜又称胆铜法。早在距今约两千年前西汉的《淮南万毕术》里就有"曾青得铁则化为铜"的记载。其工艺过程是把硫酸铜(古称曾青、胆矾、石胆等)溶于水,成为胆水,然后投铁块于溶液中,因铁的活动性比铜强,所以可以将铜置换出来。

4. 炼钢、炼铁

中国是世界上最早冶炼钢铁的国家,中国的铸铁冶炼技术比欧洲早两千年。中国古代的炼钢技术

科学元典

钠在人体中的功能 钠和钾一样,也是人体内维持渗透压的主要阳离子。它存在于细胞外液(血浆、淋巴、消化液)中。能够维持肌肉和神经的功能,维持肌肉的正常兴奋和细胞的通透性。如果细胞内缺少钠会使人感到疲乏、晕眩,出现肌肉痉挛等症状。但摄入量过多会引起高血压和心力衰竭、肾脏衰竭等。因此,饮食不宜太咸,成年人每天摄入食盐的量,最好控制在5~10克。饮食中钠的主要来源是食盐。

大约发明于西汉后期,到东汉、三国时,炼钢工艺已相当成熟。而欧洲直到十八世纪中叶方由英国人发明。

5.中国是最早发明锌的炼制术的国家。

6.染料

　　早在商周时期,中国就发明了黑、赤、黄、白、蓝五种染料,并最早发现蚕丝并用它织成绸缎。

7.油漆

　　油漆是古代中国人民的一大发明。距今约四千年前,我国劳动人民就把漆树的汁经简单处理后涂在物体表面,以保护器具不受空气中氧气、水的腐蚀。

8.造纸术

　　造纸术是世界公认的我国古代四大发明之一。我国劳动人民经过长期实践于公元二世纪初发明了造纸术。从化学角度看,主要是从麻、树皮、竹子等天然植物纤维中,用化学方法除去杂质,得到较纯的纤维素,再制成纸浆,最后制成纸。纸的发明与传播,对人类文明的发展起了重大的推动作用。

9.火药

　　黑火药是我国古代四大发明之一,距今已有1 000多年的历史。黑火药是将硝酸钾、硫黄和木炭按一定比例组成的混合物,在适当的外界能量作用下,自身能迅速有规律地燃烧,同时生成大量高温燃气从而发生爆炸。

例　(2010上海,29,1分)"黑火药"是我国古代四大发明之一,它由硝酸钾、硫黄、木炭组成,属于
　　　　　　　　　　　　　　　　　　( )
A.纯净物　　　　　　B.化合物
C.氧化物　　　　　　D.混合物

答案 D　黑火药是由硝酸钾、木炭和硫黄三种物质混合在一起构成的混合物。

知识3　化学发展史上的五个时期

　　化学已经经历了几千年的发展过程。实际上,人类社会在很早以前就开始利用化学变化,并取得了一定的成果。尽管当时的人没有使用"化学"这个名词,但实际上已经具备处理某些化学变化的能力。根据一些化学史的记载,我们可以把化学史分成五个时期:

1.史前期

　　从远古到公元前1500年,化学作为一种技术,实际上已经开始出现了。尽管在此期间,并没有文字记载,但是在中国、埃及、印度、巴比伦和后来的希腊、罗马,都可以找到人类利用化学的遗迹。猿人就知道用火,知道用火煮东西和烧制陶器,这可以说是最早期化学的开始。

2.炼丹术和医药化学时期

　　大体说来是从公元前1500年到公元1650年。这个时期中国在化学方面的著作最多,例如《参同契》、《道藏》以及重要的本草书,都对我国古代化学成就作了详细的记载。至于在欧洲,这方面的书籍也有不少,例如阿拉伯、埃及和希腊,在1572年就有一部书,书名是《炼金的化学方法》。在欧洲,已经开始有"化学"这个名词了,并在1572年出版了《化学原理》(Artis Chemiae Principes)一书。许多希腊、阿拉伯、罗马的有名学者,例如柏拉图、亚里士多德、阿维森纳,都写了有关化学方面的书,在这方面最有力的证据是这些学者开始认识到实验是化学科学工作的重要工具。

　　在欧洲文艺复兴时期,出版了很多最早的化学著作,例如德国化学家格劳贝尔于1684年写的《新哲学的炉》;德国化学家孔柯尔写的《化学实验》;德国冶金学家阿格里柯拉写过一本名为"De Re llica"的书,中国明崇祯十六年李天经和汤若望将此书翻译出版,中文书名《坤舆格致》,可以说是中国最早翻译的化学书籍。

3.燃素时期

　　这个时期从1650年到1775年,在这个时期出现了很多化学家,例如德国化学家施塔尔,他写过《化学基础》一书,是1723年出版的。还有德国化学家贝歇尔,他写过《冶金术》和很多其他著作。尽管他们的理论是不正确的,可是他们做了很多实验,积累了许多知识。一直到1661年,英国化学家波义耳写了《怀疑派化学家》一书,才开始对于元素理论有了基本的认识。

4.定量时期

　　这个时期从1775年至1900年,这一时期化学研究的目的是开始利用化学知识解决工农业上的许多问题,并利用定量的化学实验建立了不少化学基本定律。这个时期又称为近代化学发展时期,很多科学家写了许多著名的书籍和论文,特别是英国化学家道尔顿在1808年所写的《化学哲学新体系》一书,提出了原子学说;法国化学家拉瓦锡于1777年发表《燃烧概论》论文,建立了燃烧作用的氧学说,并确立了物质不灭定律,使化学开始进入近代化学时期。接下来,瑞典化学家贝采里乌斯开始使用化学符号;俄国化学家门捷列夫发现元素周期律;德国化学家李比希和维勒在发展有机化学上作出了重要贡献,都为现代化学的发展奠定了基础。

5. 科学相互渗透时期

这个时期基本上从二十世纪初开始。一方面,物理学提出的量子论使化学和物理学有了共同的语言。另一方面化学又向生物学和地质学等学科渗透,使过去很难解决的蛋白质、酶等的结构问题,正在逐步得到解决。过去认为原子是看不见的,现在不但可以用超显微镜看到原子,而且原子本身的能量也已经开始被人们利用了。

当然,科学是没有止境的,化学也是没有止境的。在十九世纪初,全世界的化学期刊不过一、二种,而现代化学期刊已经超过了两千种,这说明,无论是从理论上,还是从实践上,化学这门学科的发展都是没有止境的。

知识④ 纳米铜

纳米铜中铜原子和普通铜中的铜原子都一样;纳米铜比普通铜更容易与氧气发生反应,化学性质比普通铜更为活泼。

纳米铜的主要用途:用作热氢发生器、凝胶推进剂、燃烧活性剂、催化剂、水清洁吸附剂等。

知识⑤ 扫描隧道显微镜

扫描隧道显微镜(STM)是在1982年由瑞士的海因里希、罗雷尔博士和联邦德国的格尔德、宾尼格博士共同研制成功的。

扫描隧道显微镜的基本原理是将原子线速的极细针尖和被研究物质的表面作为两个电极,当样品与针尖的距离非常接近时,在外加电场的作用下,电子会穿过两个电极之间的绝缘层流向另一电极(这种现象称为"隧道效应"),这样在获得样品表面电子态和化学物性的有关信息下,亦可得到扫描隧道谱,即STM像。

这种用来观察金属或半导体表面结构的显微镜,分辨率可达10^{-10} m。由于它能看到一个一个地原子,对于大规模集成电路半导体技术、金属材料、新材料设计、节省能源以及生物学研究都具有特殊的意义。

🎯 方法清单

方法 学习化学的方法

1. 养成良好的学习习惯

课前预习,上课时认真听讲,并做好笔记,课后及时复习,完成作业。

2. 重视课本知识

化学教材中的文字、图片、活动探究、家庭小实验等都是基础的化学知识和技能,在学习过程中应充分利用好课本资源。

3. 重视化学用语的记忆

化学中的元素符号、化合价、化学式以及一些基本概念和原理应准确记忆并理解其内涵。

4. 重视实验

化学是一门以实验为基础的自然科学,学好化学,必须亲自动手实验,认真观察思考与实验相关的问题。

5. 重视自学能力的培养

掌握归纳、对比、总结、分析等科学的学习方法,主动的提出与化学相关的问题并解决问题。

例 (2010 新疆乌鲁木齐,10,2分)下面是某学生对课本中图表资料的使用情况,其中不正确的是 ( )

A. 根据金属活动性顺序表,判断金属能否置换出稀硫酸中的氢

B. 根据元素周期表可以判断元素在自然界的含量

C. 根据溶解度曲线图,判断某物质在一定温度下的溶解度

D. 根据酸、碱、盐的溶解性表,判断某些复分解反应能否进行

答案 B 在金属活动性顺序表中排在氢前面的金属能置换出稀硫酸中的氢,氢后面的金属则不能,A正确。溶解度曲线上的点表示某温度下某物质的溶解度,C正确。酸、碱、盐之间发生复分解反应的条件是生成物中有水、气体或沉淀生成,因而利用溶解性表能判断复分解反应能否发生,D正确。

【变式训练】 (2010 山东潍坊,15,2分)分析推理是化学学习和研究中常用的思维方法。下列分析推理正确的是 ( )

A. 水能灭火,所以酒精一旦着火应立即用水浇灭

B. 有机物中都含有碳元素,所以含碳的化合物都是有机物

C. 稀硫酸滴入石蕊试液后溶液变红色,所以盐酸滴入石蕊试液后溶液也变红色

D. 硝酸钾的溶解度随温度升高而增大,所以氢氧化钙的溶解度也随温度升高而增大

答案 C A项,酒精与水互溶,因此用水不但不能将酒精与空气隔绝,也不能将温度降至酒精的着火点以下,而且会让火沿水流蔓延;B项,CO、CO_2、$CaCO_3$等少数含碳的化合物,属于无机物;C项,稀硫酸和盐酸属于酸,都能使石蕊试液变红;D项,氢氧化钙的溶解度随温度的升高而降低。

科学元典

维生素B_{12}在人体中的功能 维生素B_{12}又名钴胺素,是含钴的复杂有机物。当人体缺钴时,会引起食欲不振、皮肤苍白、头昏和贫血等症状。维生素B_{12}参与核酸、胆碱、蛋氨酸的合成和脂肪、糖类的代谢过程,对肝和神经系统的功能产生一定作用。因此,除用它治疗贫血病外,还可以用来治疗传染性肝炎,恢复肝功能正常的作用。在动物的肝、肾中含有较多的维生素B_{12}。

专题2 空气、氧气

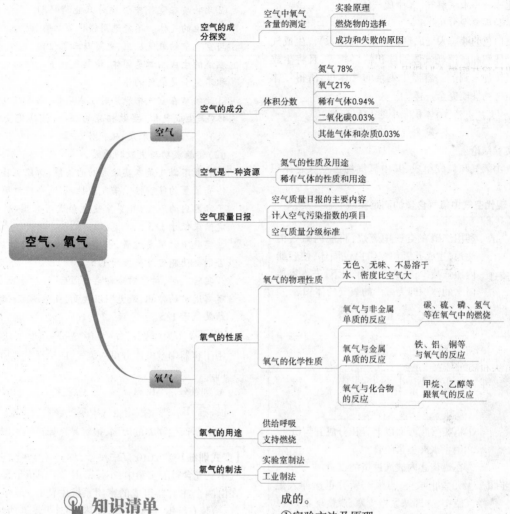

- **空气、氧气**
  - **空气**
    - 空气的成分探究
      - 空气中氧气含量的测定
        - 实验原理
        - 燃烧物的选择
        - 成功和失败的原因
    - 空气的成分
      - 体积分数
        - 氮气78%
        - 氧气21%
        - 稀有气体0.94%
        - 二氧化碳0.03%
        - 其他气体和杂质0.03%
    - 空气是一种资源
      - 氮气的性质及用途
      - 稀有气体的性质和用途
    - 空气质量日报
      - 空气质量日报的主要内容
      - 计入空气污染指数的项目
      - 空气质量分级标准
  - **氧气**
    - 氧气的性质
      - 氧气的物理性质
        - 无色、无味、不易溶于水、密度比空气大
      - 氧气的化学性质
        - 氧气与非金属单质的反应
          - 碳、硫、磷、氢气等在氧气中的燃烧
        - 氧气与金属单质的反应
          - 铁、铝、铜等与氧气的反应
        - 氧气与化合物的反应
          - 甲烷、乙醇等跟氧气的反应
    - 氧气的用途
      - 供给呼吸
      - 支持燃烧
    - 氧气的制法
      - 实验室制法
      - 工业制法

知识清单

基础知识

知识① 空气

1. 探究空气成分的实验

(1)拉瓦锡测定空气成分的实验

1774年,法国化学家拉瓦锡用金属燃烧实验证明燃烧是金属与空气中的"上等纯空气"作用的结果,并发现了金属燃烧后余下的"空气"不支持燃烧和呼吸,第一次明确提出空气是由氧气和氮气组成的。

①实验方法及原理

在曲颈甑(盛空气)里加热汞。(装置如下图)

拉瓦锡研究空气成分所用的装置

汞 + 氧气 $\xrightarrow{\triangle}$ 氧化汞 （消耗气体）
      （红色粉末）

氧化汞 $\xrightarrow{\triangle}$ 汞 + 氧气 （生成气体）

②实验现象及分析

a. 银白色的液态汞变成红色粉末（氧化汞）。生成气体的体积和所消耗气体的体积恰好相等，且将生成的气体加入到前一容器中剩余的气体里，所得气体跟空气的性质完全一样。

b. 容器里空气 $\begin{cases} \text{体积减小约 1/5（氧气）} \\ \text{剩余气体约 4/5（氮气）} \end{cases}$

③实验结论

空气由氧气和氮气组成，其中氧气约占空气总体积的 1/5。

(2)现代空气中氧气含量的测定实验

实验原理	利用红磷在空气中燃烧，将瓶内氧气消耗掉，生成五氧化二磷白色固体，使容器内压强减少，在大气压作用下，进入容器内水的体积即为减少的氧气的体积。 红磷 + 氧气 $\xrightarrow{\text{点燃}}$ 五氧化二磷
实验装置	
实验步骤	①将集气瓶液面以上容积分成五等份 ②用止水夹夹紧胶管 ③在燃烧匙内放入过量的红磷 ④夹紧止水夹，点燃红磷并迅速伸入集气瓶中，立即塞紧橡皮塞，观察现象 ⑤待集气瓶冷却到室温，把导管插入盛水的烧杯中打开止水夹
实验现象	①红磷燃烧，产生大量白烟并放出热量 ②温度恢复到室温以后，打开止水夹，水沿导管进入集气瓶内并约占集气瓶液面以上容积的 1/5
实验结论	氧气约占空气体积的 1/5

◀ **特别提醒**

(1)测定空气中氧气的体积分数时，所用物质应满足的条件。

①此物质能够在空气中燃烧，不能选用铁丝代替红磷，因为铁在空气中不能燃烧。

②此物质在空气中燃烧时只能消耗 O_2，而不能消耗其他的气体。不能选用镁代替红磷，因为镁不仅与空气中的氧气反应，也可与二氧化碳、氮气反应，燃烧的生成物都是固体，使集气瓶中减少的气体体积不完全是氧气的体积。

③此物质在空气中燃烧时生成固体，而不能生成气体（若生成气体，要做相应的准备，使其完全被吸收）。一般不用木炭、硫代替红磷。

(2)实验成功与失败的原因。

①装置不漏气是本实验成功的关键，所以实验前应检查装置的气密性。若气密性不好，即使红磷耗尽了容器内的氧气，外界空气也会进入容器内，使测定结果低于 1/5。

②实验中红磷要过量，以消耗容器内全部的氧气，否则会使测定结果低于 1/5。

③实验完毕，待容器冷却至室温后，再打开止水夹，观察进水的体积，避免因温度高，气体膨胀，使测定结果低于 1/5。

例1 (2010 四川甘孜,10,2 分)用燃烧法除去密闭容器中空气成分里的氧气,应选择下列物质中的 ( )
A. 细铁丝   B. 红磷   C. 硫粉   D. 木炭

答案 **B** 理解测定空气中氧气含量的实验原理，会分析产生误差的原因，很容易选择正确答案。

【变式训练】 (2010 辽宁鞍山,18,5 分)在测定空气中氧气含量的实验中,小强采用了下图所示装置:在由两个注射器组成的密闭系统中留有 25 mL 空气,给装有细铜丝的玻璃管加热,同时缓慢推动两个注射器活塞,直至玻璃管内的铜丝在较长时间内无进一步变化时停止加热,待冷却至室温,将气体全部推至一个注射器内,观察密闭系统内空气体积变化。

(1)在实验加热过程中,交替缓慢推动两个注射器活塞的目的是_____。

- -

科学元典

强化食品 强化食品是加有维生素、矿物质、蛋白质等添加剂,使营养得到增强的食品。在我国,强化食物就是将人体所缺乏的微量营养素加入一种食物载体,以增加营养素在食物中的含量。这种措施的优点在于既能覆盖较大面积的人群,又能在短时间见效,而且花费不多,还不需要改变人们的饮食习惯。从 1995 年我国就实行了加碘盐措施,以预防人们的甲状腺肿大和相关疾病。而碘盐就是一种强化食品。

(2)写出该实验中反应的化学方程式_____。

(3)小强测得实验结果如下:

反应前注射器内气体总体积	反应后注射器内气体总体积
25 mL	22 mL

由此数据可以推算出他测定的空气中氧气的体积分数_____21%(填">"、"="或"<")。造成该实验出现误差的原因可能是_____(填序号)。
①没有交替缓缓推动两个注射器活塞;②读数时没有冷却至室温;③加入铜丝量太少;④加入铜丝量太多

(4)通过上面的实验,你学到的测量混合物中某成分含量的方法是_____。

答案 (1)使注射器内空气中的氧气充分反应完全
(2)$2Cu + O_2 \xrightarrow{\triangle} 2CuO$ (3)< ①②③ (4)通过化学反应除去混合物中的一种成分,再测量混合物在反应前后体积(或质量)的变化,从而得出该种成分的含量(其他答案合理也可)

解析 该题是探究空气中氧气含量实验的变形,其原理是在加热条件下使Cu与O_2发生反应生成CuO,为了让反应充分进行,实验过程中应交替缓慢推动注射器的活塞。由数据可得该实验测定的空气中氧气的体积分数为12%,小于21%。造成误差的原因不可能为④,①②③均有可能。

2.空气的成分

空气是一种混合物,各成分按体积分数计算如下:

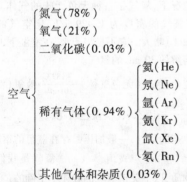

特别提醒

空气中各成分的含量在一定时间和一定范围内基本恒定,但随着人类活动的延续、气体的排放,使空气的成分也在不停地变化着。因此不能认为空气的成分是一成不变的。

例2 (2010北京,1,1分)空气成分中,体积分数约占21%的是 ( )
A.氧气 B.氮气
C.二氧化碳 D.稀有气体

答案 A 准确记忆空气中各成分的体积分数是正确解答此类题的关键。

3.氮气(N_2)

物理性质	①氮气是一种无色、无味的气体 ②不易溶于水 ③在标准状况下的密度为1.251 g/L,比空气的密度小 ④熔点为-209.9℃,沸点为-195.8℃
化学性质	不活泼,一般不燃烧也不支持燃烧;在常温下难与其他物质发生反应,但在高温下也能与一些物质发生化学反应
用途	①制硝酸和化肥的重要原料 ②焊接金属时作保护气,充入灯泡内延长其使用寿命,充入食品包装中防腐 ③医疗上可以在液氮冷冻麻醉的条件下做手术 ④超导材料在液氮的低温环境下能显示超导性能 ⑤有些博物馆把贵重罕见的书画、墨宝保存在充满氮气的圆筒中,主要是因为氮气化学性质不活泼,在常温下难与其他物质发生化学反应。在氮气中保存,既可避免被氧化变质,又可防止虫蛀霉坏

例3 (2010山东聊城,25,2分)集气瓶中装满某气体,可能是下列气体中的某一种:①二氧化碳 ②氧气 ③空气 ④氮气,将燃着的木条伸入瓶中,火焰立即熄灭,则该瓶气体可能是 ( )
A.①或② B.②或③
C.①或④ D.③或④

答案 C 氮气、二氧化碳两种气体一般都具有不燃烧、也不支持燃烧的性质,均能使燃着的木条熄灭。燃着的木条在空气中会维持原状,在氧气中会

科学元典

防衰老的食品 (1)大豆:含有丰富的蛋白质,经常食用可促进皮下肌肉的生长,使皮下肌肉丰满而富有弹性。(2)猪蹄:含有丰富的大分子胶原蛋白质,可以使组织细胞的水分保持平衡,使皮肤组织变得柔软湿润。(3)植物油:含有丰富的亚油酸,可防止皮下脂肪氧化,增强组织细胞活力,预防皮肤干燥,减少色素沉着,使皮肤光滑而富有弹性。(4)菜花:除了抗癌酶含量远远超过其他含酶食物外,还有能够防止骨质疏松的钙质。另外还有西红柿和豆芽等。

剧烈燃烧。

4. 稀有气体

(1)稀有气体:氦、氖、氩、氪、氙、氡气体的总称,过去人们认为这些气体不跟其他物质发生化学反应,故又把它们称为"惰性气体"。

(2)稀有气体名称和化学式

稀有气体名称	氦	氖	氩	氪	氙	氡
化学式	He	Ne	Ar	Kr	Xe	Rn

(3)稀有气体的性质和用途

物理性质	①没有颜色,没有气味的气体 ②难溶于水
化学性质	化学性质不活泼,一般不与其他物质发生反应
用途	①作保护气,如焊接金属时用稀有气体来隔绝空气;灯泡内充入稀有气体使灯泡耐用 ②作电光源,稀有气体在通电时能发出不同颜色的光 ③用于激光技术 ④氦气用于制造低温环境 ⑤氙气可以用于医疗麻醉

例4（2010 辽宁大连,38,2 分）焊接金属时,能用作保护气的一组气体是 （ ）

A. H_2、N_2　　　　　　 B. N_2、O_2

C. CO_2、CO　　　　　 D. N_2、Ar

答案 D　物质的性质决定用途,用途反映性质,化学性质稳定的氮气、稀有气体可作保护气。

5. 空气质量日报

空气质量日报是环境监测部门通过电视、报纸向公众公布的当天各大城市或本地区的空气质量,增强人们对环境的关注,提高全民环保意识,促进人们生活质量的提高。

(1)空气质量日报的主要内容:空气污染指数、首要污染物、空气质量级别、空气质量状况等。

(2)计入空气污染指数的项目:二氧化硫、一氧化碳、二氧化氮、可吸入颗粒物、臭氧。

(3)空气质量分级标准

污染指数	50以下	51～100	101～150	151～200	201～250	251～300	300以上
质量级别	I	II	III(1)	III(2)	IV(1)	IV(2)	V
质量状况	优	良	轻微污染	轻度污染	中度污染	中度重污染	重度污染

◀)) 特别提醒

二氧化碳没有作为空气污染指数的项目计入测量。

例5（2010 浙江温州,2,4 分）2010 年 3 月 21 日,温州市区出现罕见的浮尘天气。环境监测中心报告,当天空气污染指数为 270～290,首要污染物为可吸入颗粒物。依据下表判断,当天温州空气质量状况属于 （ ）

空气污染指数范围及相应的空气质量级别表

空气污染指数(API)	0～50	51～100	101～200	201～300	>300
空气质量状况	I(优)	II(良)	III(轻度污染)	IV(中度污染)	V(重度污染)

A. 优　　　　　　　　 B. 良

C. 轻度污染　　　　　 D. 中度污染

答案 D　解答此类题的关键是能正确运用图表资料与所给情况进行对比。温州市区当天空气污染指数为 270～290,属于中度污染。

知识 ② 氧气

1. 氧气的性质

(1)氧气的物理性质

①通常状况下,氧气是一种无色无味的气体。标准状况下,氧的密度为 1.429 g/L,比空气的密度（1.293 g/L）略大。它不易溶于水,在室温下,1 L 水中只能溶解约 30 mL 的氧气。

②三态变化:氧气（无色气体）$\xrightarrow[101\ kPa]{-183℃}$液氧（淡蓝色液体）$\xrightarrow[101\ kPa]{-218℃}$固态氧（淡蓝色雪花状）。

③工业生产的氧气,一般加压贮存在蓝色的钢瓶里。

例1（2010 辽宁鞍山,5,1 分）氧气是我们身边常见的物质,以下关于氧气的叙述不正确的是 （ ）

A. 物质与氧气发生的反应都是氧化反应

科学元典

蜂蜜中的营养成分　几千年来蜂蜜经久不衰,这与蜂蜜所具有的多种独特营养成分有关。蜂蜜主要成分有:(1)可被人体直接吸收的葡萄糖和果糖,约 65～80%;(2)各种氨基酸,包括人体不能合成的 8 种必需氨基酸,约 0.3%;(3)与人体血清所含比例几乎相等的 20 余种矿物质,约 0.06%;(4)20 余种促进人体生长和代谢的维生素;(5)多种活性酶。

B. 鱼、虾能在水中生存是由于氧气易溶于水

C. 氧气能使带火星的木条复燃

D. 氧气可以供给呼吸，能和体内物质反应而释放能量，维持生命活动

答案 B　氧气不易溶于水，在室温下，1 L 水大约能溶解 30 mL 的氧气，故 B 项的叙述不正确。

(2) 氧气的化学性质

①氧气是一种化学性质比较活泼的气体，在一定条件下，可以跟多种物质发生化学反应，同时放出热量，氧气具有氧化性，在化学反应中提供氧，是一种常用的氧化剂。

🔊 **特别提醒**

a. 氧气可以帮助可燃物质燃烧(或支持燃烧)，具有助燃性，与可燃性有本质区别。

b. "剂"是一种发生某种变化的作用物质，如氧气具有氧化性，是常用的氧化剂，氧气可以提供氧从

而把别的物质氧化。具有氧化性的物质叫氧化剂。

②助燃性、氧化性

与金属的反应 $\begin{cases} 2Mg + O_2 \xrightarrow{\text{点燃}} 2MgO \\ 3Fe + 2O_2 \xrightarrow{\text{点燃}} Fe_3O_4 \end{cases}$

与非金属的反应 $\begin{cases} C + O_2 \xrightarrow{\text{点燃}} CO_2 \ (O_2\ 充足) \\ 2C + O_2 \xrightarrow{\text{点燃}} 2CO \ (O_2\ 不充足) \\ S + O_2 \xrightarrow{\text{点燃}} SO_2 \\ 4P + 5O_2 \xrightarrow{\text{点燃}} 2P_2O_5 \end{cases}$

与化合物的反应 $\begin{cases} 2CO + O_2 \xrightarrow{\text{点燃}} 2CO_2 \\ CH_4 + 2O_2 \xrightarrow{\text{点燃}} CO_2 + 2H_2O \\ C_2H_5OH + 3O_2 \xrightarrow{\text{点燃}} 2CO_2 + 3H_2O \end{cases}$

③部分物质在空气中和氧气中反应的对比

物质 (颜色状态)	反应现象		化学反应文字表达式 (化学方程式)	注意事项
	在空气中	在氧气中		
木炭(灰黑色固体)	持续红热，发出红光	剧烈燃烧，发出白光，放出热量	碳 + 氧气 $\xrightarrow{\text{点燃}}$ 二氧化碳 C + O_2 $\xrightarrow{\text{点燃}}$ CO_2	盛有灰黑色木炭的燃烧匙应由上而下慢慢伸入集气瓶中
硫黄(淡黄色固体)	燃烧放热，发出微弱的淡蓝色火焰，生成一种无色有刺激性气味的气体	燃烧，发出明亮的蓝紫色火焰，放出热量，生成一种无色有刺激性气味的气体	硫 + 氧气 $\xrightarrow{\text{点燃}}$ 二氧化硫 S + O_2 $\xrightarrow{\text{点燃}}$ SO_2	硫的用量不要过多；盛有硫的燃烧匙要由上而下缓慢伸入到集气瓶中；实验前应在瓶底放少量水，用来吸收生成的有毒气体
红磷(暗红色固体)	黄白色火焰，伴随着放热和大量白烟	发出耀眼的白光，放出热量，产生大量白烟	磷 + 氧气 $\xrightarrow{\text{点燃}}$ 五氧化二磷 4P + 5O_2 $\xrightarrow{\text{点燃}}$ 2P_2O_5	此反应生成的是 P_2O_5 固体的小颗粒，现象应描述为白烟，而不是白雾(指小液滴)
铁(银白色固体)	灼烧至红热，离火后变冷，不易燃烧	剧烈燃烧，火星四射，放出大量的热，生成黑色固体	铁 + 氧气 $\xrightarrow{\text{点燃}}$ 四氧化三铁 3Fe + 2O_2 $\xrightarrow{\text{点燃}}$ Fe_3O_4	细铁丝应绕成螺旋状；在铁丝的末端系一根火柴以引燃铁丝；集气瓶中要预先留少量水或细沙，防止生成物溅落到瓶底使瓶底受热不均而炸裂

科学元典

糖尿病的病因　患糖尿病的人，尿液中含有葡萄糖。有人认为，这是因为吃糖多造成的。这种说法不太妥当，实际上是由于体内胰岛素分泌失调使糖代谢失常而引起的。正常人血液中的含糖量是有一定范围的，对血液中含糖量起维持与控制作用的是胰岛素。如果胰岛素分泌失调，就会引起血液中血糖升高。当每 100 mL 血液中的血糖升至 160 mg ～ 180 mg 时，即超过肾小管吸收糖分的能力时，尿液中的糖分增加，出现糖尿病的各种症状。

镁(银白色固体)	剧烈燃烧,发出耀眼的强白光,放出大量的热,生成白色固体	在氧气中比在空气中燃烧更剧烈	镁 + 氧气 $\xrightarrow{\text{点燃}}$ 氧化镁 $2Mg + O_2 \xrightarrow{\text{点燃}} 2MgO$	不能手持镁条,应用坩埚钳夹持
石蜡(白色固体)	黄白色光亮火焰,火焰分层,放出热量,稍有黑烟	燃烧,发出白光,放出热量,瓶壁上有水雾出现,还有能使澄清石灰水变浑浊的无色气体生成	石蜡 + 氧气 $\xrightarrow{\text{点燃}}$ 二氧化碳 + 水 无色气体生成	集气瓶要干燥,且用向上排空气法收集氧气

例2 (2010 湖南株洲,2,2 分)下列说法错误的是 ( )
A. 木炭在氧气中剧烈燃烧,生成黑色固体
B. 硫在空气中燃烧,生成有刺激性气味的气体
C. 铁丝在氧气中燃烧时,火星四射
D. 蜡烛燃烧的产物能使澄清石灰水变浑浊

答案 **A** 本题重点考查可燃物的燃烧现象,可采取列表、对比的方式记忆,准确记忆常见物质在空气和氧气中的燃烧现象是答题的关键。木炭燃烧生成无色能使澄清石灰水变浑浊的气体,不生成黑色固体,A错。

2. 氧气的用途
(1) 供给呼吸: 潜水、航天等。
(2) 支持燃烧: 气焊、气割、炼钢、火箭等。
例3 (2010 湖南长沙,5,3 分)下列关于氧气的说法中,错误的是 ( )
A. 氧气是空气的主要成分之一
B. 氧气可用于医疗急救
C. 燃料燃烧一般离不开氧气
D. 氧气可用于食品保鲜

答案 **D** 氧气的化学性质比较活泼,不能用于食品保鲜。

3. 氧气的制法
(1) 氧气的实验室制法

	过氧化氢制氧气	氯酸钾或高锰酸钾制氧气
药品	过氧化氢溶液(无色) 二氧化锰固体(黑色)	①氯酸钾(白色固体),二氧化锰(黑色固体) ②高锰酸钾(紫黑色固体)
原理	过氧化氢在二氧化锰的催化作用下,常温时能迅速分解制得氧气 过氧化氢 $\xrightarrow{\text{二氧化锰}}$ 水 + 氧气 $2H_2O_2 \xrightarrow{MnO_2} 2H_2O + O_2\uparrow$	①加热氯酸钾和二氧化锰的混合物能迅速分解制得氧气,二氧化锰是催化剂 氯酸钾 $\xrightarrow[\text{加热}]{\text{二氧化锰}}$ 氯化钾 + 氧气 $2KClO_3 \xrightarrow[\triangle]{MnO_2} 2KCl + 3O_2\uparrow$ ②加热高锰酸钾能迅速分解制得氧气 高锰酸钾 $\xrightarrow{\text{加热}}$ 锰酸钾 + 二氧化锰 + 氧气 $2KMnO_4 \xrightarrow{\triangle} K_2MnO_4 + MnO_2 + O_2\uparrow$

科学元典

油脂为什么容易酸败变质 油脂酸败是油脂发生腐败变质,原因是油脂在空气、水、阳光等作用下发生了化学变化,包括水解过程和不饱和脂肪酸的自动氧化过程。由于食用油脂含水量小于0.1%,微生物繁殖困难水解的程度不大,因此食用油脂发生酸败主要原因是不饱和脂肪酸的自动氧化。

发生装置	根据反应物的状态和反应条件选择发生装置	
	过氧化氢溶液是液体,二氧化锰是固体,反应条件是常温,为"固液常温型",发生装置常选用以下装置: 	加热氯酸钾、二氧化锰的混合物和加热高锰酸钾制氧气的反应物都是固体,条件都是加热,都为"固体加热型",发生装置如下:
收集方法	在常温常压下,凡不与空气中的氧气、氮气等成分反应的气体,均可用排空气法收集。相同状况下,密度比空气大的气体可用向上排空气法收集,密度比空气小的气体可用向下排空气法收集。若与空气的密度相近或有毒气体,一般不宜用排空气法收集。不溶于水且不与水反应的气体也可用排水法收集。故氧气既可用向上排空气法(氧气密度大于空气)收集,也可用排水法(氧气不易溶于水)收集,装置如下:   　排水法收集　　　　　　向上排空气法收集	
整体装置图	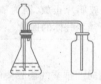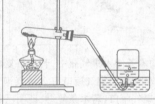	
操作步骤	①检查装置气密性; ②向试管或锥形瓶中先加入二氧化锰固体,再加入过氧化氢溶液; ③用排水法或向上排空气法收集。	①检查装置气密性; ②将药品平铺在试管底部,用带导管的单孔橡皮塞塞紧试管口(用高锰酸钾制取氧气,还要在管口放一小团棉花); ③将试管固定在铁架台上; ④点燃酒精灯,预热后加热试管; ⑤当导管口有连续均匀的气泡冒出时开始收集气体; ⑥收集完毕,先将导管移出水面; ⑦熄灭酒精灯。 加热高锰酸钾(或氯酸钾和二氧化锰的混合物)制氧气,用排水法收集,其操作步骤可概括为:"查"、"装"、"定""点"、"收"、"离"、"熄"7个字,可用谐音记忆为"茶庄定点收利息"。

注意事项	①伸入试管中的导管应刚刚露出橡皮塞即可,否则不利于气体的导出; ②用排水法收集氧气时,导管应刚伸入集气瓶口即可,过长不利于水的排出,气体不易收集满; ③用向上排空气法收集氧气时,导管要伸入集气瓶的底部,否则不利于空气的排出,收集的气体不纯; ④用长颈漏斗时,长颈漏斗末端应在液面以下,否则氧气会从长颈漏斗中逸出。	①药品要平铺在试管底部,均匀受热。 ②试管口要略向下倾斜,防止药品中湿存的水分或反应生成的水分受热后变成水蒸气,遇冷凝结成水倒流回试管底部,使试管炸裂。 ③铁架台的铁夹要夹在试管的中上部(或距离试管口1/3处)。 ④试管内的导管稍伸出橡皮塞即可,这样便于气体导出。 ⑤集气瓶充满水后倒放入水槽中(瓶口要在水面下)。 ⑥加热时要先使试管均匀受热,然后酒精灯外焰要对准药品所在部位加热。 ⑦用排水法收集气体时,应注意当气泡连续均匀冒出时再收集,否则收集的气体中混有空气,当集气瓶口有大量气泡冒出时,证明已集满。 ⑧停止加热时,应先把导管从水里撤出,再撤掉酒精灯。如果先熄灭酒精灯,试管内气体温度降低,压强减小,水槽中的水就会被倒吸入热的试管内,使试管炸裂。 ⑨用高锰酸钾制氧气时,试管口要放一小团棉花,防止加热时高锰酸钾小颗粒进入导管。 ⑩盛氧气的集气瓶应盖上玻璃片正放,因为氧气的密度大于空气的密度,正放可减少气体的逸散。
检验和验满	检验:将带火星的木条伸入集气瓶中,若木条复燃,说明是氧气。 验满:用排水法收集时,当集气瓶口有大量气泡冒出时,证明已收集满;用向上排空气法收集时,将带火星的木条伸到集气瓶口,若木条复燃,证明已收集满。	

例4 (2010 江西,5,2 分)下图是实验室中有关氧气制备、收集、验满、验证性质的操作,其中正确的是 ( )

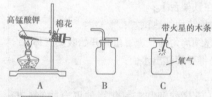

答案 A 用向上排空气法收集气体时应将导管伸入到集气瓶底部,否则不易排尽空气,B 错。验满时应将带火星的木条放在集气瓶口,不应伸入集气瓶中,C 错。做铁丝在氧气中燃烧的实验应预先在集气瓶底部留少量的水或铺一层细沙,防止炸裂集气瓶,D 错。

例5 (2010 北京,31,6 分)根据下图回答问题。

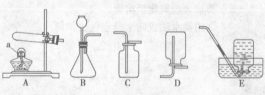

(1)实验仪器 a 的名称是 _____。

(2)实验室用高锰酸钾制取氧气的化学方程式为 _____,所选用的发生装置是 _____(填字母序号,下同)。

(3)实验室用过氧化氢溶液和二氧化锰制取氧气时,二氧化锰起 _____ 作用,所选用的收集装置是 _____ 或 E。

(4)用排空气法收集一瓶氧气,验满时将带火星的木条放在瓶口,若观察到 _____,说明瓶中已充

科学元典

　　为什么误食亚硝酸钠会中毒　人体中血红蛋白所含的铁是亚铁,它能跟氧结合随着血液循环,将氧输送到身体各部。当误食亚硝酸钠后,在血液中发生了化学反应,使含亚铁的血红蛋白转变成含三价铁的血红蛋白。含三价铁的血红蛋白不能携带氧,因此造成人体缺氧中毒。此外,亚硝酸钠还是致癌物质。因此,误食亚硝酸钠对身体健康的危害很大。

满氧气。

答案 (1)酒精灯

(2) $2KMnO_4 \xrightarrow{\triangle} K_2MnO_4 + MnO_2 + O_2\uparrow$　A

(3)催化　C

(4)木条复燃

解析 用高锰酸钾制取氧气为"固体加热型",故发生装置应选A。氧气的密度比空气大,故收集装置可选C。

(2) 氧气的工业制法

①分离液态空气法

原理:根据液态氮和液态氧的沸点不同,采用低温蒸发的方法得到氧气。

过程:空气 $\xrightarrow{\text{加压降温}}$ 液态空气 $\xrightarrow[-196℃]{\text{蒸发}}$ 氮气(剩余液态氧)

氮气沸点低,先蒸发出来,剩下的主要就是液态氧,加压贮存在漆成蓝色的钢瓶中。

②膜分离技术法

在一定压力下,让空气通过具有富集氧气功能的薄膜,可得到含氧量较高的富氧空气。利用这种膜进行多级分离,可以得到含90%以上氧气的富氧空气。

-------- 拓展知识 --------

知识① 臭氧

臭氧为氧气的同素异形体,化学式为 O_3。常温、常压下为有特殊臭味的淡蓝色气体。主要存在于距地球表面20公里的臭氧层中。具有比氧气还强的氧化性。它能吸收对人体有害的紫外线,有助于保护地球上的生物免受紫外线的伤害。人类使用的制冷剂"氟利昂"及超音速飞机的飞行会破坏臭氧层。

臭氧具有杀菌、消毒、保鲜、除臭、漂白、消炎、镇痛、造氧、净化空气、活化细胞以及促进新陈代谢等功能。可以将人体的泌尿系统、口腔卫生以及呼吸系统调整到最佳状态,所以臭氧在很多方面都具有很大的优势。在欧洲,臭氧水享有"万能药"的美誉。

臭氧水有极强的渗透力和氧化能力,对皮肤甚至毛细孔的油污及细菌、病菌有分解灭活功效。口腔是牙斑菌生长的温床,进而导致口腔疾病。如通入经处理的臭氧水,臭氧水可以渗入齿槽深处,对蛀

牙、口臭、牙痛等有奇特疗效。

例1 (2010重庆,2,2分)臭氧层是地球的保护伞,臭氧(O_3)属于　　　　　( )

A. 单质　　B. 化合物　　C. 氧化物　　D. 混合物

答案 A　臭氧是由氧元素组成的纯净物,故属于单质。

知识② 人类认识空气成分的发展史

1.17世纪中叶以前

人类对空气成分的认识是模糊的。

2.18世纪初

英国化学家普利斯特里、瑞典学者舍勒曾通过实验发现并制得氧气,但并没有正确认识氧气。

法国化学家拉瓦锡通过实验证明空气是由氧气和氮气构成的。

3.19世纪

英国物理学家雷利、英国化学家拉姆塞发现了氩;1868年法国天文学家严森发现了氦;1898年,拉姆塞又发现了氖、氪、氙;1900年德国物理学家道恩发现了氡。

知识③ 空气中氧气含量的探究实验的改进

1. 测定原理

红磷(白磷)在密闭的容器中燃烧,消耗氧气,生成白色固体五氧化二磷。密闭容器内压强减小,大气压将水压入密闭容器,通过测定进入容器中的水的量来测定氧气在空气中的体积分数。

2. 装置

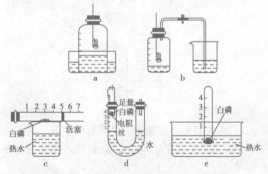

3. 实验现象

(1)红磷(白磷)燃烧,产生大量白烟。

(2)a中,水面上升约占钟罩内空气总体积的1/5;b中,进入集气瓶中水的体积约占集气瓶液面以上

容积的1/5；

c中，活塞左移至刻度4处；

d中，U形管左侧液面上升至刻度1处；

e中，试管中液面上升至刻度1处。

4. 结论

空气中氧气体积约占空气总体积的1/5。

5. 要明确测定的原理，针对不同的装置作有针对性的分析，同时也要学会对实验原理的迁移应用，在分析时还应注意：

①红磷必须过量。如果红磷的量不足，则不能将密闭容器内空气中的氧气完全反应掉，密闭容器内水面上升不到原气体体积的1/5，导致测得空气中氧气的体积分数偏小。

②实验装置的气密性要好。如果气密性不好，则外界的空气会进入密闭容器内，导致所测得的氧气体积偏小。

③不能用硫、木炭、铁丝等代替红磷。因为硫或木炭燃烧后产生的气体会弥补反应所消耗的氧气体积，导致测得的氧气体积不准确；而细铁丝在空气中难以燃烧，氧气的体积几乎不会变化，因此密闭容器内水面不上升。

④导气管要夹紧，燃烧匙放入集气瓶时要迅速，防止空气受热膨胀，从导气管或集气瓶口逸出，导致进入水的体积增多，使实验结果偏高。

例 (2010 浙江湖州,34,7分)某科学兴趣小组查阅资料得知镁可在氮气中燃烧生成 Mg_3N_2，设计了如下方案进行验证。

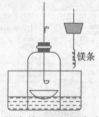

镁条

步骤1：用盛水的水槽、无底的废广口瓶、燃烧匙、蒸发皿、橡皮塞等装配成如上图所示的装置。另准备一个有一根铜丝穿过的橡皮塞，铜丝末端固定一根镁条。

步骤2：引燃燃烧匙中足量的红磷，塞好橡皮塞。待充分冷却，观察到广口瓶内水面上升的体积约占瓶内水面原上方空间的1/5左右。

步骤3：往水槽中加水使广口瓶内外水面相平。点燃

镁条，更换橡皮塞，镁条在广口瓶内继续燃烧，发出红光，放出热量。待冷却后广口瓶内水位继续上升。

(1)步骤2的目的是 _____ 。

(2)在步骤3"待冷却后广口瓶内水位继续上升"是由于瓶内气压 _____ （填"大于""小于"或"等于"）外界气压。

(3)根据上述实验和你所学的知识，请写出镁在空气中燃烧的化学方程式：_____ 。

答案 (1)除去广口瓶内空气中的氧气

(2)小于

(3) $2Mg + O_2 \xrightarrow{\text{点燃}} 2MgO$　　$3Mg + N_2 \xrightarrow{\text{点燃}} Mg_3N_2$

解析 空气中氧气含量测定的探究实验装置多种多样，但其原理一致：用红磷燃烧消耗密闭装置内的氧气，导致装置内压强变小，流入集气瓶内水的体积等于氧气的体积。在本题中，步骤2燃烧足量的红磷目的是除去集气瓶中的氧气。否则镁条会与氧气反应，$2Mg + O_2 \xrightarrow{\text{点燃}} 2MgO$。步骤3在没有氧气的集气瓶内点燃镁条，镁条能继续燃烧，说明镁条能与氮气反应：$3Mg + N_2 \xrightarrow{\text{点燃}} Mg_3N_2$。由于消耗了氮气，集气瓶内的压强会降低，小于外界大气压，使集气瓶内液面上升。

知识④ 稀有气体与电光源

氖和氩可用在霓虹灯里。霓虹灯是在细长的玻璃管里，充入稀薄的气体，电极装在管子的两端，放电时产生有色光。灯光的颜色跟灯管内填充气体种类和气压有关，跟玻璃管的颜色也有关(见下表)。

灯色	气体	玻璃管的颜色
大红	氖	无
深红	氖	淡红
金黄	氦	淡红
蓝	体积分数:氩80%、氖20%	淡蓝
绿	体积分数:氩80%、氖20%	淡黄
紫	体积分数:氩50%、氖50%	无

氩常用来填充普通的白炽电灯泡，灯丝在空气中加热会产生燃烧现象，因此必须抽掉灯泡中的空气，但空气抽出后，炽热的灯丝就容易蒸发。所以长时间使用的灯泡在玻璃内壁会附着一层黑色薄膜。

科学元典

饮料分为哪几类 饮料一般可分为含酒精饮料和无酒精饮料。无酒精饮料包括碳酸类饮料、果蔬汁饮料、功能饮料、茶类饮料、咖啡饮料。酒精饮料是指供人们饮用且乙醇(酒精)含量在0.5%(体积比)以上的饮料。包括各种发酵酒、蒸馏酒及配制酒。

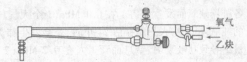

切割用的吹管

如果把一定数量的氩气或氩、氮混合气体充入灯泡里,就会增加灯泡内的气压,防止灯丝在炽热时蒸发,延长灯丝的寿命。

用氪来填充白炽灯,可以节能10%,氩和氮的混合气广泛用于填充荧光灯。

知识 5 几种气体的沸点、临界温度和临界压强

气体种类	沸点/℃ (101 kPa 时)	临界温度/℃	临界压强/MPa
空气	-193.0	-140.5	3.766
氧气	-182.9	-118.4	5.043
氮气	-195.8	-146.8	3.400

使空气液化,必须把空气冷却到临界温度下,还必须在一定的压强下。(1MPa = 1×10^6Pa)

知识 6 气焊和气割

乙炔,俗称电石气,是用碳化钙(CaC_2,俗称电石)跟水反应而产生的。乙炔在氧气里燃烧,放出大量的热(每摩尔乙炔燃烧时可放出 1 300 kJ 的热量),化学方程式如下:

$$2C_2H_2(g) + 5O_2(g) \xrightarrow{点燃} 4CO_2(g) + 2H_2O(l)$$

氧炔焰的温度可达 3 000℃以上,钢铁接触到氧炔焰很快就会熔化。利用这一性质,生产上用来焊接或切割金属,通常称作气焊和气割。

用作气焊的氧炔吹管如下图所示。控制氧气的量,可使乙炔燃烧不充分。这样,火焰中因含有乙炔不完全燃烧生成的一氧化碳和氢气而具有还原性,这种火焰使得焊接的金属件及焊条熔化时不至于被氧化而改变成分,焊缝也不致被氧化物沾污,以便金属焊条熔化后,填满缝隙,把两块金属熔接在一起。

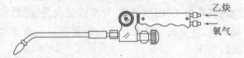

氧炔焊炬

气割就是利用氧炔焰加热时使用过量的氧气,吹掉熔化的金属和氧化物,在工作物上形成一条割缝,从而把金属割断。这里所说的过量的氧气是从附加的另外一根氧气导管里吹出的。用来切割金属的氧炔吹管的结构如下图所示,它比焊炬多一根氧气导管。

知识 7 液氧炸药

利用液氧容易蒸发(在 0℃,101 kPa 时,1 L 液氧可以变成 800 L 气态氧)及炭粉、木屑、棉花、烟煤粉等在氧气中可以瞬间烧尽,并产生高热和二氧化碳、水蒸气以及未尽的氧气等大量气态生成物的特性,将液氧跟以上易燃物粉末混合,制成液氧炸药。

通常是选用上述几种易燃物粉末混合均匀后,装入特制的厚纸袋(或廉价的纤维织品袋)中,或直接把它们加压成块,然后放在特制的双层缶里(夹层里放的是不易传热的填充物),再往其中注入液氧,此时吸收剂温度迅速降低,以致它的空隙间原有空气强烈收缩,因而吸入液氧,直到吸收剂被液氧浸透即可应用。

使用时先用特制铁钳或钩子把做好的炸药筒(或块)取出来、嵌入雷管。依次把炸药放在事先打好的每个洞穴里,操作人员迅速离开后,接通电路,电信管同时引火而发生强烈的爆炸。

液氧炸药的优点在于原料来源广、价钱便宜(制 1 kg 液氧炸药需用约 1.5~2.5 kg 液氧,大约耗电 4 kW·h)、可就地取材、节省运输、现用现制。

制好的液氧炸药,一般在 15~20 min 内液氧就蒸发而使炸药失效,给工作带来不便,但它也有有利的一面,就是其中万一出现有未爆炸的炸药筒,也会在短时间内由于液氧蒸发而失去了爆炸能力,不再有什么危险,不像一般硝铵或黑火药,只要点火后未爆炸就时刻保留着它的危险性。

液氧炸药广泛用于露天爆破工程,但不宜用于有坑气或煤粉尘的矿井。

知识 8 过度吸氧的副作用

早在 19 世纪中叶,英国科学家保尔·伯特首先发现,如果让动物和人过度呼吸纯氧就会引起中毒。人如果在大于 0.05 MPa(半个大气压)的纯氧环境中,对所有的细胞都有毒害作用,吸入时间过长,就可能发生"氧中毒"。肺部毛细管屏障被破坏,导致肺水肿、肺淤血和出血,严重影响呼吸功能,进而使

各脏器缺氧而发生损害。在 0.1 MPa(1 个大气压)的纯氧环境中,人只能存活 24 小时,就会发生肺炎,最终导致呼吸衰竭、窒息而死。人在 0.2 MPa(2 个大气压)高压纯氧环境中,最多可停留 1.5 小时~2 小时,否则会引起脑中毒,生命节奏紊乱,精神错乱,记忆丧失。如加入 0.3 MPa(3 个大气压)甚至更高的氧,人会在数分钟内发生脑细胞变性坏死,抽搐昏迷,导致死亡。

知识⑨ 氧气钢瓶

钢瓶的一般工作压力都在 150 kg/cm² 左右。按国家标准规定,钢瓶涂成各种颜色以示区别,例如:氧气钢瓶为天蓝色、黑字;氮气钢瓶为黑色、黄字;压缩空气钢瓶为黑色、白字;氯气钢瓶为草绿色、白字;氢气钢瓶为深绿色、红字;氨气钢瓶为黄色、黑字;石油液化气钢瓶为灰色、红字;乙炔钢瓶为白色、红字等等。

氧气钢瓶运输和储存期间不得暴晒,不能与易燃气体钢瓶混装、并放。瓶嘴、减压阀均不得有油污,否则高压氧喷出后会引起自燃!

知识⑩ 便携式制氧器

便携式制氧器其实为简易氧气发生器,一般通过化学反应生成氧气。通常用的制氧剂为过碳酸钠($2Na_2CO_3 \cdot 3H_2O_2$),使用时,将过碳酸钠、催化剂(一般为二氧化锰)和水同时放入密闭的反应仓内。过碳酸钠先分解成碳酸钠(Na_2CO_3)和过氧化氢(H_2O_2),H_2O_2 再在二氧化锰的催化下分解生成水和氧气。

知识⑪ 大气的自净作用

进入大气的污染物,或是向广阔的空间扩散,或是受重力作用,较重粒子沉于地面,或是雨水洗涤等从而使空气净化。

🎯 方法清单

方法① 物质在氧气中燃烧实验的技巧

1. 木炭在氧气中燃烧

夹木炭的坩埚钳由上而下慢慢伸入集气瓶中,如果快速伸入集气瓶底部,瓶中上部的氧气会被热的气体赶出,导致实验现象不明显。

2. 硫在氧气中燃烧

硫的用量不能过多,在集气瓶底留少许水或氢氧化钠溶液,防止对空气造成污染,实验时应在通风橱中进行。

3. 细铁丝在氧气中燃烧

细铁丝要绕成螺旋状,铁丝下端系一根火柴,当火柴快燃烧完时伸入集气瓶中,要使铁丝在集气瓶中央,不要接触集气瓶壁,集气瓶底部预先装少量水或铺一层细沙。

4. 石蜡在氧气中燃烧

应用向上排空气法收集氧气,盛氧气的集气瓶要干燥,否则观察不到水雾。

5. 铝在氧气中燃烧

将铝箔的一端固定在坩埚钳或燃烧匙上,另一端系一根火柴,当火柴快要燃烧完时伸入集气瓶中,集气瓶底预先留少量水。

例 (2010 山东临沂,12,2 分)做"硫在氧气里燃烧"的实验时,要在集气瓶底预先加入少量的水,其目的是_____。

请写出硫与氧气发生反应的化学方程式_____。

答案 吸收 SO_2,防止污染空气 $S + O_2 \xrightarrow{\text{点燃}} SO_2$

解析 硫燃烧生成 SO_2:$S + O_2 \xrightarrow{\text{点燃}} SO_2$,做"硫在氧气里燃烧"的实验时,集气瓶底部加少量水用来吸收 SO_2,防止污染空气。

方法② 描述物质在氧气中燃烧现象的技巧

描述物质在氧气中的燃烧现象可按以下顺序从三个方面进行:(1)剧烈燃烧,有什么颜色的光、火焰;(2)放热;(3)生成物的特征。如,碳在氧气中燃烧的现象为:①剧烈燃烧,发出耀眼白光,②放出大量的热,③生成一种无色无味能使澄清石灰水变浑浊的气体。

例 (2010 江苏盐城,8,2 分)下列有关实验现象的描述正确的是 ( )

A. 硫在氧气中燃烧产生淡蓝色的火焰

B. 磷在空气中燃烧产生白色烟雾

C. 氢气在空气中燃烧产生黄色火焰

D. 硫酸铜溶液滴入氢氧化钠溶液中产生蓝色絮状沉淀

科学元典

饮茶的忌与宜 饮茶要适量,且要根据个人身体状况而定。喝茶过浓过多,会降低食欲,引起便秘。一般健康的成年人,平时又有饮茶习惯的,一日饮茶 12 克左右,分 3~4 次冲泡。对于体力劳动量大、消耗多的人,尤其是高温环境、接触毒害物质较多的人,一日饮茶 20 克左右也是适宜的。有失眠症的人,下午特别是晚上不要喝茶。身体虚弱之人不宜多喝茶。另外,吃药后一小时内不要饮茶,因为茶叶的化学成分能和某些药力,特别是吃治贫血病的药一定不要喝茶。

答案 **D**　硫在氧气中燃烧产生蓝紫色火焰，A错；磷在空气中燃烧产生大量白烟，不是白色烟雾，B错；氢气在空气中燃烧产生淡蓝色火焰，C错。

方法3 **氧气参加反应的对比实验设计方法**

1. 探究氧气与其他物质反应条件的对比实验
   (1)温度对比实验。用温度对比实验探究物质的着火点。如木炭和煤的着火点不同。
   (2)浓度对比实验。用浓度对比实验探究可燃物能否与氧气发生反应或反应的现象不同。如红热的铁不能在空气中燃烧，但能在氧气中燃烧。硫在空气中燃烧呈淡蓝色火焰，在氧气中燃烧呈蓝紫色火焰。

2. 金属生锈条件的对比实验
   氧气与铁接触不会生锈，氧气、铁、水接触铁才能生锈。铜、氧气、水和二氧化碳接触铜才能生锈。金属的生锈条件探究都是通过对比实验完成的。

方法4 **反应生成氧气速率的对比实验设计方法**

1. 催化剂对制取氧气速率影响的对比实验
   (1)有无催化剂的对比实验。如氯酸钾加入和不加入二氧化锰的对比实验。
   (2)不同催化剂对过氧化氢分解的对比实验。如可设计对比实验探究 MnO_2、CuO、Fe_2O_3 等对过氧化氢的分解速率的影响。

2. 浓度对制取氧气速率影响的对比实验
   如取不同浓度的过氧化氢溶液，加入同质量的 MnO_2 观察 H_2O_2 分解的速率。

   在设计对比实验时，必须使用控制变量法。每次对比实验只能研究一个变量，其他的变量应该控制在相同的状态。如设计对比实验研究 MnO_2 和 CuO 哪种物质对 H_2O_2 分解速率影响大，那么容器中的过氧化氢的浓度应相同。相反研究浓度对反应速率的影响，必须使用同种、同量的催化剂，温度、压强也应该相同。

例　(2010 江西南昌,19,4分)以下是某研究小组探究影响反应速率部分因素的相关数据：

实验序号	过氧化氢溶液浓度/%	过氧化氢溶液体积/mL	温度/℃	二氧化锰的用量/g	收集氧气的体积/mL	反应所需时间/s
①	5	1	20	0.1	4	16.75
②	15	1	20	0.1	4	6.04
③	30	5	35		2	49.21
④	30	5	55		2	10.76

(1)通过实验①和②对比可知，化学反应速率与＿＿有关；对比实验③和④可知，化学反应速率与温度的关系是：＿＿＿＿；

(2)化学反应的实质是微观粒子相互接触、碰撞的结果，化学反应速率与微观粒子的接触碰撞的概率有关。试从微观角度解释"反应物浓度越大，化学反应速率越快"的原因是＿＿＿＿；

(3)用一定量的15%的过氧化氢溶液制氧气，为了减小反应速率，可加适量的水稀释，产生氧气的总质量＿＿＿＿（选填"减小"或"不变"或"增大"）。

答案　(1)反应物浓度(或浓度)　温度越高，化学反应速率越快

(2)反应物浓度越大，单位体积的反应物中含有的粒子数越多，粒子间相互接触碰撞的概率增大，化学反应速率加快

(3)不变

解析　(1)从表中可看出，对比①、②发现，浓度不同，反应所需的时间不同，从而说明反应速率与浓度有关。对比③、④发现，浓度相同的条件下，温度不同，反应所需时间也不同，说明反应速率与温度有关，且温度越高反应速率越快。

(2)反应物的浓度越大，粒子间接触的机会越大，反应速率越快。

(3)用过氧化氢制氧气，加水稀释后溶质质量不变，因而生成氧气的质量不变。

科学元典

　　哪些人不宜饮茶　儿童：茶叶中含大量鞣酸，它能与人体中的钙、铁、锌等结合成不溶性物质，不利于儿童对这些物质的吸收，并妨碍胃肠道对蛋白质和脂肪的吸收。孕妇、产妇：茶叶中的鞣酸影响孕妇对铁的吸收，导致贫血或营养不良。茶叶中某些物质会导致母乳减少。便秘者：鞣酸和咖啡碱等物质，能减少胃肠道消化液的分泌。胃溃疡病人：因为茶叶中的茶碱会刺激胃壁细胞，使胃酸分泌过多，而影响溃疡的愈合，从而加重病情。

专题 3　水、溶液

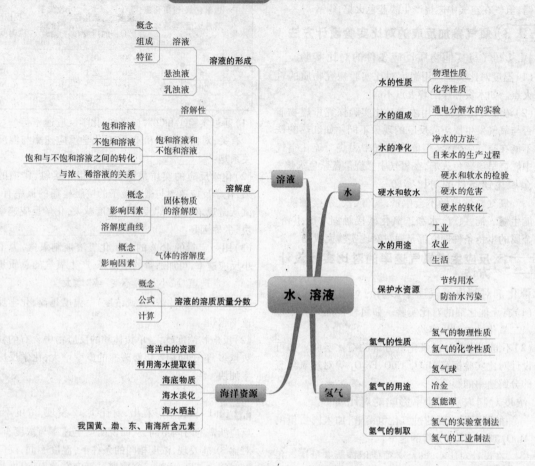

知识清单

基础知识

知识 1　水

1. 水的性质

(1) 水的物理性质

　　纯净的水是无色无味的透明液体,在压强为 101 kPa 时,水的凝固点为 0℃,沸点为 100℃,在 4℃ 时密度最大,为 1 g·cm⁻³(其他温度时水的密度小于 1 g·cm⁻³,但在计算时,一般取值为 1 g·cm⁻³,这一数值应熟记)。水结冰时体积膨胀,所以冰的密度比水小,能浮在水面上。

特别提醒

　　天然水一般不是纯水,蒸馏水一般为纯净的水。海水、江河的水、地下水、池塘里的水都是溶解了矿物质的溶液。自来水也不是纯水。

(2) 水的化学性质

①水在通电条件下能分解

$$2H_2O \xrightarrow{\text{通电}} 2H_2\uparrow + O_2\uparrow$$

②水与某些非金属氧化物反应生成酸

$$H_2O + CO_2 == H_2CO_3$$
$$H_2O + SO_2 == H_2SO_3$$
$$H_2O + SO_3 == H_2SO_4$$

③水与某些金属氧化物反应生成碱

$$H_2O + CaO == Ca(OH)_2$$

科学元典

喝矿泉水有什么好处　矿泉水是从地下深处自然涌出的、未受污染的地下水,由于地下水流经了含有不同组分的岩层,经溶滤作用、阴阳离子交换吸附等一系列物理、化学作用,使岩石中的微量和常量组分进入了地下水,富集到一定程度而形成各种不同类型的矿泉水。矿泉水含有一定量的矿物盐、微量元素或二氧化碳气体。矿泉水中所含人体必需的微量元素和矿物质也最接近人体,所起作用不亚于维生素,它的作用要比我们认识到的大得多。

$$H_2O + Na_2O =\!=\!= 2NaOH$$

$$H_2O + K_2O =\!=\!= 2KOH$$

④水与某些非金属单质反应

$$H_2O(g) + C \xrightarrow{\text{高温}} H_2 + CO$$

$$4H_2O(g) + 3Fe \xrightarrow{\text{高温}} Fe_3O_4 + 4H_2$$

⑤水与活泼的金属反应

$$2H_2O + 2Na =\!=\!= 2NaOH + H_2\uparrow$$

$$2H_2O + 2K =\!=\!= 2KOH + H_2\uparrow$$

⑥植物以水和二氧化碳为原料进行光合作用

$$CO_2 + H_2O \xrightarrow[\text{叶绿体}]{\text{光}} \text{有机物} + O_2$$

⑦水能参与金属的锈蚀反应,如铁生锈、铜生锈的过程中均有水参加反应。

例1 (2010 江苏南京,25,11 分)我们生活在"水球"上,地球表面的 70.8% 被水覆盖。

(1)海水晒盐是借助日光和风力使海水中的_____(写化学式)蒸发,得到含有较多杂质的_____(写化学式)晶体。

(2)降雨是自然界中水循环的一个环节。_____气体或这些气体在空气中反应后的生成物溶于雨水,会形成酸雨。A、B、C 三个地区雨水的 pH 如上图所示,其中_____地区的雨水是酸雨。

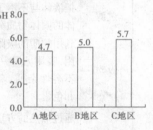

(3)请按要求写出初中化学教材中水作为反应物的化学方程式(两个化合反应中生成物的类别必须不同)。

①分解反应:_____。

②化合反应:_____。

③化合反应:_____。

(4)下表提供了在一定条件下,水能否与一些金属发生反应的信息。

①请根据金属活动性顺序和表中的已知信息,将表格填写完整。

物质	钠与冷水	镁与冷水	镁与水蒸气	铁与冷水	铁与水蒸气
能否发生反应	剧烈反应	缓慢反应		不反应	高温条件下能反应

②已知铁与水蒸气在高温条件下反应生成四氧化三铁和氢气,该反应的化学方程式为_____

③铁虽然常温下与水不反应,但铁制品在潮湿的环境中容易生锈。某同学进行了如上图所示实验,一周以后发现铁钉表面锈蚀。图中 a、b、c 三处锈蚀情况最严重的是_____(填字母),产生该现象的原因是_____
_____。

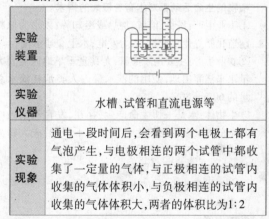
蒸馏水

答案 (1)H_2O　$NaCl$

(2)SO_2、NO_2 等　A、B

(3)①$2H_2O \xrightarrow{\text{通电}} 2H_2\uparrow + O_2\uparrow$

②$CO_2 + H_2O =\!=\!= H_2CO_3$

③$CaO + H_2O =\!=\!= Ca(OH)_2$

(②③答案可互换,且合理答案均可)

(4)①能反应

②$3Fe + 4H_2O(g) \xrightarrow{\text{高温}} Fe_3O_4 + 4H_2$["(g)"可不写]

③b　b 处铁钉与水、空气同时充分接触(合理叙述均可)

解析 (2)形成酸雨的常见气体包括 SO_2、NO_2 两种,酸雨是指 pH < 5.6 的雨水,故 A、B 地区的雨水均为酸雨。(4)铁生锈的条件是同时与 H_2O 和空气接触,而图中 a 处铁只接触空气,c 处铁只接触水,所以都不容易生锈。

2. 水的组成

(1)水的组成和化学式是通过实验测定的。

(2)电解水的实验:

实验装置	
实验仪器	水槽、试管和直流电源等
实验现象	通电一段时间后,会看到两个电极上都有气泡产生,与电极相连的两个试管中都收集了一定量的气体,与正极相连的试管内收集的气体体积小,与负极相连的试管内收集的气体体积大,两者的体积比为1:2

科学元典

怎样自制汽水　用柠檬酸、小苏打、食盐、白糖、果汁、冷开水自制汽水的过程:(1)取干净的塑料可乐瓶一个,依次加入适量的白糖、食盐、果汁、1.5 克小苏打、冷开水(不要将瓶子装得太满)和 1.5 克柠檬酸后,立即将瓶盖旋上,以防汽水冲出。(2)轻轻摇动可乐瓶,瓶中产生大量气泡。由于瓶盖旋得很紧,产生的气体无法逸出。15 分钟后,自制的汽水即可饮用。

气体检验	正极产生的气体能使带火星的木条复燃，是氧气；负极产生的气体能被点燃而产生淡蓝色火焰（或有轻微的爆鸣声），是氢气
表达式	水 $\xrightarrow{\text{通电}}$ 氢气 + 氧气 $2H_2O \xrightarrow{\text{通电}} 2H_2\uparrow + O_2\uparrow$
结论	①水在直流电的作用下分解生成氢气和氧气 ②水是由氢元素和氧元素组成的
注意	①在电解过程中向水中加入少量硫酸或氢氧化钠能增强水的导电性 ②电解过程中得到 $V(H_2):V(O_2) > 2:1$，其原因是氢气比氧气难溶于水

例2 （2010 江苏苏州,29,2 分）利用水电解器电解稀氢氧化钠溶液一段时间后，观察到的现象不合理的是 （ ）

A. 阳极玻璃管内产生的气体使带火星的木条复燃

B. 阳极玻璃管与阴极玻璃管内产生的气体体积比约为2:1

C. 阴极玻璃管内产生的气体被点燃时发出"噗"声

D. 向电解后的残留溶液中滴加石蕊试液呈蓝色

答案 **B** 电解水实验中阴极产生氢气,阳极产生氧气,阳极产生气体的体积与阴极产生气体的体积比为1:2。

3. 水的用途

(1)水的应用非常广泛,不论是工农业生产,还是动植物的生命活动都对水有着极大的需求。

①工业生产：洗涤、溶解、加热或冷却等；以水为原料制造化肥等化工产品；水力发电；水上交通运输。

②农业生产：主要用于灌溉,尤其是干旱地区需要大量水来浇灌田地,使用的淡水量占人类消耗淡水总量的 60% ~80% 。

③生物体：水是一切生命产生、存在、发育和繁殖的基本前提。动植物的生命活动离不开水,成人每天平均需要补充2.5升左右的水。

(2)水在实验室里的用途

①溶解物质配成溶液(水为常用的溶剂)。

②洗涤仪器。

③用作试剂。

④用排水法收集气体。

4. 水的净化

(1) 纯水与天然水

纯水：无色、无味、清澈透明,属 氧化物,也是 化合物、纯净物；

天然水：自然界中的水,如河水、湖水、井水、海水等,含有许多可溶性或不溶性杂质,常呈浑浊状态,属于 混合物。

(2)四种净化水的方法、原理及作用(物理方法)

水的净化方法主要有四种：静置沉淀、过滤、吸附、蒸馏。这四种方法中净水程度由低到高的顺序是：静置沉淀、过滤、吸附、蒸馏。其净水的原理和作用如下表：

净化水的方法	原理	作用
静置沉淀	使不溶性的杂质沉降下来并与水分层	使不溶性大颗粒沉降或加入明矾,形成的胶状物吸附杂质沉降
过滤	把液体与不溶于液体的固体物质分离	除去不溶性杂质
吸附	利用物质的吸附作用,吸附水中一些不溶性杂质、臭味和色素	除去可溶性杂质、部分不溶性杂质、臭味和色素
蒸馏	通过加热的方法使水变成水蒸气后冷凝成水	除去可溶性杂质,使硬水软化

(3)水中含有的细菌、病毒可使用杀毒剂通过化学方法除去。

(4)自来水厂净化水的过程图及步骤

1)净化过程图

2)自来水净化步骤

①从水库中取水。

②加絮凝剂(主要是 明矾),使悬浮的小颗粒状杂质被 吸附凝聚。

科学元典

果汁有什么营养价值 果汁是用新鲜或冷藏水果,经过榨取等加工手段制成的产品。分为果汁饮料和纯果汁(又叫原果汁)。果汁饮料里有相当多的水,能补充身体因运动或其他生命活动所消耗掉的水分及其一部分糖、矿物质,对维持体内的水液电解质平衡有一定效果。果汁中含许多天然营养素,能增强免疫力、延缓衰老。饮用果汁能够使消化系统、泌尿系统及呼吸道患癌症的危险降低一半,同时还能有效防止动脉硬化、高血脂及冠心病等心血管疾病。

③在<u>反应沉淀池</u>中沉降分离,使水澄清。

④将沉淀池中流出的较澄清的水通入<u>过滤池</u>中,进一步除去不溶性杂质。

⑤再将水引入<u>活性炭吸附池</u>,除去水中的臭味和残留的颗粒较小的不溶性杂质。

⑥<u>杀菌消毒</u>(常用通入氯气的办法),它是一个化学变化过程,因为除去病菌的过程,就是把病菌变成其他物质的过程。

⑦杀菌后的水就是洁净、可以饮用的自来水,通过配水泵供给用户,但水中仍然含有可以溶于水的一些杂质,所以还是<u>混合物</u>。

例3 (2010山东烟台,23,7分)去年冬季至今年春天,我国西南地区遭遇大范围持续干旱。全国人民团结一致,共同抗旱。

(1)有些村庄打深井取用地下水。检验地下水是硬水还是软水,可用的物质是_____,测定地下水的酸碱度可用_____。

(2)有些村民取浑浊的坑水作生活用水。有同学利用所学的知识将浑浊的坑水用下图所示的简易净水器进行净化,其中小卵石、石英砂的作用是_____。如果将石英砂与小卵石的位置颠倒是否可以,为什么?_____。

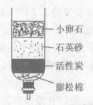

小卵石
石英砂
活性炭
膨松棉

(3)如果地下水硬度大,或者坑水中病原微生物过多,都可以采取_____的方法,来降低硬度和杀灭病原微生物。

(4)许多地方以液氮或干冰作增雨剂实施大面积人工降雨。液氮或干冰增雨的原理是_____。

(5)身处旱区之外的我们能做些什么?_____。(举一做法)

答案 (1)肥皂水 pH试纸(或pH计)
(2)过滤 不可以,降低净水效率(或过滤速度减慢等)
(3)加热煮沸
(4)它们在云层中变成气态时(或液氮汽化、干冰升华时)吸收大量的热,使云层中水蒸气凝结成小雨滴而降落
(5)节约用水(或为灾区捐款、捐水等其他合理答案也可)

解析 硬水和软水可用肥皂水来检验;水的酸碱度可用pH试纸(或pH计)来测定;杀菌消毒或降低水的硬度都可以采用加热煮沸的方法;简易净水器中小卵石、石英砂主要是起过滤作用,二者位置颠倒会降低净水效率,减慢过滤的速度;液氮汽化、干冰升华时都会吸收大量的热,使水蒸气凝结成液态的水而降落;日常生活中我们应该节约用水。

5. 硬水和软水

(1)硬水、软水的概念

①硬水——含有较多可溶性钙、镁化合物的水,叫做硬水。

软水——不含或含有较少可溶性钙、镁化合物的水,叫做软水。

②水的硬度:水的硬度常用一种规定的标准来衡量,这个标准是:把1L水里含10 mg CaO(或相当于10 mg CaO)称为1度(以1°表示)。

③天然水中的钙、镁化合物及其来源:天然水长期与空气、岩石和土壤等接触,水中溶解有很多溶质。有的天然水含碳酸氢钙[$Ca(HCO_3)_2$]和碳酸氢镁[$Mg(HCO_3)_2$]比较多,有的含硫酸钙($CaSO_4$)、氯化钙($CaCl_2$)、硫酸镁($MgSO_4$)或氯化镁($MgCl_2$)较多,这些钙盐、镁盐就是天然水中钙、镁化合物的来源。

(2)硬水和软水的检验

①用肥皂水来检验硬水和软水。把肥皂水滴在水里搅拌,产生泡沫多的是软水,产生泡沫少或不产生泡沫的是硬水。

②用加热煮沸的方法来检验硬水和软水。水加热煮沸时,有较多沉淀产生的是硬水,不产生沉淀或产生的沉淀较少的是软水。原因(用化学方程式表示)为:

$$Ca(HCO_3)_2 \xrightarrow{\Delta} CaCO_3\downarrow + CO_2\uparrow + H_2O$$

科学元典

过量饮用碳酸型饮料有什么危害 健力宝、可口可乐等碳酸型饮料深受大家喜爱。但健康专家提醒,喝碳酸饮料要讲个"度"。过量地喝碳酸饮料,可能会改变人体的钙、磷比例。研究人员发现,与不过量饮用碳酸饮料的人相比,过量饮用的人发生骨折的危险会增加3倍;而在体力活动剧烈的同时,再过量地饮用碳酸饮料,其发生骨折的危险也可能增加到5倍。

$$Mg(HCO_3)_2 \xrightarrow{\triangle} MgCO_3\downarrow + CO_2\uparrow + H_2O$$

(3)硬水的软化

硬水的软化就是设法除去硬水中的钙、镁化合物。

(4)硬水软化的方法

生活中常用煮沸法,工业上常用离子交换法和药剂软化法,实验室常用蒸馏法。蒸馏水是净化程度较高的水,蒸馏时应注意以下几点:

①蒸馏烧瓶里液体不能超过其容积的1/3。

②加热前,应在烧瓶中放几粒沸石(或碎瓷片)。

③装置的气密性要好。

④水银温度计的水银球应放在蒸馏烧瓶的支管口附近。

(5)使用硬水造成的危害

饮用水中含有微量的钙、镁成分,对人体健康是有益的。但是,水中含太多的钙、镁成分,对生活和生产都有危害。

①用硬水洗涤,不仅浪费肥皂,而且会在织物上积有肥皂跟钙、镁反应后生成的沉淀,不容易洗干净,还会使纤维变脆、易断。肥皂的有效成分是高级脂肪酸钠,能与可溶性钙、镁盐反应,生成高级脂肪酸钙和高级脂肪酸镁,这两种生成物均难溶于水。

②硬水有苦涩味,长期饮用硬水会使人的胃肠功能紊乱,出现不同程度的腹胀、腹泻和腹痛。

③锅炉用水硬度太大,会产生水垢,这会大大降低锅炉的导热能力,造成燃料的浪费。另外,当水垢爆裂脱落时,造成炉壁局部受热不均,易引起锅炉爆炸。

例4 (2010湖南娄底,23,6分)水是人及一切生物生存所必需的,为了人类和社会经济的可持续发展,我们应该了解一些有关水的知识。请你回答:

(1)天然水中含有许多杂质,可利用吸附、沉淀、过滤和蒸馏等方法净化,其中净化程度最高的方法是_____。

(2)硬水给生活和生产带来很多麻烦,生活中可用_____来区分硬水和软水,常用_____的方法来降低水的硬度。

(3)右图是电解水实验装置图。请写出水在通电条件下反应的化学方程式_____。

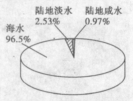

(4)地球上的总储水量虽然很大,但

淡水很少,爱护水资源是每个公民的责任和义务。下列行为属于节约用水的是_____(填序号)

A. 公共场所不用随手关水龙头

B. 洗完菜的水用来浇花

C. 不间断放水刷牙

答案 (1)蒸馏 (2)肥皂水 煮沸(或蒸馏)

(3) $2H_2O \xrightarrow{\text{通电}} 2H_2\uparrow + O_2\uparrow$ (4)B

解析 常用的几种净化水方法净化程度最高的是蒸馏。硬水是指含可溶性的钙、镁化合物较多的水,一般可用肥皂水来区分硬水和软水,加入肥皂水搅拌后泡沫丰富的是软水,不产生泡沫或泡沫很少的是硬水。在生活中通常用煮沸的方法来软化水。

电解水的方程式为 $2H_2O \xrightarrow{\text{通电}} 2H_2\uparrow + O_2\uparrow$。

6.水资源概况

(1)世界水资源状况

全球海水、陆地水储量比

①水在地球上分布很广,地球上的海洋水、湖泊水、河流水、地下水、大气水和生物水等各种形态的水总储量约为 $1.39\times 10^{18}\ m^3$,地球表面的71%被水覆盖。其中海洋水约占全球总储水量的96.5%。

②地球上的总储水量虽然很大,但淡水很少。淡水只约占全球总储水量的2.53%,其中大部分还分布在两极和高山的冰雪及永久冻土层中,难以利用,可以利用的淡水量还不到总储量的1%。

③海洋不但是水资源的宝库,而且蕴藏着丰富的化学资源。海水中含有80多种化学元素,随着陆地资源的消耗,海洋资源的开发也显得日益重要。

(2)我国的水资源状况

我国水资源总量约为 $2.8\times 10^{12}\ m^3$,居世界第六位,但人均水量只有2 300 m^3,约为世界人均水量的四分之一,许多地区已出现因水资源短缺影响人民生活、制约经济发展的局面。水资源分布也不均。

科学元典

为什么说酗酒有害 酗酒容易导致酒精性脂肪肝、酒精性肝炎,甚至酒精性肝硬化。酒精对食管和胃的黏膜损害很大,会引起黏膜充血、肿胀和糜烂,导致食管炎、胃炎、溃疡病。研究表明,平均每天饮白酒160克,有75%的人在15年内会出现严重的肝脏损害,还会诱发急性胆囊炎和急性胰腺炎。当血液中的酒精浓度达到0.1%时,会使人感情冲动;达到0.2%~0.3%时,会人行为失常;长期酗酒,会导致酒精中毒性精神病。

(3) 我国各地区人均水量

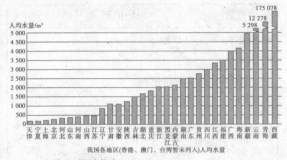

我国各地区(香港、澳门、台湾暂未列入)人均水量

(4) 水资源紧缺指标

紧缺性	人均水量/$(m^3 \cdot \alpha^{-1})$ (α, 年的符号)	主要问题
轻度缺水	1 700 ~ 3 000	局部地区、个别时段出现水问题
中度缺水	1 000 ~ 1 700	将出现周期性和规律性用水紧张
重度缺水	500 ~ 1 000	将经受持续性缺水，经济发展受到制约，人体健康受到影响
极度缺水	<500	将经受极其严重的缺水

7. 保护水资源

爱护水资源

①节约用水，提高水的利用率

节约用水，一方面要防止浪费水，另一方面要通过使用新技术，改革工艺和改变习惯来减少大量工农业和生活用水的浪费，提高水的利用率。

a. 农业上改变灌溉方式，废弃大水漫灌、自流灌溉，改为喷灌、滴灌；改变作物品种，种植耐旱、耗水量少的作物。

b. 工业上重复使用、循环使用。

②开发资源：如海水淡化工程。

例5 (2010浙江义乌,11,3分) 今年春季，我国西南地区发生了百年一遇的特大旱灾，国家投入大量人力物力来保障灾区人民的基本生活用水。下列关于水的认识正确的是 ( )

A. 水是良好的溶剂，许多物质都能溶于水

B. 通过电解水实验，可知水是由氢和氧气组成的

C. 为了节约用水，提倡用工业废水直接灌溉农田

D. 用沉淀法、过滤法和蒸馏法净化水，效果最好的是过滤法

答案 A 电解水的实验结论是水是由氢元素和氧元素组成的，B说法错误。由于工业废水不经处理可能含有许多有毒的化学物质或者显强酸性、强碱性，因而不能直接灌溉农田，C不正确。净水的几种方法中应是蒸馏净化程度最高，D不正确。

知识② 氢气(H_2)

1. 氢气的物理性质

在通常状况下，氢气是一种无色、无味的气体。氢气难溶于水。氢气是所有气体中密度最小的一种气体，标准状况下，氢气的密度是0.089 9克/升。在101 kPa压强下，温度为 -252.87℃时，氢气可转变为无色的液体；-259.1℃时变为雪状固体。

2. 氢气的化学性质

(1) 氢气的可燃性

①纯净的氢气在空气中可以安静地燃烧，产生淡蓝色火焰，罩在火焰上方的干冷烧杯壁上有水雾出现，接触烧杯的手感到发烫，说明生成水，并放出大量热。反应的化学方程式为 $2H_2 + O_2 \xrightarrow{点燃} 2H_2O$。

②不纯的氢气(混有空气或氧气)点燃时极易爆炸，因此使用氢气时一定要注意安全，点燃前一定要先检验氢气的纯度。

特别提醒

①氢气的爆炸极限

当空气中混入氢气的体积达到总体积的4% ~74.2%，点燃时就会发生爆炸，在这个范围以外，就不会爆炸，因此这个范围被称为氢气的爆炸极限。所以，在点燃氢气前，一定要检验氢气的纯度。

②检验氢气纯度的方法

用排水法收集一试管氢气，如右图，用拇指堵住试管口，管口向下倾斜移近火焰，移开拇指点火，如果听到尖锐的爆鸣声，表示氢气不纯，需要再收集，再检验，直到听到轻微的"噗"声，才表示氢气已纯净。注意：必须听到轻微的"噗"声，才能说明氢气纯度比较高。刚开始收集的气体，大多是发生器里的空气，检验时不会发出声响，把这样的气体当成

科学元典

人造纤维和合成纤维的区别是什么？ 化学纤维分为人造纤维和合成纤维两种，人造纤维是用木材、草类的纤维经化学加工制成的粘胶纤维；合成纤维是利用石油、天然气、煤和农副产品作原料制成的合成纤维。人造纤维分为人造丝、人造棉和人造毛三种。重要品种有粘胶纤维、醋酸纤维、铜氨纤维等。合成纤维分为涤纶、锦纶、腈纶等。人造纤维其性能与合成纤维相比，纤维强度稍低，吸湿性好，染色比较容易。产品形式有长丝(人造丝)和短纤维。

纯净的氢气使用,点燃时就有可能会发生爆炸。

　　如果用向下排空气法收集氢气,经检验不纯而需要再检验时,收集前,必须用拇指堵住试管口一会儿,使试管内尚未熄灭的氢气火焰因缺氧而熄灭,然后再收集气体检验纯度;否则,试管中没有熄灭的氢气火焰就会点燃氢气发生器里尚混有空气的氢气,使氢气发生器发生爆炸。注意:收集的氢气经检验不纯而需要再次检验时,也可另换一支试管。

(2) H_2 与氧化铜的反应(H_2 的还原性)

实验装置	氢气还原氧化铜
主要步骤	氢气还原氧化铜的实验中,当制取的经验纯的 H_2 沿导管通入到装有氧化铜的试管底部,其关键步骤为4步,分别是:①先通氢气(直到盛氧化铜的试管内充满纯净的氢气)②后点燃酒精灯加热③先熄灭酒精灯停止加热(当出现明显的实验现象后)④后停止通氢气(等试管冷却后再停止)简单记忆为"氢气早来晚走,酒精灯迟到早退"或"通氢、点灯、灭灯、停氢"
实验现象	①黑色氧化铜变为光亮红色②试管口处有小水珠
化学方程式	$H_2 + CuO \xrightarrow{\triangle} H_2O + Cu$
注意事项	①通氢气的导管必须伸入试管底部,保证与氧化铜充分反应②必须先通氢气后加热,否则可能会发生爆炸③停止加热后必须等试管冷却后再停止通氢气,否则铜可能会重新被氧化

3.氢气的用途

H_2 的性质	H_2 的用途
密度最小的气体	填充气球
燃烧放出大量热	(1)作高能燃料 (2)作为新能源
还原性	(1)冶炼金属 (2)作保护气 (3)制高纯硅
和多种物质反应	作化工原料,如制 HCl、NH_3 等

4.氢气的实验室制法

化学药品	常用锌粒和稀硫酸(锌为银白色固体,稀硫酸为无色液体)
反应原理	$Zn + H_2SO_4 == ZnSO_4 + H_2\uparrow$
发生装置	反应物的状态为固态和液态,反应条件为室温,可选择实验室制 CO_2 的反应装置(或用过氧化氢溶液制氧气的反应装置)
收集装置	H_2 的密度比空气小,难溶于水,可用向下排空气法或排水法收集
实验步骤	①检验装置的气密性 ②装锌粒(注意将试管横放,把锌粒放入试管口,再慢慢竖起) ③把试管固定在铁架台上 ④加入稀硫酸 ⑤收集气体
注意事项	①不能用浓 H_2SO_4 代替稀 H_2SO_4,浓 H_2SO_4 具有强氧化性②不能用金属活动性顺序表中排在氢后面的金属,如铜,也不能用最活泼的金属,如钠,钠会与水发生反应,一般用 Zn、Al、Fe、Mg③长颈漏斗末端应在液面以下,防止氢气从长颈漏斗逸出

科学元典

竹纤维纺织品有哪些好处 1. 柔滑软暖:竹纤维色彩亮丽,韧性及耐磨性强,柔软滑爽不扎身,比棉还软。2. 吸湿透气:竹纤维,可以在瞬间吸收并蒸发大量的水分,吸水性是棉的三倍。3. 抑菌抗菌:竹纤维制品上的细菌,在24小时后被杀死75% 左右。4. 绿色环保,抗紫外线:竹纤维,具有竹子天然的防螨、防臭、防虫和产生负离子特性,并能有效的阻挡紫外线对人体的辐射。5. 保健性:竹纤维中的抗氧化合物能有效的清除体内的自由基,具有抗衰老的生物功效。

例 (2010 上海,44,1 分)能用于实验室制取 H_2,并能随开随用、随关随停的装置是 ( )

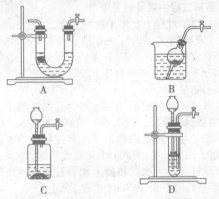

答案 B A 选项关闭活塞时右侧液面下降,左侧反应不会停止;C 选项关闭活塞无法使固液完全分离,反应不会停止;D 选项导气管伸入液面以下,无法收集 H_2;B 选项类似启普发生器,符合题意。

知识③ 常见的溶液

1. 溶液、悬浊液、乳浊液的比较

项目		溶液	悬浊液	乳浊液
概念		一种或几种物质分散到另一种物质里形成均一、稳定的混合物	固体小颗粒悬浮于液体里形成的混合物	小液滴分散到液体里形成的混合物
分散在水里的物质	溶解性	溶	不溶	不溶
	状态	固、液、气	固	液
分散在水里的粒子		分子或离子	许多分子的集合体	许多分子的集合体
现象		透明且均一	浑浊、不均一	浑浊、不均一
久置现象		不变(稳定)	沉淀	分上、下两层(不稳定)
应用		动植物提取营养一定通过溶液才能吸收	可湿性粉剂、农药	医疗、农业生产
举例		蔗糖溶液、食盐溶液	泥土与水	植物油和水
相同点		都是物质分散到另一种物质中形成的混合物		

特别提醒

①悬浊液、乳浊液之所以没有均一性、稳定性,主要原因是被分散的物质在水中以多分子集合体的形式存在。

②牛奶中含有不溶于水的蛋白质、油脂等,因此牛奶不是溶液。

③乳化现象

乳浊液不稳定,静置分层,在乳浊液中加入洗涤剂以后,油虽然并没有溶解在水中,但这时形成的乳浊液能均匀、稳定地存在而不分层,这种现象叫乳化现象。"乳化"并不是溶解,只是使植物油分散成无数细小的液滴存在于水中而不聚集。

④用汽油清洗衣服上的油污与用洗涤剂清洗油污有什么区别?

汽油清洗时形成的是溶液,利用汽油来溶解油脂;而洗涤剂仅仅是将大的油滴变小,是乳化现象,形成的是乳浊液。

⑤乳化作用在生活中的应用

洗涤:用乳化剂(洗涤剂)可以将衣服上、餐具上的油污洗掉。

农药:向农药中加入一定量的乳化剂后,再溶解在有机溶剂里,混合均匀后所制成的透明液体叫乳油。

生活中常用的乳化剂:肥皂、洗洁精等。

例1 [2010 四川甘孜,19(2),2 分]自然界的水经过一系列净化处理后,成为比较清洁的自来水。自来水不是纯水,若要制取纯水,应采取的净化方法是 _____。碗碟上的油污用自来水很难洗净,往水中加少量的洗涤剂后,就容易洗净,说明洗涤剂具有 _____作用。

答案 蒸馏 乳化

解析 用蒸馏的方法可以制得蒸馏水,蒸馏水没有任何杂质,属于纯水;加入洗涤剂之后,油分散成无数细小的油滴,随水洗去,洗涤剂的这种功能称为乳化作用。

2. 溶液

(1)溶液的概念

一种或几种物质分散到另一种物质里,形成均一、稳定的混合物,叫做溶液。

(2)溶液的特征

①均一性:是指溶液中各部分的性质如浓度、密度等都相同。

②稳定性:是指外界条件不变时(水分不蒸发,温度不变化),溶液长时间放置不会分层,也不会析出溶质。

例2 (2010 北京,5,1 分)下列物质放入水中,能形成溶液的是 ( )

什么是锦纶 锦纶是合成纤维 nylon 的中国名称,学名为 polyamide fibre,即聚酰胺纤维。由于锦州化纤厂是我国首家合成 polyamide fibre 的工厂,因此把它定名为"锦纶"。锦纶因其强度与耐磨性强的特点,故常用它做袜子、手套及针织运动衣等。锦纶弹性好,强度高,耐磨性高,在当前服饰纤维中最突出。锦纶吸湿性好,耐磨不耐酸,故锦纶制品贮存不宜放卫生球。锦纶耐光性较差,在阳光下晒容易泛黄,强度降低,故锦纶制品洗后不宜在太阳光下晒干。

A. 牛奶   B. 面粉   C. 蔗糖   D. 花生油

答案 C   牛奶、面粉、花生油三种物质均不能溶于水,不能形成溶液。

(3)溶液的组成

①溶液 $\begin{cases} 溶质:被溶解的物质 \\ 溶剂:能溶解其他物质的物质 \end{cases}$

从宏观上看,溶液是由溶质和溶剂组成的。从微观上看,溶液是由溶剂的分子和溶质的分子或离子构成的。

②溶液的质量 = 溶质的质量 + 溶剂的质量

溶液的体积 ≠ 溶质的体积 + 溶剂的体积

③溶质可以是 固体(氯化钠、硝酸钾等)、液体(酒精、硫酸等)或气体(氯化氢、二氧化碳等),一种溶液中的溶质可以是 一种或多种物质。

水是最常用的溶剂,汽油、酒精等也可以作为溶剂,如汽油能够溶解油脂,酒精能够溶解碘等。

④溶液中溶质、溶剂的判断

a. 根据名称。溶液的名称一般为溶质的名称后加溶剂,即溶质在前,溶剂在后。如食盐水中食盐是溶质,水是溶剂;碘酒中碘是溶质,酒精是溶剂。

b. 若是固体或气体与液体相互溶解成为溶液,一般习惯将固体或气体看作溶质,液体看作溶剂。

c. 若是由两种液体组成的溶液,一般习惯上把量多的看作溶剂,量少的看作溶质。

d. 其他物质溶解于水形成溶液时,无论水量的多少,水都是溶剂。

e. 一般水溶液中不指明溶剂,如硫酸铜溶液,就是硫酸铜的水溶液,蔗糖溶液就是蔗糖的水溶液,所以未指明溶剂的一般为水。

f. 物质在溶解时发生了化学变化,那么在形成的溶液中,溶质是反应后分散在溶液中的生成物。如 Na_2O、SO_3 分别溶于水后发生化学反应,生成物是 $NaOH$ 和 H_2SO_4,因此溶质是 $NaOH$ 和 H_2SO_4,而不是 Na_2O 和 SO_3;将足量锌粒溶于稀硫酸中所得到的溶液中,溶质是硫酸锌($ZnSO_4$);若将蓝矾($CuSO_4 \cdot 5H_2O$)溶于水,溶质是硫酸铜($CuSO_4$),而不是蓝矾。

例3 (2010 江苏苏州,24,2 分)下列有关溶液的说法正确的是   ( )

A. 盐水的沸点比水低

B. 无色澄清的液体一定是溶液

C. 只有固体能作溶质

D. 溶液的各部分性质均相同

答案 D   A 项,少量的固体物质溶于水后形成溶液,溶液的沸点比水高;B 项,无色澄清液体也可以是纯净物,如蒸馏水、无水乙醇等物质;C 项,气体、

液体也可以作溶质,如盐酸中的溶质就是氯化氢气体;D 项,溶液具有均一性、稳定性。

(4)溶解过程中能量的变化

在溶解过程中发生了两种变化,一种是溶质的分子(或离子)在水分子的作用下向水中扩散,这一过程吸收热量;另一种是扩散的溶质分子(或离子)和水分子作用,生成水合分子(或水合离子),这一过程放出热量。

①扩散过程中吸收的热量 > 水合过程中放出的热量,溶液温度降低,如 NH_4NO_3 溶解于水。

②扩散过程中吸收的热量 < 水合过程中放出的热量,溶液温度升高,如 $NaOH$、浓硫酸溶解于水。

③扩散过程中吸收的热量 = 水合过程中放出的热量,溶液温度不变,如 $NaCl$ 溶解于水。

(5)溶液的用途

溶液在工农业生产、生活中有着重要的用途。

①在溶液里进行的化学反应比固体形式反应快。

②动物摄取食物的养料,必须经过消化溶解在溶液中才能被吸收。

③医疗上的注射液都是按一定的要求配成溶液使用的。

④植物从土壤中吸收的养料,只有溶解在溶液中才能被吸收。

例4 (2010 湖南娄底,16,2 分)物质在溶解时,常常会使溶液的温度发生改变。下列物质溶于水时,温度无明显变化的是   ( )

A. 浓硫酸   B. 氢氧化钠固体

C. 硝酸铵固体   D. 食盐

答案 D   浓硫酸、氢氧化钠固体溶于水时会放出热量,使溶液温度升高;硝酸铵固体溶于水时吸收热量,使溶液温度降低;食盐溶于水后溶液温度几乎不变。

3. 饱和溶液和不饱和溶液

(1)概念

①饱和溶液:在一定温度下,一定量的溶剂里,不能再溶解某种溶质的溶液,叫做这种溶质的饱和溶液。

②不饱和溶液:在一定温度下,一定量的溶剂里,还能再继续溶解某种溶质的溶液,叫做这种溶质的不饱和溶液。

🔊 **特别提醒**

a. 溶液的饱和与不饱和跟温度和溶剂的量的多少有关系。因此在谈饱和溶液与不饱和溶液时,一定要强调"在一定温度下"和"一定量的溶剂里",否则就无意义。

b. 一种溶质的饱和溶液仍然可以溶解少量其他溶

科学元典

什么是涤纶   涤纶是合成纤维中的一个重要品种,是中国聚酯纤维的商品名称。涤纶是以对苯二甲酸(PTA)或对苯二甲酸二甲酯(DMT)和乙二醇(EG)为原料经酯化或酯交换和缩聚反应而制得的高聚物——聚对苯二甲酸乙二醇酯(PET),经纺丝和处理后制成的纤维。涤纶具有良好的透气性和排湿性。还有较强的抗酸碱性、抗紫外线的能力。涤纶面料是日常生活中用得非常多的一种化纤服装面料,其最大的优点是抗皱性和保形性很好。

质。如氯化钠的饱和溶液中仍可溶解少量蔗糖。

c. 有些物质能与水以任意比例互溶,不能形成饱和溶液,如酒精没有饱和溶液。

(2) 饱和溶液与不饱和溶液的相互转化方法

对于大多数固体:

饱和溶液 $\xrightleftharpoons[\text{①降温②增加溶剂③蒸发溶剂}]{\text{①升温②增加溶剂}}$ 不饱和溶液

对于 $Ca(OH)_2$:

饱和石灰水 $\xrightleftharpoons[\text{①升温②增加溶剂③蒸发溶剂}]{\text{①降温②增加溶剂}}$ 不饱和石灰水

(3) 判断溶液是否饱和的方法

①观察法:当溶液底部有剩余溶质存在,且溶质的量不再减少时,表明溶液已饱和。

②实验法:当溶液底部无剩余溶质存在时,可向该溶液中加入少量该溶质,搅拌后,若能溶解或溶解一部分,表明该溶液不饱和;若不能溶解,则表明该溶液已饱和。

例5 (2010 湖南长沙,6,3分)将70 ℃的硝酸钠饱和溶液降温到10 ℃,有晶体析出(晶体中不含水),下列各量没有发生变化的是 ( )

A. 硝酸钠的溶解度 B. 溶液中溶质的质量

C. 溶液中溶剂的质量 D. 溶液中溶质的质量分数

答案 C 70 ℃时的硝酸钠饱和溶液降温到10 ℃时析出晶体,则溶质质量和溶质的质量分数都变小,溶解度也变小,溶剂质量不变。

4. 物质的溶解性

(1) 概念:物质的溶解性表示在某温度和压强下,一种物质在另一种物质里溶解能力的大小。

(2) 影响因素:溶解性的大小与<u>溶质、溶剂的性质</u>(内因)有关,也与<u>温度、压强</u>(外因)有关。

 食盐易溶于水,却不易溶于汽油,油脂易溶解在汽油里,却不易溶解在水里。 气体溶质的溶解性与压强、温度有关,而固体、液体溶质的溶解性一般只与温度有关,不考虑压强。

(3) 表示方法:溶解性即溶解能力的大小,常用溶解度来表示。

5. 固体的溶解度

(1) 概念:在一定温度下,某固态物质在 100 g 溶剂里达到饱和状态时所溶解的质量,叫做这种物质在这种溶剂里的溶解度。

(2) 正确理解溶解度概念的要素

①条件:在一定温度下,影响固体物质溶解度的内因是溶质和溶剂的性质,而外因就是温度。如果温度改变,则固体物质的溶解度也会改变,因此只有指明温度时,溶解度才有意义。

②标准:在 100 g 溶剂里。需强调和注意的是:此处 100 g 是溶剂的量,而不是溶液的量。

③状态:达到饱和状态。溶解度是比较同一条件下某种物质溶解能力大小的标准,只有达到该条件下溶解的最大值,才可知其溶解度,因此必须要求"达到饱和状态"。

④单位:溶解度是所溶解的质量,常用单位为克(g)。

●)) 特别提醒

①如果不指明溶剂,通常所说的溶解度是指固体物质在水中的溶解度。

②溶解度概念中的四个关键点:"一定温度、100 g 溶剂、饱和状态、溶解的质量"是同时存在的,只有四个关键点都体现出来了,溶解度的概念和应用才是有意义的,否则没有意义,说法也是不正确的。

(3) 溶解度的含义

①溶解度的含义是指该物质在此温度下,在 100 g 溶剂中达到饱和状态时所溶解的质量。如 KNO_3 在 20 ℃时的溶解度为 31.6 g,就是指 20 ℃、100 g 水中溶解 KNO_3 达到饱和时的质量为 31.6 g(或 20 ℃、100 g 水中最多溶解 KNO_3 的质量为 31.6 g)。

②通过溶解度可得一定温度下某物质的饱和溶液中,溶质、溶剂和饱和溶液质量比为溶解度∶100 g∶(100 g + 溶解度)。

(4) 影响固体溶解度的因素

内因是溶质和溶剂的性质,外因是温度。温度对固体溶解度的影响分三种情况:

①大多数固体物质的溶解度随温度的升高而增大,例如 KNO_3。

②少数固体物质的溶解度随温度的升高变化不大,例如 NaCl。

③极少数固体物质的溶解度随温度的升高而减小,例如 $Ca(OH)_2$。

(5) 物质溶解性和溶解度的关系

20 ℃时,根据各物质在水中溶解度的大小,将物质溶解性分类:

溶解度/g	<0.01	0.01～1	1～10	>10
溶解性	难溶	微溶	可溶	易溶

溶解性和溶解度都是物质的一种物理性质,不因溶质和溶剂的多少而改变,均与溶剂和溶质的性质有关,并受温度的影响。溶解性只是一般的说明某种物质在水里溶解能力的大小,通常用难溶(或不溶)、微溶、可溶、易溶等较粗略的概念表示;溶解度是衡量物质在某种溶剂里溶解性大小的尺度,是溶解性定量的表示方法。

 科学元典

什么是复合纤维 在同一根纤维截面上存在两种或两种以上不相混合的聚合物,这种纤维称复合纤维。它是 20 世纪 60 年代发展起来的物理改性纤维。利用复合纤维制造技术可以获得兼有两种聚合物特性的双组分纤维、永久卷曲纤维、超细纤维、空心纤维、异形细纤维等多种改性纤维。

例6 (2010北京,25,1分)向100 g水中不断加入固体A或改变温度,得到相应的溶液①~⑤,下列说法正确的是 ( )

$$\boxed{\begin{array}{c}25\ ℃\\100\ g\ 水\end{array}}\xrightarrow[37.2\ g]{加入A}①\xrightarrow[4.2\ g]{加入A}②\xrightarrow[至60\ ℃]{升温}③\xrightarrow[9\ g]{加入A}$$

$$④\xrightarrow[至50\ ℃]{降温}⑤$$

资料:A 的溶解度					
温度/℃	20	30	40	50	60
溶解度/g	37.2	41.4	45.8	50.4	55.2

A.②中A的质量分数最大
B.③⑤中A的质量分数相等
C.②④⑤的溶液为饱和溶液
D.①③④⑤中没有固体存在

答案 D 根据题干和表格中的数据信息可知①为25 ℃时A的不饱和溶液;②为25 ℃时A的饱和溶液,并且41.4 g A不能全部溶解;③为60 ℃时A的不饱和溶液,溶质质量为41.4 g;④为60 ℃时A的不饱和溶液,溶质质量为50.4 g;⑤为50 ℃时A的饱和溶液,溶质质量为50.4 g。从上述表述可知:D正确。

6.固体溶解度的表示方法

(1)列表法

如下表是 KNO_3 和 NaCl 在不同温度下的溶解度:

温度/℃	0	10	20	30	40	50
溶解度/g NaCl	35.7	35.8	36.0	36.3	36.6	37.0
溶解度/g KNO_3	13.3	20.9	31.6	45.8	63.9	85.5

温度/℃	60	70	80	90	100
溶解度/g NaCl	37.3	37.8	38.4	39.0	39.8
溶解度/g KNO_3	110	138	169	202	246

(2)曲线法——溶解度曲线

在平面直角坐标系里用横坐标表示温度,纵坐标表示溶解度,画出某物质的溶解度随温度变化的曲线,叫这种物质的溶解度曲线。

①表示意义

a.表示某物质在不同温度下的溶解度和溶解度随温度变化的情况;

b.溶解度曲线上的每一个点表示溶质在某一温度下的溶解度;

c.两条曲线的交点表示这两种物质在某一相同温度下具有相同的溶解度;

d.曲线下方的点表示溶液是不饱和溶液;

e.在溶解度曲线上方靠近曲线的点表示过饱和溶液(在较高温度下制成饱和溶液,快速地降到室温,溶液中溶解的溶质的质量超过室温的溶解度,但尚未析出晶体时的溶液叫过饱和溶液)。

②溶解度曲线的变化规律

a.大多数固体物质的溶解度随温度升高而增大,表现在曲线"坡度"比较"陡",如 KNO_3;

b.少数固体物质的溶解度受温度的影响很小,表现在曲线"坡度"比较"平",如NaCl;

c.极少数物质的溶解度随温度的升高而减小,表现在曲线"坡度"下降,如 $Ca(OH)_2$。

③应用

a.根据溶解度曲线可以查出某物质在一定温度下的溶解度;

b.可以比较不同物质在同一温度下的溶解度大小;

c.可以知道某物质的溶解度随温度的变化情况;

d.可以选择对混合物进行分离或提纯的方法;

e.可以确定如何制得某温度时某物质的饱和溶液等。

例7 (2010黑龙江哈尔滨,11,2分)下图是 a、b 两种固体物质(不含结晶水)的溶解度曲线。下列说法正确的是 ( )

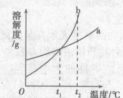

A.b 的溶解度大于 a 的溶解度
B.t_1℃,将 a、b 两种物质的饱和溶液分别恒温蒸发等质量的水,析出晶体的质量一定相等
C.将 t_2℃时的 b 的不饱和溶液降温至 t_1℃,一定能得到 b 的饱和溶液
D.t_2℃时,a 溶液的溶质质量分数一定小于 b 溶液的溶质质量分数

答案 B 根据题目溶解度曲线的信息可知:t_1℃时 a、b 两种物质溶解度相同,因此,当温度为 t_1℃时,a、b 两种物质的饱和溶液中溶质与溶剂的质量比也相等,恒温蒸发等质量的水,析出晶体的质量一定相等,B正确。不同物质的溶解度比较必须在同一温度下才能进行,A 错。t_2℃时 b 的不饱和溶液可通过降温变为饱和溶液,但由 t_2℃降到 t_1℃不一定得到 b

科学元典

什么是高收缩纤维 把沸水收缩率在20%左右的纤维称为一般收缩纤维,而把沸水收缩率为35%~45%的纤维称为高收缩纤维。目前,常见的有高收缩型聚丙烯腈纤维(腈纶)和聚酯纤维(涤纶)两种。高收缩型聚酯纤维一般是通过对结晶性聚酯的改性而获得。高收缩纤维在纺织产品中的用途十分广泛,它可以与常规产品混纺成纱,然后在无张力的状态下水煮或汽蒸,高收缩纤维卷曲,而常规纤维由于受高收缩纤维的约束而卷曲成圈。

的饱和溶液,C错。t_2℃时a物质的饱和溶液溶质质量分数一定小于b物质的饱和溶液的溶质质量分数,不指明饱和则不一定,D错。

7.气体的溶解度

(1)概念:气体的溶解度是指在压强为101 kPa和一定温度时,气体溶解在1体积水里达到饱和状态时的气体体积。如氮气在压强为101 kPa和温度为0℃时,1体积水里最多能溶解0.024体积氮气,则在0℃时,氮气的溶解度为0.024。

(2)影响气体溶解度的因素

①压强:气体的溶解度随着压强的增大而增大,随着压强的减小而减小。

②温度:气体的溶解度随着温度的升高而减小,随着温度的降低而增大。

(3)应用气体溶解度的知识来解释的现象

①夏天打开汽水瓶盖时,压强减小,气体的溶解度减小,会有大量气泡冒出。

②喝汽水后会打嗝,是因为汽水到胃中后,温度升高,气体的溶解度减小。

③养鱼池中放几个水泵,把水喷向空中,增大与氧气的接触面积,增加水中氧气的溶解量。

④不能用煮沸后的凉开水养鱼,因为温度升高,水中溶解的氧气减少,因而凉开水中几乎不含氧气。

8.结晶

(1)概念:固体物质从溶液中析出晶体的过程叫结晶。

(2)结晶方法

①蒸发溶剂:一般适用于溶解度受温度影响不大的物质。

②冷却热饱和溶液:适用于溶解度受温度影响较大的固体物质。如从KNO_3饱和溶液中得到KNO_3晶体,就可用冷却热饱和溶液法。

(3)结晶法分离混合物

对于几种可溶性固态物质的混合物可根据它们的溶解度受温度影响变化快慢的不同,采用结晶法分离。如分离KNO_3固体和少量NaCl混合物,可先将它们配制成热饱和溶液,然后再采用冷却热饱和溶液的方法进行分离。

9.溶质质量分数

(1)概念:溶液中溶质的质量分数是溶质质量与溶液质量之比。

(2)表达式:溶质的质量分数 $= \dfrac{溶质质量}{溶液质量} \times 100\%$

$= \dfrac{溶质质量}{溶质质量+溶剂质量} \times 100\%$。

(3)含义:溶质质量分数的含义是指每100份质量的溶液中含有溶质的质量为多少。如100 g 10%的NaCl溶液中含有10 g NaCl。不要误认为是100 g水中含有10 g NaCl。

(4)应用溶质质量分数公式的注意事项

①溶质的质量是指形成溶液的那部分溶质,没有进入溶液的溶质不在考虑范围之内,如在20℃时,100 g水中最多能溶解36 g NaCl,则20 g NaCl放入50 g水中溶解后,溶质的质量只能是18 g。

②溶液的质量是该溶液中溶解的全部溶质的质量与溶剂的质量之和(可以是一种或几种溶质)。

③计算时质量单位应统一。

④一定要"×100%",最后得百分数。

⑤由于溶液的组成是指溶液中各成分在量方面的关系,因此,对溶液组成的变化来说,某物质的质量分数只有在不超过其最大溶解范围时才有意义。例如在20℃时,NaCl溶液中溶质的质量分数最大为26.5%,此时为该温度下氯化钠的饱和溶液,再向溶液中加入溶质也不会再溶解,浓度也不会再增大。因此离开实际去讨论溶质质量分数更大的NaCl溶液是没有意义的。

⑥运用溶质的质量分数表示溶液时,必须分清溶质的质量、溶剂的质量和溶液的质量。

a.结晶水合物溶于水时,其溶质指不含结晶水的化合物。如$CuSO_4 \cdot 5H_2O$溶于水时,溶质是$CuSO_4$。

溶质的质量分数$= \dfrac{CuSO_4 的质量}{CuSO_4 \cdot 5H_2O 的质量+水的质量} \times 100\%$。

b.当某些化合物溶于水时与水发生了反应,此时溶液中的溶质是反应后生成的物质,如Na_2O溶于水时发生如下反应:$Na_2O + H_2O == 2NaOH$,反应后的溶质是NaOH,此溶液的溶质质量分数 $= \dfrac{生成的 NaOH 的质量}{原 Na_2O 的质量+原水的质量} \times 100\%$。

c.若两种物质能发生反应,有沉淀或气体生成,此时溶液中溶质的质量分数

$= \dfrac{该溶质的质量}{反应前物质的质量总和-沉淀或气体的质量-加入的不溶部分的质量} \times 100\%$。

知识④ 海洋中的资源

1.海洋中的资源

海洋是地球上最大的储水库,其储水量约占全球总水量的96.5%。海洋也是一个巨大的资源宝库。

科学元典

合成纤维织物容易起毛起球的原因 合成纤维一般是把纺制的原料,做成液体状态,再通过纺丝板的细小圆孔纺成纤维。它的表面和横截面都是光滑的。把这样的纤维同棉纤维或粘胶纤维混纺成纱时,它们的抱合力较差。这样的织物穿上身以后,受到弯曲伸直和各种摩擦的影响,合成纤维容易滑动,使纤维的顶端钻出布面,这就形成了布面的"起毛"现象。起毛以后,又因经常摩擦而使合成纤维的顶端形成一个个细小绒球,这就是"起球"现象。

海洋资源
- 化学资源:海水中已发现的元素有80多种,其中O、H、Cl、Na、Mg等元素较多
- 水资源:通过海水淡化可获取淡水
- 动力资源:潮汐能、温差能等
- 生物资源:鱼类及其他海产品
- 矿物资源:可燃冰、多金属结核

2.利用海水提取镁

海水中含有 $MgCl_2$,但 $MgCl_2$ 浓度很小,因而从海水中提取镁一般以海水晒盐后的卤水为原料,优点是提高了海水中 Mg^{2+} 的含量,同时去掉了大部分的 Na^+。

从海水中提取镁的主要流程:

贝壳($CaCO_3$)$\xrightarrow{煅烧}$ 生石灰(CaO)$\xrightarrow{水}$ 石灰乳 [$Ca(OH)_2$] $\xrightarrow{卤水}$ 氢氧化镁 [$Mg(OH)_2$] $\xrightarrow{盐酸}$ $MgCl_2$ $\xrightarrow[熔融]{电解}$ 镁

有关的化学方程式:

①制取石灰乳
$$CaCO_3 \xrightarrow{高温} CaO + CO_2 \uparrow$$
$$CaO + H_2O == Ca(OH)_2$$

②沉淀 Mg^{2+}
$$MgCl_2 + Ca(OH)_2 == Mg(OH)_2 \downarrow + CaCl_2$$

③制备 $MgCl_2$
$$Mg(OH)_2 + 2HCl == MgCl_2 + 2H_2O$$

④电解熔融 $MgCl_2$ 制取镁
$$MgCl_2 \xrightarrow{通电} Mg + Cl_2 \uparrow$$

例1 (2010 四川达州,13,3分)海水是一种重要的自然资源(海水中含 $NaCl$、$MgCl_2$ 等物质),被誉为"国防金属"的镁主要是从海水中提取的,下面是从海水中提取金属镁的简单流程。

海水 $\xrightarrow{试剂A}$ 溶液 $\xrightarrow{}$ $Mg(OH)_2$ $\xrightarrow{试剂B}$ $MgCl_2$ 溶液 $\xrightarrow{}$ 无水 $MgCl_2$ $\xrightarrow{通电}$ Mg

(1)从海水中获得淡水,常用的方法是_____。

(2)从海水中获得粗盐,可将海水进行_____。

(3)试剂 A 最好选用_____。

答案 (1)蒸馏 (2)蒸发结晶 (3)熟石灰[或氢氧化钙,$Ca(OH)_2$]

解析 海水中含有许多盐类,不能直接饮用,将海水淡化通常采用蒸馏的方法。用海水晒盐的实质是蒸发结晶。海水中含有的 $MgCl_2$ 能与碱反应生成氢氧化镁沉淀,从资源、价格、环保等方面考虑一般选取熟石灰作沉淀剂。

3.海底物质

(1)**可燃水:**可燃水的主要成分是甲烷水合物($CH_4 \cdot nH_2O$)。

(2)**多金属结核:**多金属结核含有锰、铁、镍、钴、铜等几十种元素。总量达 30 000 亿吨。

4.海水淡化技术

(1)**蒸馏法**
①原理:将水蒸发而盐留下,再将水蒸气冷凝为液态淡水。
②优缺点:优点是获得的水纯度高,缺点是消耗大量的能源。

(2)**结晶法**
①原理:冷冻海水,使之结冰,在液态淡水变成冰的同时,盐被分离出来。
②缺点:主要缺点是消耗大量的能源,得到的淡水味道不佳。

(3)**高分子膜法(反向渗透法)**
①原理:利用半透膜将淡水与盐分离。半透膜允许水分子通过,而不允许海水中的盐通过。只要将半透膜中的海水加压,就会使海水中的淡水渗透到半透膜外。
②优点:最大的优点就是节能。

5.我国渤、黄、东、南海海水所含的主要化学元素

元素名称	元素总量/t	元素名称	元素总量/t	元素名称	元素总量/t
氧	3.35×10^{15}	钾	0.1×10^{13}	铜	1.1×10^7
氢	0.4×10^{15}	溴	2.5×10^{11}	镍	0.8×10^7
氯	7.2×10^{13}	氟	0.5×10^{10}	铝	0.8×10^7
钠	4.0×10^{13}	磷	2.7×10^8	锰	0.8×10^7
镁	0.5×10^{13}	碘	2.3×10^8	钛	0.4×10^7
硫	0.3×10^{13}	铁	0.4×10^8	银	1.4×10^5
钙	0.2×10^{13}	锡	1.1×10^7	金	1.5×10^4

6.海水晒盐

(1)**海水晒盐的原理**

海水经过水分的蒸发会由 $NaCl$ 的不饱和溶液逐渐变为饱和溶液,最终,溶解在海水中的 $NaCl$ 会以晶体的形式析出。

(2)**大致过程**

海水 $\rightarrow$ 贮水池 $\rightarrow$ 蒸发池 $\rightarrow$ 结晶池
食盐 $\rightarrow$ 氯化钠
母液 $\rightarrow$ 多种化工产品

科学元典

合成纤维织物为什么容易沾污 合成纤维多数是不良导体,含水量很低,当这些合成纤维的织物穿着后受到摩擦时,就容易产生静电。而空气中的尘埃,一般也是水分较少的不良导体,当它们碰到具有静电的织物时,就被吸附到织物上,特别是衣服上"起毛"的地方,更容易粘附。目前一般采用树脂整理和热定型处理等方法,使纤维固定不易滑动,织物表面就比较平滑不易附着尘埃了。

(3)从海水中提取的粗盐需要经过进一步加工变为纯度高的精盐

$$粗盐 \xrightarrow{溶解、过滤、蒸发结晶、洗涤} 精盐$$

例2 (2010 山东烟台,25,8 分)海洋是地球上最大的储水库,浩瀚的海洋蕴含着丰富的化学资源。我市具有较长的海岸线,海洋资源开发前景广阔。

(1)目前海水淡化普遍采用的方法是_____,证明得到的水是淡水的方法是_____。

(2)海底不仅蕴藏着大量的煤、石油、天然气等常规化石燃料,人们还在海底发现了一种新型矿产资源是_____,被科学家誉为"21 世纪能源"。

(3)海水晒盐能够得到粗盐和卤水。

①卤水中含有 $MgCl_2$、KCl 和 $MgSO_4$ 等物质,下图是它们的溶解度曲线。$t_1℃$ 时,$MgCl_2$、KCl、$MgSO_4$ 三物质的饱和溶液中,溶质质量分数最大的是_____。将 $t_1℃$ 的 $MgCl_2$、KCl、$MgSO_4$ 三种物质的饱和溶液加热到 $t_2℃$ 以上时,会析出_____晶体(填名称)。

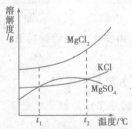

②将粗盐提纯可以得到纯净的 $NaCl$。欲用纯净的 $NaCl$ 配制 100 g 0.9% 的生理盐水,需要 $NaCl$ 的质量为_____克。配制该溶液时需要的玻璃仪器有_____。如果配制的溶液的溶质质量分数低于 0.9%,你认为可能的原因是_____(任写一个)。

答案 (1)多级闪急蒸馏法(或蒸馏法) 加热蒸发后无残留物(或液体不导电、加入硝酸银溶液无沉淀产生等其他合理答案也可)

(2)可燃冰(或天然气水合物)

(3)①$MgCl_2$ 硫酸镁 ②0.9 烧杯、量筒、玻璃棒、胶头滴管(答出前三种即可) 称量氯化钠时操作错误,如左盘放了纸片右盘未放纸片等;用量筒取水时错误,如量取水的体积时仰视读数等;氯化钠中混有杂质等(其他合理答案也可)

解析 本题以海水为载体,考查海水淡化、海底资源、海水晒盐、溶解度曲线的应用及溶液的配制等知识。(1)海水淡化普遍采用的方法是多级闪急蒸馏法,简称为多级闪蒸法。用蒸发法、导电法、滴加硝酸银溶液等方法测定水中含盐量的多少,以此可证明是否得到淡水。(2)海底可燃冰又称天然气水合物,它主要由水分子和烃类气体分子(主要是甲烷)组成,所以也称为甲烷水合物,是一种新型的矿产资源。(3)①由溶解度曲线图知,在 $t_1℃$ 时,三种饱和溶液中溶质质量分数最大的是 $MgCl_2$,升温到 $t_2℃$ 以上时,会析出晶体的是硫酸镁。②配制 100 g 0.9% 的生理盐水,需纯净食盐:$100\ g \times 0.9\% = 0.9\ g$。当配制的溶液的溶质质量分数比正常值小时,可能的原因是水的量偏多,如用量筒量取水时仰视读数、烧杯中原来的水未清理干净等;也可能是氯化钠的量偏少,如所用食盐中含有杂质,称量时右物左码、倾倒食盐时洒出少量或纸上食盐未倒净等;还可能是操作时出现误差等。

-------- **拓展知识** --------

知识① **冰的密度小于水的原因**

水分子通过氢键结合成缔合分子。液态水,除含有简单的水分子(H_2O)外,同时还含有缔合分子($H_2O)_2$ 和($H_2O)_3$ 等,当温度在 0℃ 水未结冰时,大多数水分子是以缔合分子($H_2O)_3$ 的形式存在,当温度升高到 3.98℃(101 kPa)时,水分子多以缔合分子($H_2O)_2$ 的形式存在,分子占据空间相对减小,此时水的密度最大。如果温度再继续升高,在 3.98℃ 以上,一般物质热胀冷缩的规律就占主导地位了。水温降到 0℃ 时,水结成冰,水结冰时几乎全部分子缔合在一起成为一个巨大的缔合分子,在冰中水分子的排布是每一个氧原子与四个氢原子为近邻,这样一种排布导致形成一种敞开结构,也就是说冰的结构中有较大的空隙,所以冰的密度比同温度的水小。

知识② **水的化学式的推导过程**

水电解产生氢气和氧气,体积比为 2:1。因为 $V($氢气$):V($氧气$)=2:1$,$\rho($氢气$)=0.09$ g/L,$\rho($氧气$)=1.43$ g/L,所以 $m($氢气$):m($氧气$)=2\ L \times 0.09$ g/L$:1\ L \times 1.43$ g/L$=1:8$,即电解水生成的 H_2 与 O_2 的质量比为 1:8,也是水中氢元素与氧元素的质量比。

设水的化学式为 H_aO_b,已知氢的相对原子质量为 1,氧的相对原子质量为 16,$(1 \times a):(16 \times b)=$

科学元典

为什么合成纤维不耐高温 合成纤维一般都怕火。原因是合成纤维都是由化工原料合成单体,再由单体合成的热塑性树脂,在熔化后经过抽丝、加工成纤维的。它们的熔点都比较低。几种常见合成纤维的熔点分别是:锦纶 180℃,涤纶 238～240℃,腈纶 190～240℃,维纶 220～230℃,丙纶 140～150℃,氯纶 90～100℃。

$1:8$，所以 $a:b=2:1$，即水的化学式为 H_2O。

例 (2010 云南楚雄,12,2 分)
用右图装置电解水,一段时间后的
现象如图所示。对该实验的描述
错误的是   (   )

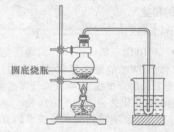

A. 甲试管中收集到的是一种可燃
   性气体
B. 该实验能证明水是由氢元素和氧元素组成的
C. 向水中加入少量硫酸,能增强水的导电性
D. 甲、乙两试管内收集到的气体的质量比约为8∶1

答案 D   根据题意判断,甲试管收集到的是氢气,
乙试管收集到的是氧气。氢气可燃,本实验能证明
水是由氢元素和氧元素组成的,纯水几乎不导电,常
加入少量硫酸或氢氧化钠以增强导电性。氢气和氧
气的体积比为2∶1,质量比为1∶8。

知识③ 蒸馏水的制取装置

经过净化的水只是干净的水,还不是纯水。将
水加热沸腾,变成蒸汽,再冷却凝结成水,这样制得
的水,叫蒸馏水,它是一种纯净水。实验常备的蒸馏
水一般由工业生产提供,在实验室里也可以制蒸
馏水。

(1)蒸馏装置(见下图):

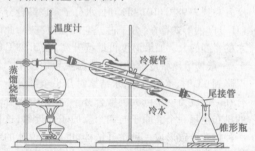

(2)实验操作:①用酒精灯外焰给受热仪器先预热后
加热;②对蒸馏烧瓶(烧杯、烧瓶、锥形瓶等仪器)加
热时,不能直接加热,一定要垫石棉网,蒸馏烧瓶中
液体体积为容器容积的1/3~2/3;③温度计不能直
接插入蒸馏烧瓶的液体之中,应使温度计水银球与
蒸馏烧瓶支管口位于同一水平线上;④蒸馏烧瓶支
管的橡皮塞,必须使管口露出以防蒸馏出来的液体
接触橡皮塞而带入杂质;⑤冷凝管中冷水的走向应
是下口进、上口出,以使蒸汽充分冷却。

(3)简易装置(见下图):

例 (2010 四川泸州,3,2 分)用下图所示的装置
进行的实验是   (   )

A. 过滤   B. 结晶   C. 蒸馏   D. 溶解

答案 C   由图中装置明确可知,该实验为蒸馏
实验。

知识④ 净水剂与消毒剂

1. 常见净水剂及净水原理

常见的有明矾净水剂、氯化铁净水剂。净水剂
的净水原理是:净水剂在溶液中水解生成表面积大
的、具有吸附性的胶体粒子,胶体粒子能吸附水中的
细小漂浮颗粒,使其比重加大并下沉。

2. 常见的消毒剂及消毒原理

常见的消毒剂主要是含氯消毒剂,如漂白粉、氯
气、次氯酸钠(84 消毒液)和二氧化氯、氯胺。消毒
原理是:漂白粉、氯气、次氯酸钠(84 消毒液)和氯胺
的消毒原理基本相同,都是最终生成次氯酸,次氯酸
再进一步分解形成新生态氧,新生态氧的极强氧化
性使菌体和病毒上的蛋白质等物质变性,从而使病
原微生物致死。二氧化氯是黄绿色气体,由于其有
强氧化性,能杀菌消毒。

例 (2010 江西,19,4 分)2010 年4 月 14 日青海
玉树发生7.1 级地震,灾区饮用水安全备受关注。
(1)除去水中难溶性固体杂质的操作是 _____;
(2)生活中既能降低水的硬度,又能杀菌消毒的方法

科学元典

怎样防止毛衣不被虫蛀   防止羊毛或毛皮制品虫蛀霉烂,可从以下方面做起:(1)要经常
保持毛织物或毛皮清洁,不穿的衣服要经常通风晾晒,保持干燥。(2)过季不穿的衣服要及时洗涤
整理,收藏入箱。收藏时,衣服要干燥,杀灭蛀虫细菌,放入几颗樟脑球,防止衣服被虫蛀或霉变。
夏天气温高又较潮湿,细菌蛀虫容易繁殖,要将衣服拿出晾晒2~3 次,以确保衣物存放安全。存
衣的衣箱要密封性好,使潮气不能进入。

是 _____；

(3)"84消毒液"可用于灾区防疫。制备其主要成分次氯酸钠($NaClO$)的化学方程式为 $2NaOH + X \xrightarrow{\quad} NaClO + NaCl + H_2O$，则X的化学式是 _____；

(4)"水是生命之源"。下列关于水对人体生命的作用的说法，正确的是 _____。

A. 水是有机物，能赋予生命
B. 水是一种很好的溶剂，能维持人体的体液平衡
C. 水是人体主要的供能物质
D. 水中氧元素含量最高，能提供人体所需的氧气

答案 (1)过滤 (2)煮沸 (3)Cl_2 (4)B

解析 (1)过滤是除去不溶物的一种方法。(2)生活中既能软化硬水，又能杀菌消毒的方法是煮沸。(3)由质量守恒可知变化前后原子个数和种类不变，推知X的化学式为Cl_2。(4)水中不含碳元素，不是有机物，A不正确；供给人类能量的三大物质是：糖类、蛋白质、油脂，水属于营养素但不能提供能量。

知识⑤ 不宜喝反复煮沸的水

不喝生水已是人人皆知的卫生常识了，但是烧开过的水就一定都能喝吗？其实，还有几种"开水"也是不宜饮用的，比如在炉灶上沸腾了很长时间的水，蒸饭、蒸肉以后残留的"蒸馏水"，开水锅炉里隔夜重煮或未重煮的水，装在热水瓶里已有几天的温开水等。

为何这些水不宜饮用呢？因为通常水里都含有微量的硝酸盐和重金属离子，比如铅、镉等，如果经长时间加热，水不断沸腾，不断蒸发，其中的硝酸盐浓度和重金属离子的浓度就会增加。人喝下含有较多硝酸盐的开水，硝酸盐进入人体胃肠后，会被还原成亚硝酸盐。亚硝酸盐对人体非常有害，它会破坏人体血液输送氧气的能力，使人的心脏跳动过快、呼吸困难。而且，亚硝酸盐还是一种容易致癌的物质。同样，过量的重金属离子对人体也是有害的。所以，我们应该尽量少喝或者不喝那些反复煮沸的"开水"。

知识⑥ 纯水不宜长期饮用

纯水指不含任何杂质的水，但纯水中也不含人体所必需的锌、铁、碘等微量元素，因而纯水不宜长期饮用。

知识⑦ 生活中饮用的液体

(1)水类：包括矿泉水、纯净水、自来水等。
(2)碳酸型饮料：包括汽水、雪碧、可乐等。
(3)果汁类：包括鲜榨及工厂生产的各类果汁。
(4)酒类：包括白酒、啤酒、葡萄酒等。
(5)其他液体饮品。

知识⑧ 节水徽记

A 图是2000年以前使用的节水徽记。右上方的弧线代表着自来水管道和水龙头，水龙头中滴下的一滴水，被一只伸出的手掌小心地接住。徽记巧妙地利用接与节的谐音，形象而生动地将"节水"之意寓于其中。

B 图为新千年"国家节水标志"。"标志"由水滴、人手和地球组成。绿色的圆形代表地球，象征节约用水是保护地球生态的重要措施。标志留白部分像一只手托起一滴水，表示节水需要公众参与，鼓励人们"从我做起，人人动手节约每一滴水"；手又像一条蜿蜒的河流，象征着滴水汇成江河，鼓励人们合理地开发、利用、保护水源，养成节约用水的好习惯。

例 (2010 江苏扬州,6,2分)水资源是战略资源。下列是节水标志的是 ( )

A   B   C   D

答案 C A为当心爆炸标志；B为严禁吸烟标志；D为可降解或可回收的标志。

知识⑨ 离子交换法软化水

离子交换法是工业生产软化水的重要方法之一。离子交换法的原理：离子交换树脂是一种聚合物，带有相应的功能基团(一般为钠离子)，当含钙、镁离子较高的硬水经过离子交换树脂时，离子交换树脂即可以释放出钠离子，其功能基团与钙、镁离子结合，这样水中的钙、镁离子含量下降，水的硬度降低，硬水即可被软化为软水。离子交换法的流程为：工作(即交换)、反洗、再生、清洗四个过程。

科学元典

什么是合成洗涤剂 合成洗涤剂是由表面活性剂(如烷基苯磺酸钠、脂肪醇硫酸钠)和各种助剂(如三聚磷酸钠)、辅剂配制而成的一种洗涤用品。按产品外观形态分为固体、液体洗涤剂。固体洗涤剂产量最大，习惯上称为洗衣粉；液体洗涤剂近年发展较快。还有介于二者之间的膏状洗涤剂，也称洗衣膏。按产品用途分为民用和工业用洗涤剂。

知识⑩ 氢气的工业制法

制取方法	主要原理（或化学方程式）	优缺点
电解水	$2H_2O \xrightarrow{\text{通电}} 2H_2\uparrow + O_2\uparrow$	优点:得到 H_2 的纯度高 缺点:耗能高
水煤气法	$C + H_2O(g) \xrightarrow{\text{高温}} CO + H_2$	优点:成本低 缺点:需要设备多（需要除去 CO 杂质）
天然气制取氢气	$CH_4 \xrightarrow{\text{高温}} C + 2H_2$	优点:原料丰富 缺点:氢气纯度低
电解饱和食盐水	$2NaCl + 2H_2O \xrightarrow{\text{通电}} 2NaOH + H_2\uparrow + Cl_2\uparrow$	优点:是氯碱化工的副产品 缺点:纯度低
理想模式:利用太阳能、高效催化剂分解水	$2H_2O \xrightarrow[\text{催化剂}]{\text{光}} 2H_2\uparrow + O_2\uparrow$	优点:不耗费电能、热能,环保 缺点:人类未能寻找到高效催化剂,还未能实际应用

例 (2010 广东,12,2 分)以下获取氢气的途径中,从绿色能源的角度看,较有发展前途的是(　　)
①电解水　　　　②利用太阳能分解水
③使用高效催化剂分解水
④水煤气法:$C + H_2O(g) \xrightarrow{\text{高温}} CO + H_2$
⑤热裂法:$CH_4 \xrightarrow{\text{高温}} 2H_2 + C$
A.②③　　B.④⑤　　C.①②④　　D.③④⑤
答案 A　电解水耗电量太大;水煤气法需高温耗能且产生有毒气体;热裂法也需高温耗能;太阳能或高效催化剂可节约能源,故②③有发展前途。

知识⑪ 对溶液概念的理解

溶液是一种或几种物质分散到另一种物质里,形成的均一、稳定的混合物。应从以下几个方面理解:(1)溶液属于混合物;(2)溶液的特征是均一性、稳定性;(3)溶液中的溶质可以同时有多种;(4)溶液并不一定都是无色的,如 $CuSO_4$ 溶液为蓝色的;

(5)均一、稳定的液体并不一定都是溶液,如水;
(6)溶液不一定都是液态的,如空气。

例 (2010 湖南邵阳,27,4 分)小华在实验室帮老师整理药品时,发现一瓶失去标签的白色固体,老师告知是 $NaOH$、$CuSO_4$、$NaCl$、$CaCO_3$ 中的一种。小华思考片刻后,认为取少量白色固体放入水中就能确定其成分,她的理由是:
(1)若不溶于水,则是 _____ 。
(2)若溶于水形成蓝色溶液,则是 _____ 。
(3)若溶于水溶液温度升高,则是 _____ 。
(4)若溶于水溶液温度基本不变,则是 _____ 。
答案 (1) $CaCO_3$　(2) $CuSO_4$　(3) $NaOH$ (4) $NaCl$
解析 掌握常见物质与水混合后的特征,就能快速鉴别。

知识⑫ 冷却剂

在生产、生活中常用冰作冷却剂,但冰只能提供 0℃ 左右的低温。一些医疗和研究单位常需要更低的温度,提供低温较方便的方法是用冷冻混合物。下表是几种常见冷冻混合物的组成及所能达到的最低温度。

冷冻混合物的组成	最低温度/℃
41 g NH_4NO_3 和 100 g 冰	−17
19 g NH_4Cl 和 100 g 冰	−16
23 g $NaCl$ 和 100 g 冰	−21
22 g $MgCl_2$ 和 100 g 冰	−34

知识⑬ 影响固体物质溶解速率的因素

1. 温度

对于大多数固体来说,温度升高,固体溶解速率加快。

2. 颗粒大小

固体颗粒越小,溶解速率越快。

3. 搅拌(或振荡)

搅拌(或振荡)也能加快固体物质的溶解速率。

知识⑭ 化学反应中的热量变化

物质发生化学反应在生成新物质的同时也伴随着能量变化,主要表现为热量的变化。根据化学反应时热量变化情况将化学反应分为

科学元典

肥皂是怎样制成的　洗衣皂、香皂都是肥皂,制造的原料和生产的原理是相同的,都是以动物油、植物油和碱为原料经皂化反应制成的。所不同的是:二者对原料的要求不同。生产洗衣皂是各种动、植物油和氢化油,一般不经复杂的处理,生产时往往加入较多的松香,一般不加或少加香精。生产香皂是牛油、羊油和椰子油,先经过精炼、脱色、脱臭的处理,形成无色、无臭的纯净油脂,在配方中只加少量松香;香皂的香气芬芳,是因加工过程中加入了 1% ~1.5% 的香精。

吸热反应：发生化学反应时吸收热量，

如 $CO_2 + C \xrightarrow{\text{高温}} 2CO$。

放热反应：发生化学反应时放出热量，

如 $C + O_2 \xrightarrow{\text{点燃}} CO_2$。

知识15 浓溶液、稀溶液与饱和溶液、不饱和溶液的关系

为粗略地表示溶液中溶质含量的多少，常把溶液分为浓溶液和稀溶液。在一定量的溶液里含溶质的量相对较多的是浓溶液，含溶质的量相对较少的是稀溶液。它们与饱和溶液、不饱和溶液的关系如下图所示：

A.饱和浓溶液
B.饱和稀溶液
C.不饱和浓溶液
D.不饱和稀溶液

(1)溶液的饱和与不饱和与溶液的浓和稀没有必然关系。

(2)饱和溶液不一定是浓溶液，不饱和溶液不一定是稀溶液；浓溶液不一定是饱和溶液，稀溶液不一定是不饱和溶液。

(3)在一定温度下，同种溶剂、同种溶质的饱和溶液要比不饱和溶液浓度大。

例 (2010 云南昆明,11,2 分)下列说法不正确的是 （ ）

A. 浓溶液一定是饱和溶液

B. 稀溶液可能是饱和溶液

C. 在一定条件下，饱和溶液与不饱和溶液之间可相互转化

D. 在提其某物质的溶解度时，一定要指明温度

答案 A 溶液的饱和、不饱和与溶液的浓、稀没有关系，浓溶液可能是不饱和溶液，稀溶液也可能是饱和溶液。

知识16 过饱和溶液

有些物质的溶解度随着温度的升高而增大，在较高的温度下配制成它的饱和溶液，并细心地滤去过剩的未溶固体，然后使溶液的温度急速下降到室温，这时的溶液中所溶解的溶质质量已超过室温时的溶解度，但还尚未析出晶体，此时的溶液就叫做过饱和溶液。过饱和溶液能存在的原因是溶质不容易在溶液中形成结晶中心(即晶核)。

过饱和溶液的性质不稳定，当在此溶液中加入一块小的溶质晶体作为"晶核"，即能引起过饱和溶液中溶质的结晶；或者受到振荡，过饱和溶液也会发生结晶。

知识17 气体的溶解度与固体的溶解度的比较

	固体的溶解度	气体的溶解度
概念	在一定温度时,某固体物质溶解在 100 克溶剂里达到饱和状态时溶解的质量,如:20℃时,NaCl 的溶解度为 36 克	在 101 kPa 和一定温度时,某气体溶解在 1 体积水里达到饱和状态时的气体体积,如:0℃时,氮气的溶解度为 0.024
区别	(1)固体物质的溶解度受温度影响有三种变化趋势:温度升高,溶解度增大,如 KNO_3;温度升高,溶解度几乎不变,如 NaCl;温度升高,溶解度变小,如 $Ca(OH)_2$ (2)固体物质溶解度与压强无关 (3)固体物质溶解度单位为克	(1)气体的溶解度都随温度升高而变小,随温度降低而变大 (2)气体的溶解度随压强增大而变大,随压强变小而变小 (3)气体溶解度后面不带单位
相同点	都须指明温度,达到饱和状态	

知识18 溶液与液体

(1)溶液并不仅限于液态,只要是分散质高度分散(以单个分子、原子或离子状态存在)的体系均称为溶液。如锡、铅的合金焊锡,有色玻璃等称为固态溶液。气态的混合物可称为气态溶液,如空气。我们通常指的溶液是最熟悉的液态溶液,如糖水、盐水等。

(2)液体是指物质的形态之一。如通常状况下水是液体,液体不一定是溶液。

知识19 影响溶质质量分数的因素

(1)影响溶质质量分数的因素是溶质、溶剂的质量,与温度、是否饱和无关。在改变温度的过程中若引

科学元典

什么是增白肥皂 增白肥皂与普通肥皂相比，只是在肥皂中加入了荧光增白剂。用这种肥皂洗涤衣物，皂体中所含的增白剂与水形成溶液，很容易被衣物吸附，而不立刻消失。这样就能使被洗的衣物显得发白。有色织物的色泽更鲜艳。这种增白或增色作用是荧光反应，不是化学反应，所以对织物纤维无损伤。为了避免荧光增白剂消失，洗过的织物不宜在阳光下暴晒。

起溶液中溶质、溶剂质量改变,溶质的质量分数也会改变,但归根结底,变温时必须考虑溶质、溶剂的质量是否改变。因而,影响溶质的质量分数的因素还是溶质、溶剂的质量。

例如:①将饱和的 $NaNO_3$ 溶液降低温度,由于析出晶体,溶液中溶质的质量减少,溶剂的质量不变,所以溶液中溶质的质量分数变小。

②将饱和的 $NaNO_3$ 溶液升高温度,只是溶液变成了不饱和溶液,溶液中溶质、溶剂的质量不变,因而溶液中溶质的质量分数不变。

(2)不要认为饱和溶液变成不饱和溶液,溶质的质量分数就变小;也不要认为不饱和溶液变成饱和溶液,溶质的质量分数就变大;要具体问题具体分析。

知识20 用汽油洗去油污与用洗涤剂洗去油污的比较

汽油能溶解油污,形成溶液;洗涤剂不能溶解油污,但洗涤剂能乳化油污,使之成为细小的油滴从而容易被水冲走。

例 (2010 辽宁丹东,5,1 分)小明同学在自己购买的一本化学课外参考资料中看到这样一段话:"用汽油洗涤工作服上的油渍这一过程,可以用乳化和乳化作用的原理来解释"。对此,小明产生了一些疑问。你觉得小明的下列想法合适的是 (   )

A. 有时参考书上也会有错误的。人非圣贤,孰能无过! 我还是问问老师吧

B. 好像不对吧? 不过参考书都是权威专家写的,应该不会错! 可能是我记错了

C. 汽油是乳化剂,可以与衣服上的油渍发生化学变化,形成乳浊液,达到清洗的目的

D. 不容置疑,参考书上写的当然是正确的啦

答案 A 参考资料中的说法与事实不相符,值得怀疑,不要迷信参考资料。事实上,用汽油洗涤工作服上的油渍是汽油溶解了油渍,而不是乳化作用。

知识21 除去织物上污渍的方法

污渍	清洗方法
蓝墨水	白色织物上,可用草酸稀溶液和漂白剂溶液轮流擦拭,再用洗涤剂和水洗;有色织物上,小心用高锰酸钾溶液擦拭,污渍去掉后,迅速用过氧化氢稀溶液擦拭污渍处,并立即用水漂洗

圆珠笔油	用酒精擦拭,再用洗涤剂洗,最后用水洗
菜汤、乳汁	用酒精擦拭,然后用稀氨水揉搓,再用水洗
水果渍	用氯化钠溶液洗,或用草酸稀溶液沾湿,再用水洗;如果是白色织物,可用过氧化氢稀溶液沾湿,再用水洗
血渍	刚沾上时,立即用冷水洗,再用洗涤剂洗,最后用水洗;沾污时间较长的,可用氨水擦拭,片刻后用冷水洗,如不能除净,用草酸稀溶液洗涤,然后用水洗
铁锈	用草酸稀溶液清洗,然后用水洗
沥青	用酒精或汽油擦拭多次,然后用水洗

知识22 生活中常用的几种消毒剂

(1)70% ~75% 的酒精溶液用于伤口的清洗,皮肤表面的消毒;

(2)高锰酸钾溶液(俗称紫药水);

(3)碘酒(碘的酒精溶液);

(4)红药水(又名红汞);

(5)食盐水。

特别提醒

碘酒是将碘单质溶解在酒精中形成的溶液,具有杀菌作用。红药水,又名红汞,对皮肤黏膜没有刺激性,在皮肤割伤、擦伤时可用于消毒,但其抗菌作用弱、消毒效力较差。

碘酒不能与红药水同用,原因是红药水中的汞溴红与碘酒中的碘相遇后,会生成碘化汞(HgI_2)。碘化汞是剧毒物质,能引起皮肤损伤,黏膜溃疡。如果进入人体,还会使牙龈发炎,严重时可使心力衰竭,所以在伤口处不能同时使用这两种药物。

知识23 稀溶液的某些性质

1. 导电性增强

水的导电性很弱,在水中溶解酸、碱、盐后,导电能力增强,是因为上述物质溶于水后电离出离子。而蔗糖、乙醇溶于水不能增强导电性,是因为这些物质在水中不能发生电离。

2. 沸点升高,凝固点下降

某些物质溶于水后,使水的沸点升高,凝固点下降。这一性质常为人们所利用。例如,冬天常在汽

科学元典 **如何鉴别洗衣粉的优劣** 从包装上区分:优质洗衣粉,包装袋印刷清晰;假冒伪劣洗衣粉,多数包装印刷质量低劣。从洗衣粉外观上区分:优质的为空心颗粒状,装袋蓬松饱满,手摸袋有滑松感,颜色纯正,颗粒均匀;假冒伪劣洗衣粉则夹杂粗颗粒或硬结块,装袋后不满,袋空隙较大,手摸袋有湿感,粉粒颜色灰黄。从使用上区分:优质洗衣粉放入水中溶解快,手触溶液无烧手感,溶液清而滑爽,发泡量多,去污力明显,用量少而洗涤效能明显,气味不刺鼻;假冒伪劣洗衣粉刚正好相反。

车的水箱中加入少量乙二醇,以防止水箱中的水结冰;寒冷的冬季,人们常向公路上的积雪撒些盐,使冰雪很快融化。

3. 溶液显色

某些物质溶于水后溶液呈现不同颜色。如硫酸铜溶液显蓝色,氯化铁溶液显黄色,高锰酸钾溶液显紫红色等。

🎯 方法清单

方法 1　常用的水净化方法

水的净化方法	除去不溶性杂质	除去可溶性杂质	降低水的硬度
静置沉淀	可以	否	否
过滤	可以	否	否
吸附	可以	可以	否
蒸馏	可以	可以	可以

方法 2　控制变量法探究固体物质溶解速率

在中考试题中常出现实验探究影响固体物质在水中的溶解速率的因素。在日常生活和实验中定性较多,如果定量就应该用控制变量法。

(1)控制溶质质量、溶剂质量、温度、溶质的颗粒大小,探究搅拌对溶解速率的影响,搅拌比不搅拌快。

(2)控制溶质质量、溶剂质量、温度,探究溶质颗粒大小对溶解速率的影响,颗粒小的溶解快。

(3)控制溶质质量、溶剂质量、溶质颗粒大小,探究温度对溶解速率的影响,对大多数物质来说,温度越高溶解的速率越快。

在日常生活中我们要使一块冰糖较快的溶解在水中,应该将冰糖研碎,在热水中溶解而且还要不断搅拌。

方法 3　运用溶解度曲线判断混合物分离、提纯的方法

根据溶解度曲线受温度变化的影响,通过改变温度或蒸发溶剂,使溶质结晶析出,从而达到混合物分离、提纯的目的。如 KNO_3 和 $NaCl$ 的混合物的分离。(KNO_3、$NaCl$ 溶解度曲线如下图)

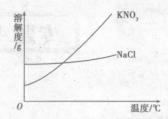

(1)温度变化对物质溶解度影响较大,要提纯这类物质,可采用降温结晶法。具体的步骤为:①配制高温时的饱和溶液,②降温,③过滤,④干燥。如 KNO_3 中混有少量的 $NaCl$,提纯 KNO_3 可用此法。

(2)温度变化对物质溶解度影响较小,要提纯这类物质,可用蒸发溶剂法。具体步骤为:①溶解,②蒸发溶剂,③趁热过滤,④干燥。如 $NaCl$ 中混有少量 KNO_3,要提纯 $NaCl$,可蒸发溶剂,$NaCl$ 结晶析出,而 KNO_3 在较高温度下,还没有达到饱和,不会结晶,趁热过滤,可得到纯净的 $NaCl$。

例 (2010 江苏苏州,30,2分)根据下列几种物质溶解度曲线图,得到的结论正确的是 ( )

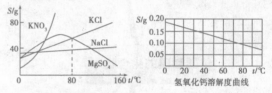

A. 硝酸钾中混有少量氯化钠,采用蒸发结晶进行提纯

B. 氢氧化钙饱和溶液降低温度后有晶体析出

C. 80 ℃时,氯化钾与硫酸镁的溶解度相等

D. 所有物质的溶解度均随温度的升高而增大或随温度的降低而减小

答案 C　A项,由于 KNO_3 溶解度受温度影响较大,应该采取冷却热饱和溶液的方法分离出 KNO_3;B项,$Ca(OH)_2$ 溶解度随温度的降低而增大,氢氧化钙饱和溶液降温不会析出晶体;D项,任何物质的溶解度都会受温度影响,一般是随温度升高而增大,但 $Ca(OH)_2$ 例外。

科学元典

洗衣粉的正确使用方法　使用前应先看包装,搞清洗衣粉的类型,并根据包装袋上的说明正确使用。一般来说,应先用温水将洗衣粉溶解,再将浸湿的衣物泡于其中,15～20分钟之后洗涤效果最佳。要特别注意的是,加酶洗衣粉用水的温度不能超过60℃,否则酶将会失活,从而影响洗涤效果。存放洗衣粉时,应注意防潮、防晒,放置在阴凉干燥处,尤其是加酶加香洗衣粉,温度过高香精会挥发,酶会失去活性。

专题 4   碳和碳的化合物

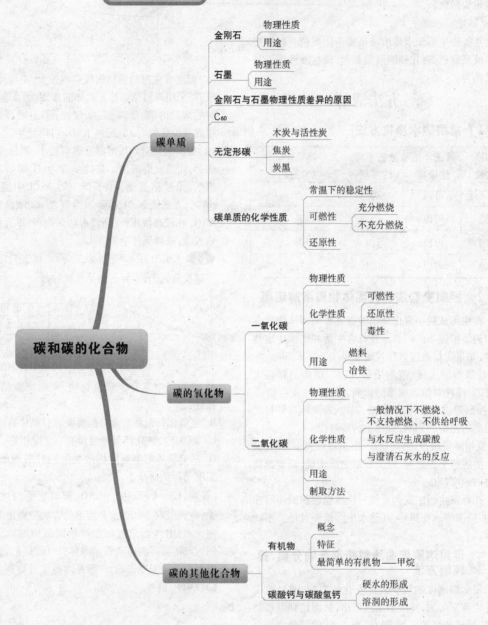

碳和碳的化合物

- 碳单质
  - 金刚石
    - 物理性质
    - 用途
  - 石墨
    - 物理性质
    - 用途
  - 金刚石与石墨物理性质差异的原因
  - C₆₀
  - 无定形碳
    - 木炭与活性炭
    - 焦炭
    - 炭黑
  - 碳单质的化学性质
    - 常温下的稳定性
    - 可燃性
      - 充分燃烧
      - 不充分燃烧
    - 还原性
- 碳的氧化物
  - 一氧化碳
    - 物理性质
    - 化学性质
      - 可燃性
      - 还原性
      - 毒性
    - 用途
      - 燃料
      - 冶铁
  - 二氧化碳
    - 物理性质
    - 化学性质
      - 一般情况下不燃烧、不支持燃烧、不供给呼吸
      - 与水反应生成碳酸
      - 与澄清石灰水的反应
    - 用途
    - 制取方法
- 碳的其他化合物
  - 有机物
    - 概念
    - 特征
    - 最简单的有机物——甲烷
  - 碳酸钙与碳酸氢钙
    - 硬水的形成
    - 溶洞的形成

科学元典

人的皮肤为什么显酸性 人体皮肤表面的 pH 值大约在 4.5～6.5 之间，为弱酸性。它是由皮肤分泌的汗液和皮脂形成的一层皮脂膜附着在皮肤上形成的。这层皮脂膜对人体有保护作用，有人称它为人体的"酸外套"。它对寄生于皮肤表面的各种细菌和真菌的生长很不利，因而可防止这些细菌侵入机体，起到自动净化的作用。所以，为了保护人体最宝贵的"酸外套"，请您不要选用碱性过大的洗涤用品或化妆品，以防止皮脂大量流失，造成皮肤皮脂膜被人为地破坏。

知识清单

基础知识

知识1 碳的单质

1. 碳的单质

同一种元素可以组成不同的单质,如氧元素可以组成氧气和臭氧,磷元素可以组成白磷和红磷,同样碳元素也可以组成不同的单质,它们是金刚石、石墨、C_{60}等。

2. 金刚石、石墨、C_{60}的性质比较及用途

	金刚石	石墨	C_{60}
外观	无色透明、正八面体形状的固体	深灰色、不透明、细鳞片状的固体,有金属光泽	分子形似足球,是有金属光泽的固体,其微晶粉末呈黄色
结构模型			
导电性	几乎不导电	良好	几乎不导电
硬度	天然存在的最硬的物质	质软(最软的矿物之一)	质脆
导热性	很好	良好	很差
熔点	很高	很高	较低
用途	作钻探机钻头、刻刀、装饰品等	作电极、铅笔芯、润滑剂等	作超导体、制备新材料等
区别与联系	金刚石、石墨、C_{60}的物理性质有很大差异,原因是这些单质中碳原子的排列方式不同,但由于它们都是由碳元素组成的单质,故化学性质相同。金刚石与石墨通过化学反应可以相互转变		

例1 (2010 四川甘孜,7,2分)填涂答题卡要使用2B铅笔,2B铅笔芯的主要成分是　　(　　)

A. 石墨　　　B. 金刚石　　C. 二氧化锰　　D. 铅

答案 A 由于石墨质软可用来制铅笔芯。不要认为铅笔芯是用铅制成的。

3. 无定形碳(木炭、活性炭、炭黑、焦炭)

(1)木炭、活性炭、焦炭、炭黑是由石墨的微小晶体和少量杂质构成的,均属混合物。没有固定的几何外形,所以称为无定形碳。

(2)无定形碳的物理性质及用途

	物理性质	主要用途	制法
木炭	灰黑色多孔固体	制黑火药,制活性炭,制炭笔,吸附色素	木材隔绝空气加强热
活性炭	黑色粉末或颗粒状固体	净化多种气体和液体,做防毒面具,使溶液脱色	木炭在高温下用水蒸气处理
炭黑	黑色粉末状固体	制造油墨、油漆、鞋油、颜料、墨汁及橡胶制品的填料	含碳物质不完全燃烧的产物
焦炭	浅灰色多孔固体,质地坚硬	作燃料,冶金工业还原剂	烟煤隔绝空气条件下加强热制得

(3)木炭、活性炭因具有疏松多孔的结构,表面积很大,所以吸附能力很强,吸附时被吸附物(有色液体、有毒气体等)吸附在其表面(细孔管道内),这个过程是物理变化。活性炭是木炭经过水蒸气高温处理得到的,它具有很大的表面积,因此活性炭的吸附能力比木炭强。木炭、活性炭的吸附性属于物理性质。吸附过程中发生的变化是物理变化。

例2 (2010 湖北襄樊,5,1分)防毒面具的滤毒罐中用来吸附毒气的物质是　　(　　)

A. 炭黑　　　B. 活性炭　　C. 木炭　　D. 石墨

答案 B 木炭、活性炭均具有疏松多孔的结构,因而均具有较强的吸附能力,但活性炭的吸附能力比木炭强,故选B。

4. 碳单质物理性质不同的原因

金刚石、石墨、C_{60}等不同的碳单质物理性质有很大的差异,原因是这些碳单质中碳原子的排列方式不同。

例3 (2010 浙江杭州,7,3分) 下面是甲、乙两种物质的结构示意图,图中小圆圈均代表碳原子。这两种物质在氧气中完全燃烧后的产物都是二氧化碳,但它们的物理性质却明显不同,如导电性、硬度等。据此,下列说法错误的是 ( )

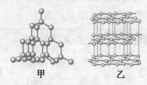

甲　　　　乙

A. 甲乙两种物质中的碳原子大小相同
B. 甲乙两种物质都是碳单质
C. 甲乙两种物质中原子的空间排列方式不同
D. 将甲乙两种物质混合后得到的是纯净物

答案 D 甲图为金刚石的结构模型,乙图是石墨的结构模型,甲、乙均为碳单质,两者结构中碳原子相同,但空间排列方式不同。如果将甲、乙两物质混合在一起得到的是混合物。

5. 碳的化学性质

(1) 稳定性

指碳在常温下性质稳定。原因:碳原子的结构示意图为 $\underset{+6}{\overset{\frown}{)}2\,4}$,最外层电子数为4,既不容易得电子,也不容易失电子,所以碳在常温下性质稳定,但随温度的升高,碳的活性增强,在点燃、加热、高温等条件下,碳能跟很多物质起反应。

根据常温下单质碳的稳定性,单质碳有很多应用。例如我国古代用墨汁书写、绘制的字画,可保存几百年而不褪色;我们填写的档案资料均要求用碳素笔书写。

(2) 可燃性

在点燃的条件下,单质碳能在氧气(或空气)里燃烧,放出热量,碳可作燃料。

①氧气充足时,碳充分燃烧:$C + O_2 \xrightarrow{\text{点燃}} CO_2$,放热多;

②氧气不充足时,碳不充分燃烧:$2C + O_2 \xrightarrow{\text{点燃}} 2CO$,放热少。

若用煤作燃料,应保证煤充分燃烧,若燃烧不充

分,不仅浪费燃料而且生成的 CO 会污染空气。

(3) 还原性

单质碳在高温条件下可以和某些氧化物反应,能夺取这些氧化物中的氧,表现出还原性。

①木炭和氧化铜的反应,实验装置如下:

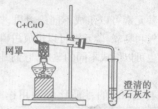

实验现象:黑色粉末逐渐变成红色,澄清石灰水变浑浊。反应的化学方程式:$2CuO + C \xrightarrow{\text{高温}} 2Cu + CO_2\uparrow$。

②工业上,用焦炭和铁的氧化物反应冶炼铁:$2Fe_2O_3 + 3C \xrightarrow{\text{高温}} 4Fe + 3CO_2\uparrow$。

③高温下,木炭还能与 CO_2 反应:$C + CO_2 \xrightarrow{\text{高温}} 2CO$。

例4 (2010 四川成都,18,10分) 木炭作为还原剂用于金属冶炼已有几千年历史。教材用如图 I 实验介绍这一知识。

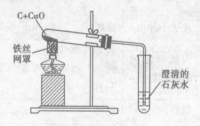

图 I

(1)木炭与氧化铜反应的化学方程式是_____;

(2)木炭呈块状,实验时要先将木炭研细,再与 CuO 粉末混合均匀后使用。这样处理的目的是_____;

(3)酒精灯火焰处加有铁丝网罩,其作用是_____;

(4)为了提高成功率,某研究小组设计如图 II 方案进行实验。

【装置改进】

图Ⅱ

稳定的高温是本实验成功的关键因素之一,实验装置也会影响加热的效率。

图Ⅱ装置将卧式试管装置改为直立式装置。实验时,将反应混合物夯实于试管底部,调节酒精灯使外焰完全包围试管的下部。

你认为该设计是否更好? _____(填"是"或"否");

理由是_____;

【实验研究】

分别称取 2 g 木炭与 CuO 的混合物,按每种比例重复实验 3 次。实验记录如下表:

总质量相同(2 g)但木炭与CuO比例不同的实验对比表

比例	1:6	1:7	1:8	1:9	1:10~1:11	1:12	1:13
加热时间	1'51"	1'43"	1'57"	2'21"	2'00"	1'53"	4'
实验现象	红热,产生大量气泡,石灰水变浑浊						偶尔红热,气泡较少
实验结果	表层铜珠较大,出现未完全反应的黑色木炭粉末,且木炭含量越高黑色粉末越多		反应较完全,生成亮红色网状铜块	部分生成Cu_2O	主要产物是Cu_2O		

由实验数据分析,影响实验的另一因素是_____;从产物分析,该反应混合物的最佳比例范围是_____;

【讨论交流】

由于试管中有空气,实验时应注意:

①混合物需进行预热,目的除了使试管受热均匀外,还有_____;

②不能把石灰水变浑浊作为木炭跟 CuO 反应的充分证据。因为试管中还可能发生反应:_____(写出化学方程式);

【提出问题】关于影响该实验的因素,你认为还可进一步探究的问题是_____。

答案 (1)$2CuO + C \xrightarrow{\text{高温}} 2Cu + CO_2\uparrow$

(2)增大木炭与氧化铜粉末的接触面积,使反应更加充分

(3)使火焰集中,提高温度

(4)**【装置改进】**是 反应物受热均匀,可获得持续的高温(其他合理解释也可)

【实验研究】反应混合物的质量比例 1:10~1:11

【讨论交流】①减少试管内剩余空气的量,降低氧气对实验的影响;赶跑夹杂在反应物中的水汽,防止水汽凝结倒流(答出其中一条或其他合理解释均可)

②$C + O_2 \xrightarrow{\text{高温}} CO_2$

【提出问题】混合物总质量对实验的影响或用酒精喷灯代替酒精灯或用其他形态的碳替代木炭(答出其中一条或其他合乎题意的答案均可)

解析 做木炭还原氧化铜的实验,先将炭粉研细的目的是增大木炭与氧化铜的接触面积,使反应更加充分;酒精灯加铁丝网罩的目的是使火焰集中,提高温度;由实验数据分析可以看出,反应中木炭与氧化铜的质量比例影响反应的速率,当木炭与氧化铜的质量比例为1:10~1:11时,反应较完全。

知识❷ 二氧化碳

1. 自然界中的碳循环

(1)自然界消耗二氧化碳的途径:光合作用。

(2)自然界产生二氧化碳的途径。

①主要途径:化石燃料的燃烧。

②次要途径:呼吸作用、微生物的分解作用。

例1 (2010 江苏苏州,18,2分)下列有关碳循环的说法错误的是 ( )

A.绿色植物的光合作用吸收 CO_2 释放 O_2

B.动植物的呼吸作用吸收 O_2 释放 CO_2

C.可用石灰水吸收空气中过量的 CO_2,以减缓温室效应

D.提倡"低碳生活",大力推广风能、太阳能等新能源

答案 C 把握碳循环的途径。减缓温室效应的方

法分为两种:增加绿色植物的种植以增强光合作用;使用新能源以减少二氧化碳的排放。由于空气中 CO_2 含量非常低,仅为 0.03%,用石灰水吸收空气中的 CO_2 不切合实际。

2. 二氧化碳的物理性质

颜色	状态	密度	溶解性
无色	通常状况下为气态,降温加压可变为液态,在 101 kPa、-78.5℃时可转变为固态,俗称干冰	大于空气,在标准状况下为 1.977 g/L,是空气密度的 1.5 倍	可溶于水,通常条件下,1 体积水溶解 1 体积 CO_2 气体,加压时溶解更多

3. 二氧化碳的化学性质

(1)二氧化碳不能燃烧,也不能供给呼吸,一般也不支持燃烧。但是,一些活泼金属能在二氧化碳气体中燃烧,夺取二氧化碳中的氧,使二氧化碳还原成碳单质,如: $2Mg + CO_2 \xrightarrow{\text{点燃}} 2MgO + C$。

(2)二氧化碳能与水反应生成碳酸,碳酸能使紫色石蕊试液变红(浅红色): $CO_2 + H_2O == H_2CO_3$; H_2CO_3 极不稳定,易分解: $H_2CO_3 \xrightarrow{\triangle} H_2O + CO_2 \uparrow$,此时红色石蕊试液又变为紫色。

(3)二氧化碳能使澄清石灰水变浑浊: $CO_2 + Ca(OH)_2 == CaCO_3 \downarrow + H_2O$,此反应可用来鉴定和检验二氧化碳。但在吸收二氧化碳时一般不用石灰水,因为氢氧化钙在水中的溶解度很小,无法将二氧化碳完全吸收,要吸收二氧化碳一般用浓碱(氢氧化钠等)溶液。

例2 (2010 重庆江津,10,3 分)关于二氧化碳的自述中,你认为不符合事实的是 ( )

A. 我能在灭火中大显身手
B. 我承认"温室效应"主要是我惹的祸
C. 我能帮助绿色植物进行光合作用
D. 我能与人体血红蛋白结合,使人中毒

答案 **D** CO_2 不燃烧,一般也不支持燃烧可用来灭火,A 正确。 CO_2 含量升高是导致"温室效应"的主要原因,B 正确。 CO_2 是光合作用的原料,C 正确。煤气中毒是 CO 与血红蛋白结合导致的,D 不符合事实。

4. 二氧化碳的用途

①由于二氧化碳不燃烧,一般也不能支持燃烧,且密度比空气大,所以可用来灭火。
②"干冰"可作制冷剂,用来保存食品和进行人工降雨。
③二氧化碳是一种工业原料,可用来制纯碱、尿素和汽水等。
④植物进行光合作用,需要二氧化碳。可在温室或大棚里施用二氧化碳作肥料。

例3 (2010 辽宁大连,43,1 分)下列关于二氧化碳的叙述中,错误的是 ( )

A. 自然界中二氧化碳处于循环状态
B. 二氧化碳可用于生产碳酸饮料
C. 干冰可用于储藏食物和人工降雨
D. 可用氢氧化钠溶液检验二氧化碳

答案 **D** 牢记 CO_2 的性质和用途,便不难作答。

5. 二氧化碳的实验室制法

(1)实验室制取二氧化碳的反应原理

①药品:大理石(或石灰石)和稀盐酸。
②反应原理: $CaCO_3 + 2HCl == CaCl_2 + CO_2 \uparrow + H_2O$ 。

大理石或石灰石的主要成分是碳酸钙,化学式是 $CaCO_3$ 。

(2)实验室制取二氧化碳的装置

①发生装置:实验室制取二氧化碳是固体和液体反应,不需加热,因此选择发生装置如下图:

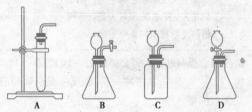

A   B   C   D

◀)) **特别提醒**

A 装置为简易装置,不便于加液体;B、C 使用了长颈漏斗,便于添加液体,使用 B、C 装置时应注意,长颈漏斗下端管口应伸入液面以下,防止产生的气体从长颈漏斗逸出;D 装置使用了分液漏斗,便于加酸,还可以利用活塞控制滴液的快慢以节约药

科学元典

化妆品的作用 (1)清洁作用:清除皮肤及毛发,以及人体分泌与代谢过程中产生的不洁物。(2)保护作用:保护皮肤及毛发等处,使皮肤滋润、富有弹性,毛发不易枯断。(3)营养作用:补充皮肤及毛发营养,减缓皮肤衰老以及促进毛发生长或者防止脱发。(4)美化作用:美化皮肤及毛发,使之增加魅力,或散发香气。(5)防治作用:预防或治疗皮肤及毛发等部位影响外表或功能的生理病理现象。

品,便于控制反应。

②收集装置:二氧化碳溶于水,所以不能用排水法收集;其<u>密度比空气大</u>,所以只能采用<u>向上排空气法</u>收集。如图:

③检验:把产生的气体通入澄清石灰水,若澄清石灰水变浑浊,证明是二氧化碳。

④验满:将燃着的木条放在集气瓶口,如果木条的火焰熄灭,证明已集满。

⑤实验步骤:a. 检查装置的气密性;b. 装入石灰石(或大理石);c. 塞紧双孔塞;d. 从长颈漏斗中加稀盐酸;e. 收集气体;f. 验满。

例4 (2010 江苏南京,21,5分)根据下列装置图,回答有关问题:

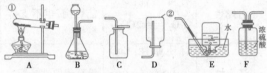

(1)写出装置图中标号仪器的名称:①_____;
②_____。

(2)写出实验室用大理石和稀盐酸制取二氧化碳的化学方程式:_____。并据此选择上图中_____(填字母)组装一套制取干燥二氧化碳的装置。

(3)如选用装置 A 作为制取氧气的发生装置,其化学方程式可以为_____。

答案 (1)①试管　②集气瓶

(2)$CaCO_3 + 2HCl == CaCl_2 + H_2O + CO_2\uparrow$　BFC

(3)$2KClO_3 \xrightarrow[\triangle]{MnO_2} 2KCl + 3O_2\uparrow$　(合理答案均可)

解析 (2)CO_2 密度大于空气,要制备干燥的 CO_2 气体必须用浓硫酸干燥并用向上排空气法收集。

6. 二氧化碳的工业制法

(1)原理:高温煅烧石灰石生成生石灰(CaO),同时生成 CO_2。

(2)化学方程式:$CaCO_3 \xrightarrow{高温} CaO + CO_2\uparrow$。

知识③　一氧化碳

1. 一氧化碳的物理性质

在通常状况下,一氧化碳是一种无色、无味的气体,熔点为 −199℃,沸点为 −191.5℃。标准状况下密度为 1.250 g/L,比空气略小。难溶于水,通常状况下 1 体积水仅能溶解约 0.023 体积的一氧化碳,25℃时其溶解度为 0.002 6 g/100 g 水。

特别提醒
一氧化碳气体的收集应采用排水法,因为其难溶于水,又因一氧化碳密度与空气非常接近且有毒,故不可用向下排空气法收集。

2. 一氧化碳的化学性质

(1)可燃性

点燃 CO,产生<u>蓝色火焰</u>,放出热量。化学方程式:$2CO + O_2 \xrightarrow{点燃} 2CO_2$(可作气体燃料)。

CO 不纯,点燃时可能会发出爆炸,点燃前一定要检验纯度。

(2)毒性

CO 极易与血液中的血红蛋白结合,从而使血红蛋白不能很好地与氧气结合,造成生物体内缺氧,严重时危及生命。CO 有剧毒,人在 CO 的体积分数达到 0.02% 的空气中持续停留 2～3 h 即出现中毒症状,因此我们使用煤、燃气热水器时要装烟囱,注意室内通风。

(3)还原性

$CO + CuO \xrightarrow{\triangle} Cu + CO_2$(用于<u>冶金工业</u>)。

①实验探究

一氧化碳和氧化铜反应装置图 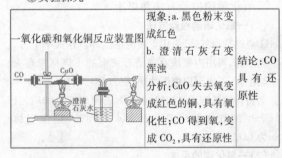	现象:a. 黑色粉末变成红色 b. 澄清石灰石变浑浊 分析:CuO 失去氧变成红色的铜,具有氧化性;CO 得到氧,变成 CO_2,具有还原性	结论:CO 具有还原性

②CO 还原 CuO 的实验步骤如下：

实验步骤	目的
a. 检验 CO 的纯度	防止 CO 不纯,点燃或加热后发生爆炸
b. 先通入 CO,后点燃酒精灯,对有 CuO 的位置加热	排出管中的空气,避免 CO 不纯,加热时发生爆炸
c. 反应结束后,先停止加热,继续通入 CO 至玻璃管冷却	防止生成的铜重新被氧化成氧化铜

例1 (2010 湖北襄樊,20,2 分)小平同学设计了下图所示的实验装置,进行一氧化碳还原氧化铜的实验。试回答：

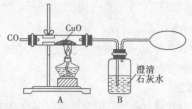

(1)当装置 B 中的澄清石灰水变浑浊时,说明 _____。
(2)为了保证安全,在通入 CO 气体之前应该 _____。

答案 (1)反应有 CO_2 气体生成　(2)检验 CO 的纯度

解析 一氧化碳具有可燃性、还原性、毒性,一氧化碳还原氧化铜会生成铜和二氧化碳。不纯的一氧化碳点燃或加热时会发生爆炸,因此通入一氧化碳前必须先检验纯度。

3. 一氧化碳的检验方法和用途

(1)一氧化碳的检验方法
①点燃待检气体,先用干燥的小烧杯罩在火焰上方,无水珠,再用内壁涂有澄清石灰水的小烧杯罩在火焰上方,若出现白色浑浊物,则为 CO 气体。
②将待检气体通过灼热的 CuO,若出现红色物质,且产生的气体能使澄清石灰水变浑浊,则该气体为 CO。

(2)一氧化碳的用途
①作燃料:CO 具有可燃性,将煤转化为煤气后使燃烧更充分,对环境污染程度小。
②冶炼金属:CO 具有还原性,用于冶金。

4. 一氧化碳与二氧化碳性质的比较

对比项目		物质	
		一氧化碳	二氧化碳
组成元素		C、O 两种元素	C、O 两种元素
分子中各原子个数比		$N(C):N(O)=1:1$	$N(C):N(O)=1:2$
各元素的质量比		$m(C):m(O)=3:4$	$m(C):m(O)=3:8$
物理性质	状态	无色、无味气体	无色、无味气体
	密度	1.250 g/L(略小于空气)	1.977 g/L(大于空气)
	溶解性	在 1 体积水里约溶解 0.02 体积	在 1 体积水里约溶解 1 体积
化学性质	可燃性	有可燃性: $2CO+O_2 \xrightarrow{\text{点燃}} 2CO_2$	一般情况下,既不能燃烧,也不支持燃烧
	还原性	有还原性: $CuO+CO \xrightarrow{\triangle} CO_2+Cu$	没有还原性
	跟水的反应	不能跟水反应	跟水反应: $CO_2+H_2O \Longrightarrow H_2CO_3$
	跟澄清石灰水的反应	不能跟澄清石灰水反应	跟澄清石灰水反应: $CO_2+Ca(OH)_2 \Longrightarrow CaCO_3\downarrow+H_2O$
物质中碳元素的化合价		+2	+4
毒性		有毒	无毒
主要用途		作气体燃料,用于高炉炼铁	灭火、人工降雨、干冰制冷等,作化工原料和温室肥料
相互转化		$CO \underset{+C(\text{高温})}{\overset{+O_2(\text{点燃})}{\Longleftrightarrow}} CO_2$	

知识 ④ 碳酸钙

1. 碳酸钙的存在

碳酸钙($CaCO_3$)是一种白色难溶于水的固体。在自然界中,大理石、石灰石、方解石、白垩、蛋壳、珍珠等物质的主要成分均为碳酸钙;水垢的主要成分也是碳酸钙;许多补钙药剂如钙片主要成分也是碳酸钙。

2. 碳酸钙的检验

(1) 碳酸钙的主要化学性质

①$CaCO_3 + 2HCl = CaCl_2 + H_2O + CO_2 \uparrow$(实验室制取 CO_2 的原理)

②$CaCO_3 \xrightarrow{高温} CaO + CO_2 \uparrow$(工业上制 CO_2)

(2) 碳酸钙的检验方法

①方法:将碳酸钙放入试管中,加入稀盐酸,并将产生的气体通入澄清石灰水中。

②现象:产生大量气泡,澄清石灰水变浑浊。

③化学方程式:$CaCO_3 + 2HCl = CaCl_2 + H_2O + CO_2 \uparrow$,$CO_2 + Ca(OH)_2 = CaCO_3 \downarrow + H_2O$。

例1 (2010 浙江丽水,23,6 分)有一种"石头纸",主要成分为碳酸钙,其外观与普通纸相似。

(1)鉴别"石头纸"与普通纸有多种方法。若分别点燃这两种纸,则不易燃烧的是 ＿＿＿＿ 纸;若在纸片上分别滴加 ＿＿＿＿ ,则有大量气泡产生的是"石头纸"。

(2)若推广这种"石头纸",可以减少树木的砍伐,过度砍伐树木带来的后果是 ＿＿＿＿ (写出一种)。

答案 (1)石头　稀盐酸　(2)水土流失(合理即可)

解析 "石头纸"的主要成分是碳酸钙,能与稀盐酸反应产生 CO_2 气体,普通纸的主要成分是纤维素,具有可燃性,但不能与酸反应产生气体。由于树木锐减导致的环境问题有:水土流失、土壤沙化、气候恶化等。

3. 溶洞的形成与硬水

(1) 溶洞

溶洞都分布在石灰岩组成的山地中,石灰岩主要成分是碳酸钙,当遇到溶有二氧化碳的水时,会反应生成溶解性较大的碳酸氢钙:

$$CaCO_3 + CO_2 + H_2O = Ca(HCO_3)_2$$

溶有碳酸氢钙的水遇热或当压强突然变小时,溶解在水里的碳酸氢钙就会分解,重新生成碳酸钙沉积下来,同时放出二氧化碳:

$$Ca(HCO_3)_2 = CaCO_3 \downarrow + CO_2 \uparrow + H_2O$$

洞顶的水在慢慢向下渗漏时,水中的碳酸氢钙发生上述反应,有的沉积在洞顶,有的沉积在洞底,日久天长洞顶的形成钟乳石,洞底的形成石笋,当钟乳石与石笋相连时就形成了石柱。

(2) 硬水

①硬水是指含有较多可溶性钙、镁化合物的水。根据硬水中所含钙、镁化合物种类的不同又可将硬水分为永久性硬水和暂时性硬水。

硬水分类	钙、镁化合物种类	受热后的变化
暂时性硬水	钙、镁的酸式碳酸盐,如 $Ca(HCO_3)_2$、$Mg(HCO_3)_2$	钙、镁的酸式碳酸盐在受热(煮沸)后可分解。$Ca(HCO_3)_2 \xrightarrow{\triangle} CaCO_3 \downarrow + H_2O + CO_2 \uparrow$ $Mg(HCO_3)_2 \xrightarrow{\triangle} MgCO_3 \downarrow + H_2O + CO_2 \uparrow$
永久性硬水	钙、镁的硫酸盐、氯化物、硝酸盐类	受热后不分解,但在高温高压下可沉淀。

②硬水的形成

各种天然水中不同程度地溶解有多种矿物质。当雨、雪降落到地面时,由于雨水中含有弱酸——碳酸,在雨水流入江、河、湖泊的过程中,不断溶解土壤和岩石中的含钙、镁、硫、氯等元素的物质,从而使天然水中含有较多的钙、镁的碳酸盐、碳酸氢盐、硫酸盐、硝酸盐及氯化物。

例2 (2010 湖南长沙,41,4 分)井水中通常含有较多的钙、镁离子,如果想知道某井水是硬水还是软水,可以用 ＿＿＿＿ 检验。为降低水的硬度,可采用的方法是 ＿＿＿＿＿＿＿。

答案 肥皂水　煮沸(或蒸馏)

解析 解答此类题需准确记忆硬水与软水的概念、区分方法及硬水的软化方法。

科学元典

使用自制面膜须谨慎 很多人喜欢用新鲜的蔬菜、水果等自制面膜,认为这种制出来的面膜安全无刺激,又能为皮肤提供所需的营养。但有些自制面膜并不一定安全,使用不当的话有可能对肌肤造成伤害。例如有人喜欢用新鲜的柠檬榨汁敷脸,这就是一种错误的做法。柠檬汁确实富含维生素 C,能使皮肤白皙,但是果酸不经提炼加工就直接接触皮肤,很可能会刺激皮肤,使皮肤出现泛红、脱屑、发痒等问题。因此,一定要根据自身的皮肤状况选择安全的材料。

4.石灰石的用途

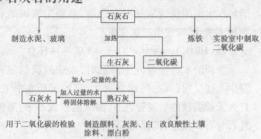

力的条件下,可以使氢气与 C_{60} 制成 C_{60} 的氢化物,在常温下非常稳定,在 $80\sim215\,℃$ 时,C_{60} 的氢化物便释放出 H_2,留下纯的 C_{60}。用 C_{60} 贮氢具有价格低、贮量多的优点。

(2)有感觉功能的传感器

由于用 C_{60} 薄膜做基质材料可以制成手指状组合型的电容器,用它制成的化学传感器具有比传统的传感器尺寸小、简单、可再生和价格低等优点,可能成为传感器中颇具吸引力的一种产品。

(3)增强金属

为提高金属材料的强度可以通过合金化、塑性变形和热处理等手段,强化的途径之一是通过几何交互作用。例如,将焦炭中的碳分散在金属中,碳与金属在晶格中相互交换位置,可以引起金属的塑性变形,碳与金属形成碳化物颗粒,能使金属强度增强。

(4)新型催化剂

在发现 C_{60} 以后,化学家们开始探讨 C_{60} 用于催化剂的可能性。C_{60} 具有烯烃的电子结构,可以与过渡金属(如铂系金属和镍)形成一系列络合物。例如,C_{60} 与铂、铱可以结合成 $\{[(C_2H_5)_3P]_2Pt\}C_{60}$ 和 $C_{60}OsO_4\cdot$(四特丁基吡啶)等配位化合物,它们有可能成为高效的催化剂。

日本丰桥科技大学的研究人员合成了具有高度催化活性的化合物 $C_{60}Pd_6$。我国武汉大学的研究人员合成了 $Pt(PPh_3)_2C_{60}$(PPh_3 为三苯基膦),对于硅氢加成反应具有很高的催化活性。

(5)光学应用

具有独特微观结构的 C_{60} 具有特殊的光学性质,其中令人感兴趣的光学性质之一是光限制性,即在增加入射光的强度时,C_{60} 会使光学材料的传输性能降低。

光限制性对于保护眼睛具有重要意义。以 C_{60} 的光学限制性为基础,可研制出光限制产品,它只允许在敏化阈值以下(即对眼的危险阈值以下)的光通过,这样就起到了保护人眼免受强光损伤的作用。

(6)癌细胞的杀伤效应

C_{60} 经光激发后有很高的单线态氧的产率,而单线态氧与生物机体的生理生化功能、组织损伤、肿瘤以及光化治疗技术都有着重要关系。

当对 C_{60} 的激发光强度达到 $4\,000$ lx 时,癌细胞受单线态氧的作用已接近 100% 死亡,因此能有效地

拓展知识

知识① "碳"与"炭"的区别

"碳"是表示一种核电荷数为 6 的非金属元素,而"炭"一般是指由石墨的微小晶体和少量杂质组成的混合物,如木炭、焦炭、活性炭、炭黑等。在说明碳元素时,用"碳"表示,如碳单质、二氧化碳、碳酸等;在说明含石墨的无定形碳时,用"炭"表示,如木炭、焦炭等。

知识② 碳燃烧生成物的判断

$$\begin{cases} 氧气量充足时,碳充分燃烧:C+O_2 \xrightarrow{点燃} CO_2 \\ 氧气量不充足时,碳不充分燃烧:2C+O_2 \xrightarrow{点燃} 2CO \end{cases}$$

当 m g 碳与 n g 氧气反应时

① $\dfrac{m}{n}<\dfrac{3}{8}$ 时,生成物只有 CO_2,且 O_2 有剩余;

② $\dfrac{m}{n}=\dfrac{3}{8}$ 时,恰好完全反应生成 CO_2;

③ $\dfrac{3}{8}<\dfrac{m}{n}<\dfrac{3}{4}$ 时,生成物既有 CO_2 也有 CO;

④ $\dfrac{m}{n}=\dfrac{3}{4}$ 时,恰好完全反应生成 CO;

⑤ $\dfrac{m}{n}>\dfrac{3}{4}$ 时,生成物只有 CO,且 C 有剩余。

知识③ C_{60} 的潜在应用前景

自 1985 年英国科学家克罗托发现 C_{60} 以来,人类对它进行了深入研究,发现 C_{60} 在超导方面有很大的用途。如 1991 年赫巴德首先制备出掺钾的 C_{60} 超导材料,超导起始温度为 18K。

除此外,C_{60} 在以下几个方面也具有广泛的应用前景。

(1)气体的贮存

人类研究利用 C_{60} 作吸氢材料,在控制温度和压

破坏癌细胞的质膜和细胞内的线粒体中质网和核膜等重要的癌细胞结构,从而导致癌细胞的损伤乃至死亡。

还有的研究指出,可以将肿瘤细胞的抗体附着在 C_{60} 分子上,然后将带有抗体的 C_{60} 分子引向肿瘤,也可以达到杀伤肿瘤的目的。

(7)其他医疗功能

C_{60} 还适宜在生物系统中充当自由基清除剂和水溶性抗氧剂。自由基是导致某些疾病甚至肿瘤的有害物质,C_{60} 可望能够降低患病者血液中自由基的浓度,还可抑制畸形的和患病细胞的生长。

知识④ 莫氏硬度

莫氏硬度是表示矿物硬度的一种标准,1812 年由德国矿物学家莫斯(Frederick Mohs)首先提出。确定这一标准的方法是,用棱锥形金刚石钻针刻画所试矿物的表面而产生划痕,用测得的划痕的深度来表示硬度。

矿物	硬度	矿物	硬度
滑石	1	正长石	6
石膏	2	石英	7
方解石	3	黄玉	8
萤石	4	刚玉	9
磷灰石	5	金刚石	10

知识⑤ 碳纤维

碳纤维是一种纤维状碳材料,它是将有机纤维与塑料树脂结合在一起,放在惰性气氛中,在一定压强下加强热、碳化而成的。

碳纤维是一种强度比钢大,密度比铝小,比不锈钢还耐腐蚀,比耐热钢还耐高温,又能如铜那样导电,具有许多宝贵的电学、热学和力学性能的新型材料。

用碳纤维与塑料制成的复合材料,可以代替铝合金来制造飞机。制成的飞机,不仅轻巧,而且消耗动力少、推力大、噪音小。用碳纤维制电子计算机的磁盘,能提高计算机的贮存量和运算速率。用碳纤维增强塑料来制造卫星和火箭等宇宙飞行器,机械强度高,质量小,可节省大量的燃料。

总之,用碳纤维或碳纤维增强的塑料、玻璃、陶瓷和金属等材料来代替钢材和合金等,在化工、机电、造船,特别是飞机制造、宇航器材等领域中有广泛的应用。

知识⑥ 人造金刚石

早在 20 世纪 30 年代就已经有了生产人造金刚石的工厂,只是传统工艺所用的原料一直是石墨。由于石墨的密度大约只有金刚石的 2/3,所以完成这个变化需要高温和高压的条件。遗憾的是,这样做成的人造金刚石虽然和天然金刚石硬度相当,但是透明度和外形都达不到天然金刚石的水平。

20 世纪 80 年代,人们发现人造金刚石在半导体制造行业具有广泛的应用前景。因为计算机芯片的基体材料——硅的导热性不好,这成为进一步提高芯片性能的难题。而金刚石在导热性方面远远超过硅(甚至超过铜和银),于是它成了芯片基体材料的最佳选择。正是这种需求推动了人造金刚石的研究。

人们想到,金刚石既然是碳的一种单质,为什么不可以用碳原子作为构建金刚石晶体的原料,而一定要通过破坏石墨的晶体来完成呢?灵巧的化学家很快就完成了这项研究。透明的、晶莹璀璨的人造金刚石就这样在实验室里诞生了。

虽然还没有能够制造出大颗粒的金刚石晶体(所以大颗粒的天然金刚石仍然价值连城),但是已经制成了金刚石的薄膜。

知识⑦ 单质碳及其化合物间的相互转化规律

$$\begin{array}{c} H_2CO_3 \quad CH_4 \\ \Big\updownarrow ⑤\Big\updownarrow ⑥ \quad \Big\updownarrow ⑯ \\ Cu \xleftarrow{①} C \xrightarrow{②} CO_2 \xrightleftharpoons[⑪]{} CaCO_3 \xrightarrow{⑬} CaO \xrightarrow{⑭} Ca(OH)_2 \\ ③\Big\downarrow \quad ④\Big\downarrow ⑦\Big\updownarrow ⑧ \quad ⑫ \quad ⑮ \\ Fe \leftarrow CO \rightarrow Cu \quad C_2H_5OH \end{array}$$

①$2CuO + C \xrightarrow{\text{高温}} 2Cu + CO_2 \uparrow$

②$C + O_2 \xrightarrow{\text{点燃}} CO_2$

③$3C + 2Fe_2O_3 \xrightarrow{\text{高温}} 3CO_2 \uparrow + 4Fe$

④$2C + O_2 \xrightarrow{\text{点燃}} 2CO$

⑤$H_2O + CO_2 = H_2CO_3$

⑥$H_2CO_3 = H_2O + CO_2 \uparrow$

⑦$2CO + O_2 \xrightarrow{\text{点燃}} 2CO_2$

⑧$CO_2 + C \xrightarrow{\text{高温}} 2CO$

不要天天敷面膜　面膜是肌肤护理中的大餐,虽然效果很好,但不能天天使用。每天都敷面膜,会使尚未成熟的皮肤角质失去抵御外来侵害的能力,从而导致皮肤敏感、长出暗疮。很多面膜都有明确标示的使用周期,比如 5 天敷一次,或是 10 天用 3 片。若想达到最佳效果,就应按照面膜的使用周期来使用。当然,在气候特别干燥的季节可以适当地多用补水面膜,而在外出旅行或在户外工作时可常用具有美白或修复功能的面膜。

⑨$3CO + Fe_2O_3 \xrightarrow{\text{高温}} 3CO_2 + 2Fe$

⑩$CO + CuO \xrightarrow{\text{高温}} Cu + CO_2$

⑪$CO_2 + Ca(OH)_2 =\!=\!= CaCO_3\downarrow + H_2O$

⑫$CaCO_3 + 2HCl =\!=\!= CaCl_2 + H_2O + CO_2\uparrow$

⑬$CaCO_3 \xrightarrow{\text{高温}} CaO + CO_2\uparrow$

⑭$CaO + H_2O =\!=\!= Ca(OH)_2$

⑮$C_2H_5OH + 3O_2 \xrightarrow{\text{点燃}} 2CO_2 + 3H_2O$

⑯$CH_4 + 2O_2 \xrightarrow{\text{点燃}} CO_2 + 2H_2O$

例 (2010 湖南娄底,26,4 分)碳和碳的部分化合物间的部分转化关系如下图所示:

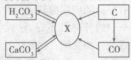

(1)物质 X 的化学式为_____。

(2)在物质的分类中,$CaCO_3$ 属于_____(填字母)。

A. 氧化物　　B. 酸　　C. 碱　　D. 盐

(3)写出该图转化关系中属于化合反应的一个化学方程式_____。

答案 (1)CO_2　(2)D　(3)$C + O_2 \xrightarrow{\text{点燃}} CO_2$(合理即可)

解析 碳和碳的化合物之间的转化关系以二氧化碳为中心,故 X 的化学式为 CO_2。图中转化关系中,$CO_2 \rightarrow H_2CO_3$、$C \rightarrow CO_2$、$C \rightarrow CO$、$CO \rightarrow CO_2$ 均可通过化合反应来完成,(3)的答案不唯一。

知识⑧ 温室效应

1. 造成温室效应的原因

大量使用含碳燃料、乱砍滥伐都是导致大气中的二氧化碳的含量不断上升的原因。造成温室效应的气体主要是二氧化碳,还有臭氧、甲烷等。

2. 温室效应造成的影响

温室效应会造成全球变暖,两极冰川融化,海平面升高,土地沙漠化,农业减产等。

3. 控制温室效应的方法

减少煤、石油、天然气等化石燃料的使用;开发利用新能源,如太阳能、水能、地热能、风能等;大力植树造林。

例 (2010 浙江衢州,19,3 分)下图是科学家根据相关研究绘制约 60 万年以来大气中二氧化碳含量变化和全球温度变化的图线,据图分析可得(　　)

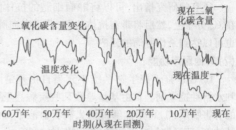

A. 大气中二氧化碳含量的变化引起全球温度的变化

B. 全球温度的变化引起大气中二氧化碳含量的变化

C. 全球温度的变化与大气中二氧化碳含量的变化有一定的关系

D. 全球温度的变化与大气中二氧化碳含量的变化没有关系

答案 C "温室效应"主要是因为空气中 CO_2 含量升高导致的。

知识⑨ 呼吸作用

生物体利用氧气,将有机物经过氧化分解,最终生成二氧化碳和水,并释放出能量的过程。

知识⑩ 光合作用

绿色植物利用光能将二氧化碳和水转变为有机物并放出氧气的过程。

知识⑪ 二氧化碳一定能灭火吗

二氧化碳一般不支持燃烧,但在一定条件下,某些物质也可以在二氧化碳中燃烧,如将点燃的镁条伸入盛有二氧化碳的集气瓶中能继续燃烧,反应的化学方程式为:$2Mg + CO_2 \xrightarrow{\text{点燃}} 2MgO + C$,所以活泼金属着火不能用二氧化碳来灭火。

例 (2010 上海,32,1 分)镁带能在 CO_2 气体中燃烧:$2Mg + CO_2 \xrightarrow{\text{点燃}} 2MgO + C$,该反应中的还原剂是(　　)

A. Mg　　　B. CO_2　　　C. MgO　　　D. C

答案 A 在化学反应中,夺取氧的物质是还原剂,提供氧的物质是氧化剂,Mg 在该反应中夺取了氧生成氧化镁,故镁是还原剂。

知识⑫ 二氧化碳与石灰水反应的应用

二氧化碳与石灰水反应的现象是出现白色沉淀,方程式为:$CO_2 + Ca(OH)_2 \xrightarrow{\quad} CaCO_3 \downarrow + H_2O$。该反应及现象有以下几方面的应用:

(1)检验二氧化碳气体;

(2)鉴别NaOH溶液和澄清石灰水,将CO_2气体通入待测溶液中,生成白色沉淀的溶液为澄清石灰水,无明显现象的为NaOH溶液;

(3)除去某些气体中的杂质:如除去CO中的CO_2气体,可将混合气体通过澄清石灰水;

(4)解释澄清石灰水为什么要密封保存。敞口放置的澄清石灰水会吸收空气中的CO_2在表面生成一层白膜或变浑浊,其成分是$CaCO_3$;

(5)用石灰砂浆砌砖抹墙后不久后变白变硬:石灰砂浆的主要成分是$Ca(OH)_2$,吸收空气中的CO_2发生反应生成白色的$CaCO_3$固体;

(6)保存鸡蛋:将鸡蛋浸泡在澄清石灰水中,取出来后CO_2与石灰水反应封闭鸡蛋壳上的小孔,可以延长鸡蛋的保存时间。

知识⑬ 二氧化碳肥料

二氧化碳是光合作用的原料之一,因而现在在温室内或大棚内种植蔬菜水果时,经常人为提高温室内CO_2浓度,以增加农作物产量,增加CO_2浓度的方法通常用以下几种:

(1)在温室内放置干冰,干冰升华增加CO_2浓度。

(2)在温室内放置通过化学反应产生CO_2气体的物质,如在塑料大棚顶部的容器内放置石灰石和稀盐酸。

知识⑭ 灯火实验

二氧化碳本身无毒,但它不供给呼吸,当空气中二氧化碳含量超过常量时,也会对人体健康产生不良影响。

空气中二氧化碳的体积分数/%	对人体健康的影响
1	使人感到气闷、头昏、心悸
4~5	使人感到气喘、头痛、眩晕
10	使人神志不清、呼吸停止,以致死亡

由于二氧化碳密度大于空气,因而在低洼的地方浓度会增大。在进入久未开启的菜窖或干涸的深井前,应先点燃一支蜡烛用绳放到下面,观察蜡烛能否正常燃烧,若不能正常燃烧,应开启菜窖一段时间后再检验,直到蜡烛能正常燃烧时,才能下去。

知识⑮ 一氧化碳的产生方式

通过化学反应生成CO的途径主要有以下几方面:

(1)碳的不完全燃烧:$2C + O_2 \xrightarrow{点燃} 2CO$

(2)高温下碳还原二氧化碳:$C + CO_2 \xrightarrow{高温} 2CO$

(3)水煤气的制取:$C + H_2O \xrightarrow{高温} CO + H_2$、

例 (2010江西,4,2分)"吸烟有害健康"。我国政府规定:从2011年5月1日起,公共场所内禁止吸烟。烟草燃烧释放的有害物质中,能与血红蛋白结合引起中毒的是 (　　)
A. 尼古丁　　B. 一氧化碳　　C. 焦油　　D. 甲醛

答案 B 吸烟产生一氧化碳,它可与血液中血红蛋白结合使人体缺氧而中毒。

知识⑯ 一氧化碳与二氧化碳之间的相互转化

$$CO_2 \underset{②、③}{\overset{①}{\rightleftarrows}} CO$$

①$CO_2 + C \xrightarrow{高温} 2CO$

②$2CO + O_2 \xrightarrow{点燃} 2CO_2$

③$CO + CuO \xrightarrow{\Delta} Cu + CO_2$

例 (2010重庆,17,3分)一氧化碳和二氧化碳只有一字之差。

(1)有人认为,二者就像孪生兄弟,这是因为＿＿＿＿＿＿(填序号)。
A. 它们由同种分子构成
B. 它们由相同的元素组成
C. 它们都有毒
D. 它们都能溶于水

(2)也有人认为,二者化学性质相差甚远,请给出一条支持他的理由:＿＿＿＿＿＿。

(3)其实,二者是可以相互转化的,请用化学方程式表示此过程:＿＿＿＿＿＿。

答案(1)B (2)CO可燃而CO_2不可燃(或CO具有还原性,而CO_2无还原性、CO_2能与碱液反应而

科学元典

冬季的美容护肤 冬天气温低湿度小,皮肤会因汗腺、皮肤腺分泌的减少和失去较多的水分而变紧发干。因此,在冬季进行美容护肤更显重要。外出前,应在外露的皮肤上涂些油性润肤膏,尤其在嘴唇部位应使用唇膏。减少用热水洗脸的次数,每天1~2次即可,少用脱脂性强的洗涤用品洗脸。经常按摩面部皮肤,以促进血液循环,每周可使用1~2次面膜。洗脸后,涂上油脂护肤化妆品,如手足皮肤出现裂口,可以涂一些防裂油膏。

CO 不能反应等)(合理答案均可)

(3)$2CO + O_2 \xrightarrow{\text{点燃}} 2CO_2$(或 $C + CO_2 \xrightarrow{\text{高温}} 2CO$)

解析 (1)一氧化碳和二氧化碳都是由碳、氧元素组成,但由于分子构成不同,其性质也不同。

(3)利用一氧化碳的可燃性、碳的还原性可实现相互转化。

知识 ⑰ 碳酸的存在

CO_2 溶于水后与水反应生成碳酸,但实质上 CO_2 溶于水后,只有其中的1%与水反应生成碳酸(H_2CO_3),其余部分仍以 CO_2 分子形式溶在水里。碳酸是不稳定的,只存在于水溶液中,从来都没有以纯酸的形式分离出来过。

知识 ⑱ 一氧化碳的毒性与解毒

一氧化碳被吸进肺里,与血液里的血红蛋白结合成稳定的碳氧血红蛋白,随血液流遍全身。一氧化碳与血红蛋白的结合能力要比氧与血红蛋白的结合能力大 200～300 倍,而碳氧血红蛋白的解离却比氧合血红蛋白缓慢约 3 600 倍。因此,一氧化碳一经吸入,即与氧争夺血红蛋白。同时,由于碳氧血红蛋白的存在,妨碍氧合血红蛋白的合成和正常解离,使血液的输氧功能发生障碍,造成机体急性缺氧。一氧化碳含量较高时,还可与细胞色素氧化酶中的铁结合,从而抑制组织细胞的呼吸过程,阻碍其对氧的利用。由于中枢神经系统对缺氧最敏感,中毒时先感觉疲倦乏力,继而发生一系列的全身症状。

由于一氧化碳没有颜色和气味,与空气的密度接近,因此,生活中应警惕一氧化碳中毒。例如,使用煤炉或煤气灶要注意室内通风,以排出不完全燃烧生成的一氧化碳。有些气体燃料中含有一氧化碳,因此,漏气的管道既可引起着火,也可能引起中毒。汽车的尾气和燃着的香烟产生的烟气中都含有一氧化碳。

一氧化碳的中毒程度,主要与空气中一氧化碳的体积分数及接触时间有关。当体积分数为 0.02% 时,2～3 h 可出现中毒症状;体积分数为 0.08% 时,2 h 可昏迷;如体积分数再高,危险性则更大。

轻微中毒者,应吸收大量新鲜空气或进行人工呼吸。医疗上常用静脉注射亚甲基蓝进行解毒,这是因为一氧化碳与亚甲基蓝的结合比碳氧血红蛋白更牢固,从而有利于一氧化碳转向亚甲基蓝而释放

出血红蛋白,使人体恢复正常呼吸作用。

例 (2010 湖南长沙,7,3 分)下列说法中,正确的是 ( )

A. 煤炉上放一壶水可以防止 CO 中毒

B. 金刚石、石墨都是由碳原子构成的,所以都很坚硬

C. 用活性炭可以除去水中的氯化钠杂质

D. 用澄清石灰水可区分 CO、CO_2

答案 D A 项,CO 不溶于水,放一壶水并不能防止 CO 中毒;B 项,金刚石和石墨虽然都是由碳原子构成的,由于碳原子的排列方式不同,金刚石的硬度很大,石墨的硬度却不大;C 项,活性炭不能吸附水中的离子,它无法除去水中的氯化钠;D 项,CO 与澄清石灰水不发生反应,而 CO_2 能与澄清石灰水反应有白色沉淀产生,故可将二者区分开。

知识 ⑲ 实验室制取二氧化碳药品的选择理由

实验室用稀盐酸和大理石或石灰石(主要成分是碳酸钙)制取二氧化碳。理由是反应速率适中,原料价廉易得。

🔊 **特别提醒**

(1)不能选用稀硫酸,因为稀硫酸与碳酸钙反应生成微溶于水的硫酸钙覆盖在碳酸钙的表面上,阻止了反应继续进行。

(2)不能选用浓盐酸,因为浓盐酸易挥发,得不到纯净的二氧化碳气体。

(3)不能用碳酸钠代替石灰石,因为反应太剧烈,产生的气体难以收集。反应速率的快慢与反应物的质量分数和接触面积有关。接触面积越大,反应物的质量分数越大,反应速率就越快,反之,则越慢。

各组物质反应情况如下表所示:

药品	反应速率
块状石灰石和稀盐酸	产生气泡速率适中
石灰石粉末和稀盐酸	产生气泡速率很快
块状石灰石和稀硫酸	产生气泡速率缓慢并逐渐停止
碳酸钠粉末和稀盐酸	产生气泡速率很快

例 (2010 安徽,12,7 分)下图是实验室制取气体的常见装置,请回答下列问题:

科学元典

夏季的美容护肤 夏季,皮肤容易失去平衡。往往中性的皮肤,都会变成油性或干性。这时,人们应根据季节的变化,来调整自己的美容护肤品,以使自己的皮肤得到最佳的保护。一般夏日的紫外线对皮肤构成的威胁最大。它会使皮肤角化失去弹性,造成早衰。还能引起黄褐斑和日光性皮炎的发生。外出时,最好戴帽打伞,同时脸上或暴露部位涂些防晒霜,能有效地抵御紫外线对皮肤的伤害。夏季花露水常可作消毒杀菌剂使用。

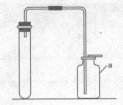

(1)仪器a的名称是 _____。

(2)若用高锰酸钾制氧气 _____(填"能"或"不能")选用该装置。

(3)现有药品:①稀硫酸 ②稀盐酸 ③大理石。若用该装置制取 CO_2,选用的药品是 _____(填序号),反应的化学方程式是 _____。

(4)写出鉴别氧气和二氧化碳的一种方法: _____。

答案 (1)集气瓶 (2)不能

(3)②③ $CaCO_3 + 2HCl == CaCl_2 + CO_2\uparrow + H_2O$

(4)将带火星的木条插入待测气体中,能使带火星的木条复燃的是氧气,反之是二氧化碳(其他合理答案均可)

解析 (2)用 $KMnO_4$ 制 O_2 需要加热;(3)若用稀硫酸,生成的硫酸钙微溶于水,沉积在大理石上使反应终止,所以应用大理石和稀盐酸;(4)利用氧气的助燃性和二氧化碳的不助燃性鉴别氧气与二氧化碳。

知识20 一氧化碳的实验室制法

实验室里制取一氧化碳通常用甲酸(蚁酸)脱水的方法。取 250 mL 烧瓶一个,配双孔塞,附分液漏斗和短弯导管各一个。在烧瓶里盛浓硫酸 40～50 mL,在分液漏斗中盛甲酸 5～10 mL。然后加热硫酸至 80～90℃,逐滴滴入甲酸,就有一氧化碳产生。反应如下:

$$HCOOH \xrightarrow[\triangle]{浓硫酸} H_2O + CO\uparrow$$

反应完毕,烧瓶中剩余的被稀释了的硫酸应该回收。没有甲酸也可以用草酸代替。草酸被浓硫酸脱水,放出二氧化碳和一氧化碳,再将混合气体通过烧碱溶液以除去二氧化碳,剩下的气体就是一氧化碳。

$$H_2C_2O_4 \xrightarrow{浓硫酸} H_2O + CO_2\uparrow + CO\uparrow$$

将制得的一氧化碳经过验纯后,收集在贮气瓶里。

知识21 煤炉内的化学反应

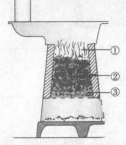

① $2CO + O_2 \xrightarrow{点燃} 2CO_2$

② $C + CO_2 \xrightarrow{高温} 2CO$

③ $C + O_2 \xrightarrow{点燃} CO_2$ (或 $2C + O_2 \xrightarrow{点燃} 2CO$)

知识22 一氧化碳与氢气的比较

内容	一氧化碳(CO)	氢气(H_2)
颜色、状态	无色、无味的气体	无色、无味的气体
密度	1.250 g/L(略小于空气)	0.089 g/L(最轻的气体)
可燃性	有可燃性 $2CO + O_2 \xrightarrow{点燃} 2CO_2$	有可燃性 $2H_2 + O_2 \xrightarrow{点燃} 2H_2O$
还原性	有还原性 $CO + CuO \xrightarrow{\triangle} Cu + CO_2$	有还原性 $H_2 + CuO \xrightarrow{\triangle} Cu + H_2O$
毒性	剧毒	无毒
鉴别方法	根据燃烧产物的不同来鉴别	

知识23 H_2、CO、C 的比较

CO、H_2 和 C 是初中阶段所了解的三种主要还原剂,它们都具有可燃性和还原性,但又各有所不同,归纳如下:

物理性质	标准状况下的状态	H₂	C	CO
		气体	固体	气体

化学性质	可燃性	化学方程式	$2H_2 + O_2 \xrightarrow{\text{点燃}} 2H_2O$	$C + O_2 \xrightarrow{\text{点燃}} CO_2$ $2C + O_2 \xrightarrow{\text{点燃}} 2CO$	$2CO + O_2 \xrightarrow{\text{点燃}} 2CO_2$
		基本反应类型	化合反应	化合反应	化合反应
		反应现象	淡蓝色火焰,放热,生成无色液滴	发光,放热	蓝色火焰,放热,生成的无色气体能使澄清石灰水变浑浊
	还原性	化学方程式	被还原 $H_2 + CuO \xrightarrow{\Delta} Cu + H_2O$ 被氧化	被还原 $C + 2CuO \xrightarrow{\text{高温}} 2Cu + CO_2\uparrow$ 被氧化	被还原 $CO + CuO \xrightarrow{\Delta} Cu + CO_2$ 被氧化
		基本反应类型	置换反应	置换反应	不是置换反应
		反应现象	黑色固体变红,生成无色液滴,管口有水珠	黑色固体变红,生成的无色气体能使澄清石灰水变浑浊	黑色固体变红,生成的无色气体能使澄清石灰水变浑浊
		实验装置图	CuO ... H₂	C+CuO ... 澄清石灰水	CO ... CuO ... D ... 澄清石灰水
		装置要点	试管口略向下倾斜,导管贴试管上壁至药品上方,试管口没有橡皮塞	试管口略向下倾斜,导管刚过橡皮塞	多余的CO要进行尾气处理(如点燃)
		主要实验步骤	通H₂→加热→停止加热→停止通H₂	反应结束后,先将导管从液体中取出,再停止加热	通CO→加热→停止加热→停止通CO
		优点	反应条件低,生成物是水,不污染环境	原料便宜,操作简便	反应条件低
		缺点	不安全,操作复杂	反应条件高,生成物不易提纯	不安全,操作复杂,有毒
	用途		作工业原料,作高能燃料,冶炼金属	作燃料,冶炼金属(不同碳单质有不同的用途)	作气体燃料,冶炼金属

◀)) **特别提醒**

(1)三种物质燃烧的现象有所不同,但不能根据火焰去鉴别CO和H₂;

(2)在还原CuO的实验中,必须对CO的尾气进行处理。

例 (2010 内蒙古包头,3,2分)关于木炭、一氧化碳、氢气分别与氧化铜的反应,下列说法错误的是

( )

科学元典

　　秋季的美容护肤　由于秋天温差大,忽冷忽热的天气使皮肤抵抗力下降,易遭细菌感染,因此,秋季护肤,首先要着重洁肤。首选杀菌力强、清洁效果好、弱酸性的防晒洗面奶。其次,要兼顾早晚温差。白天应使用夏季清爽防晒的保养品,诸如各种防晒霜、润肤蜜;晚上应选用滋润保湿护肤品,比如晚霜、营养霜等。因秋天气温干燥,皮脂腺的油脂分泌减少,水分蒸发较快,脸部易出现紧绷的感觉,所以秋季要重视肌肤的保湿护理,不用含酒精的化妆品。

A. 都有红色物质生成

B. 都有还原剂参加反应

C. 都是置换反应

D. 反应都需要加热或高温

答案 C　木炭、一氧化碳、氢气分别与氧化铜反应时，都表现出还原性，都生成红色的物质铜，反应条件是加热或高温。木炭、氢气与氧化铜的反应是置换反应，一氧化碳与氧化铜的反应不是置换反应。

方法清单

方法 1　证明金刚石和石墨都是由碳元素组成的方法

将金刚石和石墨分别放在充满氧气的密闭容器里，使它们在容器里充分燃烧。测得产物 CO_2 里所含碳元素的质量恰好等于燃烧掉的金刚石或石墨的质量。

例（2010 湖北武汉,3,3 分）碳家族中，C_{60} 的分子结构形似足球（如下图所示）。关于 C_{60} 的说法中，错误的是　　　　　　（　　）

A. 它是一种单质

B. 每个 C_{60} 分子由 60 个碳原子构成

C. 它与金刚石是同一种物质

D. 它完全燃烧后的产物是 CO_2

答案 C　C_{60} 是由分子构成的，而金刚石是由原子构成的，不是同一种物质。但 C_{60} 与金刚石一样都是碳元素的单质，完全燃烧后都生成 CO_2。

方法 2　制取金刚石的最新方法

① $4Na + CCl_4 \xrightarrow{\text{高温、高压}} 4NaCl + C(\text{金刚石})$

② $3CO_2 + 4Na \xrightarrow{\text{高温、高压}} 2Na_2CO_3 + C(\text{金刚石})$

方法 3　证明二氧化碳密度大于空气密度的方法

（1）可以向纸袋中倾倒二氧化碳（如下图）；

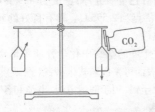

（2）烧杯中下层蜡烛火焰先灭（如下图）；

（3）用二氧化碳吹气球，气球向下落；

（4）可以用向上排空气法收集到二氧化碳。

方法 4　二氧化碳能溶于水的方法

（1）将一定量的水倒入盛有二氧化碳的塑料瓶中，振荡后塑料瓶变瘪；

（2）将盛满二氧化碳的试管倒扣在水里，一段时间后试管内液面上升。

方法 5　二氧化碳与一氧化碳的鉴别方法

（1）澄清石灰水：将气体分别通入澄清石灰水中，能使澄清石灰水变浑浊的是二氧化碳，无明显现象的是一氧化碳。

（2）燃着的木条：将气体分别在空气中点燃，能燃烧的是一氧化碳，不能燃烧的是二氧化碳。

（3）紫色石蕊试液：将气体分别通入紫色石蕊试液中，能使石蕊试液变红的是二氧化碳，无明显现象的是一氧化碳。

（4）还原金属氧化物：将气体分别通入灼热的氧化铜，出现黑色粉末变红这一现象的是一氧化碳，没有明显现象的是二氧化碳。

方法 6　二氧化碳与一氧化碳的除杂方法

（1）$CO(CO_2)$（括号内的物质为杂质）：通常将气体通入过量的碱溶液（一般用氢氧化钠溶液而不用澄清石灰水）中，二氧化碳与碱反应，从而达到除杂的目的。

（2）$CO_2(CO)$（括号内的物质为杂质）：通常将气体通过灼热的氧化铜，一氧化碳与氧化铜反应生成铜和二氧化碳，从而达到除杂的目的。

例（2010 湖北宜昌,15,2 分）除去下列物质中的杂质,所用的试剂和方法不正确的是　（　　）

A. 除去二氧化碳中混有的一氧化碳可以用点燃的方法

B. 除去氯化钾中混有的二氧化锰可以用溶解、过滤、蒸发的方法

C. 除去铜粉中混有的锌粉可以用加入过量的稀盐酸、过滤、洗涤、烘干的方法

D. 除去生石灰中混有的碳酸钙可以用高温煅烧的方法

答案 A　除去 CO_2 中的 CO 不能用点燃的方法,应使混合气体通过灼热的 CuO,A 错。

专题5 金属和金属材料

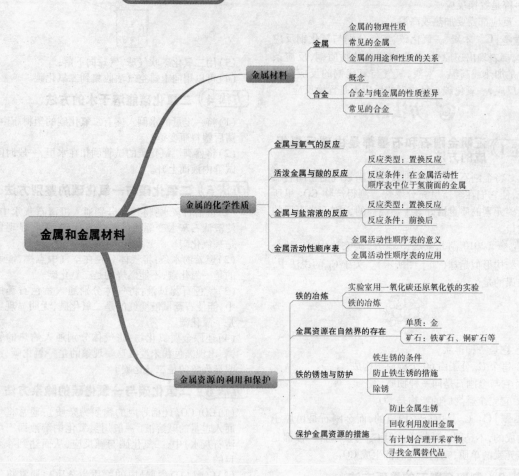

知识清单

基础知识

知识① 金属

1. 几种重要金属

(1)铁(Fe)

纯铁具有银白色金属光泽,质软,有良好的延展性,是电和热的良导体,密度为7.86 g/cm³,属重金属,熔点为1 535℃,沸点为2 750℃。

(2)铝(Al)

具有银白色金属光泽,密度为2.7 g/cm³,熔点为660℃,沸点为2 200℃。具有良好的延展性、导电

性和导热性。

铝在空气中,表面能形成一层致密的氧化物薄膜,可阻止铝进一步被氧化;铝对浓硝酸等有耐腐蚀性;在高温时还原性很强,可用来冶炼高熔点金属;导电性仅次于银和铜,常用于制造电线和电缆。

(3)铜(Cu)

具有红色金属光泽,密度为8.9 g/cm³,熔点为1 083℃,沸点为2 595℃。具有良好的延展性、导电性和导热性。

铜在干燥的空气中化学性质不活泼,在潮湿的空气中,表面可生成碱式碳酸铜(铜绿);导电性在金属中仅次于银,用于制造电线、电缆和各种电器。

(4)锌(Zn)

具有青白色金属光泽,密度为7.14 g/cm³,熔点为419.4℃,沸点为907℃。

锌在空气中比较稳定,在表面能形成一层致密的氧化物薄膜,所以常将锌镀在铁的表面,以防止铁被腐蚀;锌还常用于电镀、制造铜合金和干电池。

(5)钛(Ti)

具有银白色金属光泽,密度为4.5 g/cm³,熔点为1 725℃,沸点为3 260℃。具有良好的延展性和耐腐蚀性。

钛和钛的合金可用于制造喷气发动机、轮船外壳、反应器和电信器材等。

2.金属的物理性质及用途

(1)金属物理性质的共性

大多数金属在常温下是<u>固体</u>,具有<u>金属光泽</u>,是电和热的<u>良导体</u>,具有良好的<u>延展性</u>,密度较大,熔沸点较高。

(2)金属物理性质的特性

不同的金属又有其各自的特性。如铁、铝等大多数金属都呈银白色,但铜却呈红色,金呈黄色;常温下,铁、铝、铜等大多数金属都是固体,但汞是液体;不同金属的导电性、导热性、密度、熔点、硬度等物理性质差别也较大,见下表。

物理性质	物理性质比较
导电性(以银的导电性为100作标准)	银 铜 金 铝 锌 铁 铅 (优)100 99 74 61 27 17 7.9(良)
密度/(g·cm⁻³)	金 铅 银 铜 铁 锌 铝 (大)19.3 11.3 10.5 8.92 7.86 7.14 2.70(小)
熔点/℃	钨 铁 铜 金 银 铝 锡 (高)3 410 1 535 1 083 1 064 962 660 232(低)
硬度(以金刚石的硬度为10作标准)	铬 铁 银 铜 金 铝 铅 (大)9 4~5 2.5~4 2.5~3 2.5~3 2~2.9 1.5(小)

例1 (2010 四川内江,15,3分)金属不具有的物理共性是　　　　　　　　　　(　　)

A.银白色光泽　　　　　B.导热性

C.延展性　　　　　　　D.导电性

答案 A 绝大多数金属具有金属光泽,但银白色光泽不是金属物理性质的共性。导电性、导热性、延展性都是金属物理性质的共性。

(3)物质的性质和用途的关系

①物质的性质在很大程度上决定了物质的用途,但实际运用时,还需要考虑价格、资源、是否美观、使用是否便利,以及废料是否易于回收和对环境的影响等多种因素。

②应用举例

a.日常生活中菜刀、镰刀、锤子等用铁制而不用铅制,这是因为铁的硬度比铅大,并且铅对人体有害。

b.虽然银的导电性比铜好,但由于银的价格比铜高得多,所以电线一般用铜制而不用银制。

c.灯泡里的灯丝用钨制而不用锡制,这是因为钨是<u>熔点最高</u>的金属,高温时钨丝不易熔化;而锡的<u>熔点较低</u>(只有232℃),如果用锡制灯丝,只要一开灯,灯丝就会断开,灯泡不能发光。

d.铁制水龙头要镀铬,这是因为镀铬既美观,又耐腐蚀,可延长水龙头的使用寿命。

e.在日常生活中我们还经常用到其他金属,如温度计中的液态金属汞、干电池的锌皮、热水瓶内胆上镀的金属银等。

例2 (2010 山东威海,10,7分)没有金属,生活是难以想象的。请你根据所学知识回答下列问题:

(1)只要观察一下你的周围,你就能理解金属是多么有用。在一百余种元素中,金属元素的种类比非金属元素的种类　　　　。由于金属具有特殊的组成和结构,决定了金属具有优良的物理性能。你认为金属比较重要的两种物理性质是　　　　　。现代社会以各种金属为支撑,其中用量最大、应用最广泛的金属是　　　　。地壳中含量最丰富的金属是　　　　。

(2)尽管金属有非常优良的物理性质,但应用金属经常遇到的问题是大多数金属化学性质活泼,易与其他物质发生反应。例如,大多数金属暴露在空气中易被腐蚀,这是因为金属易与氧气发生反应,该反应的实质是　　　　反应。从金属的原子结构看,你认为金属易与其他物质发生反应的根本原因是　　　　　　　　。

(3)我国早在春秋战国时期就开始炼铁并应用金属铁。请你用化学方程式表示用一氧化碳还原氧化铁的化学反应原理_____。

答案 (1)多 导电性、导热性(或延性、展性、硬度大等) 铁 铝

(2)氧化 金属原子最外层电子数少于4个,在化学反应中易失去电子

(3)$Fe_2O_3 + 3CO \xrightarrow{\text{高温}} 2Fe + 3CO_2$

解析 (1)从元素周期表中可以看出:金属元素种类明显多于非金属元素种类。金属在物理性质方面具有的共性:如金属都具有金属光泽,具有良好的延展性、导电性、导热性、较高的熔点等。在地壳中含量最高的金属元素是铝;但目前人类利用最广泛的金属是铁。

(2)金属大多能与氧气发生氧化反应,金属元素的原子结构中最外层电子数一般小于4,在化学反应中易失去电子,变为阳离子,这就决定了金属的化学性质一般较活泼。

3.金属的化学性质及金属活动性顺序

(1)常见金属的化学性质

①金属与氧气的反应

金属	在空气中	在氧气中	化学方程式
镁	常温下表面逐渐变暗。点燃,剧烈燃烧,发出耀眼白光,生成白色固体	点燃,剧烈燃烧,发出耀眼白光,生成白色固体	$2Mg + O_2 \xrightarrow{\text{点燃}} 2MgO$
铝	常温下,铝表面变暗,生成一层致密氧化膜,保护铝不再被腐蚀	点燃,剧烈燃烧,火星四射,放出大量的热,生成白色固体	$4Al + 3O_2 \xrightarrow{\text{点燃}} 2Al_2O_3$
铁	持续加热发红,离火变冷	点燃,剧烈燃烧,火星四射,放出大量的热,生成黑色固体	$3Fe + 2O_2 \xrightarrow{\text{点燃}} Fe_3O_4$
铜	加热,生成黑色物质;在潮湿空气中,生成铜绿而被腐蚀	加热,生成黑色固体	$2Cu + O_2 \xrightarrow{\triangle} 2CuO$ $2Cu + O_2 + CO_2 + H_2O ==$ $Cu_2(OH)_2CO_3$
金	即使在高温时也不与氧气反应		
结论	大多数金属都能与氧气反应,但反应的难易和剧烈程度不同		

②金属与酸的反应

酸 金属	盐酸	硫酸	反应现象(同一种金属在两种酸中相同)
镁	$Mg + 2HCl ==$ $MgCl_2 + H_2\uparrow$	$Mg + H_2SO_4 ==$ $MgSO_4 + H_2\uparrow$	镁和铝反应现象相似,剧烈反应,产生大量气泡,溶液仍为无色,试管壁发热,生成的气体能够燃烧,并且产生淡蓝色火焰
铝	$2Al + 6HCl ==$ $2AlCl_3 + 3H_2\uparrow$	$2Al + 3H_2SO_4 ==$ $Al_2(SO_4)_3 + 3H_2\uparrow$	
锌	$Zn + 2HCl == ZnCl_2 + H_2\uparrow$	$Zn + H_2SO_4 == ZnSO_4 + H_2\uparrow$	反应比较剧烈,产生大量气泡,溶液仍为无色,生成的气体能够燃烧,并且产生淡蓝色火焰

科学元典

头发的生长都需要哪些营养物质(一) (1)蛋白质:人的头发主要由角质蛋白构成。缺少蛋白质,头发就缺乏光泽,变得干燥,甚至头发梢分叉。含蛋白质的食物有:黄豆、牛奶、蛋类、瘦肉等。

(2)胶质:胶质对保护头发有很好的作用,能预防脱发。含胶质的食物有:海蜇、海带、木耳等。

铁	$Fe + 2HCl \!=\!=\!= FeCl_2 + H_2\uparrow$	$Fe + H_2SO_4 \!=\!=\!= FeSO_4 + H_2\uparrow$	反应缓慢,有气泡产生,溶液由无色逐渐变为浅绿色,生成的气体能够燃烧,并且产生淡蓝色火焰
铜	不反应	不反应	无

🔊 **特别提醒**

a. 一般在金属活动性顺序表中排在氢前面的金属(也叫活泼金属)置能换出酸中的氢;排在氢后面的金属则不能,如铜、银与盐酸、硫酸都不反应。

b. 浓硫酸和硝酸与金属反应不生成氢气,因为它们有很强的氧化性,与金属反应不生成氢气。

c. 在金属活动性顺序表中排在最前面的金属如K、Na活泼性太强,放入酸溶液中不会跟酸发生置换反应,会跟水发生剧烈的反应。如 $2Na + 2H_2O$ $=\!=\!=2NaOH + H_2\uparrow$。

d. 铁与酸反应时,始终生成亚铁盐(Fe^{2+})。

e. 金属与酸反应后溶液的质量增加。

③金属与盐的反应

将锌片、铁丝、铜丝三种金属分别放入硫酸铜溶液、硝酸银溶液、氯化钠溶液中,观察现象:

	CuSO₄ 溶液	AgNO₃ 溶液	NaCl 溶液
Zn	锌表面有一层红色金属析出,溶液由蓝色变为无色 Zn + CuSO₄ $=\!=\!=$ ZnSO₄ + Cu	锌表面有一层银白色金属析出 $2AgNO_3 + Zn$ $=\!=\!= 2Ag + Zn(NO_3)_2$	无变化,不反应
Fe	铁表面有一层红色金属析出,溶液由蓝色变为浅绿色 Fe + CuSO₄ $=\!=\!=$ FeSO₄ + Cu	铁表面有一层银白色金属析出,溶液由无色变为浅绿色 $Fe + 2AgNO_3$ $=\!=\!= Fe(NO_3)_2 + 2Ag$	无变化,不反应
Cu	无变化,不反应	铜表面有一层银白色金属析出,溶液由无色变为蓝色 $Cu + 2AgNO_3$ $=\!=\!= Cu(NO_3)_2 + 2Ag$	无变化,不反应

🔊 **特别提醒**

a. 在金属活动性顺序表中,位于前面的金属可以把位于其后面的金属从它们的盐溶液中置换出来。相隔越远,反应越容易发生。

b. 金属与盐溶液的反应,盐必须能溶于水,不溶性的盐与金属不反应,如AgCl难溶于水,Fe 和 AgCl 不反应。

c. 不能用最活泼的金属K、Ca、Na与盐溶液反应,因为K、Ca、Na会先与 H_2O 发生置换反应生成碱和氢气。

例3 (2010浙江台州,16,4分)现有甲、乙、丙三种金属,分别与空气和氧气反应,现象如下表所示:

	甲	乙	丙
空气	剧烈燃烧	变黑	变黑
氧气	更剧烈燃烧	变黑	剧烈燃烧

据以上信息,这三种金属活动性由强到弱 ( )

A. 甲 > 丙 > 乙   B. 甲 > 乙 > 丙

C. 乙 > 丙 > 甲   D. 丙 > 乙 > 甲

答案 A 金属与氧气反应的难易程度和剧烈程度不同,则金属活动性不同。金属与氧气越容易反应,反应程度越剧烈则金属活动性越强,由图表信息可推得甲 > 丙 > 乙。

(2)金属活动性顺序表及应用

1)金属活动性顺序表

通过金属与酸和盐溶液的反应,不同的金属其活动性不同,人们经过长期的实践,总结出金属在溶液中的活动性顺序如下:

K Ca Na Mg Al Zn Fe Sn Pb (H) Cu Hg Ag Pt Au

—————————————————————→
金属活动性由强到弱

2)金属活动性顺序表的意义

①在金属活动性顺序表中,金属的位置越靠前,金属的活动性越强。

②在金属活动性顺序表中,只有排在氢前面的金属才能置换出酸中的氢。

③在金属活动性顺序表中,排在前面的金属能把排在后面的金属从其盐溶液中置换出来(K、Ca、Na除外)。

④很活泼的金属,如K、Ca、Na与盐溶液反应,先与

溶液中的水反应生成碱,碱再与盐溶液反应,没有金属单质生成。如:

$$2Na + CuSO_4 + 2H_2O \stackrel{}{=\!=\!=} Cu(OH)_2\downarrow + Na_2SO_4 + H_2\uparrow$$

⑤不能用金属活动性顺序去说明非水溶液中的置换反应,如氢气在加热条件下置换氧化铁中的铁。

$$Fe_2O_3 + 3H_2 \stackrel{\triangle}{=\!=\!=} 2Fe + 3H_2O$$

3)金属原子与金属离子得失电子能力的比较

金属原子 $\xrightarrow[\text{失电子能力逐渐减弱}]{K,Ca,Na,Mg,Al,Zn,Fe,Sn,Pb,(H),Cu,Hg,Ag,Pt,Au}$

失电子‖得电子

金属离子

$\xrightarrow[\text{得电子能力逐渐增强}]{K^+,Ca^{2+},Na^+,Mg^{2+},Al^{3+},Zn^{2+},Fe^{2+}\cdots(H^+),Cu^{2+},Hg^{2+},Ag^+}$

例4（2010 广东广州,22,8 分）在金属活动性顺序里,位于前面的金属能把位于后面的金属从它们化合物的溶液里置换出来。

(1)硫酸铜溶液中,大量存在的离子是＿＿＿＿＿＿。

(2)将铝丝浸入硫酸铜溶液中,静置,观察到的现象是＿＿＿＿＿＿。结合现象进行分析,溶液中减少的离子是＿＿＿＿＿＿,增加的离子是＿＿＿＿＿＿。

(3)除硫酸铜溶液外,将铝丝浸入＿＿＿＿＿＿(任举一例)溶液中,也能产生相同的实验现象。

答案（1）Cu^{2+}、SO_4^{2-}　（2）铝丝上有红色物质析出,溶液由蓝色变为无色　Cu^{2+}　Al^{3+}　（3）$CuCl_2$[或 $Cu(NO_3)_2$]

解析（1）酸碱盐溶于水后,在水中以离子形式存在,注意离子符号的书写。

(2)铝与 $CuSO_4$ 溶液反应的实质是铝置换出溶液中的 Cu^{2+},因此 Cu^{2+} 减少,Al^{3+} 增加。

(3)铝丝浸入可溶性铜盐溶液中,都会产生相同的现象。常见可溶性铜盐溶液有:$CuCl_2$ 溶液、$Cu(NO_3)_2$ 溶液、$CuSO_4$ 溶液等。

4)金属活动性顺序表的应用

①判断某些置换反应能否发生

a.判断金属与酸能否反应:

条件 $\begin{cases} \text{金属必须排在氢前面} \\ \text{酸一般指盐酸或稀硫酸} \end{cases}$

b.判断金属与盐溶液能否反应:

条件 $\begin{cases} \text{单质金属必须排在盐中金属的前面} \\ \text{盐必须可溶于水} \\ \text{金属不包含 K、Ca、Na} \end{cases}$

②解决一些除杂问题

除杂题应掌握的原则:

不增——提纯过程中不能增加新的杂质

不变——被提纯的物质不能改变

易分——被提纯的物质与杂质易于分离

③根据金属与盐溶液的反应判断滤液、滤渣的成分。如向 $CuSO_4$、$AgNO_3$ 混合液中加铁粉反应后过滤,判断滤液和滤渣成分。

铁与 $CuSO_4$ 和 $AgNO_3$ 溶液反应有先后顺序,如果铁足量,先将 $AgNO_3$ 中的 Ag 完全置换后再置换 $CuSO_4$ 中的 Cu,那么溶液中只有 $FeSO_4$;如果铁的量不足,应按照"先后原则"分别讨论溶液和滤渣的成分。

④根据金属活动性顺序表判断金属与酸反应的速率或根据反应速率判断金属的活动性顺序。如镁、锌、铁三种金属与同浓度的稀 H_2SO_4 反应产生氢气的速率:Mg > Zn > Fe,则可判断金属活动性 Mg > Zn > Fe。

⑤利用金属活动性顺序表研究金属冶炼的历史。金属活动性越弱,利用其矿石还原出单质越容易,金属活动性越强,从其矿物中还原出单质越难。

⑥应用举例

a.湿法炼铜

我国劳动人民在宋代就掌握了湿法炼铜技术,即将铁放入硫酸铜溶液中置换出铜。

$$Fe + CuSO_4 \stackrel{}{=\!=\!=} FeSO_4 + Cu$$

b.从洗相废液中回收银

洗相废液中含有大量的硝酸银,可用铁置换回收。

$$Fe + 2AgNO_3 \stackrel{}{=\!=\!=} Fe(NO_3)_2 + 2Ag$$

c.处理工业废水中的铜、汞离子

工业废水中常含有铜、汞等金属离子,这些离子对生物有很大的危害性,在排放前必须进行处理,可用铁置换回收。

$$Fe + CuSO_4 \stackrel{}{=\!=\!=} FeSO_4 + Cu$$

d.实验室选择金属与酸反应制取氢气

在金属活动性顺序表中,H 之前的金属都能跟稀 H_2SO_4、稀 HCl 反应产生氢气,但 Zn 之前金属与酸反应太快,不便操作;Zn 之后金属与酸反应太慢,花费时间太长,从经济效益和反应速率多方面考虑,Zn 是最合适的金属。

科学元典

护发素的使用方法　护发素的使用方法有两种:一种方法是在洗发后将头发漂清,取护发素适量,揉擦头发片刻后,再用清水漂清即可;另一种方法是将洗后的头发漂清,取适量护发素分散在盛有清水的面盆中,然后用分散的护发液和着头发揉擦片刻,之后再用清水漂清。

例5 (2010 湖南株洲,17,2分)常见金属活动性顺序表如下：

K Ca Na Mg Al Zn Fe Sn Pb (H) Cu Hg Ag Pt Au
金属活动性逐渐减弱

下列各组物质不能发生化学反应的是 （ ）

A. 汞与硝酸银溶液 　　B. 铜与硝酸镁溶液
C. 锌与硫酸亚铁溶液　　D. 铝与稀盐酸

答案 **B** 在金属活动性顺序表中，排在氢前面的金属能与酸发生置换反应，故D项Al与稀HCl可发生反应。排在前面的金属能把后面的金属从其盐溶液中置换出来，A、C中的反应可发生，B不可以。

(3)运用金属活动性顺序表验证金属活动性强弱的实验方案设计

验证项目	实验方案	判断理由
比较两种金属的活动性强弱,如 Cu、Zn	方案一:将金属锌放入铜的盐溶液中 方案二:将金属铜放入锌的盐溶液中 方案三:将金属锌、铜分别放入稀盐酸中 方案四:将金属锌、铜同时放入两者中间的一种金属的盐溶液中,如 $FeSO_4$ 溶液	置换反应能发生则锌＞铜 置换反应不能发生则铜＜锌 根据能否与酸反应(或与酸反应的速率快慢)判断 根据置换反应能否发生作出相应判断
比较三种金属的活动性强弱如 Mg、Fe、Cu	方案一:将金属镁、铜同时放入 $FeSO_4$ 溶液中。(两边的金属与中间金属的盐溶液) 方案二:将金属铁分别放入 $MgCl_2$ 溶液和 $CuSO_4$ 溶液中。(两边金属的盐溶液与中间的金属)	根据金属与盐溶液的置换反应能否发生作出相应判断,方案一中镁与 $FeSO_4$ 反应而铜则不能;方案二中 Fe 与 $CuSO_4$ 反应而与 $MgCl_2$ 不反应,均可证明金属活动性 Mg＞Fe＞Cu
	方案三:将三种金属同时放入稀 HCl (或稀 H_2SO_4)中	根据金属与酸的置换反应能否发生及反应速率的快慢做出判断。Mg 与酸反应速率快,Fe 与酸反应速率慢,Cu 与酸不反应,证明金属活动性 Mg＞Fe＞Cu
比较多种金属的活动性强弱,如 Mg、Zn、Cu、Hg	步骤一:先将四种金属单质同时放入稀 HCl 或稀 H_2SO_4 中。 步骤二:再用验证两种金属的方案证明 Cu 和 Hg 的强弱	根据能否与酸发生置换反应将四种金属分为两组,排在氢前面的 Mg 和 Zn,由于反应速率快慢不同,Mg＞Zn;排在氢后面的 Cu 和 Hg 的验证方案(见两种金属的验证方案)

例6 (2010 广东广州,19,2分)下列四个实验中只需要完成三个就可以证明 Fe、Cu、Ag 三种金属的活动性顺序。其中不必进行的是 （ ）

A. 将铁片放入稀盐酸
B. 将铜片放入稀盐酸
C. 将铁片放入硝酸银溶液
D. 将铜片放入硝酸银溶液

答案 **C** 由A、B两项可判断:活泼性 Fe＞Cu;D项铜与 $AgNO_3$ 溶液反应可推出:Cu＞Ag;则C项没有必要进行。

4.常见的金属矿物

(1)金属元素在自然界的存在

自然界中的元素有两种存在形态:一种是以单质的形态存在,叫做元素的游离态;一种是以化合物的形态存在,叫做元素的化合态。在已发现的100多种元素中,金属元素有80多种。金属元素的原子最外层电子数较少,在化学反应中易失去电子。大多数金属的化学性质较活泼,在自然界中常以化合态存在,只有少数金属化学性质很不活泼,如金、银等以单质形式存在。

科学元典

护发素的作用 头发带有负电荷。用香波(主要是阴离子洗涤剂,肥皂也属于此类)洗发后,会使头发带有更多的负电荷,从而产生静电,致使梳理不便。使用了护发素,其中的主要成分阳离子即铵盐可以中和残留在头发表面阴离子的分子,并留下一层均匀的单分子膜,这层奇妙的东西会给头发带来一系列好处:柔软、光泽、易于梳理、抗静电,并使头发的机械损伤和化学烫、电烫、染发剂所带来的损伤受到一定程度的修复。

(2) 矿石

①工业上能用来提炼金属的矿物叫做矿石。

②常见的矿石

赤铁矿(Fe_2O_3)

黄铁矿(FeS_2)

褐铁矿($Fe_2O_3 \cdot xH_2O$)

水铝石($Al_2O_3 \cdot H_2O$)

菱铁矿
(主要成分是$FeCO_3$)

磁铁矿(Fe_3O_4)

方铅矿(PbS)

孔雀石[$Cu_2(OH)_2CO_3$]

赤铜矿(Cu_2O)

铝土矿
(主要成分是Al_2O_3)

黄铜矿
(主要成分是$CuFeS_2$)

辉铜矿
(主要成分是Cu_2S)

5. 铁的冶炼

(1) 炼铁

①把铁矿石冶炼成铁是一个复杂的过程,其主要的反应原理是:在高温下,利用还原剂一氧化碳把铁从铁矿石里还原出来,其反应的化学方程式是:

$$Fe_2O_3 + 3CO \xrightarrow{高温} 2Fe + 3CO_2$$

②炼铁的原料及作用

铁矿石:提供原料;

焦炭:提供能量,产生还原剂;

石灰石:将矿石中的二氧化硅转变为炉渣;

③设备:高炉(如右图)

高炉内有关反应:

a. 产生 CO 提供能量:

$$C + O_2 \xrightarrow{点燃} CO_2$$

$$CO_2 + C \xrightarrow{高温} 2CO$$

b. 在高温下用 CO 将 Fe 从 Fe_2O_3 中还原出来

$$3CO + Fe_2O_3 \xrightarrow{高温} 2Fe + 3CO_2$$

c. 用石灰石将矿石中的 SiO_2 转变为炉渣除去;

$$CaCO_3 \xrightarrow{高温} CaO + CO_2\uparrow ,\ CaO + SiO_2 \xrightarrow{高温} CaSiO_3$$

④产品:生铁(不是纯铁)

炼铁高炉及炉内化学变化过程示意图

例7 (2010 辽宁沈阳,15,4 分)钢铁是人类生产生活中应用最广泛的金属材料,右图是炼铁高炉的结构示意图,请回答下列与此有关的问题:

(1)根据矿石的主要成分分析,下列矿石中最适合炼铁的是 _____;

A. 磁铁矿(主要成分 Fe_3O_4)

B. 黄铁矿(主要成分 FeS_2)

C. 菱铁矿(主要成分 $FeCO_3$)

D. 赤铜矿(主要成分 Cu_2O)

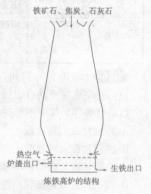

炼铁高炉的结构

科学元典

护发素的化学成分是什么 护发素主要是由表面活性剂、辅助表面活性剂、阳离子调理剂、增脂剂、防腐剂、色素、香精及其他活性成分组成。其中,表面活性剂主要起乳化、抗静电、抑菌作用;辅助表面活性剂可以辅助乳化;阳离子调理剂可对头发起到柔软、抗静电、保湿和调理作用;增脂剂如羊毛脂、橄榄油、硅油等在护发素中可改善头发营养状况,使头发光亮,易梳理;其他活性成分去头皮屑、润湿、防晒等赋予护发素各种功能。

(2)请写出以赤铁矿(主要成分 Fe_2O_3)为原料炼铁的化学方程式: _____ 。

(3)在炼铁原料中使用焦炭的目的是 _____ _____(答一点);

(4)铁及铁合金在空气中存放时易生锈,铁生锈与 __ _____有关。

答案 (1) A (2) $Fe_2O_3 + 3CO \xrightarrow{高温} 2Fe + 3CO_2$

(3)提供热源(或制一氧化碳,其他合理答案均可)

(4)氧气和水(或 O_2、H_2O)

解析 本题考查钢铁冶炼的相关知识。(1)磁铁矿中铁元素含量高且不含硫元素,产物不污染空气,最适合炼铁;(2)炼铁时 CO 作还原剂,故写 CO 与 Fe_2O_3 的反应;(3)焦炭的作用一是提高炉温,二是产生还原剂 CO;(4)铁生锈的条件是与 O_2、H_2O 同时接触。

(2)实验室用 CO 还原氧化铁的实验

①实验装置图(如下图)

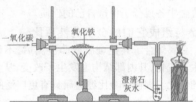

②药品:氧化铁粉末、澄清石灰水、一氧化碳气体。

③实验步骤:

a. 检验装置的气密性;

b. 装入药品并固定装置;

c. 通入一氧化碳气体并点燃酒精灯;

d. 待装置内的空气完全排尽后,点燃酒精喷灯给氧化铁加热;

e. 当玻璃管内的红色粉末变为黑色时,停止加热;

f. 待玻璃管内的固体冷却后,停止通一氧化碳,并熄灭酒精灯。

④实验现象:红色粉末逐渐变成黑色,澄清的石灰水变浑浊,尾气燃烧时产生蓝色火焰。

⑤实验结论:红色的氧化铁(Fe_2O_3)被 CO 还原,生成单质 Fe,CO 在高温条件下得到了氧,生成了 CO_2。

⑥有关的化学方程式:

$Fe_2O_3 + 3CO \xrightarrow{高温} 2Fe + 3CO_2$

$CO_2 + Ca(OH)_2 \xrightarrow{} CaCO_3 \downarrow + H_2O$

$2CO + O_2 \xrightarrow{点燃} 2CO_2$

⑦注意事项:

a. 反应条件:高温;若无酒精喷灯可在酒精灯火焰上加一个金属网罩。

b. CO 有剧毒,实验应在通风橱中进行,未反应完的气体要进行尾气处理;尾气处理方法有收集法、燃烧法(将 CO 转变为无毒的 CO_2)以防止污染空气。

c. 操作顺序:CO 要"早出晚归",酒精灯要"迟到早退"。实验开始先通入 CO,排净装置内的空气,防止 CO 与空气混合,加热时发生爆炸;实验完毕后要继续通入 CO 气体,直到玻璃管冷却,防止高温下的铁与空气接触,被氧化。

例8 (2010 江苏淮安,18,6分)钢铁产业是我国的支柱产业之一,选择优质炼铁原料十分重要。甲、乙两组同学对某钢铁厂所购进的赤铁矿粉的主要成分 Fe_2O_3 的含量进行测定。(假设每步反应均能完全进行,赤铁矿粉中的杂质性质稳定,既不溶于水也不参与反应)

(1)甲组同学称取一定质量的赤铁矿粉,采用如下图的装置进行实验。

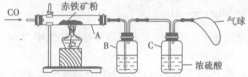

①装置 A 中发生反应的化学方程式为 _____ 。

②为充分吸收反应生成的 CO_2,装置 B 中应盛放的试剂是 _____ 浓溶液。

③可以通过下面不同的方法计算赤铁矿粉中 Fe_2O_3 的含量:

[方法一] 称量反应前后 A 装置的总质量,计算出 Fe_2O_3 的含量;

[方法二] 称量 _____ ,得出反应生成 CO_2 的质量,计算出 Fe_2O_3 的含量。

(2)乙组同学称取等质量的赤铁矿粉放入烧杯中,向烧杯中加入过量的稀硫酸充分反应后, _____ (填一个操作名称)后立即称量。根据称量的数据计算出 Fe_2O_3 的含量。

(3)甲、乙两组同学通过相互比较后对各自的实验方案进行评价。

方案	优点
甲组	① _____
乙组	② _____

答案 (1)①$Fe_2O_3 + 3CO \xrightarrow{\text{高温}} 2Fe + 3CO_2$　②NaOH
③反应前后 B 装置的总质量　(2)过滤　(3)①可以采用两种方法进行计算(或计算结果较准确;或能锻炼学生的动手操作能力等)
②不用加热,节能环保且操作简单、安全系数高等。

解析 本题考查赤铁矿粉中 Fe_2O_3 含量的定量探究。(1)吸收 CO_2 一般用 NaOH 浓溶液,故称量反应前后 B 装置的总质量,即可得出生成 CO_2 的质量。(2)稀硫酸与赤铁矿粉中的氧化铁反应生成硫酸铁和水,然后过滤、称量,即得赤铁矿粉中杂质的含量,进而求得氧化铁的质量。(3)方案甲的优点是可以采用两种方法进行计算,由于乙过滤后立即称量,滤渣中可能含有少量水,使计算结果不准确。乙的优点是不用加热,节能环保且操作简单、安全系数高等(合理即可)。

(3)金属的冶炼方法

①热分解法:(适用于 Hg、Ag 不活泼的金属的冶炼,加热使其氧化物分解)

如 $2HgO \xrightarrow{\triangle} 2Hg + O_2 \uparrow$

②热还原法:(适用于金属活动性顺序表中,Zn—Cu 金属的冶炼)

a. 用 H_2 作还原剂,(优点:制得金属纯度高,污染小)

如 $Fe_3O_4 + 4H_2 \xrightarrow{\triangle} 3Fe + 4H_2O$

b. 用焦炭、一氧化碳作还原剂(缺点:易混入杂质,污染大气,适合工业化大规模生产)

如:炼铁:$Fe_2O_3 + 3CO \xrightarrow{\text{高温}} 2Fe + 3CO_2$

炼锌:$2ZnO + C \xrightarrow{\text{高温}} 2Zn + CO_2 \uparrow$

c. 用 Al 作还原剂(铝热剂用来焊接铁轨)

$8Al + 3Fe_3O_4 \xrightarrow{\text{高温}} 9Fe + 4Al_2O_3$

d. 电解法:(适用于活泼金属 Na、Mg 等的冶炼)

如:$2NaCl(熔融) \xrightarrow{\text{电解}} 2Na + Cl_2 \uparrow$

$MgCl_2(熔融) \xrightarrow{\text{电解}} Mg + Cl_2 \uparrow$

e. 湿法冶金(从溶液中通过化学反应来获取金属)

如 $Fe + CuSO_4 \xrightarrow{\quad} Cu + FeSO_4$

例9(2010 上海,34,1 分)我国是世界上最早使用胆铜法冶炼铜的国家,冶炼过程中发生的一个主要反应是:$Fe + CuSO_4 \xrightarrow{\quad} Cu + FeSO_4$。该反应属于
(　　)
A. 化合反应　　　　B. 置换反应
C. 分解反应　　　　D. 复分解反应

答案 B 胆铜法冶炼铜的实质为铁与 $CuSO_4$ 溶液发生了置换反应。

知识② 合金

1. 合金的概念和性能

　　合金是在金属中加热熔合某些金属或非金属形成的具有金属特性的物质。
①合金可以是金属与金属或金属与非金属的混合物,不一定全部由金属组成。
②合金必须具有金属特性,如导电性、导热性、延展性等。
③合金的形成是几种成分熔合在一起,发生的是物理变化,不是化学变化;合金不是几种成分简单地混合在一起。
④合金中各成分仍保持自己的性质。

2. 合金与组成它们的金属的性质比较

　　金属熔合了其他金属或非金属后,不仅组成上发生了变化,其内部结构也发生了改变,从而引起性质的变化。因而合金比纯金属具有更广泛的用途。
纯金属与合金性质的比较:
①合金一般比其组分金属的颜色更鲜艳。
②合金的硬度一般高于组成它们的金属。
③合金的熔点一般低于组成它们的金属。
④合金的抗腐蚀能力一般强于组成它们的金属。
⑤合金的导电导热性能一般差于组成它们的金属。

例1(2010 辽宁大连,42,1 分)焊锡是锡铅合金,把铅加入锡中制成合金的主要目的是
(　　)
A. 增加强度　　　B. 降低熔点
C. 增加延展性　　D. 增强抗腐蚀性

答案 B 焊锡是锡铅合金,合金的熔点一般低于组成它们的金属。

3. 应用广泛的合金

(1)铁合金

　　铁合金包括生铁和钢,生铁和钢的主要成分是铁,钢与生铁的各种性能之所以不同,主要是由于二者含碳量不同。

①生铁与钢的种类

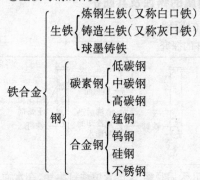

②生铁与钢的比较

	生铁	钢
含碳量	2%~4.3%	0.03%~2%
其他元素	Si、Mn、S、P(少量)	Si、Mn 等
机械性能	硬而脆,无韧性	坚硬,韧性大,塑性好,有弹性
机械加工性质	可铸不可锻	可铸,可锻,可压延
分类	白口铁、灰口铁、球墨铸铁	碳素钢、合金钢

③几种生铁的比较

	特点	机械加工	主要用途
炼钢生铁	断口呈暗白色	硬而脆,不宜铸造和机械加工	炼钢
铸造生铁	断口呈深灰色	机械加工性能好,但不能锻轧	化工机械和铸件
球墨铸铁	碳呈球形	有很高的机械强度	某些场合代替钢

④几种钢的比较

钢	品种	主要合金元素	主要特征	用途
碳素钢	低碳钢	含碳量低于0.3%	韧性好	机械零件、钢管
	中碳钢	含碳量0.3%~0.6%	韧性好	机械零件、钢管
	高碳钢	含碳量0.6%~2%	硬度大	刀具、量具、模具

合金钢	锰钢	锰、碳	韧性好、硬度大	钢轴承、钢磨、挖掘机铲斗、坦克装甲
	不锈钢	铬、镍	抗腐蚀性好	医疗器械、容器、反应釜、炊具
	硅钢	硅	导磁性好	变压器、发电机和电动机的铁芯
	钨钢	钨	耐高温、硬度大	刀具

🔊 **特别提醒**

①生铁和熟铁:生铁是指含碳量在2%~4.3%之间的铁合金,熟铁是用生铁精炼而成的较纯的铁,含碳量低于0.02%。

②生铁与铸铁:铸铁是生铁中的一种,是指可用来铸造的生铁,通常指球墨铸铁。

③碳素钢的性能与含碳量有关,含碳量越高,硬度越大,但韧性差;含碳量越低,韧性好但硬度小。

例2 (2010辽宁鞍山,5,1分)鞍钢集团全力支持上海世博会,为上海虹桥交通枢纽建设提供4.7万吨精品钢材。关于钢的说法不正确的是 ( )

A. 钢是纯净物
B. 钢是铁合金
C. 钢的含碳量低于生铁
D. 钢的性能优于生铁

答案 A 钢是铁合金中的一种,含碳量为0.03%~2%,比生铁(含碳量2%~4.3%)低,因而钢的性能比生铁要优越,但合金是混合物。

(2)钛和钛合金

钛和钛合金被认为是21世纪的重要金属材料。

①性质:优异的耐腐蚀性,对海水、空气和若干腐蚀介质都很稳定;可塑性能好,强度大,密度小,又称亲生物金属。

②用途:喷气发动机、飞机机身、人造卫星外壳、火箭壳体、医学补形、人造骨、海水淡化设备、海轮和舰艇的外壳等。

4.其他合金

主要成分		性能	用途
黄铜	铜、锌	强度大、可塑性好、易加工、耐腐蚀	机械零件、仪表、日用品等

青铜	铜、锡	强度高、可塑性好、耐磨、耐腐蚀	机械零件,如轴承、齿轮等
白铜	铜、镍	光泽好、耐磨、耐腐蚀、易加工	钱币、代替银做饰品
焊锡	锡、铅	熔点低	焊接金属
硬铝	铝、铜、镁、锰、硅	强度和硬度好	火箭、飞机、轮船等制造业
18K黄金	金、银、铜	光泽好、耐磨、易加工	金饰品、钱币、电子元件
18K白金	金、银、镍、锌	光泽好、耐磨、易加工	金饰品

例3 (2010 山东莱芜,14,4 分)莱芜素有"绿色钢城"之美誉,作为全国"钢铁十强企业"的莱钢集团为上海世博会各展馆的建设提供了数万吨钢铁材料。

(1)莱钢炼铁厂常以焦炭、赤铁矿(主要成分是氧化铁)、空气等为主要原料炼铁,反应过程如下图所示。其中焦炭的作用是＿＿＿＿＿＿＿＿＿。

焦炭 →(过量空气、高温)→ CO_2 →(焦炭、高温)→ CO

赤铁矿、高温 → Fe

(2)电化学腐蚀是金属腐蚀的主要原因。当两种活泼性不同的金属在潮湿的环境中接触时,因形成原电池,活泼性强的金属首先被腐蚀。利用这一原理,为了保护轮船的钢质外壳,通常在行驶的轮船外壳上连接＿＿＿＿＿(填"铜板"或"锌板")。

(3)为了满足某些尖端技术发展的需要,人们又合成了许多新型合金材料。储氢合金是一类能够大量吸收 H_2,并与 H_2 结合成金属氢化物的材料。此过程发生了＿＿＿＿变化(填"物理"或"化学"),储氢合金属于＿＿＿＿(填"纯净物"或"混合物")。

答案 (1)提供能量和还原剂 (2)锌板 (3)化学 混合物

解析 (1)在炼铁高炉内,焦炭通过燃烧放出热量,同时燃烧生成的 CO_2 又与碳反应生成 CO 为反应提供还原剂。

(2)根据金属活动性顺序表可知:锌排在铁前面,在海洋中会先被腐蚀。

(3)合金是在金属中加热熔合上其他的金属(或非金属)形成的具有金属特性的物质,属于混合物。储氢合金与 H_2 结合成金属氢化物,有新物质生成,属于化学变化。

知识③ 金属的锈蚀及其防护

1.金属生锈的原理
铁生锈条件的探究

实验装置	(A 铁钉、水) (B 植物油、煮沸后迅速冷却的蒸馏水、铁钉) (C 棉花和干燥剂、铁钉) A B C
实验现象	几天后观察,A 试管中铁钉生锈,在水面附近锈蚀严重,B、C 试管中的铁钉没有生锈
实验分析	A 试管中的铁钉同时跟水、氧气接触而生锈;B 试管中的铁钉只与水接触不生锈;C 试管中的铁钉只与干燥的空气接触不生锈
实验结论	铁生锈的条件是与水、氧气同时接触

特别提醒

①探究铁生锈的条件时采用经煮沸后迅速冷却的蒸馏水,目的是赶走水中溶解的氧气;再加上植物油用来隔绝空气。

②环境中的某些物质会加快铁的锈蚀,如与酸、食盐溶液等接触的铁制品比钢铁生锈更快。

③铁生锈的过程,实际上是铁与空气中的氧气、水蒸气等发生化学反应的过程(缓慢氧化)。反应过程相当复杂,最终生成物铁锈是一种混合物。铁锈(主要成分是 $Fe_2O_3 \cdot xH_2O$)为红色,疏松多孔,不能阻碍内层的铁继续与氧气、水等反应,因此铁制品可以全部锈蚀。

④许多金属都易生"锈",但"锈"的结构不同,成分也不同。铜在潮湿的空气中也能生"锈",铜锈即铜绿,其主要成分为碱式碳酸铜[$Cu_2(OH)_2CO_3$],是铜与水、氧气、二氧化碳共同作用的结果。

2.金属制品的防锈原理及方法

(1)防锈原理
根据铁的锈蚀条件不难推断出防止铁生锈的方法是使钢铁制品隔绝空气或隔绝水。

(2)防锈方法
①保持铁制品表面洁净和干燥,如菜刀不用时擦干放置。

科学元典

整发剂有哪些种类 最基本的整发剂有头发固定液、头发喷洒剂、爽发膏和胡须膏4种。其中主要的是前两种:(1)头发固定液。由黄蓍胶或聚乙烯咯烷酮、乙醇、甘油、表面活性剂、香料、防腐剂、抗氧化剂及水等组成,用法为做好发型后抹上此剂,发型即可固定。(2)头发喷洒剂。它是一种不含油的头发整形剂。它将制剂原液混合于液化气体中,比例为30～50(50～70),密闭于容器内备用。用时通过喷口喷洒在头发上。这是一种气溶胶型头发整形剂,能固定各式发型。

②在钢铁表面覆盖保护膜,如车、船表面涂油漆,杯子表面烧涂搪瓷。

③在钢铁表面镀一层其他金属,如水龙头表面镀铬、镀锌。

④用化学方法使钢铁表面形成致密的保护膜,如烤蓝。

⑤改善金属的结构,如将钢铁制成不锈钢。

(3)除锈方法

物理方法:用砂纸打磨、用刀刮。

化学方法:用酸清洗(酸不能过量),发生的反应为:$Fe_2O_3 + 6HCl === 2FeCl_3 + 3H_2O$ 或 $Fe_2O_3 + 3H_2SO_4 === Fe_2(SO_4)_3 + 3H_2O$。

例1 (2010 甘肃兰州,30,8分)钢铁的生产和使用是人类文明和社会进步的一个重要标志。每年世界上钢铁的产量很高,但钢铁的锈蚀也给人类带来了巨大的损失。铁在空气中锈蚀,实际上是铁跟____相互作用的结果。试举两种减缓钢铁锈蚀的方法:①____、②____;工人师傅在焊接钢铁制品时,通常先用稀盐酸清洗制品,原因是(用化学方程式表示):____。而放置在空气中的铝制品却不易被腐蚀。请你分析原因(用化学方程式表示):____。

答案 空气中的氧气和水　刷油漆、涂油……(凡合理答案均可)

$Fe_2O_3 + 6HCl === 2FeCl_3 + 3H_2O$

$4Al + 3O_2 === 2Al_2O_3$

解析 铁生锈实际上是铁与空气中的氧气和水相互作用的结果;减缓钢铁锈蚀的方法很多,如刷油漆、涂油、电镀、烤蓝、制成不锈钢等;盐酸清洗铁锈是盐酸与铁锈的主要成分 Fe_2O_3 反应生成了能溶于水的 $FeCl_3$;铝制品不易腐蚀是由于铝在空气中与氧气反应,其表面生成了一层致密的氧化铝薄膜。

3.废旧金属的回收利用的优点

(1)废旧金属的回收利用可以节约金属资源和能源。据估算,回收一个铝制饮料罐比制造一个新饮料罐要便宜20%,而且还可节约金属资源和95%的能源。目前世界上已有50%以上的铁和90%以上的金得到了回收利用。

(2)废旧金属的回收利用还可以减少对环境的污染。例如,废旧电池中含有汞等,如果将废旧电池随意丢弃,汞等渗出会造成地下水和土壤的污染,威胁人类健康。如果将汞等回收利用,不仅可以节约金属资源,而且还可以减少对环境的污染,这是一举两得的好事。

例2 (2010 湖南张家界,18,4分)2010年上海世博会中国国家馆,由于形状酷似一顶古帽,被命名为"东方之冠",给人强烈的视觉冲击。"东方之冠"的主体结构为四根巨型钢筋混凝土制成的核心筒。根据你所学的化学知识回答:

(1)钢筋属于____材料,其主要成分是铁,写出铁的化学式:____。

(2)被混凝土严密包裹的钢筋不易生锈的原因是____。

(3)对废旧钢筋进行回收利用的目的是____(填"合理开采矿物"或"节约金属资源")。

答案 (1)金属　Fe (2)钢筋不易接触水和氧气 (3)节约金属资源

解析 钢筋是铁的合金,属于金属材料;铁的化学式为 Fe。铁生锈的条件是铁同时接触水和氧气,被混凝土严密包裹的钢筋隔绝了空气(或氧气)和水,因而不易生锈。回收利用废旧金属的优点有:①节约金属资源和能源,②减少对环境的污染。

---------------- **拓展知识** ----------------

知识① 金属物理性质与非金属物理性质的比较

金属	非金属
常温下除汞是液体外,其余是固体	常温下除溴是液体,氧气、氢气、氯气、氮气、氟气是气体外,其余是固体
一般密度比较大	一般密度比较小
有金属光泽	大多数没有金属光泽
大多数是热和电的良导体	大多数不是热和电的良导体
大多数具有良好的延展性	大多数不具有延展性
固态时大多数为金属晶体	固态时大多数为分子晶体
蒸气分子大多数是单原子的	蒸气(或气体)分子大多数是双原子或多原子的

例 (2010 湖南株洲,8,2分)下列有关金属的说法错误的是　　　　　(　　)

A.金属具有金属光泽,在常温下是固体

常用的美发化妆品(一) (1)香波——洗发用品。(2)护发素——洗发后的护发用品。(3)焗油——有整发、固发作用。(4)发乳——能保持头发色泽,防止头发断裂,洗头以后的护发用品。(5)发蜡——是黏性较大的护发剂,用来固定发型。

科学元典

B.生铁和钢是含碳量不同的铁合金,其中生铁的含碳量大于钢的含碳量

C.炒完菜后,应及时除掉锅底的水,这样可以防止铁锅生锈

D.金属的回收利用是保护金属资源的有效途径之一

答案 A 金属都具有金属光泽,常温下金属大多数为固体,但也有例外,如汞在常温下是液体。

知识② 铝、锌不易生锈的实质

(1)铝制品具有很好的抗腐蚀性,是因为铝与空气中的氧气反应表面生成一层致密的氧化铝薄膜,这层膜对铝起保护作用;

(2)锌与铝的抗腐蚀性相似,也是在金属锌表面会生成一层致密的氧化锌保护膜。

知识③ 金属首饰的纯度

金属中,金具有黄色光泽,并且化学性质非常稳定,常被用来做首饰,可是黄金有个很大的缺点就是质地太软了,做成的首饰器皿太容易改变形状。为了补救这个缺点,金匠打造首饰的时候在黄金里掺点铜。9份黄金掺1份铜,市场上就叫九成金。8份黄金掺2份铜,市场上就叫八成金。

在欧洲和美洲,把纯金叫做"24K"。"18K"金就是含黄金18份,其余的6份是铜,合为成数,就是七成五。把成数和K数互相折合,可以用下边两个公式:成数÷10×24 = K数,K数÷24×10 = 成数。美国的金元按规定是21.6K,用上面的公式一算,可以知道应该用九成金来铸。普通的金表外壳和金笔尖都是14K,你可以算一算是几成金。

知识④ 金属与混合溶液的反应

(1)将一种金属单质放入几种金属的盐溶液的混合液中时,其中排在金属活动性顺序表中最靠后的金属最先被置换出来,然后再依次置换出稍靠前的金属。如将金属 Zn 放入 $FeSO_4$ 和 $CuSO_4$ 的混合溶液中,Zn 先与 $CuSO_4$ 发生置换反应,将 $CuSO_4$ 置换完后再与 $FeSO_4$ 发生置换反应。根据金属锌的量不同可分为以下几种情况:

金属锌的量	析出金属	滤液的成分
锌不足(不能与 $CuSO_4$ 溶液完全反应)	Cu	$ZnSO_4$、$FeSO_4$、$CuSO_4$
锌不足(恰好与 $CuSO_4$ 溶液完全反应)	Cu	$ZnSO_4$、$FeSO_4$
锌不足(不能与 $FeSO_4$ 溶液完全反应)	Fe、Cu	$ZnSO_4$、$FeSO_4$
锌适量(恰好与 $FeSO_4$ 溶液完全反应)	Fe、Cu	$ZnSO_4$
锌足量	Zn、Fe、Cu	$ZnSO_4$

例 (2010 云南昆明,15,2分)在氧化铜和铁粉的混合物中加入一定量的稀硫酸,反应完全后滤出不溶物,再向滤液中加入一块薄铁片,足够时间后,铁片上无任何变化。据此,你认为下列实验结论不正确的是 ( )

A.滤液中一定含有硫酸亚铁,不可能含有硫酸铜和硫酸

B.滤出的不溶物中有铜,也可能有铁

C.滤出的不溶物中一定有铜,但不可能有铁

D.如果滤出的不溶物有铁,则一定有铜

答案 C 因反应后向滤液中加入铁片,铁片无变化,说明稀硫酸已完全反应,没有剩余。滤出的固体不溶物可能是铜,也可能是铜、铁的混合物。

知识⑤ 白金与铂金

白金全称为"白色K金",是将黄金与铜、镍、锌等金属熔合后制成的一种白色合金。其中,黄金的质量分数最多为75%。

铂是稀有的贵金属,在首饰行业又叫铂金,开采量只有黄金的5%。铂金的强度和韧性都比其他贵金属高得多,1g铂金可以拉成1.6 km长的细丝而不断裂,因此用铂金制作的首饰非常坚韧,如钻石镶嵌其中会很牢固,不易脱落。铂金的白色光泽是天然的,经久不会改变,而白金的色泽不是天然的,时间长了就会褪色。

知识⑥ 真假黄金的鉴别

黄金是天然具有金黄色光泽的一种金属,化学性质极不活泼。黄铜的外形与黄金非常相似,所以不法分子

科学元典

常用的美发化妆品(二) (6)发油——能使头发柔软、有光泽。(7)发胶——把它喷在头发上,能固定发型,便于梳理。(8)摩丝——具有护发、定发等多种功能。(9)冷烫剂——是将头发中的胱氨酸键打断,让头发卷曲成所需形状。(10)染发水和染发剂——可将头发染黑。

常用黄铜(Zn、Cu 合金)来冒充黄金。但二者之间的性质有很大差异,可用多种方法鉴别。

方法一:取少量金黄色金属块于试管中,加入少量稀盐酸或稀硫酸,若有气泡产生($Zn+2HCl=ZnCl_2+H_2\uparrow$),则原试样为黄铜;若没有气泡产生,则原试样为黄金。

方法二:取少量金黄色金属块,用天平称其质量,用量筒和水测出其体积,计算出金属块的密度,与黄金的密度对照,若密度相等,则为黄金;若有较大的差异,则为黄铜。

方法三:取少量金黄色金属块在火焰上加热,若金属块表面变黑($2Cu+O_2\xrightarrow{\triangle}2CuO$),则原试样为黄铜;若无变化,则为黄金。

方法四:取少量金黄色金属块于试管中,向试管中加入适量的硫酸铜溶液,若金属块表面出现红色物质且溶液颜色变浅($Zn+CuSO_4=ZnSO_4+Cu$),则原试样为黄铜;若无变化,则原试样为黄金。

知识⑦　使用金属的历史

人类最早使用的金属制品是青铜器,然后过渡到铁器时代,再后就是铝制品时代。人类使用金属的历史主要与金属的活动性及冶炼技术的难易有关。

知识⑧　金属之最

(1)地壳中含量最多的金属元素——铝(Al)
(2)人体中含量最高的金属元素——钙(Ca)
(3)导电、导热性最好的金属——银(Ag)
(4)熔点最高的金属——钨(W)
(5)目前世界年产量最高的金属——铁(Fe)
(6)硬度最大的金属——铬(Cr)
(7)密度最大的金属——锇(Os)
(8)密度最小的金属——锂(Li)

知识⑨　金属材料的分类

金属材料可分为黑色金属材料和有色金属材料。黑色金属材料通常包括铁、铬、锰以及它们的合金,是应用最广泛的金属材料,除黑色金属外其他各种金属称为有色金属。有色金属的品种繁多,又可分为轻金属(密度在 $4.5\ \mathrm{g\cdot cm^{-3}}$ 以下)、重金属(密度在 $4.5\ \mathrm{g\cdot cm^{-3}}$ 以上)、稀土金属、稀散金属(含量很少,分布稀散,如镓、铟、铊等)和贵金属(含量少,开采、提纯困难,如金、银、铂等)。

知识⑩　电镀、烤蓝、搪瓷、电化铝

1.电镀

利用电解工艺,将金属或合金沉积在镀件表面,形成保护层。如将铬镀在水龙头表面。

2.烤蓝

将钢铁制品加到 NaOH 和 $NaNO_2$ 的混合溶液中,加热处理,使其表面形成一层致密的蓝色薄膜(主要成分为 Fe_3O_4),达到钢铁防腐蚀的目的。

3.搪瓷

在金属表面涂的一层含 SiO_2 较高的玻璃瓷釉,有极好的抗腐蚀性。

4.电化铝

用特殊方法形成加厚层的氧化铝保护层的铝材料。

知识⑪　形状记忆合金

形状记忆合金是具有形状记忆效应的合金,被广泛用于制作人造卫星和宇宙飞船的天线,水暖系统、防火门和电路断电的自动控制开关,以及牙齿矫正医疗材料等。例如,人造卫星和宇宙飞船上的天线是由钛-镍形状记忆合金制成的,它具有形状记忆功能。先将钛-镍合金天线制成抛物面,然后在低温下将天线揉成一团,放入人造卫星或宇宙飞船舱内。当人造卫星或宇宙飞船发射并进入正常运行轨道后,天线在舱外经太阳光照射温度升高,就会自动恢复到原来的抛物面的形状。(示意图如下)

用形状记忆合金丝制成的天线　将天线揉成团　在加热时形状开始恢复　形状完全恢复

用钛-镍形状记忆合金制成的人造卫星天线

知识⑫　地壳中几种金属元素的含量

元素名称	质量分数/%	元素名称	质量分数/%
铝	7.73	镁	2.00
铁	4.75	锌	0.008
钙	3.45	铜	0.007
钠	2.74	银	0.000 01
钾	2.47	金	0.000 000 5

科学元典

碘酒是怎样配制的　碘酒又名碘酊,是常用的外科消毒杀菌剂。常用的是含碘 2% ~3% 的酒精溶液,还有一种浓碘酒,用于皮肤及外科手术消毒。由于碘在酒精中溶解得较慢,为了加速溶解,可加入适量碘化钾。碘酒的配方如下:碘 25 g,碘化钾:10 g;乙醇:500 mL;水:加至 1000 mL。配制时应先将碘化钾溶解于 10 mL水中,配成饱和溶液。再将碘加入碘化钾溶液中然后加入乙醇,搅拌溶解后,添加蒸馏水至 1000 mL,即成为常用的皮肤消毒剂。

知识⑬ 炼铁高炉中为什么铁水的出口低于炉渣的出口

炼铁高炉中出铁口与出渣口的高低取决于铁水和炉渣的密度比较,铁水的密度大于炉渣的密度。

知识⑭ 炼钢

1. 炼钢的原理

在高温条件下,用氧气或铁的氧化物把生铁中所含的过量的碳和其他杂质转化为气体或炉渣而除去。

2. 炼钢的方法

一般可分为转炉炼钢、平炉炼钢、电炉炼钢。

3. 目前我国的炼钢方法

目前我国的炼钢方法以转炉炼钢为主,该法需消耗大量的生铁和煤炭;以电炉炼钢为辅,电炉炼钢以废钢为原料,不消耗生铁,现在已淘汰了落后的平炉炼钢。

知识⑮ 储氢合金

储氢合金是指能在室温下吸收氢气,稍稍加热即能很快放出氢气的合金。它是以镁或稀土金属为主形成的合金。氢气是21世纪要开发的新能源之一。储氢合金不但能解决氢气的储存和输送问题,而且可用于氢气的回收、分离、净化等。

🎯 方法清单

方法1 金属与酸反应生成氢气的图像分析方法

1. 等质氢图

两种金属反应产生的氢气质量相同,此图反映两种情况:

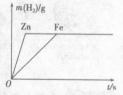

(1)酸不足,金属过量,产生的氢气质量由酸的质量决定。

(2)酸足量,投放的两种金属与酸反应产生氢气的质量恰好完全相同,如6.5 g锌和5.6 g铁分别投入足量的盐酸中反应产生的氢气质量相同。

2. 等质等价金属图

如等质量的镁、铁、锌与足量的酸反应生成的金属离子都是+2价,产生氢气的速率和质量不同。此图反映出:

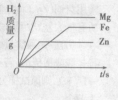

(1)金属越活泼,图示反应物的线越陡,如Mg线比Zn线陡,Zn线比Fe线陡。

(2)金属的相对原子质量越小,与酸反应产生的氢气越多,曲线的拐点越高。

可简单概括为:越陡越活,越高越小。

3. 等质不等价金属图

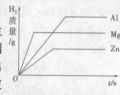

铝、镁、锌与酸反应生成金属离子的化合价分别为+3、+2、+2,此图反映出等质不等价金属与酸反应不仅速率不同而且产生氢气的质量与金属化合价有关。可用下式计算氢气质量。

$$m(H_2) = \frac{m(金属) \times 化合价}{相对原子质量}$$

例1 (2010 江西南昌,15,2分)将等质量的甲、乙两金属分别与足量的稀硫酸反应,产生的氢气质量与反应时间的关系如右图,关于甲、乙两金属判断合理的是:

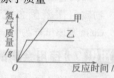

A. 铁、镁 　　　　　　 B. 铁、锌
C. 锌、铁 　　　　　　 D. 锌、镁

答案 B 等质量的镁、铁、锌与足量的酸反应生成的金属离子都是+2价,产生氢气的速率:Mg > Zn > Fe,产生氢气的质量与相对原子质量有关,相对原子质量越小,产生氢气的质量越多,故三种金属产生氢气的质量:Mg > Fe > Zn。从图上可知,甲产生的氢气量比乙多,但反应速率甲比乙慢,由此可确定甲为铁,乙为锌。

例2 (2010 广东肇庆,12,2分)相同质量的M、N两种活泼金属,分别与足量质量分数为8%的盐酸反应(M、N在生成物中均为+2价),生成H_2质量和反应时间关系如下图。下列叙述正确的是 　　　(　　)

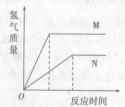

A. 金属的活泼性 N > M

科学元典

为什么碘酒与红药水不能混用?

碘酒与红药水都是外科常用的消毒剂。碘酒是含碘的2%～3%酒精溶液。红药水是含汞溴红的1%～2%水溶液。它们分别使用都具有消毒杀菌作用。但是处理伤口时,却不能同时使用。因为二者相遇时会产生剧毒物质碘化汞(HgI_2)。碘化汞对皮肤粘膜及其他组织有强烈刺激作用,会引起皮肤损伤、粘膜溃疡,碘化汞如果进入人体,还会使牙床浮肿发炎,严重时还会引起疲乏、头痛、体温下降等症状。

B. 两个反应生成 H_2 的体积相等

C. 相对原子质量 N > M

D. 两个反应消耗盐酸的质量一定相等

答案 C　判断金属的活泼性看斜线,斜线越陡,金属活泼性越强,即金属活泼性 M > N;判断产生氢气的量看横线,横线越高,产生氢气质量越大,即 M > N;相同化合价等质量的两种金属与足量酸反应,产生氢气越多的相对原子质量越小,即 N > M;产生氢气(氢元素来源于酸)的质量不同,则消耗盐酸的质量不同。

方法 2　金属与酸或盐溶液反应后溶液密度变化的判断方法

　　金属与酸或金属与盐溶液所发生的反应均为置换反应,反应后溶液的溶质发生了改变,导致溶液的溶质质量分数、溶液的密度也随之改变。反应后溶液的密度的变化决定于反应前后溶液中溶质的相对分子质量的对比。

(1)**反应后溶液密度变小**:如 $Fe + CuSO_4 \!=\!\!=\!\!= FeSO_4 + Cu$,在该反应中,反应前溶液中的溶质为 $CuSO_4$,其相对分子质量为 160;反应后溶液中的溶质为 $FeSO_4$,其相对分子质量为 152,由于 152 < 160,故反应后溶液密度变小。

(2)**反应后溶液密度变大**:如 $Zn + H_2SO_4 \!=\!\!=\!\!= ZnSO_4 + H_2\uparrow$,在该反应中,反应前溶液中的溶质为 H_2SO_4,相对分子质量为 98;反应后溶液中溶质为 $ZnSO_4$,相对分子质量为 161,由于 161 > 98,故该反应后溶液密度变大。

方法 3　用一氧化碳还原氧化铁的反应中尾气的处理方法

　　实验室用一氧化碳还原氧化铁模拟炼铁原理的实验中,由于 CO 有毒,因而实验装置最后应有尾气处理装置,以防止 CO 进入空气、污染空气。常见的尾气处理方法有:

(1)**收集法**:在实验装置后连接上贮气装置。(如气球,贮气瓶等),将未反应的 CO 收集起来。

(2)**转化法**:利用 CO 的可燃性,将未反应的 CO 点燃,使其转变为无毒的 CO_2。

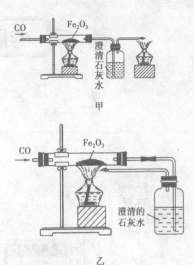

甲

乙

①直接燃烧:在实验装置最后导管处放一燃着的酒精灯(如图甲)。

②转变为热源:在实验装置最后连接一玻璃弯管,将未反应的 CO 通到加热氧化铁反应的酒精灯处,既消耗了 CO,又利用其燃烧放热为还原氧化铁提供热量(如图乙)。

方法 4　铜生锈条件探究实验的设计方法

　　铜长期暴露在空气中也能生锈,铜生锈的条件是铜与水、氧气、二氧化碳接触(与铁生锈的条件类似,必须是几个条件同时具备才会使铜生锈),铜锈俗称铜绿。应用控制变量法设计探究铜生锈的对比实验方案(如下图所示,所用铜片洁净、光亮,试管内的"\"为铜片,B、C、G 均为干燥试管)。

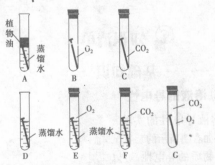

较长时间后就会发现 D 试管中的铜片会生锈。

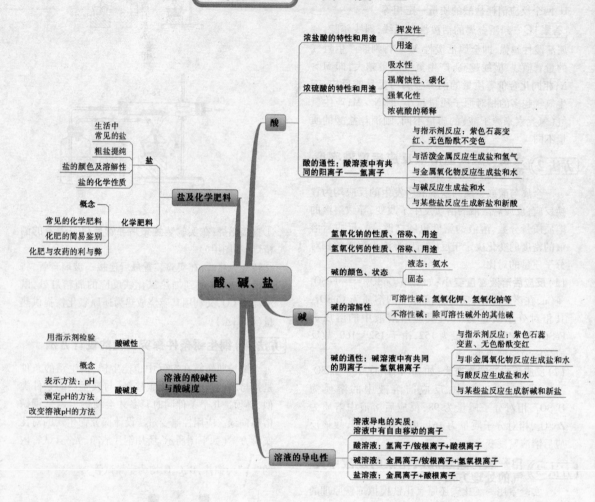

专题6　酸、碱、盐

- 酸
  - 浓盐酸的特性和用途
    - 挥发性
    - 用途
  - 浓硫酸的特性和用途
    - 吸水性
    - 强腐蚀性、碳化
    - 强氧化性
    - 浓硫酸的稀释
  - 酸的通性：酸溶液中有共同的阳离子——氢离子
    - 与指示剂反应：紫色石蕊变红、无色酚酞不变色
    - 与活泼金属反应生成盐和氢气
    - 与金属氧化物反应生成盐和水
    - 与碱反应生成盐和水
    - 与某些盐反应生成新盐和新酸
- 盐及化学肥料
  - 盐
    - 生活中常见的盐
    - 粗盐提纯
    - 盐的颜色及溶解性
    - 盐的化学性质
  - 化学肥料
    - 概念
    - 常见的化学肥料
    - 化肥的简易鉴别
    - 化肥与农药的利与弊
- 碱
  - 氢氧化钠的性质、俗称、用途
  - 氢氧化钙的性质、俗称、用途
  - 碱的颜色、状态
    - 液态：氨水
    - 固态
  - 碱的溶解性
    - 可溶性碱：氢氧化钾、氢氧化钠等
    - 不溶性碱：除可溶性碱外的其他碱
  - 碱的通性：碱溶液中有共同的阴离子——氢氧根离子
    - 与指示剂反应：紫色石蕊变蓝、无色酚酞变红
    - 与非金属氧化物反应生成盐和水
    - 与酸反应生成盐和水
    - 与某些盐反应生成新碱和新盐
- 溶液的酸碱性与酸碱度
  - 酸碱性
    - 用指示剂检验
  - 酸碱度
    - 概念
    - 表示方法：pH
    - 测定pH的方法
    - 改变溶液pH的方法
- 溶液的导电性
  - 溶液导电的实质：溶液中有自由移动的离子
  - 酸溶液：氢离子/铵根离子+酸根离子
  - 碱溶液：金属离子/铵根离子+氢氧根离子
  - 盐溶液：金属离子+酸根离子

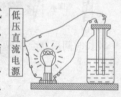

知识清单

基础知识

知识1　溶液的导电性

1.探究溶液导电性的实验

用如右图所示的装置试验一些物质的导电性，可以看到蒸馏水、乙醇不导电，而盐酸、硫酸、氢氧化钠溶液、氢氧化钙溶液、氯化钠溶液、

低压直流电源

碳酸钠溶液均能导电。

2.酸、碱、盐溶液导电的原因

酸、碱、盐溶于水，在水分子作用下，电离成自由移动的带正（或负）电的阳（或阴）离子（如下图所示）。因此酸、碱、盐的水溶液都能导电，导电的原因是溶液中存在自由移动的离子，而蒸馏水和乙醇中不存在自由移动的离子。

科学元典

为什么不用纯酒精消毒　这是因为酒精浓度越高,使蛋白质凝固的作用越强。当高浓度的酒精与细菌接触时,就会使得菌体表面迅速凝固,形成一层薄膜,阻止了酒精继续向菌体内部渗透。细菌内部的细胞没能被彻底杀死。待到适当时机,薄膜内的细胞可能将薄膜冲破而重新复活。因此,使用浓酒精达不到消毒杀菌的目的。

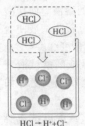  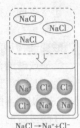

$HCl \Longrightarrow H^+ + Cl^-$ $NaOH \Longrightarrow Na^+ + OH^-$ $NaCl \Longrightarrow Na^+ + Cl^-$

知识② 酸

1.酸的定义

酸是指在溶液中,电离成的阳离子全部是 H^+ 的化合物。酸可以看成由 H^+ 和酸根离子构成,用 H_nR 表示。$H_nR \Longrightarrow nH^+ + R^{n-}$(酸根离子),从元素组成来看,酸一定含有氢元素,但不一定含有氧元素。

2.常见的酸

盐酸、硫酸都属于酸,在实验室和化工生产中常用的酸还有硝酸(HNO_3)、食醋中的醋酸(CH_3COOH)、汽水等饮料中含有的碳酸(H_2CO_3)、柠檬酸及水果中其他的果酸。

(1)三酸(盐酸、硫酸和硝酸)的物理性质和用途

酸	化学式	颜色	状态	气味	挥发性	常见用途
盐酸	HCl	无色	液态	刺激性气味	易挥发	用于金属表面除锈、制造药物等;人体胃液中含有盐酸,可帮助消化
硫酸	H_2SO_4	无色	黏稠油状液态	无味	不易挥发	用于生产化肥、农药、精炼石油、除锈,实验室作干燥剂
硝酸	HNO_3	无色	液态	刺激性气味	易挥发	生产化肥、染料、炸药

(2)浓盐酸和浓硝酸

盐酸是氯化氢气体的水溶液。纯净的盐酸和硝酸是无色的,但工业盐酸及硝酸中因含有杂质(主要是 Fe^{3+})而显黄色,浓盐酸和浓硝酸易挥发,打开瓶盖会产生大量白雾,这是因为这两种酸易挥发,挥发出的氯化氢和硝酸蒸气跟空气中的水蒸气结合形成了盐酸和硝酸的小液滴。

浓盐酸和浓硝酸易挥发,露置在空气中质量会减小,溶质质量分数会减小。

(3)浓硫酸的特性与稀释

1)浓硫酸的特性

①脱水性:能够夺取纸张、木材、布料、皮肤里的水,使它们脱水生成黑色的炭,发生碳化。因此常说浓硫酸有强烈的腐蚀性。②吸水性:浓硫酸跟空气接触,能够吸收空气里的水分,可用作某些气体的干燥剂。③强氧化性:与金属反应时一般不生成氢气。

特别提醒

浓硫酸的脱水性是化学变化过程,区别于浓硫酸的吸水性。脱水性是原物质中没有水,只是将原物质中的氢、氧两种元素按水的组成比脱去。

2)浓硫酸的稀释

稀释浓硫酸时,一定要将浓硫酸沿着器壁慢慢地注入水里,并不断搅拌,使产生的热量迅速地扩散,切不可把水倒入浓硫酸中,因为水的密度较小,浮在浓硫酸上面,溶解时放出的热会使水立刻沸腾,使硫酸液滴向四周飞溅,这是非常危险的。若不慎将浓硫酸沾到皮肤上,应立即用干抹布擦拭,再用大量水冲洗,然后涂上3%~5%的 $NaHCO_3$ 溶液。

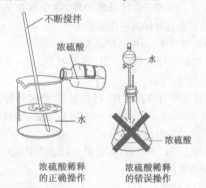

浓硫酸稀释的正确操作   浓硫酸稀释的错误操作

特别提醒

浓硫酸具有"三性",但稀硫酸不具有。

例1(2010 山东烟台,15,2分)实验室中的试剂常因与空气中的一些成分作用而发生变化。对下列试剂在空气中发生变化的分析错误的是 ( )
A.铁粉生锈与空气中的水蒸气和氧气有关
B.氢氧化钠溶液变质与空气中的二氧化碳有关
C.氧化钙的变质与空气中的水和二氧化碳有关
D.浓盐酸变稀与空气中的水蒸气有关

答案 D 浓盐酸具有挥发性,挥发出溶质氯化氢后,浓盐酸会变稀,与空气中其他气体无关。铁粉生

运动场上的外伤急救药是什么 在观看足球赛时,有时会看到运动员由于受伤突然摔倒,甚至在地上痛得翻滚。这时会看到医生跑过去,拿着一个小喷壶,向受伤部位喷射一种药,再不断地揉搓、按摩,稍待片刻,受伤的运动员就会跟原来一样投入比赛。原来医生拿的喷壶里装的是氯乙烷(C_2H_5Cl),把它喷到受伤部位时,立即挥发,吸收热量,使皮肤表面温度骤然降低,使感觉变得迟钝,从而起到了镇痛和局部麻醉的作用。

科学元典

锈需要水和氧气,氢氧化钠与二氧化碳反应会变质;氧化钙与水反应生成氢氧化钙,氢氧化钙和二氧化碳继续反应生成碳酸钙。

例2 (2010 海南,39,8分)下图是浓盐酸试剂瓶上标签的部分内容。

> 盐酸(分析纯)
> 化学式(HCl)
> 质量分数 36%
> 密度 1.18g/cm³

请回答:

(1)该浓盐酸的溶质是_____(填化学式)。

(2)现要配制3%的稀盐酸120 g,需要这种浓盐酸_____g。

(3)使用一段时间后,浓盐酸的溶质质量分数小于36%,原因是_____。

(4)盐酸等许多酸都能使紫色石蕊试液变红,是因为酸溶液中含有较多的_____(用化学符号表示)。

答案 (1)HCl (2)10 (3)浓盐酸具有挥发性,HCl挥发后,溶质的质量分数变小 (4)H⁺

解析 本题为一道信息给予题,重点考查学生从图中读取信息并加以应用的能力。

(1)比较简单,图中已明确给出。

(2)需要进行简单的计算,难度不大,关键要明确图中的质量分数。

(3)浓盐酸具有挥发性,打开瓶盖,会向外挥发溶质氯化氢,因此使用时由于经常开启瓶盖,导致浓盐酸溶质质量分数降低。

(4)酸之所以具有酸性,是因为酸溶液中的阳离子都是氢离子(H^+)。

3. 酸碱指示剂

　　跟酸或碱的溶液起作用而显示不同颜色的物质,叫酸碱指示剂,通常也简称指示剂。紫色石蕊试液和无色酚酞试液是两种常用的酸碱指示剂,它们与酸、碱溶液作用时显示的颜色见下表:

溶液 指示剂	酸性溶液	碱性溶液	中性溶液
紫色石蕊试液	红	蓝	紫
无色酚酞试液	无	红	无

①变色的是指示剂,而不是酸或碱的溶液。如盐酸使紫色石蕊试液变红,不能说成紫色石蕊试液使盐酸变红,但可以说紫色石蕊试液遇盐酸变红。

②酸或碱的溶液能使紫色石蕊试液或酚酞试液变色,但难溶于水的酸或碱不能使指示剂变色。如$Cu(OH)_2$不能使紫色石蕊试液变蓝。

③酸或碱的溶液能使紫色石蕊试液或酚酞试液变色,但能使紫色石蕊试液或酚酞试液变色的不一定是酸或碱的溶液,还可能是酸性溶液或碱性溶液。如碳酸钠溶液能使紫色石蕊试液变蓝,但碳酸钠不是碱,而是盐。

例3 (2010 江苏南京,18,2分)U形管中是滴有酚酞试液的蒸馏水,向左、右两管中分别同时逐滴滴加一定量的氢氧化钠稀溶液和稀盐酸(如下图所示)。下列说法正确的是　　　　(　　)

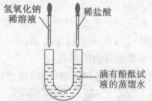

A.开始时左边溶液呈蓝色,右边溶液呈红色

B.开始时左边溶液呈无色,右边溶液呈红色

C.充分反应后U形管中溶液可能呈红色

D.充分反应后U形管中溶液一定呈无色

答案 **C** 酚酞试液遇酸不变色,遇碱变红,故A、B两项均错误;当U形管中的酸碱发生中和反应后,可能出现三种结果:①正好中和,溶液呈中性,酚酞试液不变色;②酸过量,溶液呈酸性,酚酞试液也不变色;③碱过量,溶液呈碱性,酚酞试液变色,故C项正确,D项错误。

4. 酸的通性

　　在酸溶液里,都有共同的阳离子——H^+,因而酸具有一些共同的化学性质。

科学元典

为什么被蚊虫叮咬后涂氨水可以止痒 原来蚊子叮人的同时会把一种有毒物质注入人体内,其主要成分是甲酸(HCOOH),又名蚁酸。蚊子、蚂蚁、跳蚤、蜜蜂的分泌物中都含有甲酸。当皮肤被蚊虫叮咬后,应立即用手紧紧捏住叮咬处,以防止甲酸扩大侵蚀面。同时,用脱脂棉沾稀氨水在叮咬处涂擦。因为氨水具有弱碱性,当氨水浸入皮肤内,就与甲酸发生中和反应从而起到止痒的作用。

	稀盐酸	稀硫酸	主要反应现象	反应规律及反应类型
与指示剂反应	使紫色石蕊试液变红色,不能使无色酚酞试液变色	使紫色石蕊试液变红色,不能使无色酚酞试液变色	同左	
与某些金属反应	Mg + 2HCl $==$ MgCl$_2$ + H$_2$↑ Zn + 2HCl $==$ ZnCl$_2$ + H$_2$↑	Mg + H$_2$SO$_4$ $==$ MgSO$_4$ + H$_2$↑ Zn + H$_2$SO$_4$ $==$ ZnSO$_4$ + H$_2$↑	有气泡产生,固体逐渐减少或消失,放热(若用铁,溶液由无色变为浅绿色)	金属 + 酸→盐 + 氢气 置换反应
与金属氧化物反应	CuO + 2HCl $==$ CuCl$_2$ + H$_2$O Fe$_2$O$_3$ + 6HCl $==$ 2FeCl$_3$ + 3H$_2$O	CuO + H$_2$SO$_4$ $==$ CuSO$_4$ + H$_2$O Fe$_2$O$_3$ + 3H$_2$SO$_4$ $==$ Fe$_2$(SO$_4$)$_3$ + 3H$_2$O	黑色粉末消失,溶液变成蓝色 铁锈消失,溶液变成黄色	金属氧化物 + 酸→盐 + 水 复分解反应
与碱反应	NaOH + HCl $==$ NaCl + H$_2$O Cu(OH)$_2$ + 2HCl $==$ CuCl$_2$ + 2H$_2$O	2NaOH + H$_2$SO$_4$ $==$ Na$_2$SO$_4$ + 2H$_2$O Cu(OH)$_2$ + H$_2$SO$_4$ $==$ CuSO$_4$ + 2H$_2$O	NaOH 与酸反应无明显现象,Cu(OH)$_2$ 与酸反应溶液变蓝	酸 + 碱→盐 + 水 复分解反应(中和反应)
与某些盐反应	AgNO$_3$ + HCl $==$ AgCl↓ + HNO$_3$	BaCl$_2$ + H$_2$SO$_4$ $==$ BaSO$_4$↓ + 2HCl	生成白色沉淀(AgCl、BaSO$_4$ 既不溶于水,也不溶于酸)	酸$_1$ + 盐$_1$→酸$_2$ + 盐$_2$ 复分解反应

例4 (2010 重庆,14,2 分)化学美无处不在,下图是物质间发生反应时的颜色变化,其中 X 是 ( )

白色沉淀

黄色溶液 ←Fe$_2$O$_3$— 无色溶液X —Fe→ 浅绿色溶液
　　　　　　　　　↓ 石蕊试液
　　　　　　　　红色溶液

A. 稀盐酸　　　　　　　B. 稀硫酸
C. 硫酸钠溶液　　　　　D. 氢氧化钠溶液

答案 B 溶液可使石蕊试液变红,又与 Fe$_2$O$_3$、Fe 反应,知其为酸,又可与 Ba(NO$_3$)$_2$ 反应生成白色沉淀,可确定 X 为 H$_2$SO$_4$。

5. 酸性质的差异性

酸都能电离出 H$^+$,所以有共性;但组成酸分子的酸根不同,所以酸也有特性。如:

	物理性质	化学性质	特征反应
盐酸	无色、有刺激性气味的液体,浓 HCl 易挥发,在空气中易形成白雾	具有酸的通性	遇 AgNO$_3$ 溶液生成不溶于稀 HNO$_3$ 的白色沉淀
硫酸	浓 H$_2$SO$_4$ 为无色、黏稠、油状液体,不易挥发,有强腐蚀性	稀 H$_2$SO$_4$ 具有酸的通性	遇 BaCl$_2$ 溶液生成不溶于稀 HNO$_3$ 的白色沉淀

例5 (2010 江西南昌,8,1 分)若将浓盐酸和浓硫酸敞口放置在空气中,一段时间后,可以肯定的是 ( )

A. 溶质质量都减少
B. 溶剂质量都增大
C. 溶液质量都增大
D. 溶质的质量分数都减小

答案 D 浓盐酸具有挥发性,会挥发出溶质氯化

科学元典

怎样制取新型消毒剂过氧乙酸 过氧乙酸是一种常用的消毒剂。消毒时使用的是其 0.04% ~0.1% 浓度的水溶液。制取过氧乙酸的方法是:用 200 毫升量筒量取浓度为 98% 的冰醋酸 142 毫升置于塑料桶内,在快速搅拌的情况下慢慢加入 98% 浓硫酸 3.88 毫升,再用 100 毫升量筒量取浓度为 30% 的过氧化氢 70 毫升成细流缓慢加入,边加边快速搅拌,约 10 ~15 分钟加完。然后继续搅拌四小时,装入棕色瓶中(瓶盖留小孔),置室温下 24 ~48 小时后即可得 15% ~20% 的过氧乙酸。

氢,敞口放置一段时间后溶液中量的变化:溶质质量减少、溶剂质量不变→溶液质量减少→溶液中溶质的质量分数减小。

浓 H_2SO_4 具有吸水性,能吸收空气中的水分,敞口放置一段时间后溶液中量的变化:溶质质量不变,溶剂质量增大→溶液质量增大→溶液中溶质的质量分数变小。

知识 ③ 碱

1. 碱的定义

碱是指在溶液中电离成的阴离子全部是 OH^- 的化合物。碱由金属离子(或铵根离子)和氢氧根离子构成,可用通式 $R(OH)_n$ 表示,$R(OH)_n == R^{n+} + nOH^-$。从元素组成看,碱一定含有氢元素和氧元素。

2. 常见的碱

氢氧化钠、氢氧化钙都属于碱。除这两种碱外,常用的碱还有氢氧化钾(KOH)、氨水($NH_3 \cdot H_2O$)、治疗胃酸过多的药物中的氢氧化铝[$Al(OH)_3$]。

(1)氢氧化钠、氢氧化钙的物理性质和用途比较

	氢氧化钠	氢氧化钙
俗名	苛性钠、火碱、烧碱	熟石灰、消石灰
颜色、状态	白色,片状固体	白色,粉末状固体
腐蚀性	强烈腐蚀性	较强腐蚀性
溶解性	易溶于水,易潮解,溶解时放热	微溶于水,其水溶液俗称石灰水
用途	化工原料,用于肥皂、石油、纺织、印染工业等;生活中用于除油污	用于建筑工业,制漂白粉,改良土壤,配制农药等

(2)晶体(固体)吸收空气里的水分,表面潮湿而逐步溶解的现象叫做潮解。氢氧化钠、粗盐、氯化镁等物质都易潮解,应保存在密闭干燥的地方。同时称量 NaOH 固体时要放在玻璃器皿中,不能放在纸上,防止 NaOH 固体潮解后腐蚀天平的托盘。

(3)熟石灰可由生石灰(CaO)与水反应制得,反应的化学方程式为 $CaO + H_2O == Ca(OH)_2$,反应时放出大量的热。

◀)) **特别提醒**

①氢氧化钠有强烈的腐蚀性,使用时必须十分小心,要防止沾到皮肤上或洒在衣服上。如果不慎将碱液沾到皮肤上,应立即用较多的水冲洗,再涂上硼酸溶液。

②浓硫酸、氢氧化钠固体溶于水放热,属于物理变化;而氧化钙溶于水放热是氧化钙与水反应放出大量的热,属于化学变化;生石灰具有强烈的吸水性,可以作某些气体的干燥剂。

(4)氢氧化钠、氢氧化钙化学性质的比较

	氢氧化钠	氢氧化钙
化学性质	①跟指示剂作用,使紫色石蕊试液变成蓝色,使无色酚酞试液变成红色	①跟指示剂作用,使紫色石蕊试液变成蓝色,使无色酚酞试液变成红色
	②跟某些非金属氧化物反应 $2NaOH + CO_2 ==$ $Na_2CO_3 + H_2O$ $2NaOH + SO_2 ==$ $Na_2SO_3 + H_2O$ $2NaOH + SO_3 ==$ $Na_2SO_4 + H_2O$	②跟某些非金属氧化物反应 $Ca(OH)_2 + CO_2 ==$ $CaCO_3 \downarrow + H_2O$ $Ca(OH)_2 + SO_2 ==$ $CaSO_3 + H_2O$ $Ca(OH)_2 + SO_3 ==$ $CaSO_4 + H_2O$
	③跟酸发生中和反应 $2NaOH + H_2SO_4 ==$ $Na_2SO_4 + 2H_2O$	③跟酸发生中和反应 $Ca(OH)_2 + 2HCl ==$ $CaCl_2 + 2H_2O$
	④跟某些盐反应 $2NaOH + CuSO_4 ==$ $Cu(OH)_2 \downarrow + Na_2SO_4$	④跟某些盐反应 $Ca(OH)_2 + Na_2CO_3$ $== CaCO_3 \downarrow + 2NaOH$

◀)) **特别提醒**

①只有可溶性碱溶液才能使指示剂变色,如 NaOH 溶液能使无色酚酞变红;但不溶性碱不能使指示剂变色,如 $Mg(OH)_2$ 中滴加无色酚酞不变色。

②由于 NaOH 易潮解,同时吸收空气中的 CO_2 发生变质,所以 NaOH 必须密封保存。

③保存碱溶液的试剂瓶应用橡胶塞,不能用玻璃塞,以防止长期不用碱溶液而腐蚀玻璃造成打不开的情况。

科学元典

紫药水是如何配制的 紫药水又名龙胆紫溶液、甲紫溶液。是外科消毒药。配制紫药水的配方为:水 940 g;甲紫 10 g;酒精 50 g。制备时先取出 752 g 的蒸馏水,加热至 90 ℃,加入甲紫溶解完全后,停止加热。当温度降至 50 ℃以下时,加入酒精混匀后,再加入剩余的蒸馏水,混合完全即得紫药水。

例1 (2010吉林长春,9,1分)下列有关氢氧化钠和氢氧化钙的说法中,正确的是　　(　)

A. 物理性质完全相同

B. 都常用于改良酸性土壤

C. 它们的溶液可用稀盐酸区分

D. 它们的溶液都能使无色酚酞试液变红

答案 D　本题考查了氢氧化钠和氢氧化钙物理性质和化学性质及用途的对比。氢氧化钠易溶于水,而氢氧化钙微溶于水;NaOH不能用于改良酸性土壤;二者均能与稀盐酸反应生成盐和水,均无明显现象;它们的溶液均呈碱性,都能使无色酚酞试液变红。

3. 碱的通性

不同的碱溶液中都有共同的阴离子——OH^-,因而碱溶液具有一些共同的化学性质。

碱的通性	反应规律	化学方程式	反应类型
碱溶液与指示剂的反应	碱溶液能使紫色石蕊试液变蓝,无色酚酞试液变红		
碱与非金属氧化物反应	碱+非金属氧化物→盐+水	$2NaOH + CO_2 = Na_2CO_3 + H_2O$ $Ca(OH)_2 + CO_2 = CaCO_3 \downarrow + H_2O$	不归类
碱与酸反应	碱+酸→盐+水	$NaOH + HCl = NaCl + H_2O$ $2NaOH + H_2SO_4 = Na_2SO_4 + 2H_2O$ $Cu(OH)_2 + H_2SO_4 = CuSO_4 + 2H_2O$	中和反应(实质为复分解反应)
碱与某些盐反应	碱₁+盐₁→碱₂+盐₂	$CuSO_4 + 2NaOH = Cu(OH)_2 \downarrow + Na_2SO_4$ $Ca(OH)_2 + Na_2CO_3 = CaCO_3 \downarrow + 2NaOH$	复分解反应
	碱+铵盐→氨气+水+盐	$NH_4Cl + NaOH \xrightarrow{\triangle} NaCl + NH_3 \uparrow + H_2O$	复分解反应

特别提醒

①只有溶于水的碱才能使指示剂变色。

②盐和碱的反应,反应物中的盐和碱必须溶于水,生成物中至少有一种难溶物或气体或H_2O。铵盐与碱反应生成的碱不稳定分解为NH_3和H_2O。

③碱与酸反应中碱可以是不溶碱,如$Cu(OH)_2 + H_2SO_4 = CuSO_4 + 2H_2O$。

例2 (2010广东深圳,14,1.5分)已知氢氧化钾(KOH)可溶于水,其化学性质与氢氧化钠相似,下列对氢氧化钾的化学性质叙述错误的是　　(　)

A. 能与二氧化碳反应

B. 能与硫酸铜溶液反应

C. 能与硫酸反应

D. 能使紫色石蕊试液变红

答案 D　由于KOH是可溶于水的碱,因而KOH具有碱的通性,与CO_2反应生成盐和水,与$CuSO_4$溶液反应生成$Cu(OH)_2$沉淀和K_2SO_4,与酸发生中和反应,故A、B、C均正确。D错误,碱溶液使紫色石蕊试液变蓝,使无色酚酞试液变红。

4. 氢氧化钠与氢氧化钙的制备和鉴别

(1)制备

①氢氧化钠的制备:$Na_2O + H_2O = 2NaOH$、$Na_2CO_3 + Ca(OH)_2 = 2NaOH + CaCO_3 \downarrow$。

②氢氧化钙的制备:$CaO + H_2O = Ca(OH)_2$。

(2)氢氧化钠与氢氧化钙的鉴别

NaOH与$Ca(OH)_2$都能溶于水,二者的溶液中都含有OH^-,均属于碱,故鉴别NaOH和$Ca(OH)_2$不能用指示剂,通常情况下,可采用以下两种方法来鉴别NaOH和$Ca(OH)_2$。

方法一:通入CO_2气体,NaOH溶液与CO_2气体反应后无明显现象,但$Ca(OH)_2$溶液即澄清石灰水与CO_2反应生成白色沉淀。

方法二:滴加Na_2CO_3溶液(或K_2CO_3溶液),NaOH溶液与K_2CO_3、Na_2CO_3溶液不反应,但$Ca(OH)_2$溶液与Na_2CO_3、K_2CO_3溶液反应均生成白色沉淀。$Ca(OH)_2 + Na_2CO_3 = CaCO_3 \downarrow + 2NaOH$,

科学元典

衣物防蛀剂的使用　人们常用的衣物防蛀剂有卫生球、樟脑丸、樟脑精块等。卫生球、樟脑丸的原料是萘或对二氯苯,樟脑精块则来自天然樟脑或合成樟脑。由于某些防蛀剂的成分具有毒性和致癌性,所以必须注意选择并在使用中采取有效的防范措施。(1)给衣物使用防蛀剂要适量。(2)将衣物连同防蛀剂放置在密闭的箱子内(可用塑料整理箱)。(3)启用衣物时,要在室外打开箱子。

$Ca(OH)_2 + K_2CO_3 \stackrel{}{=\!=\!=} CaCO_3\downarrow + 2KOH$。

例3 (2010 甘肃兰州,11,1 分)下列溶液分别能跟硫酸铜、盐酸、碳酸钠溶液反应,并产生不同现象的是 ( )

A. $AgNO_3$ B. $Ca(OH)_2$
C. H_2SO_4 D. NaOH

答案 B $AgNO_3$ 溶液与三种溶液反应都可产生白色沉淀;硫酸与硫酸铜溶液、盐酸均不反应,只与碳酸钠溶液反应有明显现象;NaOH 溶液与硫酸铜溶液反应产生蓝色沉淀,与盐酸发生中和反应但无明显现象,与碳酸钠溶液不反应。$Ca(OH)_2$ 溶液与硫酸铜溶液反应产生蓝色沉淀,与盐酸发生中和反应无明显现象,与碳酸钠溶液反应产生 $CaCO_3$ 白色沉淀,符合题意。

5. 中和反应及其应用

(1)定义:酸跟碱作用生成盐和水的反应,叫做中和反应。

(2)实质:酸中的氢离子与碱中的氢氧根离子作用生成水的过程。

(3)中和反应的应用

①改变土壤的酸碱性

根据土壤情况,可以利用中和反应,在土壤中加入适量酸性或碱性物质,以调节土壤的酸碱性,利于植物生长。如:近年来由于空气污染造成的酸雨,导致一些地方的土壤显酸性,不利于农作物生长,人们通常向土壤中撒适量熟石灰中和其酸性。

②处理工厂的废水

工厂里排出的废水有一些显酸性或碱性,直接排放会对水体或环境造成污染。通常在排出的废水中加入适量的碱性或酸性物质中和。如:废水中含有硫酸可向其中加入适量熟石灰,反应的化学方程式为:$H_2SO_4 + Ca(OH)_2 \stackrel{}{=\!=\!=} CaSO_4 + 2H_2O$。

③用于医药

人体胃酸(主要成分是盐酸)过多,会造成消化不良,甚至会产生胃病,通常服用含碱性的物质来消除症状,如氢氧化铝,反应的化学方程式为:$3HCl + Al(OH)_3 \stackrel{}{=\!=\!=} AlCl_3 + 3H_2O$。被蚊虫叮咬(蚊虫能分泌出蚁酸)后,可在患处涂上显碱性的物质,如:$NH_3\cdot H_2O$。

🔊 **特别提醒**

①中和反应一定生成盐和水,但生成盐和水的反应不一定是中和反应。

②中和反应一定是复分解反应,但复分解反应不一定是中和反应。

例4 (2010 河北,3,2 分)医疗上可以用含有氢氧化镁的药物治疗胃酸过多,其反应的化学方程式为 $Mg(OH)_2 + 2HCl \stackrel{}{=\!=\!=} MgCl_2 + 2H_2O$。该反应属于 ( )

A. 化合反应 B. 分解反应
C. 置换反应 D. 复分解反应

答案 D 酸与碱发生的中和反应实质属于复分解反应。

例5 (2010 山西,8,2 分)下图是氢氧化钠溶液与稀盐酸恰好完全反应的微观示意图,由此得出的结论不正确的是 ( )

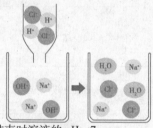

A. 反应结束时溶液的 pH = 7
B. 反应前后元素的种类没有变化
C. 氢氧化钠溶液中存在的粒子是 Na^+ 和 OH^-
D. 该反应的实质是 H^+ 和 OH^- 结合生成 H_2O 分子

答案 C 氢氧化钠溶液中不仅存在 Na^+、OH^-,还有水分子,并且氢氧化钠溶液中存在的粒子种类也不是本实验所探究的最终目的。

6. 溶液酸碱度的表示方法——pH

(1)酸碱度

酸碱度是定量地表示溶液酸碱性强弱程度的一种方法。溶液的酸碱度用 pH 表示。

(2)pH 的取值范围通常在 0 ~ 14。

溶液酸碱性的强弱与 pH 的关系如图所示:

pH = 7 溶液呈中性;pH < 7 溶液呈酸性,pH 越小,酸性越强;pH > 7 溶液呈碱性,pH 越大,碱性越强。

科学元典

铅笔是用铅做的吗 铅笔是用一种叫做石墨的矿物材料制成的。石墨是鳞片状的结晶,特别软,当它与别的物体相摩擦时,它那鳞片状的结晶便会脱落下来,附在别的物体上面,留下它的痕迹。人们就利用石墨的这种性质,把它制成了铅笔。为什么叫它铅笔呢? 原来,这种笔起源于古希腊,当时人们用纯铅来制造,他们把铅做成棒状用来写字绘画。一直到 1664 年,在英国彼罗多尔发现了石墨矿,人们使用石墨来做笔了。但铅笔的名称仍在沿用至今。

🔊 **特别提醒**

①呈酸性的溶液不一定是酸溶液,如 $NaHSO_4$ 溶液呈酸性,但属于盐溶液;呈碱性的溶液不一定是碱溶液,如 Na_2CO_3 液呈碱性,但它也是盐溶液,故盐溶液不一定呈中性。

②溶液的酸碱性是指溶液是酸性还是碱性;溶液酸碱度是指溶液酸碱性强弱的程度。常用酸碱指示剂检验溶液的酸碱性。粗略测定溶液的酸碱度常用 pH 试纸。

(3)**pH 的测定方法**

测定溶液 pH 可以用<u>pH 试纸</u>和<u>pH 计</u>,其中用 pH 试纸测定溶液 pH 的具体操作为:用干净的<u>玻璃棒蘸取</u>被测溶液并<u>滴在 pH 试纸上</u>,半分钟后把试纸显示的颜色与<u>标准比色卡</u>对照,读出溶液的 pH。

🔊 **特别提醒**

①不能直接把 pH 试纸浸入待测的溶液中,以免带入杂质,同时还可能泡掉 pH 试纸上的一部分指示剂,致使比色时产生较大误差。

②不能先用水将 pH 试纸润湿再进行测试。因为将待测溶液滴到用水润湿后的 pH 试纸上,其溶质质量分数将变小。

③用 pH 试纸测得溶液的 pH 一般为整数。

(4)**酸碱指示剂在溶液中变色情况与溶液 pH 的关系**

	酸性溶液 (pH<7)	中性溶液 (pH=7)	碱性溶液 (pH>7)
石蕊试液	红色	紫色	蓝色
酚酞试液	无色	无色	红色

(5)**常见溶液酸碱度的讨论**

举例	溶液的酸碱性	pH
盐酸	酸性	<7
NaOH 溶液	碱性	>7
$NaHSO_4$ 溶液	酸性	<7
$NaHCO_3$ 溶液	碱性	>7
Na_2CO_3 溶液	碱性	>7
NaCl 溶液	中性	=7

🔊 **特别提醒**

①酸溶液一定显酸性,碱溶液一定显碱性,盐溶液则有可能显酸性、碱性或中性。

②酸性溶液不一定是酸溶液,碱性溶液不一定是碱溶液,盐溶液不一定呈中性。

③pH 可以反映溶液的酸碱性及酸碱度。

(6)**改变溶液 pH 的方法**

溶液的 pH 实质是溶液中 H^+ 浓度或 OH^- 浓度大小的外在表现。改变溶液中 H^+ 浓度或 OH^- 浓度,溶液的 pH 就会发生改变。

方法一 加水:只能改变溶液的酸碱度,不能改变溶液的酸碱性,即溶液的 pH 只能无限地接近于7。

①向酸性溶液中加水,pH 由小变大并接近于7,但不会等于7,更不会大于7(如下图所示)。

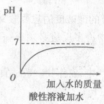

②向碱性溶液中加水,pH 由大变小并接近于7,但不会等于7,更不会小于7(如下图所示)。

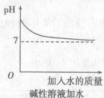

方法二 加酸碱性相同,pH 不同的溶液:原溶液酸碱性不会发生变化,但混合后溶液的 pH 介于两种溶液之间。

方法三 加酸碱性相反的溶液:混合后发生中和反应,溶液的 pH 可能等于7,若加入的溶液过量,原溶液的酸碱性就会与原来相反。

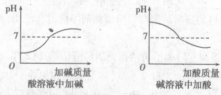

(7)**人体内的一些液体和排泄物的正常 pH 范围**

血浆	7.35~7.45
唾液	6.6~7.1
胃液	0.9~1.5
乳汁	6.6~7.6
胆汁	7.1~7.3
胰液	7.5~8.0
尿液	4.7~8.4
粪便	4.6~8.4

　科学元典

铅笔上的 H 或 B 是表示什么的 H 代表硬度,B 代表软度。软硬度就是铅笔在纸上划的痕迹的颜色深度,铅笔铅芯越硬,画出来的颜色越浅,削尖的笔芯也不易磨平,硬度表示单位 H,前面的数字越大表示越硬,比如 H、2H、3H 等,在这里 3H 画出来的颜色最浅,适合画细线,但纸也容易画坏。软度则相反,铅芯越软颜色越深,适合画粗线,但笔尖易磨平,如 B、2B、3B 等。HB 的铅笔软硬度适中,适合日常写字之用。

(8) 身边一些物质的 pH

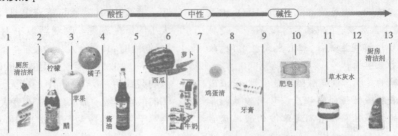

(9) 了解溶液的酸碱度的重要意义

①化工生产中许多反应必须在一定 pH 溶液里才能进行；

②在农业生产中，农作物一般适宜在 pH 为 7 或接近 7 的土壤中生长；

③测定雨水的 pH(因溶解有二氧化碳，正常雨水的 pH 约为 5.6，酸雨的 pH 小于 5.6)，可以了解空气的污染情况；

④测定人体内或排出的液体的 pH，可以了解人体的健康状况。

例6 (2010 辽宁大连,48,5 分)下表列出生活中一些液体的 pH。

液体	雨水	蒸馏水	厨房清洁剂	厕所清洁剂
pH	5.6	7	12.5	1.6

(1)上述液体中,酸性最强的是_____,能使酚酞试液变红的是_____;

(2)正常雨水的 pH 约为 5.6,其原因是_____;

(3)在厨房清洁剂中加入蒸馏水,厨房清洁剂的 pH _____(填"变大""变小"或"不变");

(4)厨房清洁剂与厕所清洁剂不能混合使用,其原因是_____。

答案(1)厕所清洁剂　厨房清洁剂　(2)雨水中溶解了 CO_2　(3)变小　(4)酸碱中和失效

解析酸性溶液 pH < 7,pH 越小,酸性越强;碱性溶液 pH > 7,pH 越大,碱性越强。在溶液中加水会使溶液的酸碱性变弱,若溶液为酸性时,则 pH 变大;溶液为碱性时 pH 变小。酸性溶液与碱性溶液混合会发生中和反应,使洗涤剂失效。

(10) **溶液酸碱度对头发的影响如下表**

	在不同 pH 溶液中浸过后		
	pH = 1	pH = 7	pH = 13
观察各束头发的光泽	无光泽	有光泽	无光泽
分别取一根头发,用两手拉直至拉断,记录拉断的难易程度	易断	不易断	易断

由此得出:①强酸性或强碱性的溶液对头发都有很强的腐蚀作用;②选择洗发液时,应选择中性或接近中性的洗发液,才不会对头发造成损伤。

知识④ 盐

1. 盐的定义

盐是指由金属离子(或铵根离子)和酸根离子构成的化合物,盐在溶液里能电离成金属离子(或铵离子)和酸根离子。根据阳离子不同,可将盐分为钠盐、钾盐、钙盐、铵盐等,根据阴离子不同,可将盐分为硫酸盐、碳酸盐、硝酸盐等。

2. 常见的盐

生活中常见的盐有:氯化钠(NaCl)、碳酸钠(Na_2CO_3)、碳酸氢钠($NaHCO_3$)、碳酸钙($CaCO_3$)和农业生产上应用的硫酸铜($CuSO_4$)。几种常见盐的性质及用途比较如下表。

学名	氯化钠	碳酸钠	碳酸氢钠	碳酸钙	硫酸铜
化学式	NaCl	Na_2CO_3	$NaHCO_3$	$CaCO_3$	$CuSO_4$
俗称	食盐	纯碱、苏打	小苏打		

科学元典

怎样制粉笔　制粉笔的主要原料是碳酸钙和烧石膏,碳酸钙可用光粉代替。光粉有水磨、干磨两种,造粉笔以水磨光粉为佳。现在制造粉笔的配方一般为:碳酸钙(或光粉)4 份、烧石膏 8(或 6)份、水 10 份。制法是先将碳酸钙及烧石膏混合,加水调匀使成薄浆,然后迅速浇入预涂有油类(普通为橄榄油或火油)的金属模型各孔内,约十几分钟或半小时后全部凝固,即可将模型拆开,取出晒干即成。

存在分布	海水、盐湖、盐井、盐矿	天然碱湖	天然碱湖	石灰石、大理石	波尔多液
物理性质	白色固体、易溶于水，水溶液有咸味，溶解度受温度影响小	白色固体，易溶于水	白色固体，易溶于水	白色固体，不溶于水	白色固体，易溶于水，溶液为蓝色有毒性
化学性质	水溶液呈中性，$AgNO_3 + NaCl \!=\!=\! AgCl\downarrow + NaNO_3$	水溶液呈碱性，$Na_2CO_3 + 2HCl \!=\!=\! 2NaCl + H_2O + CO_2\uparrow$ $Na_2CO_3 + Ca(OH)_2 \!=\!=\! CaCO_3\downarrow + 2NaOH$	水溶液呈碱性，$NaHCO_3 + HCl \!=\!=\! NaCl + H_2O + CO_2\uparrow$	$CaCO_3 + 2HCl \!=\!=\! CaCl_2 + H_2O + CO_2\uparrow$	$CuSO_4 + 5H_2O \!=\!=\!$ （白） $CuSO_4 \cdot 5H_2O$ （蓝） $CuSO_4 + Fe \!=\!=\! FeSO_4 + Cu$ $CuSO_4 + 2NaOH \!=\!=\! Cu(OH)_2\downarrow + Na_2SO_4$
用途	作调味品和防腐剂；医疗上配制生理盐水；重要的化工原料	制烧碱；泡沫灭火器中制二氧化碳；广泛用于玻璃、纺织、造纸等工业	焙制糕点的发酵粉的主要成分；医疗上治疗胃酸过多	实验室制CO_2；重要的建筑材料，补钙剂	农业上配制波尔多液；实验室中用作水的检验试剂；精炼铜

🔊 **特别提醒**

①"食盐是盐"，但"盐就是食盐"是错误的，化学中的"盐"指的是一类物质。②石灰石和大理石的主要成分是碳酸钙，它们是混合物，而碳酸钙是纯净物。③日常生活中还有一种盐叫亚硝酸钠，工业用盐中常含有亚硝酸钠，是一种白色粉末，有咸味，对人体有害，常用作防腐保鲜剂。④$CuSO_4$是一种白色固体，溶于水后形成蓝色的$CuSO_4$溶液，从$CuSO_4$溶液中结晶析出的晶体不是硫酸铜，而是硫酸铜晶体，化学式为$CuSO_4 \cdot 5H_2O$，俗称胆矾或蓝矾，是一种蓝色固体。硫酸铜与水结合也能形成胆矾，颜色由白色变为蓝色，利用这种特性常用硫酸铜固体在化学实验中作检验水的试剂，检验装置一般用"U形管"，当气体从a→b，若固体由白色变为蓝色，说明气体中含有水。

气体→a U b→ —$CuSO_4$(白)

📢 **例1** （2010 江苏苏州，23，2分）下列常见盐在生产、生活中的用途不合理的是 （ ）
A. 用亚硝酸钠腌制食品
B. 用硫酸铜精炼铜
C. 用纯碱消耗面粉发酵生成的酸
D. 用食盐生产烧碱

答案 A A项亚硝酸钠有毒，不能用于腌制食品；B项用$CuSO_4$溶液与活泼金属如Fe、Zn等可以发生置换反应而生成Cu；C项纯碱可以与酸反应生成CO_2、H_2O及盐；D项电解食盐水可以制烧碱。

📢 **例2** （2010 北京，7，1分）碳酸钠是重要的化工原料，其俗称为 （ ）
A. 纯碱   B. 烧碱
C. 生石灰   D. 熟石灰

答案 A 碳酸钠俗称纯碱，NaOH俗称烧碱，CaO俗称生石灰，$Ca(OH)_2$俗称熟石灰。

3. 盐的物理性质

(1) 盐的水溶液颜色

常见的盐大多数为白色固体，其水溶液一般为无色。但是有些盐有颜色，其水溶液也有颜色。例如：胆矾（$CuSO_4 \cdot 5H_2O$）为蓝色，高锰酸钾为紫黑色；含Cu^{2+}的溶液一般为蓝色，含Fe^{2+}的溶液一般为浅绿色，含Fe^{3+}的溶液一般为黄色。

(2) 盐的溶解性记忆如下

钾钠硝铵溶水快（含K^+、Na^+、NH_4^+、NO_3^-的盐易溶于水）；硫酸盐除钡银钙（含SO_4^{2-}的盐中，Ag_2SO_4、$CaSO_4$微溶，$BaSO_4$难溶，其余易溶于水）；

晒图纸的原料是什么 晒图纸的原料由原纸和感光涂料两部分组成。原纸要求用硫酸盐或亚硫酸木浆、龙须草浆、棉竹或破布浆，配以适量的燃性填料，以长网机抄制的原纸。纸质应呈微酸性，不应含有还原性及氧化性成分。涂料分重氮感光涂料、铁盐感光涂料两种。重氮感光涂料和铁盐感光涂料两种，其中铁盐感光涂料是以柠檬酸铁铵起主要感光作用；赤血盐(铁氰化钾)主要起显色作用；辅助原料有树胶等。

科学元典

氯化物中银不溶(含 Cl^- 的盐中,AgCl 不溶于水,其余一般易溶于水);碳酸盐溶钾钠铵[含 CO_3^{2-} 的盐,Na_2CO_3、$(NH_4)_2CO_3$、K_2CO_3 易溶,$MgCO_3$ 微溶,其余难溶]。

4. 盐的化学性质

(1)盐 + 金属→另一种盐 + 另一种金属(置换反应),例如:$Fe + CuSO_4 === FeSO_4 + Cu$

规律:反应物中盐要可溶,金属活动性顺序表中前面的金属可将后面的金属从其盐溶液中置换出来(K、Ca、Na 除外)。

应用:判断或验证金属活动性顺序和反应发生的先后顺序。

(2)盐 + 酸→另一种盐 + 另一种酸(复分解反应),例如:$HCl + AgNO_3 === AgCl\downarrow + HNO_3$

规律:反应物中的酸在初中阶段一般指盐酸、硫酸、硝酸。盐是碳酸盐时可不溶,若是其他盐,则要求可溶。

(3)盐 + 碱→另一种盐 + 另一种碱(复分解反应)

规律:反应物都可溶,若反应物中盐不为铵盐,生成物其中之一为沉淀或水。

应用:制取某种碱,例如:$Ca(OH)_2 + Na_2CO_3 === CaCO_3\downarrow + 2NaOH$。

(4)盐 + 盐→另外两种盐

规律:反应物都可溶,生成物至少有一种不溶于水。

应用:检验某种离子或物质。例如:$NaCl + AgNO_3 === AgCl\downarrow + NaNO_3$(可用于鉴定 Cl^-);$Na_2SO_4 + BaCl_2 === BaSO_4\downarrow + 2NaCl$(可用于鉴定 SO_4^{2-})。

例3 (2010 山东烟台,19,2 分)现有盐酸和 $CaCl_2$ 的混合溶液,向其中逐滴加入过量某物质 X,溶液的 pH 随滴入 X 的量的变化关系如下图所示。则 X 是 ( )

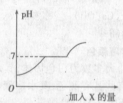

A. 水　　　　　　　　　B. 澄清石灰水
C. 纯碱溶液　　　　　　D. 稀盐酸

答案 C 图像显示,随着 X 的加入,溶液由酸性变为中性,在中性维持一段时间后又变为碱性,分析可知 X 应为碱性物质,能够与盐酸发生反应,也能够与 $CaCl_2$ 发生反应,而且生成物均为中性物质。符合这些条件的只有纯碱溶液。

5. 复分解反应的条件和实质

(1)复分解反应的条件:
酸、碱、盐之间并不是都能发生复分解反应的。只有两种化合物相互交换成分,生成物中有沉淀或有气体或有水生成时,复分解反应才可以发生。

(2)复分解反应的实质:
复分解反应从微观角度看,是反应物之间相互交换离子,阴、阳离子重新结合生成沉淀或气体或水。如酸与碱发生中和反应的实质为:$H^+ + OH^- === H_2O$。

知识5 化学肥料

1. 化学肥料的概念

化学肥料是指以矿物、空气、水做原料,经过化学加工制成含有植物生长所需的营养元素的物质,简称化肥。农作物所必需的营养元素有碳、氢、氧、氮、磷、钾、钙、镁等,其中氮、磷、钾需要量较大,因此氮肥、磷肥、钾肥是最主要的化学肥料。再有就是有些化肥中同时含有两种或两种以上营养元素的复合肥、植物生长过程中需要量比较少的微量元素肥料。

2. 常见化学肥料

(1)氮肥

①作用:氮是合成蛋白质、核酸和叶绿素的重要元素,氮肥充足会使植物枝繁叶茂、果实硕大。缺少氮元素,会使植物生长发育迟缓或停滞,光合作用减慢等。外观表现为植株矮小,瘦弱,叶片发黄,严重时叶脉为棕色。

②常见的氮肥及性质

名称	化学式	性质	注意事项
尿素	$CO(NH_2)_2$	白色或淡黄色晶体,易溶于水,含氮量不超过46.7%,肥效高且持久,对土壤无不良影响	—
碳酸氢铵(碳铵)	NH_4HCO_3	白色晶体,易溶于水,受潮时常温下就能分解,温度越高,分解越快,在土壤中不残留有害杂质,含氮量低于17.7%	防分解,贮存和运输时都要密封,不要受潮或暴晒,施肥后掩盖或立即灌溉,不要与碱性物质混合使用

科学元典

白纸是怎样制出来的 旧的造纸方法是用竹枝或桑树皮等作原料,放在石灰水里蒸煮,除去不纯的杂质,把原料中的纤维打成纸粕,然后掺入米糊和胶等,调成浆液。用竹条编制成的滤帘,或用密纫的纱布做成的滤帘,在浆液中捞取,使纸粕薄层留在帘上,然后轻轻揭下,贴在板上干燥,便为一张纸。现代的制纸法与古代不同的是以钢丝代替竹编的滤帘,用机器的转动代替了手工。除去原料中的杂质,不用石灰水煮,而是用亚硫酸法或氢氧化钠法。

硝酸铵（硝铵）	NH_4NO_3	白色晶体，易溶于水，高温或受猛烈撞击时易爆炸，含氮量低于35%，对土壤无不良影响	不要与易燃物质或碱性物质混合在一起，结块时，不要用铁锤砸碎
硫酸铵（硫铵）	$(NH_4)_2SO_4$	白色固体，易溶于水，常温下性质稳定，不宜长期大量使用，否则会使土壤酸化、板结硬化	不能与碱性物质混合，不宜长期大量使用
氨水	$NH_3 \cdot H_2O$	氨气的水溶液，易挥发，显碱性	运输、贮存、使用时要防挥发

◀)) **特别提醒**

一些硝酸盐也是氮肥，如 $NaNO_3$，但 KNO_3 不是氮肥，是复合肥。

③氮肥的特性

a. 铵盐与碱混合受热可产生一种无色、有刺激性气味的气体，它能使湿润的红色石蕊试纸变蓝。例如：

$$NaOH + NH_4NO_3 \xrightarrow{\triangle} NaNO_3 + H_2O + NH_3 \uparrow$$

检验铵根离子（NH_4^+）时，所需的试剂有可溶性碱和红色石蕊试纸。

b. 氨水是氨气的水溶液，溶于水的氨气大部分与水反应，生成一水合氨（$NH_3 + H_2O \rightleftharpoons NH_3 \cdot H_2O$）。一水合氨在水中发生部分电离，生成铵根离子和氢氧根离子（$NH_3 \cdot H_2O \rightleftharpoons NH_4^+ + OH^-$）。由于氨水中存在的阴离子全部是 OH^-，所以氨水不仅呈碱性，而且属于碱类。请注意，通常情况下氨水指氨气溶于水后生成的一水合氨（$NH_3 \cdot H_2O$），切勿将氨水的化学式写成 NH_4OH，因为氨水中没有 NH_4OH 存在。

c. 碳酸氢铵受热分解：$NH_4HCO_3 \xrightarrow{\triangle} NH_3 \uparrow + CO_2 \uparrow + H_2O$。

④氮的固定：

将氮气转化为氮的化合物的方法。

如：豆科植物根部的根瘤菌能把空气中的氮气转化为含氮化合物吸收，这类植物无需或只需少量使用氮肥。

例4 （2010 甘肃兰州，3，1分）晓明发现自家的农田出现土壤酸化板结现象，经查阅资料得知：是因为该农田长期施用化肥——硫酸铵[$(NH_4)_2SO_4$]的缘故。硫酸铵属于 （ ）

A. 氮肥
B. 磷肥
C. 钾肥
D. 复合肥

答案 A $(NH_4)_2SO_4$ 含有 N、P、K 三种营养元素中的 N，故属于氮肥。

(2) 磷肥

①作用：磷能促进作物生长，增强抗寒、抗旱能力。若缺乏磷元素，常表现为生长迟缓、产量降低，但磷过量则会引起作物贪青晚熟，结实率下降。外观表现为植株特别矮小，叶片出现紫色。

②常见磷肥有磷矿粉[$Ca_3(PO_4)_2$]、钙镁磷肥（钙和镁的磷酸盐）、过磷酸钙[磷酸二氢钙 $Ca(H_2PO_4)_2$ 和 $CaSO_4$ 的混合物]等。

例5 （2010 北京，12，1分）下列物质中，能作磷肥的是 （ ）

A. NH_4HCO_3
B. $CO(NH_2)_2$
C. K_2CO_3
D. $Ca(H_2PO_4)_2$

答案 D 磷肥是指含磷元素的化合物，只有 $Ca(H_2PO_4)_2$ 中含有 P。

(3) 钾肥

①作用：钾肥能保证各种代谢过程的顺序进行、促进植物生长、增强抗病虫害和抗倒伏能力。若缺乏钾元素，常表现为茎秆软弱、容易倒伏、叶片的边缘和尖端呈褐色，并逐渐焦枯。

②常见钾肥有硫酸钾（K_2SO_4）、氯化钾（KCl）和草木灰（主要成分为 K_2CO_3）等。

(4) 复合肥

含两种或两种以上营养元素的化肥。

①特点

能同时均匀地供给作物几种养分，充分发挥营养元素间的互补作用，有效成分高。

②种类

磷酸铵[磷酸二氢铵 $NH_4H_2PO_4$ 和磷酸氢二铵 $(NH_4)_2HPO_4$ 的混合物]、硝酸钾（KNO_3）。

例6 （2010 广东，7，2分）下列物质中，属于复合肥料的是 （ ）

A. 硫酸钾 K_2SO_4
B. 硝酸钾 KNO_3
C. 尿素 $CO(NH_2)_2$
D. 磷酸二氢钙 $Ca(H_2PO_4)_2$

答案 B 氮、磷、钾是植物生长的三种必需元素，含有其中两种或两种以上营养元素的肥料为复合肥。KNO_3 中含有钾和氮两种营养元素，故为复合肥。

(5) 使用化肥、农药的利与弊

①利：化肥、农药对提高农作物的产量具有重要的

胶片用的定影液成分及作用 在曝光后的胶片定影时，一般都采用硫代硫酸钠作定影剂，并加无水亚硫酸防止定影液氧化。但不同胶片有时要求不同：在温度高时，则在酸性定影液中加入坚膜剂钾矾或铬矾。一般情况下也可不加，其配方是：硫代硫酸钠250克，无水亚硫酸15克，醋酸45毫升，钾矾15克，并加水至1000毫升。

科学元典

作用。

②弊:a.不合理施用化肥会带来很多环境问题,一方面化肥中含有一些重金属元素、有毒有机物和放射性物质,施入后会引起潜在的土壤污染;另一方面化肥在施用过程中因某些成分的积累、流失或变化,引起土壤酸化,水域中氮和磷含量升高,氮化物和硫化物气体排放等,造成土壤退化和水、大气环境的污染。

b.农药本身有毒,在杀灭病虫害的同时也带来了对自然环境的污染和对人体健康的危害。

(6)化学肥料、农药的合理施用
①合理施用化肥的方法:一是根据土壤情况和农作物种类选择化肥;二是建立和推进化学肥料和有机肥料配合施用的施肥体系。②合理施用农药的方法:要根据有害生物的发生、发展规律,对症下药、适时用药,并按照规定的施用量、深度、次数合理混用农药和交替施用不同类型的农药,以便充分发挥不同农药的特性,做到用量少、效应高、负面影响小。

(7)使用化肥的注意事项
①铵态氮肥不能与碱性物质(如碱、草木灰等)一起使用,因为铵态氮肥中的 NH_4^+ 遇到 OH^- 会生成易挥发的 NH_3,降低肥效。
②使用氨水或磷酸氢铵时要防止挥发,立即灌溉或用土盖上,人要站在上风口,因氨气对人的眼、鼻等黏膜有刺激作用。
③硝酸铵受热易分解,在高温或猛烈撞击时易发生爆炸。所以当硝酸铵受潮结块时,不要用铁锤砸碎。
④硫酸铵不易长时间使用,以免造成土壤酸性增强或土壤板结。

例7 (2010 四川内江,6,4 分)硝铵是农业生产中常用的一种氮肥,它的主要成分是 NH_4NO_3,此物质中氮元素与氧元素的质量比为_____;某农户购买了 1 kg 某品牌硝铵,则实际提供氮元素的质量应不超过_____g。

答案 28:48 或 7:12　350

解析 硝铵即硝酸铵,化学式为 NH_4NO_3,氮元素与氧元素的质量比为 $(14×2):(16×3)=28:48=7:12$。1 kg 硝铵含氮元素的最大值为:$1\ kg×\dfrac{28}{60}×100\%=0.35\ kg=350\ g$。

⊷·············•◦· 拓展知识 ·◦•·············⊷

知识①　浓盐酸与稀盐酸的区别

常用浓盐酸的质量分数约为 37% ~ 38%,密度约为 1.19 g/cm³,易挥发,在空气中形成白雾,露置于空气中,溶液质量减小,溶质质量分数减小。而稀盐酸不具有此性质,可利用此特性区分浓盐酸和稀盐酸。

知识②　浓硫酸和稀硫酸的区别

常用浓硫酸的质量分数为 98%,密度为 1.84 g/cm³,浓硫酸和稀硫酸都是硫酸的水溶液,都不具有挥发性,但浓硫酸具有吸水性、脱水性、强氧化性,利用此特性可区分浓硫酸和稀硫酸。另外可利用浓硫酸的密度比稀硫酸的密度大,通过取相同体积的两种液体称量进行区分;也可利用浓硫酸稀释过程中放热进行区分。

例 (2010 广西梧州,35,2 分)将下列物质加入水中会放出热量的是　　　　　　　( )
A. NaCl　　　　　　　　　　B. KNO_3
C. 浓 H_2SO_4　　　　　　　　D. NH_4NO_3

答案 C　浓 H_2SO_4 稀释时会放出大量的热。

知识③　酸的分类命名

(1)酸根据组成中是否含有氧元素可以分为含氧酸和无氧酸。如:盐酸(HCl)属于无氧酸,硫酸(H_2SO_4)、硝酸(HNO_3)属于含氧酸。

(2)酸还可以根据每个酸分子电离出的 H^+ 个数,分为一元酸、二元酸、多元酸。如:每分子盐酸、硝酸溶于水时能电离出一个 H^+,属于一元酸;每分子硫酸、碳酸溶于水时能电离出两个 H^+,属于二元酸。

(3)无氧酸一般从前往后读作"氢某酸"。如:HCl读作氢氯酸(盐酸是其俗名),H_2S 读作氢硫酸。

(4)含氧酸命名时一般去掉氢、氧两种元素,读作"某"酸。如:H_2SO_4 命名时去掉氢、氧两种元素,读作硫酸,H_3PO_4 读作磷酸。若同一种元素有可变价,一般低价叫"亚某酸"。如:H_2SO_3 读作亚硫酸,HNO_2 读作亚硝酸。

知识④　指示剂变色原理

常用酸碱指示剂的变色原理

石蕊和酚酞是常用酸碱指示剂,它们都是弱的有机酸。在溶液里,随着溶液酸碱性的变化,指示剂的分子结构发生变化而显示出不同的颜色。

科学元典

如何自己配停显液 停显液主要是中和及保护定影液的作用。停影其目的是使显影后的感光材料立即停止显影,即可中和显影液中的碱性物质和防止染色物质增多,还可使感光材料上余留的显影液不在起作用,避免给底片,相纸带来一些不均匀的条纹,一般以弱酸性的冰醋酸作停影液。用 28% 的醋酸 50 毫升,加到一升的水中,就成了停显液。把底片放在停显液中 20 ~ 30 秒就够了,长了会对底片起不良作用。

石蕊能溶于水,不溶于酒精,变色 pH 范围是 5.0~8.0。石蕊(主要成分用 HL 表示)在水溶液里能发生如下电离:

$$HL \rightleftharpoons H^+ + L^-$$

红色　　　　蓝色

在酸性溶液里,红色的分子是存在的主要形式,溶液显红色;在碱性溶液里,上述电离平衡向右移动,蓝色的离子是存在的主要形式,溶液显蓝色;在中性溶液里,红色的分子和蓝色的离子同时存在,所以溶液显紫色。

酚酞的变色 pH 范围是 8.0~10.0。在酸性溶液中,H^+ 浓度较高时,它形成无色分子;随着溶液中 H^+ 浓度的减小,OH^- 浓度的增大,酚酞结构发生改变,并进一步电离成红色离子,如下式所示:

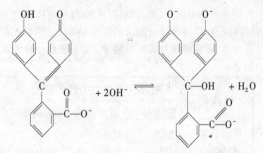

无色(内脂式)　　　　红色(醌式)
中性或酸性溶液　　　　弱碱性溶液

红色(醌式酸盐)

这个转变过程是一个可逆过程,如果溶液中 H^+ 浓度增加,上述平衡向反方向移动,酚酞又变成了无色分子。因此,酚酞在酸性溶液里呈无色,当溶液中 H^+ 浓度降低,OH^- 浓度升高时呈红色。

酚酞的醌式或醌式酸盐,在碱性介质中是很不稳定的,它会慢慢地转化成无色的羧酸盐式,如下式所示:

无色(羧酸盐式)

因此,做氢氧化钠溶液使酚酞显色实验时,要用氢氧化钠稀溶液,而不能用浓溶液。

例 (2010 甘肃兰州,19,2 分)有一食品包装说明书中注明防腐剂是苯甲酸(C_6H_5COOH),张华同学查资料得知苯甲酸的酸性比醋酸强,可用作食品防腐剂。下列对苯甲酸性质的推测中不合理的是 (　　)

A. 苯甲酸溶液的 pH 小于 7
B. 相同浓度的苯甲酸溶液的 pH 比醋酸的 pH 大
C. 苯甲酸溶液能使紫色石蕊试液变红
D. 苯甲酸溶液不能使无色酚酞试液变色

答案 B 本题是一道信息给予题,从题中给出的信息知:苯甲酸的酸性比醋酸强,因此相同浓度的苯甲酸溶液的 pH 比醋酸的 pH 小。

知识⑤ 酸碱指示剂的代用品

在自然界里,有许多植物色素在不同的酸碱性溶液中,都会发生特定的颜色变化。这些植物色素可以用作石蕊和酚酞等指示剂的代用品。

一些植物的色素及其在酸碱性溶液中的颜色变化

代用指示剂	代用指示剂的颜色		
	在酸性液中	在中性液中	在碱性液中
牵牛花(花瓣)	红色	紫色	蓝色
苏木	黄色	红棕色	玫瑰红色
紫萝卜皮	红色	紫色	黄绿色
月季花(花瓣)	浅红色	红色	黄色
美人蕉(花冠)	淡红色	红色	绿色

例 (2010 湖南娄底,28,5 分)小林在凉拌紫卷心菜时,加入一些食醋,发现紫卷心菜变红了,这激发了他的探究欲望,特邀请你协助完成下列活动与探究。

[提出问题] 紫卷心菜等植物的汁液能作酸碱指示剂吗?

[实验探究] 取紫卷心菜、牵牛花的花瓣、胡萝卜、

彩色摄影 彩色摄影所用彩色感光片上通常涂有三层感光乳剂,并分别加入了不同性能的光学增感剂,使这种感光片能分别感受红、绿、蓝三种光色。彩色负片经曝光和显影、漂白、定影后,每一感光乳剂层中的成色剂都和彩色显影剂的氧化产物偶合,形成与景物色彩互为补色的负像。再将这负片上的影像在正性的彩色感光材料上晒印或放大,就得到与被摄影物色彩一致的正片或照片。

科学元典

分别在研钵中捣烂,加入酒精(乙醇与水的体积比为1:1)浸泡,用纱布将浸泡出的汁液挤出,分别加入到蒸馏水、稀酸溶液和稀碱溶液中,有关颜色变化情况如下:

汁液	在不同液体中的颜色变化		
	蒸馏水	稀酸溶液	稀碱溶液
紫卷心菜	蓝紫色	红色	绿色
牵牛花	紫色	红色	蓝色
胡萝卜	橙色	橙色	橙色

[得出结论]_____、_____的汁液能作酸碱指示剂,_____的汁液不能作酸碱指示剂。

[拓展应用]小林用上述的牵牛花汁液来测定某雨水样品的酸碱性,发现牵牛花汁液呈红色。则该雨水呈_____性(填"酸""碱"或"中")。

[反思与评价]小林发现,上述汁液无法测出溶液的酸碱度,请你告诉他,在实验室测定溶液的酸碱度常用_____。

[答案]紫卷心菜 牵牛花 胡萝卜 酸 pH试纸

[解析]指示剂是指与酸或碱的溶液作用显示不同颜色的物质,由题中实验现象可知,紫卷心菜、牵牛花的汁液能作指示剂,而胡萝卜汁不能。牵牛花汁液遇酸性溶液变红说明雨水显酸性,指示剂只能用来测定溶液的酸碱性,而测定溶液的酸碱度即pH通常用pH试纸。

知识 6 胃液中的盐酸

在人的胃液里,HCl 的溶质质量分数为0.45% ~ 0.6%,胃酸是由胃底腺的壁细胞分泌的。它具有以下功能:(1)促进胃蛋白酶的催化作用,使蛋白质在人体内容易被消化,吸收;(2)使二糖类物质如蔗糖、麦芽糖分解;(3)杀菌。

知识 7 酸具有通性的原因

酸是指在溶液中电离成的阳离子全部是 H^+ 的一类化合物,由于酸在溶液中都含共同的 H^+,因而具有一些相同的化学性质。

[例](2010 山东烟台,7,1 分)稀盐酸和稀硫酸具有许多相似化学性质的原因是 （ ）
A.它们都是溶液
B.它们都含有酸根离子
C.它们都含有氢元素
D.它们都电离出了氢离子

[答案]D 稀盐酸和稀硫酸的水溶液中都含有自由移动的氢离子,所以化学性质有许多相似之处。

知识 8 敞口放置的浓盐酸、浓硝酸、浓硫酸的溶液质量、溶剂质量、溶质质量、溶质质量分数的变化

酸的名称	特性	溶质质量	溶剂质量	溶液质量	溶质质量分数
浓 HCl	挥发性	变小	不变	变小	变小
浓 HNO₃	挥发性	变小	不变	变小	变小
浓 H₂SO₄	吸水性	不变	变大	变大	变小

知识 9 实验室制氢气不能用浓硫酸的原因

实验室制取氢气通常用比较活泼的金属与稀 H_2SO_4 或稀 HCl 发生置换反应来进行,如 $Zn + H_2SO_4 \xlongequal{} ZnSO_4 + H_2 \uparrow$。但实验室制取氢气不能用浓 H_2SO_4,浓 H_2SO_4 具有强氧化性,跟金属单质发生反应不生成氢气。

知识 10 浓硫酸作干燥剂的特点

根据浓硫酸的吸水性,可用浓硫酸作某些气体的干燥剂,但用浓硫酸作干燥剂时只能干燥中性气体(如氧气、氢气)和酸性气体(如二氧化碳),不能干燥碱性气体(如氨气)。因为氨气能与浓 H_2SO_4 反应生成盐。

知识 11 碱的分类和命名

1.分类(根据溶解性)
(1)可溶性碱:$NaOH$、KOH、$Ca(OH)_2$、$Ba(OH)_2$、$NH_3 \cdot H_2O$ 等。
(2)难溶性碱:$Cu(OH)_2$、$Fe(OH)_3$、$Mg(OH)_2$ 等。

2.命名
一般读作氢氧化某,如 $NaOH$ 读作氢氧化钠。变价金属元素形成的碱,高价金属碱读作氢氧化某,如 $Fe(OH)_3$ 读作氢氧化铁;低价金属碱读作氢氧化亚某,如 $Fe(OH)_2$ 读作氢氧化亚铁。

知识 12 碱具有通性的原因

碱是指在水中电离出的阴离子全部是 OH^- 的一类化合物,在不同的碱溶液中含有共同的阴离子(OH^-),所以碱具有一些相似的化学性质。

◀)) **特别提醒**

碱的通性实质上是可溶性碱的通性,因为不溶性碱

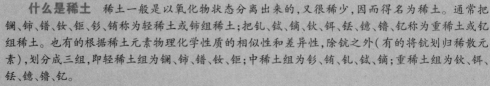

科学元典

什么是稀土 稀土一般是以氧化物状态分离出来的,又很稀少,因而得名为稀土。通常把镧、铈、镨、钕、钷、钐、铕称为轻稀土或铈组稀土;把钇、钆、铽、镝、钬、铒、铥、镱、镥称为重稀土或钇组稀土。也有的根据稀土元素物理化学性质的相似性和差异性,除钪之外(有的将钪划归稀散元素),划分成三组,即轻稀土组为镧、铈、镨、钕、钷;中稀土组为钐、铕、钆、铽、镝;重稀土组为钬、铒、铥、镱、镥、钇。

在水中不会电离出 OH^-，一般情况下不具有碱的化学性质，如 NaOH 溶液能使无色酚酞试液变红，但 $Mg(OH)_2$ 不能使无色酚酞试液变红。当然酸与碱发生中和反应除外，不论可溶性碱、不溶性碱都能与三大无机强酸发生反应。

知识13 难溶性碱与可溶性碱的区别

(1) 难溶性碱受热可分解为对应的碱性氧化物，可溶性碱一般不能。例如：$Cu(OH)_2 \xrightarrow{\triangle} CuO + H_2O$，

$2Fe(OH)_3 \xrightarrow{\triangle} Fe_2O_3 + 3H_2O$。

(2) 难溶性碱不能由对应的碱性氧化物和水直接化合而得。例如：$CuO + H_2O$（不反应），$Fe_2O_3 + H_2O$（不反应）。

可溶性碱则可由碱性氧化物和水直接化合而得。例如：

$Na_2O + H_2O \xrightarrow{\quad} 2NaOH$

$CaO + H_2O \xrightarrow{\quad} Ca(OH)_2$

(3) 难溶性碱除可与酸发生中和反应外，一般不与酸性氧化物或盐起反应，也不能使指示剂变色。

知识14 几种碱的颜色及溶解性

碱	颜色	溶解性
KOH、$NaOH$、$Ba(OH)_2$	白色	易溶
$Ca(OH)_2$	白色	微溶
$Mg(OH)_2$、$Al(OH)_3$、$Fe(OH)_2$	白色	难溶
$Fe(OH)_3$	红褐色	难溶
$Cu(OH)_2$	蓝色	难溶

特别提醒

(1) 容易受 $Ca(OH)_2$ 微溶的影响，误认为 $Ba(OH)_2$ 难溶。

(2) 正确认识碱的溶解性，理解复分解反应的条件。如难溶性的碱可与酸反应，但不能与盐溶液反应。

$Fe(OH)_3 + 3HCl \xrightarrow{\quad} FeCl_3 + 3H_2O$

$Fe(OH)_3$ 与 NaCl 不反应。

(3) 可溶性碱都可由对应氧化物与水反应制取。

(4) 易溶性碱不易分解，难溶性碱加热易分解。

(5) 碱与盐能发生反应的反应物条件：碱、盐必须易溶于水。生成物条件：有难溶物或气体产生。

$3NaOH + FeCl_3 \xrightarrow{\quad} Fe(OH)_3\downarrow + 3NaCl$

知识15 中和反应与复分解反应的关系

酸与碱作用生成盐和水的反应叫中和反应，复分解反应不仅包括酸与碱的反应，还包括酸与盐、碱与盐、盐与盐的反应。故中和反应一定是复分解反应，复分解反应不一定是中和反应。二者的关系可用图表示为：Ⓐ︵ᴮ（A：中和反应，B：复分解反应）。

知识16 溶液的酸碱性与酸碱度

	区别	测定方法	联系
溶液的酸碱性	溶液的酸碱性是指溶液显酸性还是显碱性	酸碱指示剂	溶液的酸碱度是溶液酸碱性的定量表达
溶液的酸碱度	溶液的酸碱度是指溶液的酸碱性的强弱程度	pH试纸	

特别提醒

酸碱指示剂在溶液中变色情况与 pH 的关系

pH（酸碱度）　0 1 2 3 4 5 6 7 8 9 10 11 12 13 14

酸碱性 ←———— 酸性 ———中性——— 碱性 ———→

紫色石蕊试液　　红　　　紫　　蓝

无色酚酞试液　　无　　　无　　红

例 (2010 广东佛山,11,2 分) 不同物质的溶液的酸碱性不同，根据下表中 pH 的情况判断，下列说法中正确的是（　　）

	盐酸	$CuSO_4$溶液	$NaCl$溶液	水	Na_2CO_3溶液	$NaOH$溶液
pH	<7	<7	=7	=7	>7	>7

A. pH<7 一定是酸的溶液

B. pH>7 一定是碱的溶液

C. pH=7 一定是盐的溶液

D. 盐的溶液可能显酸性、碱性或中性

答案 D pH<7 不一定是酸的溶液，$CuSO_4$ 属于盐，但其溶液显酸性；pH>7 不一定是碱的溶液，Na_2CO_3 属于盐，但其溶液显碱性；pH=7 也不一定是盐的溶液，如水。

科学元典

什么是金属玻璃 某些液态贵金属合金(如金硅合金)在急速冷却的情况下，当金属内部的原子来不及"理顺"位置，仍处于无序状态时，便马上凝固了，成为非晶态金属。这些非晶态金属具有类似玻璃的某些结构特征，故称为"金属玻璃"，又称非晶态合金。它既有金属和玻璃的优点，又克服了它们各自的弊病。金属玻璃的强度高于钢，硬度超过高硬工具钢，具有一定的韧性和刚性，所以，人们赞扬金属玻璃为"敲不碎、砸不烂"的"玻璃之王"。

知识⑰ 酸溶液与酸性溶液

酸性溶液是指 pH 小于 7 的溶液,酸溶液的 pH 小于7,故酸溶液一定是酸性溶液。但酸性溶液不一定是酸溶液,有许多盐溶液的 pH 也小于7,如 $(NH_4)_2SO_4$ 溶液,$(NH_4)_2SO_4$ 溶液是酸性溶液但不是酸溶液。酸性溶液包括酸溶液和某些盐溶液。

知识⑱ 碱溶液与碱性溶液

碱性溶液指 pH 大于 7 的溶液,碱溶液的 pH 大于7,故碱溶液一定是碱性溶液。但碱性溶液不一定是碱溶液,有些盐溶液如 Na_2CO_3 溶液,Na_2CO_3 溶液的 pH 大于7,但它是碱性溶液但不是碱溶液。碱性溶液包括碱溶液和某些盐溶液。

知识⑲ 氢氧化钠与氢氧化钙性质相似和差异的原因

$Ca(OH)_2$、$NaOH$ 的性质既有相似性又有差异性,是由于 $NaOH$ 和 $Ca(OH)_2$ 溶于水产生的阴离子全部是氢氧根离子,所以它们具有相似的化学性质,但由于它们的阳离子不同,所以性质上又有一些差异。

知识⑳ 氨水

氨气的水溶液俗称氨水,化学式是 $NH_3 \cdot H_2O$,通常状况下是无色的液体,具有挥发性。浓氨水能挥发出具有刺激性气味的氨气(NH_3)。

氨水显碱性,能使指示剂变色。

氨水的组成中含有 N 元素,因此可通过与酸反应生成铵盐来制氮肥,其本身也是一种氮肥。在化学实验中一般可用浓氨水做分子运动的探究实验。

例 (2010 广西桂林,31,12 分)请你参与下列探究:

【问题情景】在课外活动中,小斌按照课本实验(见图1)探究分子的运动时,闻到了刺激性的气味,于是,小斌在老师的指导下,设计了如图2的实验装置,进行同样的实验,结果不再有刺激性的气味,并且快速出现实验现象,得到了和课本实验同样的结论。

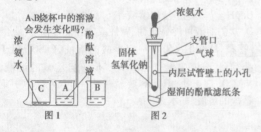

图1　　　　　图2

【实验探究与结论】小斌用图2装置进行实验。

(1)滴入少量浓氨水后,湿润的酚酞滤纸条发生的变化是_____。从分子运动的角度分析,此现象可说明的结论是_____;从浓氨水化学性质的角度分析,此现象可说明的结论是_____。

(2)用初中的化学知识分析,固体氢氧化钠的作用是_____。

(3)和课本实验比较,小斌改进后的装置的优点是(写出两点):

①_____;

②_____。

答案 (1)滤纸条变红　分子是运动的(或浓氨水具有挥发性)　浓氨水显碱性(或浓氨水是碱性物质或 NH_3 与 H_2O 反应生成了碱)

(2)氢氧化钠吸水放热,加速了浓氨水的挥发

(3)现象明显、快速出现实验现象、实验药品用量少、环保(答出其中的任何两个即可)

解析 浓氨水具有挥发性,挥发出的氨分子遇水结合成氨水,氨水显碱性,因此使无色酚酞变红。固体 $NaOH$ 吸水会放热,加速了浓氨水的挥发。图2与图1相比,装置处于密闭状态,不会使有刺激性气味的 NH_3 逸出,比图1环保;使用固体 $NaOH$,加速分子运动速率使现象明显。

知识㉑ 盐的分类和命名

1.盐的分类

分类标准	组成特点	盐类统称	举例
根据盐中酸根离子的不同分类	金属离子、Cl^-	盐酸盐(氯化物)	KCl、$NaCl$、$FeCl_2$
	金属离子、SO_4^{2-}	硫酸盐	Na_2SO_4、K_2SO_4、$CuSO_4$
	金属离子、NO_3^-	硝酸盐	KNO_3、$Cu(NO_3)_2$、$Ca(NO_3)_2$
根据盐中金属离子(包括 NH_4^+)的不同分类	K^+、酸根离子	钾盐	KCl、K_2CO_3、KNO_3
	Na^+、酸根离子	钠盐	$NaCl$、Na_2SO_4、$NaNO_3$
	NH_4^+、酸根离子	铵盐	NH_4Cl、$(NH_4)_2SO_4$、NH_4NO_3

科学元典

什么是金属陶瓷　金属陶瓷是一种既像钢铁那样坚硬又像陶瓷一样耐高温、耐腐蚀的复合材料。陶瓷主要是氧化铝、氧化锆等耐高温氧化物,金属主要是铬、钼、钨、钛等高熔点金属。将陶瓷和粘接金属研磨混合均匀,成型后在不活泼气氛中烧结,就可制得金属陶瓷。它具有密度小、硬度高、耐磨、导热性好,不会因为骤冷或骤热而脆裂的优点。金属陶瓷广泛地应用于火箭、导弹、超音速飞机的外壳、燃烧室的火焰喷口等处。

2. 盐的命名

（1）只有两种元素组成的盐，读作"某化某"，如 $NaCl$ 读作氯化钠，AgI 读作碘化银。

（2）在分子构成中含有酸根的，读作"某酸某"。

如 Na_2CO_3、$ZnSO_4$、$AgNO_3$、$KMnO_4$、$KClO_3$ 分别读作：碳酸钠、硫酸锌、硝酸银、高锰酸钾、氯酸钾。

（3）含铵根的化合物，读作"某化铵"或"某酸铵"。

如 NH_4Cl、$(NH_4)_2SO_4$ 读作：氯化铵、硫酸铵。

（4）其他：$Cu_2(OH)_2CO_3$ 读作"碱式碳酸铜"，

$NaHSO_4$ 读作"硫酸氢钠"，

$NaHCO_3$ 读作"碳酸氢钠"。

知识22 盐与食盐的区别

食盐和盐不同，食盐是一种物质，而盐是由金属离子（或 NH_4^+）和酸根离子构成的一类物质，盐并不是都能作为调味品，工业盐中的亚硝酸钠、硫酸钠、硫酸铜、氯化钡都有毒，不可食用。

知识23 碳酸钠与碳酸钠晶体

碳酸钠（Na_2CO_3）是白色易溶于水的粉末状固体，水溶液显碱性，俗称纯碱。如果让饱和的 Na_2CO_3 溶液降温结晶，析出的晶体并不是 Na_2CO_3，而是 $Na_2CO_3 \cdot 10H_2O$，$Na_2CO_3 \cdot 10H_2O$ 读作碳酸钠晶体或十水合碳酸钠。碳酸钠晶体在干燥高温的环境中能重新变成碳酸钠，发生的是化学反应：$Na_2CO_3 \cdot 10H_2O = Na_2CO_3 + 10H_2O$。如碳酸钠晶体这样含有结晶水的化合物叫结晶水合物。

特别提醒

$Na_2CO_3 \cdot 10H_2O$ 是一种化合物，不是混合物，$Na_2CO_3 \cdot 10H_2O$ 溶于水形成的溶液中溶质是 Na_2CO_3 而不是 $Na_2CO_3 \cdot 10H_2O$。

知识24 风化

结晶水合物在室温和干燥的条件下失去结晶水的变化，属于化学反应。如 $Na_2CO_3 \cdot 10H_2O = Na_2CO_3 + 10H_2O$；$CaSO_4 \cdot 2H_2O = CaSO_4 + 2H_2O$。

知识25 侯氏制碱法

我国化工专家侯德榜于 1938～1940 年用了三年时间，成功研制出联合制碱法，后来定名为"侯氏联合制碱法"。其主要原理是：

$NH_3 + CO_2 + H_2O = NH_4HCO_3$

$NH_4HCO_3 + NaCl = NaHCO_3\downarrow + NH_4Cl$

$2NaHCO_3 \xrightarrow{\triangle} Na_2CO_3 + H_2O + CO_2\uparrow$

（1）NH_3 与 H_2O、CO_2 反应生成 NH_4HCO_3。

（2）NH_4HCO_3 与 $NaCl$ 反应生成 $NaHCO_3$ 沉淀。主要原因是 $NaHCO_3$ 的溶解度较小。

（3）第（2）点中过滤后的滤液中加入 $NaCl$，由于 NH_4Cl 在低温时溶解度非常低，使 NH_4Cl 单独结晶析出做氮肥。

（4）加热 $NaHCO_3$ 得到 Na_2CO_3。

优点：保留了氨碱法的优点，消除了它的缺点，提高了食盐的利用率，NH_4Cl 可做氮肥，同时无氨碱法副产物 $CaCl_2$ 毁占耕田的问题。

知识26 路布兰制碱法

1791 年法国化学家兼医生路布兰（Nicolas Leblanc，1742－1806）经过四年研究，取得了从食盐制取纯碱的方法。主要化学反应如下：

用食盐和硫酸反应生成硫酸钠：

$2NaCl + H_2SO_4 \xrightarrow{强热} Na_2SO_4 + 2HCl$；

然后用焦炭还原硫酸钠制取硫化钠：

$Na_2SO_4 + 4C = Na_2S + 4CO\uparrow$；

最后利用硫化钠与石灰石反应生产出碳酸钠：

$Na_2S + CaCO_3 = Na_2CO_3 + CaS$。

路布兰制碱法需要高温，设备腐蚀严重，生产工序复杂，产量不高，碳酸钠的纯度不高。

知识27 索尔维制碱法——氨碱法

1862 年，比利时人索尔维（Ernest Solvay，1838－1922）以食盐、氨、二氧化碳为原料制得碳酸钠，叫做氨碱法。反应分三步进行：

$NH_3 + CO_2 + H_2O = NH_4HCO_3$

$NH_4HCO_3 + NaCl = NaHCO_3 + NH_4Cl$

$2NaHCO_3 \xrightarrow{\triangle} Na_2CO_3 + CO_2\uparrow + H_2O$

反应生成的 CO_2 可以回收再用，NH_4Cl 又和 CaO 反应产生 NH_3 重新作为原料使用，而副产物 $CaCl_2$ 大量堆积毁损占耕地是当时不可克服的公害。

$2NH_4Cl + CaO = 2NH_3\uparrow + CaCl_2 + H_2O$

氨碱法可以连续生产，产品纯净，因而被称为纯碱。

科学元典

世上最轻的合金是什么 镁合金是以镁为基体加入其他元素组成的合金。其特点是：密度小，比强度高，弹性模量大，消震性好，承受冲击载荷能力比铝合金大，耐有机物和碱的腐蚀性能好。主要合金元素有铝、锌、锰、铈、钍以及少量锆或镉等。目前使用最广的是镁铝合金，其次是镁锰合金和镁锌锆合金。主要用于航空、航天、运输、化工、火箭等领域。在实用金属中是最轻的金属，镁合金系列是在实际使用的最轻合金。

知识28 单质、氧化物、酸、碱、盐之间的转化关系

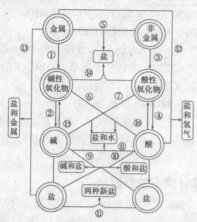

各类物质相互反应的条件,即对反应物、生成物的性质要求:

①金属 + 氧气——→碱性氧化物

$$2Cu + O_2 \xrightarrow{\triangle} 2CuO \quad 4Na + O_2 === 2Na_2O$$

②碱性氧化物 + 水——→可溶性碱

初中化学中的四种可溶性碱,都可用相对应的可溶性氧化物与水化合而成。难溶性碱不能用相对应的碱性氧化物与水反应得到。例如:

$$Na_2O + H_2O === 2NaOH \quad K_2O + H_2O === 2KOH$$

$$BaO + H_2O === Ba(OH)_2 \quad CaO + H_2O === Ca(OH)_2$$

$Cu(OH)_2$ 为难溶性碱,其对应的碱性氧化物是 CuO。CuO 不溶于水,不能与水化合生成 $Cu(OH)_2$。

③非金属 + 氧气——→酸性氧化物

酸性氧化物可用非金属与氧气反应而得到,非金属氧化物不一定都是酸性氧化物。如 $C + O_2 \xrightarrow{点燃} CO_2$

(酸性氧化物);$2C + O_2 \xrightarrow{点燃} 2CO$(不是酸性氧化物)。

初中化学中学习的酸性氧化物有:CO_2、SO_2、SO_3、P_2O_5,它们可由相对应的非金属与氧气化合而得到。SO_3 是 SO_2 与 O_2 反应而得到的:$2SO_2 + O_2 \xrightarrow[\triangle]{催化剂} 2SO_3$。

④酸性氧化物 + 水——→可溶性含氧酸

初中化学中的含氧酸都是可溶性的酸,所以都可用相对应的可溶性酸性氧化物与水化合而制得:

$$CO_2 + H_2O === H_2CO_3$$

$$SO_2 + H_2O === H_2SO_3$$

$$SO_3 + H_2O === H_2SO_4$$

$$P_2O_5 + 3H_2O === 2H_3PO_4$$

$$N_2O_5 + H_2O === 2HNO_3$$

难溶性的含氧酸不能用相对应的酸性氧化物与水化合而制得。如 H_2SiO_3 是难溶性酸,其对应的酸性氧化物 SiO_2 既不溶于水,也不能与水反应,所以 H_2SiO_3 不能用 SiO_2 与水化合而制得。

⑤金属 + 非金属——→无氧酸盐

一般来讲,活泼的金属与活泼的非金属(氧气除外)化合,可生成无氧酸盐。

如 $2Na + Cl_2 === 2NaCl \quad Fe + S \xrightarrow{\triangle} FeS$

⑥碱性氧化物 + 酸——→盐 + 水

这类反应是复分解反应,如 $2HCl + CuO === CuCl_2 + H_2O$,其实质是盐酸电离出的 H^+ 与 CuO 里的氧结合生成 H_2O。

⑦酸性氧化物 + 碱——→盐 + 水

这类反应不是复分解反应,因为它不是成分互相交换的反应,如 $CO_2 + 2NaOH === Na_2CO_3 + H_2O$。

⑧碱 + 酸——→盐 + 水

这类反应是复分解反应的特例(中和反应),如 $HCl + NaOH === NaCl + H_2O$。

⑨可溶性碱 + 可溶性盐——→新碱 + 新盐(其中有一种为沉淀)

复分解反应,实质为特征离子结合为沉淀。如 $2NaOH + CuSO_4 === Cu(OH_2)\downarrow + Na_2SO_4$,$Na_2CO_3 + Ca(OH)_2 === CaCO_3\downarrow + 2NaOH$。

⑩酸 + 盐——→盐′ + 酸′

条件:酸可溶于水且生成物中要有沉淀、气体或水生成。

$$HCl + AgNO_3 === AgCl\downarrow + HNO_3$$

$$H_2SO_4 + BaCl_2 === BaSO_4\downarrow + 2HCl$$

$$H_2SO_4 + Ba(NO_3)_2 === BaSO_4\downarrow + 2HNO_3$$

$$2HCl + CaCO_3 === CaCl_2 + H_2O + CO_2\uparrow$$

$$2HCl + Na_2CO_3 === 2NaCl + H_2O + CO_2\uparrow$$

$$HCl + NaHCO_3 === NaCl + H_2O + CO_2\uparrow$$

注意:难溶于水的碳酸盐(如 $BaCO_3$、$CaCO_3$ 等)可溶于盐酸及稀硝酸等,因此 $BaCl_2$、$Ca(NO_3)_2$ 等盐与碳酸不能发生复分解反应,因相互交换成分后无沉淀、气体或水生成。

科学元典

钛白是什么 钛白,化学成分是氧化钛,是惰性颜料,不受气候条件影响,有很强的覆盖力,是近代生产出的颜料。纯钛白颜色干得快,干后容易变黄,所以经常和锌白混合使用。锌钛白既减轻了锌白的易脆性,又改善了钛白单独使用的缺点。钛白和锌白一样具有无毒的优点。锌钛白是目前中国用量较大的白颜料。

⑪盐 + 盐——盐′ + 盐″

条件:反应物均可溶于水且生成物中有沉淀生成。

$NaCl + AgNO_3 = AgCl\downarrow + NaNO_3$

$BaCl_2 + Na_2SO_4 = BaSO_4\downarrow + 2NaCl$

$CaCl_2 + Na_2CO_3 = CaCO_3\downarrow + 2NaCl$

⑫金属 + 酸——盐 + $H_2\uparrow$

条件:酸是除浓 H_2SO_4 和浓 HNO_3 以外的弱氧化性的酸,且参加反应的金属是金属活动性顺序表中氢以前的金属。

$Zn + H_2SO_4(稀) = ZnSO_4 + H_2\uparrow$　$2Al + 6HCl = 2AlCl_3 + 3H_2\uparrow$

⑬金属 + 盐——盐′ + 金属′

条件:盐可溶于水且参加反应的金属的金属活动性排在盐中所含金属元素的金属活动性之前。即在金属活动性顺序表里,只有排在前面的金属,才能把排在它后面的金属从它们的盐溶液里置换出来。

如:$Fe + CuSO_4 = FeSO_4 + Cu$　$Cu + 2AgNO_3 = 2Ag + Cu(NO_3)_2$

⑭碱性氧化物 + 酸性氧化物——盐

如 $CaO + SiO_2 \xrightarrow{\text{高温}} CaSiO_3$

⑮碱——碱性氧化物 + 水

条件:碱难溶于水,故需加热或高温条件。

$Cu(OH)_2 \xrightarrow{\triangle} CuO + H_2O$　$2Fe(OH)_3 \xrightarrow{\triangle} Fe_2O_3 + 3H_2O$

⑯酸(含氧酸)——酸性氧化物 + 水

$H_2CO_3 \xrightarrow{\triangle} H_2O + CO_2\uparrow$

例 (2010 新疆乌鲁木齐,15,4分)右图中两圆相交部分(A、B、C、D)可表示铁、稀硫酸、烧碱溶液、硫酸铜溶液间的反应关系,请按下列要求填空:

A 处发生反应的化学方程式是_____,其反应类型是_____;B 处发生反应的类型是_____;D 处产生的现象是_____。

答案 $Fe + CuSO_4 = FeSO_4 + Cu$　置换反应　复分解反应(或中和反应)　产生蓝色沉淀

解析 铁与硫酸铜溶液反应的化学方程式为 $Fe + CuSO_4 = FeSO_4 + Cu$,从化学方程式可以看出是一种单质和一种化合物反应生成另一种单质和另一种

化合物,属于置换反应。B 处为稀硫酸与氢氧化钠反应:$H_2SO_4 + 2NaOH = Na_2SO_4 + 2H_2O$。D 处为硫酸铜溶液与烧碱溶液反应,生成物是 $Cu(OH)_2$ 和 Na_2SO_4,$Cu(OH)_2$ 是蓝色沉淀。

知识29 物质在水中的共存

1. 物质在水中共存的条件

(1)物质是可溶的。

(2)物质间不发生反应生成沉淀、气体或水。

2. 离子的共存

同一溶液中若离子之间符合下列三个条件之一就会发生离子反应,这些离子便不能在溶液中大量共存。①生成沉淀物:如 Cl^- 与 Ag^+,Ba^{2+} 与 SO_4^{2-},OH^- 与 Cu^{2+}、Fe^{3+},CO_3^{2-} 与 Ca^{2+}、Ba^{2+} 等不能大量共存;②生成气体:如 OH^- 与 NH_4^+,H^+ 与 CO_3^{2-}、HCO_3^- 等不能共存;③生成 H_2O:如 H^+ 与 OH^- 不能共存。另外应注意题中的附加条件,如溶液无色透明,则溶液中肯定没有有色离子(常见的有色离子:Fe^{3+}、Cu^{2+}、Fe^{2+}、MnO_4^- 等);pH = 1 为强酸性溶液;pH = 14 为强碱性溶液。

例 (2010 江西,9,2分)下列各组物质在水中能大量共存的是 (　　)

A. H_2SO_4、Na_2SO_4、$NaOH$

B. $Ca(OH)_2$、KCl、K_2CO_3

C. $NaCl$、Na_2CO_3、KNO_3

D. $CuSO_4$、$NaOH$、Na_2SO_4

答案 C 物质共存即相互之间不反应,A 中 H_2SO_4 和 $NaOH$ 反应生成 H_2O;B 中 $Ca(OH)_2$ 与 K_2CO_3 反应生成 $CaCO_3$ 沉淀;D 中 $CuSO_4$ 与 $NaOH$ 反应生成 $Cu(OH)_2$ 沉淀。

知识30 白色与无色的区别

在描述溶液的颜色时,许多人会把无色溶液说成白色溶液,白色和无色有什么区别呢?

所谓白色,指某物质(体)被日光(一种复合光)或与日光相似的光线照射,各种波长的光线都完全被反射而呈现出的颜色为"白色"。若某物质(体)对各种光线几乎全部吸收,该物质就呈现黑色。所谓无色,指某物质(体)被日光照射,各种波长的光线透过的程度相同时,该物质就是无色。无色的物质(体)能透过各种波长的光,所以无色的物质(体)一定是透明的。

科学元典

制首饰的黄金有哪几种 当今黄金首饰主要有纯金、K 金、镀金、包金、仿金和变色金等制品。纯金首饰是由纯金制成的。K 金是在黄金中添加少量银、铜、锌等金属制成的。镀金首饰是在铜、银或合金制成的首饰表面上镀一层 24K 金,其外表与纯金首饰一样。包金首饰是用金箔包在由铝、锌、铅的合金制成的首饰表面。仿金首饰是选用特殊的镀层工艺,制成的近似 K 金的首饰。变色金首饰是用一种新颖的、经过特殊加工后的 K 金材料制成的首饰。

知识 31 物质的制备方法

金属:加热分解法,还原剂法
$$2HgO \xrightarrow{\Delta} 2Hg + O_2\uparrow$$
$$CuO + CO \xrightarrow{\Delta} Cu + CO_2$$

酸性氧化物
非金属 $+ O_2 \xrightarrow{点燃}$ 酸性氧化物 $C + O_2 \xrightarrow{点燃} CO_2$
含氧酸分解 $H_2CO_3 \Longrightarrow H_2O + CO_2$
含氧酸盐加热分解 $CaCO_3 \xrightarrow{\Delta} CaO + CO_2\uparrow$

碱性氧化物
金属 $+ O_2 \xrightarrow{\Delta}$ 碱性氧化物 $2Cu + O_2 \xrightarrow{\Delta} 2CuO$
不溶性碱 $\xrightarrow{\Delta}$ 碱性氧化物 $+$ 水 $Cu(OH)_2 \xrightarrow{\Delta} CuO + H_2O$

碱
碱性氧化物 $+ H_2O \longrightarrow$ 碱 $Na_2O + H_2O \Longrightarrow 2NaOH$
碱 $+$ 盐 $\longrightarrow$ 新碱 $+$ 新盐 $Ca(OH)_2 + Na_2CO_3 \Longrightarrow CaCO_3\downarrow + 2NaOH$

酸
酸性氧化物 $+ H_2O \longrightarrow$ 酸 $SO_3 + H_2O \Longrightarrow H_2SO_4$
酸 $+$ 盐 $\longrightarrow$ 新酸 $+$ 新盐 $H_2SO_4 + BaCl_2 \Longrightarrow BaSO_4\downarrow + 2HCl$

物质的制备

盐
(1) 金属 $+$ 非金属 $\longrightarrow$ 盐
$2Na + Cl_2 \Longrightarrow 2NaCl$
(2) 金属(氢前金属) $+$ 酸(盐酸或稀硫酸) $\longrightarrow$ 盐 $+ H_2\uparrow$
$Zn + 2HCl \Longrightarrow ZnCl_2 + H_2\uparrow$
(3) 金属(除K、Ca、Na) $+$ 盐(可溶) $\longrightarrow$ 新盐(前换后) $+$ 新金属
$Fe + CuSO_4 \Longrightarrow FeSO_4 + Cu$
(4) 金属氧化物 $+$ 非金属氧化物 $\longrightarrow$ 盐
$CaO + CO_2 \Longrightarrow CaCO_3$
(5) 酸 $+$ 碱性氧化物 $\longrightarrow$ 盐 $+$ 水
$H_2SO_4 + CuO \Longrightarrow CuSO_4 + H_2O$
(6) 碱 $+$ 酸性氧化物 $\longrightarrow$ 盐 $+$ 水
$Ca(OH)_2 + CO_2 \Longrightarrow CaCO_3\downarrow + H_2O$
(7) 碱 $+$ 酸 $\longrightarrow$ 盐 $+$ 水
$2KOH + H_2SO_4 \Longrightarrow K_2SO_4 + 2H_2O$
(8) 盐 $+$ 酸 $\longrightarrow$ 新盐 $+$ 新酸
$Ba(NO_3)_2 + H_2SO_4 \Longrightarrow BaSO_4\downarrow + 2HNO_3$
(9) 盐 $+$ 碱 $\longrightarrow$ 新碱 $+$ 新盐
$Na_2CO_3 + Ca(OH)_2 \Longrightarrow 2NaOH + CaCO_3\downarrow$
(10) 盐 $+$ 盐 $\longrightarrow$ 两种新盐
$BaCl_2 + Na_2CO_3 \Longrightarrow BaCO_3\downarrow + 2NaCl$

知识 32 化肥与农家肥

1. 肥料的分类

肥料
直接肥料
有机肥料 绿肥、厩肥、堆肥、沤肥、粪尿肥等
无机肥料(矿质肥料或化学肥料)
单一肥料 氮肥、磷肥、钾肥、微量元素肥料、钙肥、镁肥、硫肥、硅肥等
复混肥料 化合成复合肥料、配成(配入不同养分的单一肥料)复合肥料、混合成(几种肥料混合)复合肥料
缓释肥料(长效肥料)
间接肥料 土壤酸碱调节剂、土壤结构改良剂、微生物肥料等

2. 化学肥料和农家肥料的比较

化学肥料	农家肥料
所含元素种类少,但营养元素含量大	常含有多种营养元素,但营养元素含量较少
一般易溶于水,易被农作物吸收,肥效较快,但营养元素单一	一般较难溶于水,经腐熟后逐步转化为可溶于水、能被作物吸收的物质,肥效慢但肥期较长
便于工业生产,成本较高	便于就地取材,成本低廉
长期使用会破坏土壤的结构,使果蔬、谷物含有超量化肥,影响人体健康;化肥还会造成水体污染,引起水体富营养化	能改良土壤结构

例 (2010 云南昆明,10,2 分)某化肥标签的部分内容如图,有关该化肥的说法正确的是   (   )

碳酸氢铵
NH_4HCO_3
净重:50kg
××化肥厂

A. 农作物出现倒伏现象必须施用该化肥
B. 贮存和运输时要密封,不要受潮或暴晒
C. 它是一种含氮量最高的化肥
D. 它是复合肥

答案 B 本题借标签考查化学肥料知识,同时也考查学生的读图、识图能力。碳酸氢铵是一种氮肥,含氮量比较低,只有17.7%,它也不是复合肥,故 C、D 错误;抗倒伏的肥料是钾肥,A 错误;贮存和运输碳酸氢铵时受潮或暴晒会造成肥效的降低,故要密封。

知识 33 微量元素肥料

植物正常生长发育所必需的营养元素根据植物用量多少,分为必需大量元素(如:C、H、O、N、P、S、Ca、K、Mg)和必需微量元素(如:Fe、Mn、Zn、Cu、B、Cl、Mo)。必需微量元素尽管植物需要量比较少,但对植物的生命活动具有重要意义,是不可缺少的。如果植物缺微量元素,可通过施用微量元素肥料来补充,如缺乏铜元素,植物顶端会生长停止和顶枯。可通过叶面喷施含铜化合物的溶液方法来补充。

科学元典

怎样鉴别黄金首饰的真伪(一) (1)查戳记:现在我国厂家生产的黄金首饰均有本厂戳记和含金量字样。(2)掂重量:黄金的密度比银、铜、铅、铝等金属大。体积相同的黄金在手中掂试时,会感到沉重坠手。(3)看色泽:黄金首饰一般纯度越高,色泽越深,足金为黄中透紫,18K金为黄中泛青,14K金为黄中透赤。

知识34 植物生长调节剂

植物生长调节剂,是用于调节植物生长发育的一类农药,包括人工合成的化合物和从生物中提取的天然植物激素。目前应用比较广泛的有:乙烯、细胞分裂素、多胺、生长素、赤霉素、水杨酸等。植物生长调节剂具有用量少、速度快、效益高的优点,具有很强的针对性。如:使用乙烯利可促进植物果实成熟;使用赤霉素、2,4-D能形成无籽果实,使用吲哚乙酸能促进植物生根等。

📌 方法清单

方法1 氢氧化钠与氢氧化钙的鉴别方法

NaOH与Ca(OH)₂均溶于水,溶液均显碱性,因此不能用指示剂来鉴别NaOH溶液和Ca(OH)₂溶液。

(1)CO₂:将CO₂通入待测液,溶液变浑浊的是Ca(OH)₂溶液,无明显现象的是NaOH溶液。

(2)用可溶性的碳酸盐(如Na₂CO₃):能与Na₂CO₃溶液反应,有白色沉淀生成的是Ca(OH)₂溶液,无明显现象的是NaOH溶液。

方法2 检验二氧化碳气体是否与氢氧化钠溶液反应的方法

通常情况下,将二氧化碳气体直接通入装有氢氧化钠溶液的试管中,很难直接判断二氧化碳气体是否与氢氧化钠溶液反应。因此,要判断二氧化碳气体确实能与氢氧化钠反应,可以采取如下两种途径:

(1)检验产物的方法:验证通入二氧化碳气体后的溶液中含有碳酸钠,检验碳酸根离子的存在。

通常检验碳酸根离子的方法是:

方法1:取样,加入稀盐酸,并将产生的气体通入澄清石灰水中,若澄清石灰水变浑浊,则证明溶液中存在碳酸根离子。

方法2:取样,加入氢氧化钙溶液,若产生白色沉淀,则证明溶液中存在碳酸根离子。

上述两种方法其实也可以证明氢氧化钠溶液是否变质,而且方法2还可以用于除去变质后的氢氧化钠溶液中的碳酸钠。

(2)改进实验装置,通过一些明显的实验现象间接证明二氧化碳气体能与氢氧化钠反应。如:

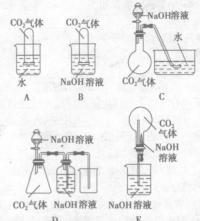

所选装置	操作方法	实验现象
A	将充满二氧化碳的试管倒扣在水中	试管内的液面略有上升
B	将充满二氧化碳的试管倒扣在氢氧化钠溶液中	试管内的液面明显上升
C	将氢氧化钠溶液滴入烧瓶	水槽中的水倒吸入烧瓶内
D	将氢氧化钠溶液滴入锥形瓶	NaOH溶液中的长导管下端产生气泡
E	将胶头滴管中氢氧化钠溶液挤入烧瓶	烧瓶内产生"喷泉"现象

例 (2010 湖南长沙,47,8分)将CO₂通入NaOH溶液中无明显现象,某学习小组的同学为了观察到CO₂与NaOH溶液反应的明显外观现象,并同时利用这一反应来验证质量守恒定律,设计了下列实验。请根据实验过程及内容,思考并回答相关问题。

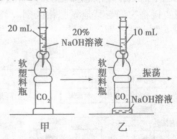

(1)实验装置如图甲所示,将整套装置(包括CO₂及NaOH溶液)放在天平上称量,测得质量为78.2 g。

(2)用力推压注射器活塞向密闭的软塑料瓶中注入

怎样鉴别黄金首饰的真伪(二) (4)听音韵:将金首饰扔在坚硬的地上。足金发出的声音低闷、厚实、沉重,且声无余音。(5)试硬度:纯金硬度较小,用手可以弯曲。如果用大头针在饰品上划痕,纯金制品的划痕较清楚。

10 mL NaOH 溶液(装置如图乙所示),振荡后观察到的现象有_____。

(3)静置片刻后,将整套装置再次放到天平上称量,测得其质量仍为 78.2 g。你对这一结果的解释是

_____。

(4)通过上述探究实验,你得到的启示是:

①若采用有气体参加或生成的反应来验证质量守恒定律,应让化学反应在_____中进行;

②为进一步证明 CO_2 与 NaOH 溶液确已发生了化学反应,你还能想到的方法是_____。

答案 (2)塑料瓶被压瘪,注射器中剩余溶液"自动"进入塑料瓶中

(3)反应容器密闭,生成物全部留在瓶内,也没有空气进入,因而反应前后质量相等(即质量守恒)

(4)①密闭容器

②向反应后溶液中加入稀盐酸,有气泡产生(或其他合理答案)

解析 (2)塑料瓶被压瘪,说明瓶中气压减小,CO_2 与 NaOH 发生了反应。(4)②要证明 CO_2 与 NaOH 溶液发生了化学反应,即证明有 Na_2CO_3 生成。

实验探究题,考查学生分析问题的能力,问题(3)是失分点,主要是分析问题不全面、语言叙述不规范、不准确。

方法 3 化肥的简易鉴别方法

1. 鉴别方法

一看、二闻、三溶。看外观,氮肥、钾肥为白色晶体,磷肥是灰白色粉末;闻气味,碳酸氢铵有强烈的氨味,可直接将它与其他氮肥相区别;加水溶解,氮肥、钾肥全部溶于水,磷肥大多不溶于水。

铵盐的鉴别:$(NH_4)_2SO_4$、NH_4NO_3 等和熟石灰混合研磨,放出具有刺激性气味的氨气。

2. 氮肥的简易鉴别

氮肥中的氨水是液态,碳酸氢铵有强烈的氨味,据此可直接将它们与其他氮肥相区别。其他常见氮肥可按下列步骤鉴别:

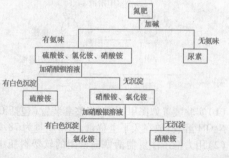

例 (2010 宁夏,11,2分)氯化铵、硫酸铵、硝酸铵和尿素都是白色固体,也是重要的化肥。下列物质能够将尿素从这四种化肥中鉴别出来的是 ( )

A. 氢氧化钙　　　　　　B. 稀盐酸

C. 氯化钠　　　　　　　D. 水

答案 A 题干给出的四种化肥中,氯化铵、硫酸铵、硝酸铵属于铵盐,与氢氧化钙反应会放出氨气,而尿素属于有机物,没有铵盐的上述性质。

方法 4 运用对比实验的方法探究酸或碱的化学性质

在酸溶液中如盐酸存在着三种微粒:H^+、Cl^- 和水分子,同样碱溶液中如 NaOH 溶液中也存在着三种微粒:Na^+、OH^- 和水分子。可以运用对比实验的方法探究酸或碱的性质是由于溶液中的何种离子作用的结果。

例 (2010 云南昆明,24,5分)盐酸溶液中含有 H_2O 分子、H^+ 和 Cl^-,要探究是哪一种粒子使紫色石蕊试液变成红色,请观察在白色点滴板上进行的下列实验,将实验现象和结论填入下表。

	滴加紫色石蕊试液后的现象	结论
第1孔	孔中试液仍为紫色	水分子
第2孔		
第3孔、第4孔		

答案 第1孔:不能使紫色石蕊试液变红

第2孔:孔中试液仍为紫色 Cl^- 不能使紫色石蕊试液变成红色

第3孔、第4孔:孔中试液变为红色 H^+ 能使紫色石蕊试液变红

解析 第1孔得出 H_2O 分子不能使紫色石蕊试液变红;第2孔得出 Cl^- 不能使石蕊试液变成红色,从而排除水分子和 Cl^-;第3、4孔试液变为红色,充分证明使石蕊试液变红的是 H^+。

科学元典

怎样清洁黄金制品 黄金首饰的变色或褪色与人体的汗液有密切的关系。人的汗液 99% 是水分,另外 1% 左右是人体体内的废物及有害物质,如:氯化物、乳酸、尿素等。这些物质与黄金首饰中的银和铜接触后,就会产生化学反应,产生氯化银和硫化铜,并呈现深黑色。污染佩戴者的皮肤,使皮肤上留下十分明显的黑色污迹。处理方法:用掺有少许酒精的肥皂水刷洗,冲净之后擦干。

专题 **7**　物质构成的奥秘

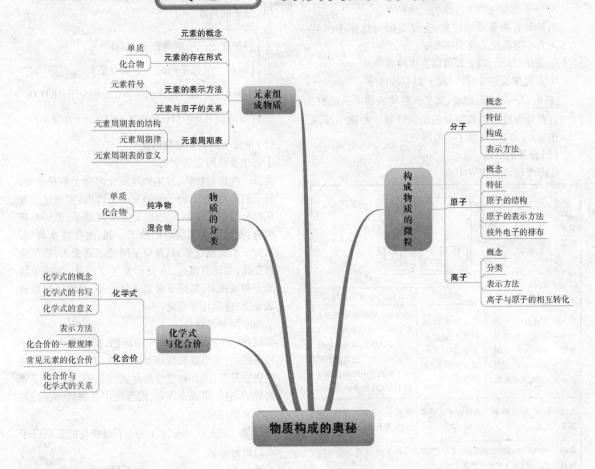

元素组成物质
- 单质
- 化合物
  - 元素的概念
  - 元素的存在形式
- 元素符号
  - 元素的表示方法
  - 元素与原子的关系
- 元素周期表的结构
- 元素周期律
- 元素周期表的意义
  - 元素周期表

物质的分类
- 单质
- 化合物 — 纯净物
- 混合物

化学式与化合价
- 化学式
  - 化学式的概念
  - 化学式的书写
  - 化学式的意义
- 化合价
  - 表示方法
  - 化合价的一般规律
  - 常见元素的化合价
  - 化合价与化学式的关系

构成物质的微粒
- 分子
  - 概念
  - 特征
  - 构成
  - 表示方法
- 原子
  - 概念
  - 特征
  - 原子的结构
  - 原子的表示方法
  - 核外电子的排布
- 离子
  - 概念
  - 分类
  - 表示方法
  - 离子与原子的相互转化

物质构成的奥秘

知识清单

●　基础知识　●

知识① 构成物质的微粒

1.分子

（1）由分子构成的物质

　　物质是由粒子构成的，构成物质的粒子有多种，分子只是其中的一种。世界上许多物质是由分子构成的，分子可以构成单质也可以构成化合物。如：氧气、氢气、C_{60} 等单质是由分子构成的；水、二氧化碳等化合物也是由分子构成的。

（2）分子的定义

　　分子是保持物质化学性质的最小粒子。

特别提醒

①分子是保持物质化学性质的"最小粒子"，不是"唯一粒子"。

②"保持"的含义是指构成该物质的每一个分子与该物质的化学性质是一致的。

③分子只能保持物质的化学性质，而物质的物理性质（如：颜色、状态等）需要大量的集合体一起来共同体现，单个分子无法体现物质的物理性质。

④"最小"不是绝对意义上的最小，而是"保持物质化学性质的最小"。如果不是在"保持物质化学性

怎样保养银制品　在市面上所卖的纯银饰品皆为925银，925银是添加其他金属制成的合金银，其比例为7.5%的合金与92.5%的银，这样的925银在国际上也被承认为纯银。银器氧化的最大原因就是在空气中被氧气氧化，所以阻隔空气就是最好的保养方式。例如将银饰放在密封的塑料袋中再放入珠宝盒内，阻隔空气与银器的接触，当银氧化时可用擦银布来擦亮银饰，或在90度的酒精里浸泡12小时，擦净之后把它吹干，或将牙膏挤在干布上直接擦拭，效果也很好。

质"这层含义上,分子还可以分成更小的粒子。

例1 (2010 湖北黄冈,8,2 分)下列有关分子、原子和离子的说法正确的是 （　　）

A. 分子是保持物质性质的一种粒子
B. 物体有热胀冷缩现象,主要是因为物体中的粒子大小随温度的改变而改变
C. 分子、原子、离子都可以直接构成物质
D. 在化学反应中,任何粒子都不能再分

答案 C　分子、原子、离子都是构成物质的微粒,且都能保持所构成物质的化学性质。在化学反应中,分子可再分,原子不可再分。

(3)分子的性质

①分子性质的探究实验

实验装置	浓氨水　酚酞试液　 C A B		
	步骤1	步骤2	步骤3
实验步骤	在盛有约 40 mL 蒸馏水的烧杯中加入 5～6 滴酚酞试液,搅拌均匀,观察现象	取步骤 1 得到的溶液,置于试管中,再向其中滴加浓氨水,观察现象	将烧杯中的溶液分别倒入 A、B 两个小烧杯中,另取一个小烧杯 C,加入约 5 mL 浓氨水。用一个大烧杯罩住 A、C 两个小烧杯,烧杯 B 置于大烧杯外,如上图所示
实验现象	得到无色酚酞试液	溶液由无色变成红色	烧杯 A 中液体由无色变成红色,烧杯 B 中无变化
实验解释	烧杯 C 中的浓氨水挥发出氨分子,进入烧杯 A 中,使溶液变成红色,而烧杯 B 中没有氨分子进入		

②分子的基本性质

a. 分子的质量和体积都很小;
b. 分子是不断运动的;
c. 分子之间有间隔;
d. 同种分子,性质相同;不同种分子,性质不同;
e. 在化学反应中,分子可以再分。

例2 (2010 江苏南通,14,2 分)下列事实不能说明分子之间有间隔的是 （　　）

A. 墙内开花墙外香
B. 空气受热体积膨胀
C. 氧气加压降温形成液氧
D. 1 体积酒精和 1 体积水混合小于 2 体积

答案 A　墙内开花墙外能闻到花香,说明构成物质的分子在不停地运动着,不能说明分子之间有间隔。其他三项都能用微粒间有间隔的观点解释。

(4)分子的构成

分子是由原子构成的 {
　同种原子 $\xrightarrow{构成}$ 单质分子:如 O_2
　（每两个氧原子构成一个氧分子）
　不同种原子按一定比例 $\xrightarrow{构成}$ 化合物分子:如 H_2O
　（每两个氢原子和一个氧原子构成一个水分子）
}

(5)用分子的观点解释问题

①物理变化和化学变化

由分子构成的物质,发生物理变化时分子本身未变,分子的运动状态、分子间隔发生了改变;发生化学变化时分子本身发生了变化,分子分成原子,原子重新组合,变成了其他物质的分子。如:水变成水蒸气,水分子本身没有变,只是分子间的间隔变大,这是物理变化;水通直流电,水分子发生了变化,生成了氢原子和氧原子,氢原子聚集成氢分子,氧原子聚集成氧分子,这是化学变化。

②纯净物和混合物

由同种分子构成的物质是纯净物,如水是由水分子构成的,它的组成和性质是固定的;不同种分子构成的物质是混合物,如空气是由氮气分子、氧气分子等构成的,它的组成不固定,混合物中各物质仍保持各自原来的性质。

例3 (2010 河南,4,1 分)下列变化能证明分子可以再分的是 （　　）

A. 水蒸发　　　　　　B. 石蜡熔化
C. 干冰升华　　　　　D. 水通电分解

答案 D　A、B、C 三项均是物理变化,分子本身没有改变。D 项,水通电分解:$2H_2O \xrightarrow{通电} 2H_2\uparrow + O_2\uparrow$,说明分子是可以再分的。

(6)分子的表示方法

分子可用化学式表示:如 O_2 表示氧气,也可表示 1 个氧分子。

2. 原子

(1)由原子构成的物质

绝大多数的单质是由原子构成的,如金属单质、稀有气体均是由原子直接构成的,碳、硫、磷等大多

科学元典

怎样保养铂金制品　当你做家务时,不要让佩戴的铂金饰品染上油污或漂白水,油污会影响饰品的光泽;漂白水可能会使首饰产生斑点。一定不要将铂金首饰和黄金首饰同时佩戴,因为黄金质地较软,如果互相摩擦,黄金粉末会吸附在铂金上,影响铂金特有的纯净光泽。铂金饰品应该尽量每月清洗一次,以保持闪亮的光泽。可用专用首饰清洁剂清洗,也可自行清洗。如果你的铂金饰品上镶有钻石,建议你每年去珠宝店及时进行专业清洁和整修,令铂金钻石首饰常戴常新。

数的非金属单质也是由原子直接构成的。

(2)原子的定义

原子是化学变化中最小的粒子。例如,化学变化中,发生变化的是分子,原子的种类和数目都未发生变化。

对原子的概念可从以下三个方面理解:

①原子是构成物质的基本粒子之一,金属、稀有气体、固态非金属是由原子直接构成的。

②原子也可以保持物质的化学性质,如上述由原子直接构成的物质,它们的化学性质就由原子保持。

③原子在化学变化中不能再分,是"化学变化中最小的粒子",脱离化学变化这一条件,原子仍可再分。

(3)原子的性质

①原子的质量、体积都很小;

②原子在不停地运动;

③原子之间有一定间隔;

④原子可以构成分子,如一个氧分子是由两个氧原子构成的;也可以直接构成物质,如稀有气体、铁、汞等都是由原子直接构成的;

⑤化学反应中原子不可再分。

例4 (2010 上海,36,1 分)关于原子和分子的说法,正确的是 ( )

A.原子不能直接构成物质

B.分子是由原子构成的

C.原子在化学变化中可以再分

D.分子之间没有间隙

答案 B 原子是构成物质的一种微粒,它在化学反应中不能再分,分子之间有间隔,分子是由原子构成的。

(4)原子的表示方法——元素符号

原子可用元素符号表示:如 O 既可表示氧元素,也可表示 1 个氧原子。

(5)原子的结构

原子是化学变化中的最小粒子,在化学反应中原子不可再分,但原子本身又是由更小的微粒构成。

①原子的构成

$$原子\begin{cases}原子核:带正电荷,居于原子中心\\核外电子:带负电荷,绕核运动\end{cases}$$

②原子核的构成

$$原子核(带正电)\begin{cases}质子(带正电)\\中子(不带电)\end{cases}$$

原子核相对原子来说,体积很小,但质量却很大,原子的质量主要集中在原子核上,电子的质量约为质子质量的 $\dfrac{1}{1\,836}$。

质子的质量为:$1.672\,6 \times 10^{-27}$ kg

中子的质量为:$1.674\,9 \times 10^{-27}$ kg

③构成原子的粒子间的关系

$$原子\begin{cases}原子核\begin{cases}质子:每个质子带一个单位正电荷\\中子:不带电\end{cases}\\核外电子:每个电子带一个单位负电荷\end{cases}$$

④几种常见原子的构成

原子种类	质子数	中子数	核外电子数
氢	1	0	1
碳	6	6	6
氧	8	8	8
钠	11	12	11
氯	17	18	17

⑤对原子构成的正确理解

a.原子核位于原子中心,由质子和中子构成,体积极小,密度极大,几乎集中了原子的全部质量,核外电子质量很小,可以忽略不计。

b.每个原子只有一个原子核,核电荷数(核内质子数)的多少,决定了原子的种类。

c.在原子中:核电荷数 = 质子数 = 核外电子数。

d.原子核内的质子数不一定等于中子数,如钠原子中,质子数为 11,中子数为 12。

e.并不是所有的原子中都有中子,如氢原子中就没有中子。

f.在原子中,由于质子(原子核)与电子所带电荷数相等,且电性相反,因而原子中虽然存在带电的粒子,但原子在整体上不显电性。

例5 (2010 四川泸州,10,2 分)下列关于原子的叙述正确的是 ( )

A.原子由原子核和核外电子构成

B.原子由原子核和中子构成

C.原子由质子和电子构成

D.原子由质子和中子构成

答案 A 原子是由居于原子中心的带正电的原子核和核外带负电的电子构成的。原子核又是由质子

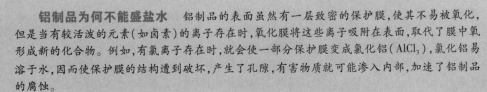

铝制品为何不能盛盐水 铝制品的表面虽然有一层致密的保护膜,使其不易被氧化,但是当有较活泼的元素(如卤素)的离子存在时,氧化膜将这些离子吸附在表面,取代了膜中氧形成新的化合物。例如,有氯离子存在时,就会使一部分保护膜变成氯化铝($AlCl_3$),氯化铝易溶于水,因而使保护膜的结构遭到破坏,产生了孔隙,有害物质就可能渗入内部,加速了铝制品的腐蚀。

科学元典

和中子构成的。

(6)分子和原子的联系与区别

项目		分子	原子
不同点	本质区别	在化学反应中可以分成原子	在化学反应中不能再分
	构成物质情况	大多数物质由分子构成	原子也能直接构成物质,但分子是由原子构成的
相同点		①质量和体积都很小 ②都在不停地运动 ③粒子间有间隔 ④都是构成物质的粒子 ⑤同种粒子性质相同,不同种粒子性质不同	
注意事项		①分子是保持物质化学性质的最小粒子 ②原子是化学变化中的最小粒子 ③分子是由原子构成的 ④对由原子直接构成的物质,原子是保持其化学性质的最小粒子	

(7)相对原子质量

①定义:以一种碳 – 12 原子质量的 1/12 为标准,其他原子的质量跟它的比值就是这种原子的相对原子质量(符号为 A_r)。

②公式:某原子的相对原子质量

$$= \frac{该原子一个原子的实际质量(kg)}{一个碳 – 12 原子实际质量的 1/12(kg)}$$

🔊 **特别提醒**

①相对原子质量只是一个比值,不是原子的实际质量。

②相对原子质量有单位,国际单位为"1",一般不写也不读。

③相对原子质量 ≈ 质子数 + 中子数,只是约等于,可以用于计算。

④碳原子有多种,作为相对原子质量标准的碳原子是原子核中有 6 个质子和 6 个中子的一种碳原子。

⑤只是用这种碳原子实际质量的 1/12,而不是这种碳原子的质量。

例6 (2010 四川宜宾,7,2 分)2010 年 2 月 19 日德国重粒子研究中心宣布第 112 号元素符号为 Cn,它的中文名字叫鎶。已知 Cn 的相对原子质量为 277,其质子数为 112,则这种原子的核外电子数为 ( )

A. 112   B. 165
C. 277   D. 389

答案 A 核电荷数 = 质子数 = 电子数,相对原子质量 ≈ 质子数 + 中子数。

(8)核外电子的排布

①电子层

核外电子运动有自己的特点,在含有多个电子的原子里,有的电子通常在离核较近的区域运动,有的电子通常在离核较远的区域运动,科学家形象地将这些区域称为电子层。

②核外电子的分层排布

通常用电子层来形象地表示运动着的电子离核远近的不同:离核越近,电子能量越低;离核越远,电子能量越高。电子层数、离核远近、能量高低的关系如下所示:

电子层数 1 2 3 4 5 6 7

离核远近 近 ——————→ 远

能量高低 低 ——————→ 高

③核外电子排布的规律

了解一些核外电子排布的简单规律对理解原子核外电子排布的情况有很重要的作用,核外电子排布的简单规律主要有:

a.每层上的电子数最多不超过 $2n^2$(n 为电子层数),如第一电子层上的电子数可能为 1,也可能为 2,但最多为 2 个。

b.核外电子排布时先占低能层,后占高能层,即核外电子排满第一层后,再排第二层,依次类推。

c.最外层上的电子数不超过 8 个。

科学元典

怎样制防腐的淀粉糨糊? 淀粉糨糊是将面粉用水调成悬浊液,加热生成粘稠的糊状物,可用于粘合纸张。但小麦中,除淀粉外还含有蛋白质,蛋白质容易腐败变质,一段时间后,就使糨糊发霉变质。下述方法可制取防腐糨糊。(1)用冷水将淀粉中的蛋白质分离出来。(2)加热后用盐酸使部分淀粉水解为糊精,此时淀粉糊变成透明粘稠状的糨糊。(3)冷却后,加入 2 克苯酚或水杨酸,作为防腐剂。(4)加入 20 克甘油,作为吸湿剂,以便使糨糊保持滋润,不易脱水变干。

④1～18号元素的核外电子排布

原子序数	核内质子数	元素符号名称	核外电子数	核外电子的排布(各层上的电子数)		
				第一层	第二层	第三层
1	1	H 氢	1	1		
2	2	He 氦	2	2		
3	3	Li 锂	3	2	1	
4	4	Be 铍	4	2	2	
5	5	B 硼	5	2	3	
6	6	C 碳	6	2	4	
7	7	N 氮	7	2	5	
8	8	O 氧	8	2	6	
9	9	F 氟	9	2	7	
10	10	Ne 氖	10	2	8	
11	11	Na 钠	11	2	8	1
12	12	Mg 镁	12	2	8	2
13	13	Al 铝	13	2	8	3
14	14	Si 硅	14	2	8	4
15	15	P 磷	15	2	8	5
16	16	S 硫	16	2	8	6
17	17	Cl 氯	17	2	8	7
18	18	Ar 氩	18	2	8	8

(9)原子结构示意图
①原子结构示意图及各部分含义

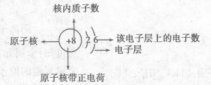

核内质子数
原子核 ←→ (+8) 2 6 → 该电子层上的电子数
电子层
原子核带正电荷

②一些元素的原子结构示意图

元素	氢	氦	氧	氖	钠	镁	氯	氩
质子数	1	2	8	10	11	12	17	18
原子结构示意图	(+1)1	(+2)2	(+8)2 6	(+10)2 8	(+11)2 8 1	(+12)2 8 2	(+17)2 8 7	(+18)2 8 8

科学元典

你知道什么是厌氧胶吗? 厌氧胶的主要成分是甲基丙烯酸双酯。它是一种在室温下有空气存在时不能固化,排除空气后即能迅速固化的胶水。主要用途是作螺纹的紧固密封和轴承的装配。不适宜粘接多孔材料和填充较大的缝隙。厌氧胶中除含甲基丙烯酸双酯外,根据不同的需要,可以加入引发剂、促进剂、增稠剂和染料等组分。例如粘合不锈钢、锌、铬、银等金属时,为了加速固化,可加入固化剂。

③元素原子的结构特征与元素化学性质的关系

元素类别	最外层电子数	得失电子趋势	性质	结论
金属元素	<4	易失去最外层电子使次外层达到稳定结构	较易发生化学反应	元素的性质,特别是它的化学性质,与元素原子的最外层电子数关系密切
非金属元素	≥4(氢为1)	易得电子使最外层达到8个电子的稳定结构		
稀有气体元素	=8(氦为2)	难得失电子(常称为稳定结构)	极难发生化学反应	

例7 (2010 河北,4,2 分)如图是钠元素的原子结构示意图,下列叙述不正确的是 (　　)

A. 钠原子的质子数为 11
B. 钠原子的最外层电子数为 1
C. 钠原子易失去电子形成阳离子
D. 钠元素为非金属元素

 (+11) 2 8 1

答案 D 本题考查原子结构示意图的相关知识。关键是了解示意图中各部分的含义。由原子结构示意图可知钠原子的质子数为 11,最外层电子数为 1,易失去 1 个电子形成阳离子。钠字带有"钅"字旁,故钠元素属于金属元素。

【变式训练】 (2010 湖北黄石,5,1 分)根据下列结构示意图判断,属于原子且容易失去电子的是(　　)

 (+2) 2 　 (+6) 2 4 　 (+12) 2 8 2 　 (+19) 2 8 8

A　　　B　　　C　　　D

答案 C 核外电子数等于质子数且最外层电子数小于 4 的结构为原子结构且容易失去电子。A 项为稀有气体 He,难得失电子。故选 C 项。

3. 离子

(1)离子的定义

带电的原子(或原子团)叫离子。

(2)离子的分类

阳离子:带正电荷的原子或原子团,如 K^+、NH_4^+;
阴离子:带负电荷的原子或原子团,如:Cl^-、SO_4^{2-}。

(3)离子的形成(以 Na^+、Cl^- 的形成为例)

①钠在氯气中燃烧生成氯化钠:$2Na + Cl_2 \xrightarrow{点燃} 2NaCl$。钠与氯气反应时,每个钠原子失去 1 个电子形成钠离子(Na^+),每个氯原子得到 1 个电子形成氯离子(Cl^-)。Na^+ 与 Cl^- 由于静电作用而结合成

化合物氯化钠($NaCl$)。如图所示:

钠与氯气反应形成氯化钠

②从原子结构示意图分析 Na^+、Cl^- 的形成

原子结构示意图　　　离子结构示意图

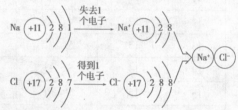

特别提醒

原子得失电子变成离子时,核内质子数不变,故元素种类不变;核外电子数、最外层电子数发生了改变;电子层数可能发生改变,阴离子和原子的电子层数相等,大多数阳离子比原子少一个电子层。

③原子与离子的转化:原子 $\underset{\text{得到电子}}{\overset{\text{失去电子}}{\rightleftharpoons}}$ 阳离子,原子 $\underset{\text{失去电子}}{\overset{\text{得到电子}}{\rightleftharpoons}}$ 阴离子;根据原子核最外层电子排布的特点可知:金属元素的原子易失去电子形成阳离子,非金属元素的原子易得到电子形成阴离子。

特别提醒

阳离子带正电荷数 = 原子失去电子数 = 质子数 - 核外电子数;

阴离子带负电荷数 = 原子得到电子数 = 核外电子数 - 质子数。

科学元典

透明胶带是由哪种粘合剂制成的？ 近几年来有许多商品的包装箱都使用透明胶带包装。有些文件袋塑料盒也使用透明胶带密封。这种粘合材料使用方便,粘合强度大,因此备受欢迎。透明胶带是在聚酯薄膜或聚氯乙烯薄膜上,均匀地涂布一薄层丙烯酸类胶粘剂制成的。

例8 (2010 福建福州,10,3 分)如图所示的两种微粒结构示意图中,所获取信息不正确的是（　　）

$$(+8)\,2\,8 \qquad (+10)\,2\,8$$
$$① \qquad ②$$

A. 它们属于同种元素
B. 它们的核外电子层数相同
C. 它们的核外电子数相同
D. ①表示阴离子,②表示原子

答案 **A**　从微粒结构示意图可知:①为氧离子,②为氖原子,属于不同元素的微粒。

(4) 离子的表示方法——离子符号

①离子的表示方法

在元素符号的右上角用"+"、"-"号表示离子的电性,数字表示离子所带的电荷,先写数字后写正负号,当数字为 1 时,省略不写。如 Na^+、Cl^-、Mg^{2+}、O^{2-}。

②离子符号的意义

$3Mg^{2+}$——表示每个镁离子带2个单位正电荷

表示 3 个镁离子

(5) 离子与原子的比较

粒子种类	原子	离子	
		阳离子	阴离子
粒子结构（区别）	核内质子数 = 核外电子数	核内质子数 > 核外电子数	核内质子数 < 核外电子数
粒子电性（区别）	不显电性	带正电	带负电
符号（区别）	用元素符号表示,如 Na、S	用阳离子符号表示,如 Na^+、Mg^{2+}	用阴离子符号表示,如 Cl^-、OH^-
联系	阳离子 $\xrightarrow[失电子]{得电子}$ 原子 $\xrightarrow[失电子]{得电子}$ 阴离子		

(6) 原子团

有一些物质,如 $Ca(OH)_2$、$CaCO_3$ 等,它们中的一些原子集团,如 OH^-、CO_3^{2-},常作为一个整体参加反应,这样的原子集团,叫做原子团,又叫做根。

(7) 离子化合物

像 NaCl 这样,由阴、阳离子通过静电作用形成的不带电的化合物叫离子化合物。构成离子化合物的阳离子带正电,阴离子带负电,但离子化合物中正、负电荷的总数相等,所以离子化合物不带电。

(8) 离子参加的化学反应

离子参加的化学反应在初中化学里见到的有如下两种情况:

①离子之间的结合。此反应往往在溶液里进行,属于复分解反应(后面将会介绍)。如 $NaCl + AgNO_3 \xlongequal{} AgCl\downarrow + NaNO_3$ 反应中是 Cl^- 与 Ag^+ 结合为 $AgCl$(难溶于水),在 $Na_2CO_3 + 2HCl \xlongequal{} 2NaCl + CO_2\uparrow + H_2O$ 反应中是 CO_3^{2-} 与 H^+ 结合为 H_2CO_3,H_2CO_3 分解为 CO_2 和 H_2O。

②离子在反应中得失电子。此反应一般在溶液中进行,如 $Zn + CuCl_2 \xlongequal{} ZnCl_2 + Cu$ 反应中,Cu^{2+} 夺得电子成为 Cu。

总之,离子参加化学反应与离子所带电荷有关,或是阴离子与阳离子的结合,或是离子得失电子,带同种电荷的离子不可能相互结合而发生反应。

例9 (2010 重庆綦江,14,2 分)綦江发展将有六大特色,其中之一是"打造主城休闲避暑养生区和主城近郊最大的负氧离子库"。空气中氧分子得到电子就能形成负氧离子(如 O_2^-),O_2^- 与 O_2 不相同的是（　　）

A. 质子数　　　　　　　B. 电子数
C. 含氧原子个数　　　　D. 相对原子质量之和

答案 **B**　由于氧分子得到电子形成负氧离子,故氧分子与负氧离子质子数相同,含氧原子个数相同,相对原子质量之和相等,核外电子数不相同。

(9) 分子、原子和离子的比较

微粒（项目）	分子	原子	离子
概念	保持物质化学性质的最小粒子	是化学变化中的最小粒子	带电的原子或原子团
表示方法	用化学式表示,如 H_2、He	用元素符号表示,如 H、Fe	用离子符号表示,如 Na^+、NO_3^-
微粒的运动	物理变化是分子运动的结果,如:水的蒸发	化学变化是原子运动的结果,如:水的电解	离子的运动结果可能是物理变化,也可能是化学变化,如:NaCl 的溶解是物理变化,NaCl 与 $AgNO_3$ 反应是化学变化

怎样粘接硬质聚氯乙烯塑料?　由聚氯乙烯树脂制成的硬质管件、楼梯扶手等,通常多采用溶液法粘接。粘合剂可以用 20g 聚氯乙烯树脂,溶解于80g 二氯乙烷中配成。也可以将20g 粉状聚氯乙烯,溶解于二氯乙烷80g 中配成。粘接时,必须将要粘接的断面磨平、擦干净,将粘合剂滴入粘接部位,紧紧拼合固定好,等粘合剂固化后即可粘牢。

化学计量数与符号的关系	化学式、元素符号、离子符号前加上化学计量数,如 2H、$2H_2$、$3Na^+$,只表示原子、分子、离子的"个数",不表示元素和物质。
联系	阳离子 $\xrightarrow[失电子]{得电子}$ 原子 $\xrightarrow[失电子]{得电子}$ 阴离子 构成↓分裂 分子

例10 (2010 四川眉山,10,2 分)物质是由原子、分子、离子等粒子构成的。今有一粒子,其原子核内有 16 个质子、16 个中子,原子核外有 18 个电子,该粒子是 ( )

A. 原子   B. 阳离子

C. 阴离子   D. 分子

答案 C 由于此粒子原子核内有 16 个质子,核外有 18 个电子,故带有两个单位的负电荷,属于阴离子。

知识2 元素组成物质

1. 元素

(1) 概念

元素是具有相同核电荷数(即核内质子数)的一类原子的总称。

(2) 对元素概念的理解

①元素是以核电荷数(即核内质子数)为标准对原子进行分类。只讲种类,不讲个数。

②质子数是划分元素种类的标准。质子数相同的原子和单核离子都属同一种元素。如 Na^+ 与 Na 都属钠元素,但 Na^+ 与 NH_4^+ 不属于同一种元素。

③同种元素可以有不同的存在状态。如游离态和化合态。

④同种元素的离子因带电荷数不同,性质也不同。如 Fe^{2+} 与 Fe^{3+}。

⑤同种元素的原子可以是不同种原子。如碳元素有三种不同中子数的碳原子:$^{12}_6C$、$^{13}_6C$、$^{14}_6C$。

例1 (2010 四川甘孜,5,2 分)钠元素和氯元素的本质区别在于 ( )

A. 相对原子质量不同   B. 核电荷数不同

C. 元素符号不同   D. 核外电子数不同

答案 B 质子数(或核电荷数)的不同决定了元素种类的不同。

(3) 元素的分类

①元素与单质

```
          ┌─ 金属元素 ──组成─→ 金属单质 ──┐
元素 ─────┼─ 非金属元素 ─组成─→ 非金属单质 ─┼─→ 单质
          └─ 稀有气体元素 ─组成─→ 稀有气体 ──┘
```

②元素与偏旁

金属元素、非金属元素、稀有气体元素都可以从元素名称的偏旁上体现出来:带有"钅"的字表示的元素为<u>金属元素</u>,只有汞例外,常温下为液态,但是也属于金属;带有"石"的字为<u>非金属元素</u>,状态为<u>固态</u>,常被称为"固态非金属";带有"氵"的字表示的为<u>非金属元素</u>,状态为<u>液态</u>;带有"气"的字表示的为<u>气态非金属元素或稀有气体元素</u>。

例2 (2010 江苏南京,7,1 分)中国志愿者王跃参加了人类首次模拟火星载人航天飞行试验。有探测资料表明,火星上存在丰富的镁资源。在元素周期表中,镁元素的某些信息如图所示,下列说法不正确的是 ( )

A. 镁元素属于非金属元素

B. 镁元素原子的核电荷数为 12

C. 镁元素原子的核外电子数为 12

D. 镁元素的相对原子质量为 24.31

答案 A 根据图示可知,12 是原子序数,在原子中,原子序数 = 核电荷数 = 核外电子数,B、C 正确;24.31 是相对原子质量,D 正确;根据镁元素的名称很容易看出该元素属于金属元素。

(4) 元素的存在形式

元素在自然界中以两种形式存在,即存在于单质和化合物中。如氧元素既可以组成氧气、臭氧等单质,也可以组成 H_2O、MgO 等含氧化合物。

(5) 元素在自然界中的分布

①地壳中的元素分布

地壳是由沙、黏土、岩石等组成的,其中含量最多的是<u>氧元素</u>,其他元素含量从高到低,依次是<u>硅、铝、铁、钙</u>等。地壳中含量最高的非金属元素是氧元素;地壳中含量最高的金属元素是铝元素。

元素	O	Si	Al	Fe	Ca	其他
质量分数/%	46.6	27.7	7.7	4.8	3.5	9.7

②海水中的元素分布

海洋占地球表面的 71%,海水中的元素含量分布如下表所示。其中含量最多的是氧,其次是氢,这两种

科学元典

怎样粘接有机玻璃? 有机玻璃能溶解于二氯乙烷、三氯甲烷(氯仿)等有机溶剂中。粘接有机玻璃的方法是:将有机玻璃的碎屑 5 克,溶解于 95 克氯仿中,搅拌成透明的黏稠液。由于氯仿在光照下可能生成有毒的光气,配制粘合液时往往加入 1~2 克乙醇。乙醇能和光气生成无毒的碳酸乙酯。使用上述粘合液粘接有机玻璃时,应将需粘合的部位用砂纸磨平,并擦干净,然后将粘合液滴入粘接的接缝处,并紧紧拼合,待固化后即可粘牢。

元素约占总量的96.5%。

元素	O	H	Cl	Na、Mg 等
质量分数/%	85.8	10.7	2.0	1.5

③人体中的元素分布

a.水占人体体重的70%左右。组成人体的元素中含量最多的是氧,其次是碳、氢、氮。这三种元素在地壳中的含量较少,但却是生命的必需元素。

元素	O	C	H	N	Ca	P	S、K 等
质量分数/%	65	18	10	3	1.5	1.0	1.5

b.生物细胞中的元素

不管是来源于动物、植物还是微生物的生物细胞,它的元素组成(元素种类和质量分数)相近。

元素	质量分数/%	元素	质量分数/%	元素	质量分数/%	元素	质量分数/%
氧	65	氮	3	钾	0.35	镁	0.05
碳	18	钙	1.5	硫	0.25	铜、锌、硒钼、氟、氯碘、钴、锰、铁等	0.70
氢	10	磷	1.0	钠	0.15		

④太阳上最丰富的元素是氢,其次是氦,还含有碳、氮、氧和金属元素。

⑤空气中的元素

空气的成分以氮气和氧气为主,空气中含量最多的元素是氮元素,其次是氧元素,还有碳、氢、氩、氖等其他元素。

例3 (2010 四川内江,20,3分)下列说法错误的是 ( )

A. 地壳中含量最多的元素是氧元素

B. 空气中含量最多的元素是氮元素

C. 人体中含量最多的元素是氧元素

D. 海水中含量最多的元素是钠元素

答案 D 熟记与人类生活密切相关的元素。

2.元素符号

(1)表示方法

为了书写和学术交流的方便,采用国际统一的符号来表示各种元素,如:氢元素用"H"来表示,铁元素用"Fe"来表示等。

(2)元素符号的写法

①由一个字母表示的元素符号要大写。如:H、C、S、P、K。

②由两个字母表示的元素符号,第一个字母要大写,第二个字母要小写(即"一大二小")。如:Na、Mg、Ca、Zn、Si。

(3)元素符号的含义

① $\begin{cases} 表示一种元素 \\ 表示这种元素的一个原子 \end{cases}$

例如:H $\begin{cases} 表示氢元素 \\ 表示一个氢原子 \end{cases}$

②若单质是由单原子构成的,还表示一种单质。

例如:Fe $\begin{cases} 表示铁元素 \\ 表示一个铁原子 \\ 表示铁单质 \end{cases}$

③元素符号前面加上具体的数字,只能表示几个原子。如:2N 只能表示两个氮原子。

例4 (2010 江苏常州,21,5分)(1)用化学符号表示:①2 个氢原子:_____;②3 个铝离子:_____。

(2)构成物质的微粒有:A. 原子;B. 分子;C. 离子。试判断构成下列物质的微粒,并用相应的序号填空。

①氧气:_____;②铁:_____;③氯化钠:_____。

答案 (1)①2H ②3Al³⁺ (2)①B ②A ③C

解析 氧气由氧分子构成,铁由铁原子构成,氯化钠由氯离子和钠离子构成。

3.元素与原子的比较

	元素	原子
概念	具有相同核电荷数(即核内质子数)的一类原子的总称	化学变化中的最小粒子
区分	只讲种类,不讲个数	既讲种类,又讲个数
使用范围	用于描述物质的宏观组成	用于描述物质的微观构成
举例	水由氢元素和氧元素组成,或说水中含有氢元素和氧元素	每个水分子由两个氢原子和一个氧原子构成
联系	元素和原子是总体和个体的关系,原子是元素的个体,是构成并体现元素性质的最小微粒;元素是一类原子的总称,一种元素可以包含几种原子	

科学元典

怎样接尼龙? 尼龙纤维具有优良的机械性能,耐磨、耐油、耐碱,但不耐强酸、不耐高温,能溶于苯酚及间甲苯酚。尼龙制品可以用自制的尼龙粘合剂粘接。配方:苯酚100 克加水7～10克,投入5～7克尼龙碎屑,搅拌至均匀透明的黏稠液。此外,尼龙制品也可使用环氧树脂粘合剂、聚氨酯树脂粘合剂及环氧-聚硫橡胶粘合剂粘接。粘接时,将粘合剂在粘接面上均匀地涂一薄层,然后将两个面吻合在一起,用力挤压,即可粘牢。

4. 元素、原子、分子与物质等概念间的关系

物质的组成可以从宏观和微观两个方面进行描述,其中元素是从宏观上对物质组成的描述,分子、原子是从微观上对物质构成的描述。其关系如图:

在讨论物质的组成和结构时,应注意规范地运用这些概念,现举例如下:

(1)由分子构成的物质,有三种说法(以二氧化碳为例):

①二氧化碳是由氧元素和碳元素组成的。

②二氧化碳是由二氧化碳分子构成的。

③每个二氧化碳分子是由 2 个氧原子和 1 个碳原子构成的。

(2)由原子(或离子)直接构成的物质(如汞、食盐),有两种说法:

①汞是由汞元素组成的;食盐是由钠元素和氯元素组成的。

②汞是由汞原子构成的;食盐是由钠离子和氯离子构成的。

例5 (2010 福建福州,2,3 分)我国饮用矿泉水的基本类别是碳酸水、硅酸水和锶水。此外还有锌、锂、溴、碘及硒矿泉水等,这里的锌、锂、溴、碘、硒是指 ( )

A. 原子　　　　　　　　B. 分子

C. 元素　　　　　　　　D. 单质

答案 C 物质从宏观上看是由元素组成的,所以日常生活中的食品、药品、化妆品等标签中所指的成分应为元素的含量。

5. 元素周期表

根据元素的原子结构和性质,将已知的 100 多种元素按原子序数(数值上等于核电荷数)科学有序地排列起来所得的表,叫元素周期表。在周期表中,用不同的颜色对金属元素、非金属元素做了分区。

(1)元素周期表的结构

①每一横行(周期):元素周期表每一横行叫做一个周期,共有 7 个横行,即 7 个周期。每个周期开头是金属元素(第一周期除外),靠近尾部是非金属元素,结尾的是稀有气体元素。同一周期元素原子结构具有相同的电子层数。

②每一纵行(族):元素周期表共有 18 个纵行,每一个纵行叫做一个族(第 8、9、10 三个纵行共同组成一个族),共有 16 个族。

③每一格:在元素周期表中,每一种元素均占据一格。对于每一格,均包含元素的原子序数、元素符号、元素名称、相对原子质量等内容,如图所示:

(2)元素周期表的意义

①学习和研究化学的重要工具。

②为寻找新元素提供了理论依据。

③由于元素周期表中位置靠近的元素性质相似,启发人们在元素周期表的一定区域内寻找新物质(如半导体材料、农药、催化剂等)。

(3)元素周期律

每周期开头是金属元素(第 1 周期除外),后半部分是非金属元素,结尾是稀有气体元素。这说明随着原子序数的递增,原子的最外层上的电子数由 1 个递增到 2 个或 8 个,达到稀有气体原子的稳定结构,然后又转到下一周期,重复这一规律。这种规律性的变化叫"元素周期律",也是元素周期表名称的来源。元素周期表反映了元素之间的内在联系。

例6 (2010 广东汕头,17,4 分)下面是钠元素和氯元素在元素周期表中的信息和 3 种粒子的结构示意图。请回答下列问题:

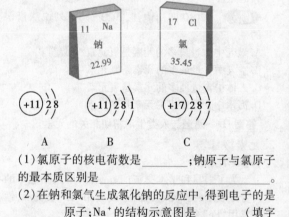

(1)氯原子的核电荷数是_____;钠原子与氯原子的最本质区别是_____。

(2)在钠和氯气生成氯化钠的反应中,得到电子的是_____原子;Na^+ 的结构示意图是_____(填字母)。

答案 (1)17 核电荷数(或质子数)不同

(2)氯(或 Cl) A

科学元典

怎样粘接涤纶纤维织物? 涤纶是由含有两个羧基(—COOH)的酸(如对苯二甲酸)和二元醇(如乙二醇)经过缩聚反应制得的。所以又称聚对苯二甲酸乙二酯纤维。涤纶纤维织物需要粘结时,可以按下列配方制取粘接剂。取苯酚 3 克、乙二醇(或四氯化碳)3 克、间苯二酚 2 克,混合均匀后,加入 2 克涤纶碎片,搅拌均匀即可使用。粘接时,将粘合液涂于待粘接处,再贴上一块大小合适的涤纶片,用力压合,固化后用水清洗干净。

解析 (1)元素周期表中每一单元格能提供的信息有:

①原子序数:位于左上角,在数值上与核电荷数相等。

②元素符号:右上角。

③元素名称:中间。

④相对原子质量:最下方。

从钠元素和氯元素在周期表中的信息可知:二者的本质区别在于核电荷数不同。

(2)粒子结构示意图中若质子数=电子数,则该图表示原子,如 B、C;若质子数≠电子数,则该图表示离子,如 A;最外层电子数决定元素的化学性质,非金属元素最外层电子数大于4,在化学反应中易得电子。

知识③ 化学式与化合价

1.化学式

(1)概念

用元素符号和数字组合表示物质组成的式子。如可用 O_2、H_2O、MgO 分别表示氧气、水、氧化镁的化学式。

例1 (2010 广东佛山,19,6分)C、O、Ca 是初中常见的三种元素,请选用其中的元素写出符合下列要求的物质的化学式:

(1)黑色的固体_____;

(2)能支持燃烧的气体_____;

(3)能燃烧的气体_____;

(4)不支持燃烧的气体_____;

(5)能作干燥剂的物质_____;

(6)属于盐的物质_____;

答案 (1)C (2)O_2 (3)CO (4)CO_2 (5)CaO

(6)$CaCO_3$

解析 记住常见物质的特征及元素组成。

(2)对概念的理解

①混合物不能用化学式表示,只有纯净物才能用化学式表示。

②每一种纯净物只有一个化学式。但一个化学式有可能用来表示不同的物质。如氧气的化学式是 O_2,没有别的式子再能表示氧气;P 既是红磷的化学式,也是白磷的化学式。

③纯净物的化学式不能臆造,化学式可通过以下途径确定:

a.科学家经过精确的定量实验测定纯净物中各元素的组成计算得出。

b.已经确定存在的物质可根据化合价写出。

(3)化学式的意义

		化学式的含义	以 H_2O 为例
质的含义	宏观	①表示一种物质 ②表示组成物质的元素种类	①表示水 ②表示水是由氢、氧两种元素组成的
	微观	①表示物质的一个分子 ②表示组成物质每个分子的原子种类和数目 ③表示物质的一个分子中的原子总数	①表示一个水分子 ②表示一个水分子是由两个氢原子和一个氧原子构成的 ③表示一个水分子中含有三个原子
量的含义		①表示物质的相对分子质量 ②表示组成物质的各元素的质量比 ③表示物质中各元素的质量分数	①H_2O 的相对分子质量=18 ②H_2O 中氢元素和氧元素质量比为1:8 ③H_2O 中氢元素的质量分数:$\dfrac{2A_r(H)}{M_r(H_2O)}\times 100\% = \dfrac{2}{18}\times 100\% = 11.1\%$

例2 (2010 黑龙江大庆,7,2分)二溴海因($C_5H_6O_2N_2Br_2$)是一种广谱高效、低残留的新型环境友好消毒剂,现在已被许多家庭作为必备品使用。下列有关该物质的说法中,正确的是 ( )

A.二溴海因的相对分子质量为 286 g

B.二溴海因中氧元素的质量分数小于氮元素的质量分数

C.二溴海因中含有 O_2、N_2、Br_2、C_5H_6

D.一个二溴海因分子中 C、H、O、N、Br 原子个数比为5:6:2:2:2

答案 D 二溴海因化学式为 $C_5H_6O_2N_2Br_2$,由此可知:二溴海因是由 C、H、O、N、Br 五种元素组成的,C 错;二溴海因的相对分子质量是全部原子的相对原子质量之和,后面不带单位,A 错;二溴海因中氮、氧元素的质量比为 28:32 = 7:8,故氮元素的质量分数

小于氧元素的质量分数,B 错;在一个二溴海因分子中,C、H、O、N、Br 的原子个数比为 5:6:2:2:2,D 正确。

(4)化学式的写法、读法

物质类型			化学式的写法	化学式的读法
单质	金属		元素符号:铁—Fe	元素名称:Fe—铁
	稀有气体		元素符号:氦气—He	"某气":He—氦气
	非金属	固态	元素符号:硫—S	元素名称:S—硫
		气态	在元素符号的右下角写一小数字表示。如:氧气—O_2,氮气—N_2	"某气":O_2—氧气
化合物			氧元素符号在后,另一元素符号在前。如:CO_2、CuO 等	从后向前读作"氧化某",如:CuO—氧化铜;有时需读出原子个数,如:Fe_3O_4—四氧化三铁
			非金属元素符号在后,金属元素符号在前。如 ZnS、KCl 等	从后向前读作"某化某",如:ZnS—硫化锌;有时需读出原子个数,如:$FeCl_3$—三氯化铁
			金属元素在前,酸根在后,原子团的个数为多个时,应将原子团用小括号括起来,在小括号外面右下角注上个数。如:$ZnSO_4$、$Ca(OH)_2$、$Mg(NO_3)_2$ 等	含 OH^- 的化合物读作"氢氧化某",$Ca(OH)_2$—氢氧化钙;含其他酸根的化合物读作"某酸某",$ZnSO_4$—硫酸锌,$Mg(NO_3)_2$—硝酸镁

(5)化学式前和化学式中数字的含义

① 化学式前面的数字表示粒子(原子、分子)数目;
② 离子符号前的数字表示离子的数目;
③ 化学式右下角的数字表示一个某粒子中某原子或原子团的数目;
④ 离子符号右上角的数字表示该离子所带电荷数。

$3CO_2$
└──1 个二氧化碳分子中含有 2 个氧原子
└──3 个二氧化碳分子

$3Al^{3+}$
└──每个铝离子带 3 个单位正电荷
└──3 个铝离子

例3 （2010 云南玉溪,21,3分）写出(1)(2)化学符号的含义,并按要求完成(3)(4)。
(1)2N _____;(2)CO_3^{2-} _____;
(3) (+13)2 8 的离子符号_____。

答案(1)2 个氮原子 (2)碳酸根离子
(3)Al^{3+}

解析 元素符号前面加了数字只表示原子的个数,2N 表示 2 个氮原子;CO_3^{2-} 是碳酸根离子的符号;13 号元素是 Al,其离子带 3 个单位正电荷:Al^{3+}。

2. 化合价

(1)化合价的定义

一种元素一定数目的原子跟其他元素一定数目的原子相化合的性质,叫做这种元素的化合价。化合价有正价、负价之分,如在 H_2O 中,氢原子与氧原子的个数比为 2:1;在 $MgCl_2$ 中,镁原子与氯原子的个数比为 1:2。则在 H_2O 中规定 H 为 +1 价,O 为 -2 价;$MgCl_2$ 中 Mg 为 +2 价,Cl 为 -1 价。

(2)化合价的意义

化合价反映元素的原子之间相互化合时的数目,是元素的一种性质。因此,强调化合价时,一定要指明元素。

(3)化合价的表示方法

通常在元素符号或原子团的正上方用 $+n$ 或 $-n$ 表示," +、- "号在前,数值在后,"1"不能省略。例如:$\overset{+1}{H_2}\overset{-2}{O}$、$\overset{+3}{Al_2}\overset{-2}{O_3}$、$\overset{+3}{Fe_2}(\overset{-2}{SO_4})_3$。

例4 （2010 福建福州,11,2分）下列化学用语书写均有错误,请你任选两个加以改正。
① 2 个氮分子:2N
② 1 个钙离子:Ca^{+2}
③ 氯化铝:AlCl
④ 硫酸钡中钡元素的化合价:$Ba\overset{2+}{SO_4}$
_____;_____。

答案 ① $2N_2$ ② Ca^{2+} ③ $AlCl_3$ ④ $\overset{+2}{Ba}SO_4$ (任选两个答案填空即可)

解析 2 个氮分子应为 $2N_2$;离子符号的书写是数字在前,符号在后,故钙离子为 Ca^{2+};在化合物中 Al、Cl 元素的化合价分别为 +3、-1,故其化学式为 $AlCl_3$;化合价的标法是符号在前,数字在后,故硫酸钡中钡元素的化合价表示为:$\overset{+2}{Ba}SO_4$。

科学元典

怎样粘接聚乙烯薄膜? 聚乙烯薄膜是目前应用很广泛的塑料制品。聚乙烯很难溶于有机溶剂,没有一种理想的溶剂粘接它。由于聚乙烯是热塑性塑料,受热即可熔化变形,所以常用热熔法粘合聚乙烯薄膜。用热合机封口就是通过电热将薄膜粘合在一起的。此外还可以用按下述方法配制的粘合剂粘接。取丁基橡胶 100 份,萜烯树脂 30～40 份,溶解在由 250 份石油醚与 250 份溶剂汽油混合的溶剂中,搅拌均匀即可粘接。

(4)化合价符号与离子符号的比较

不同点＼分类	元素化合价的符号	离子符号
概念不同	表示元素原子所显化合价的数值和正负的符号	表示带电的原子(或原子团)所带电荷的电性和电荷量的符号
位置不同	化合价数值写在元素符号或原子团的正上方	所带电荷数写在元素符号(或原子团)的右上角
前后不同	正负号在前,数字在后	数字在前,正负号在后
省留不同	化合价为 +1 价或 −1 价时,数字"1"不能省略	带一个单位正电荷或负电荷时,"1"省略不写

(5)化合价的一般规律

①化合价有正价和负价:氧元素通常显 −2 价,氢元素通常显 +1 价。

②金属元素跟非金属元素化合时,金属元素显正价,非金属元素显负价,如 $MgCl_2$ 中,Mg 元素显 +2 价,Cl 元素显 −1 价。由非金属元素和氧元素形成化合物时,非金属元素通常显正价,氧元素通常显 −2 价,如 SO_2 中,硫元素是非金属元素,但化合价为 +4价。

③一些元素在不同物质中可显不同的化合价,如 $KMnO_4$、K_2MnO_4 中,锰元素的化合价分别为 +7 价、+6 价。

④化合物中,各元素正、负化合价的代数和为零,如 CO_2 中碳元素的化合价为 +4 价,氧元素的化合价为 −2 价,化合价的代数和为 $4+(-2)\times2=0$。

⑤因为化合价是元素的原子在形成化合物时才表现出来的一种性质,所以单质中元素的化合价为零,如 H_2,氢元素化合价为 0,表示为 $\overset{0}{H_2}$。

⑥原子团不能独立存在,只是化合物的一个组成部分,所以原子团的化合价由各元素的正、负化合价的代数和算出,原子团的化合价一定不为零,如硫酸根离子(SO_4^{2-}),硫元素的化合价为 +6,氧元素的化合价为 −2,化合价的代数和为:$+6+(-2)\times4=-2$。

(6)化合价与原子最外层电子数的关系

①金属元素的化合价数值一般等于它的最外层电子数。

②非金属元素的最高正价数值等于它的最外层电子数(O、F除外),最低负价数值等于 8 减去最外层电子数。

例5 (2010北京,15,1分)次氯酸钠($NaClO$)是某种家用消毒液的主要成分,其中氯元素的化合价为　　　　　　　　　　(　　)

A. +5　　　　　　　　　B. +3
C. +1　　　　　　　　　D. −1

答案 C　在化合物中各元素正负化合价的代数和为零,在 $NaClO$ 中 Na 为 +1 价,O 为 −2 价,则 Cl 为 +1 价。

(7)一些常见元素和根的化合价

元素和根的名称	元素和根的符号	常见的化合价	元素和根的名称	元素和根的符号	常见的化合价
钾	K	+1	氯	Cl	−1、+1、+5、+7
钠	Na	+1	溴	Br	−1
银	Ag	+1	氧	O	−2
钙	Ca	+2	硫	S	−2、+4、+6
镁	Mg	+2	碳	C	+2、+4
钡	Ba	+2	硅	Si	+4
铜	Cu	+1、+2	氮	N	−3、+2、+3、+4、+5
铁	Fe	+2、+3	磷	P	−3、+3、+5
铝	Al	+3	氢氧根	OH^-	−1
锰	Mn	+2、+4、+6、+7	硝酸根	NO_3^-	−1
锌	Zn	+2	硫酸根	SO_4^{2-}	−2
氢	H	+1	碳酸根	CO_3^{2-}	−2
氟	F	−1	铵根	NH_4^+	+1

例6 (2010 天津,6,2分)五氧化二碘(I_2O_5)可用来测定空气中一氧化碳的含量,I_2O_5 中碘元素的化合价为　　　　　　　　　　(　　)

A. −5　　　B. +3　　　C. +5　　　D. +2

答案 C　已知氧元素在化合物中显 −2 价,化合物中各元素正负化合价的代数和为0,设碘元素的化合价为 x,则 $2x+(-2)\times5=0$,解得 $x=+5$。

怎样修补橡胶制品? 自行车内胎、热水袋以及橡胶雨靴等橡胶制品破损后,可以使用氯丁橡胶粘合剂、丁腈橡胶粘合剂、聚氨酯粘合剂、有机硅胶等粘接。用橡胶粘合剂时,先将被粘接的部位用锉或砂纸将表面磨粗糙,再涂上粘合剂。同时也应将"补丁"表面锉粗糙,涂上粘合剂。过 2~3 分钟后,待黏合剂中溶剂挥发即将干燥时,将"补丁"放在要粘接的部位,用手压紧使之互相粘接,即可粘接牢固。

科学元典

3. 化学式与化合价的关系

(1)根据化学式求化合价

①已知物质的化学式,根据化合物中各元素的正负化合价代数和为0的原则确定元素的化合价。

标出已知、未知化合价: $\overset{+1}{H_2}R\overset{-2}{O_3}$。

列出式子求解:$(+1)\times2+x\times1+(-2)\times3$,$x=+4$。

②根据化合价原则,判定化学式的正误,如判断化学式 KCO_3 是否正确。

标出元素或原子团的化合价: $\overset{+1}{K}C\overset{-2}{O_3}$。

计算正负化合价代数和是否为零:$(+1)\times1+(-2)\times1=-1\neq0$,所以给出的化学式是错误的,正确的化学式应为 K_2CO_3。

③根据化合价原则,计算原子团中某元素的化合价,如计算 NH_4^+ 中氮元素的化合价和 $H_2PO_4^-$(磷酸二氢根)中磷元素的化合价。

由于 NH_4^+ 带一个单位的正电荷,不是电中性的,因此各元素的化合价代数和不为零,而是等于 $+1$。

设氮元素的化合价为 x

$$x+(+1)\times4=+1$$
$$x=-3$$

所以在 NH_4^+ 中氮元素的化合价为 -3。

同理 $H_2PO_4^-$ 带一个单位负电荷,不是电中性的,因此各元素的化合价代数和不为零,而是 -1。

设磷元素的化合价为 y

$$(+1)\times2+y+(-2)\times4=-1$$
$$y=+5$$

所以在 $H_2PO_4^-$ 中磷元素的化合价为 $+5$。

④根据化合价原则,确定物质按化合价的排序。

如 H_2S、S、SO_2、H_2SO_4 四种物质中均含有硫元素,并且硫元素的化合价在四种物质中分别为:-2、0、$+4$、$+6$,故这四种物质是按硫元素的化合价由低到高的顺序排列的。

例7 (2010 湖北随州,7,2 分)下列各组物质中,带点的同种元素的化合价相同的是 (　　)

A. Cl_2、NaCl　　　　B. NH_4Cl、HNO_3

C. MnO_2、K_2MnO_4　　D. P_2O_5、$Ca_3(PO_4)_2$

答案 D　A 中氯元素的化合价分别为 0、-1;

B 中氮元素的化合价分别为 -3、+5;

C 中锰元素的化合价分别为 +4、+6;

D 中磷元素的化合价均为 +5。

(2)根据化合价写化学式

已知元素的化合价根据化合价原则写化学式,

如:写出硫酸铁的化学式。

①一写:写出元素符号或原子团符号,正在左、负在右:$FeSO_4$;

②二标:标出元素或原子团的化合价:$\overset{+3}{Fe}(\overset{-2}{SO_4})$;

③三求:求化合价数值的最简化;

④四交叉:将最简化的数值交叉写在元素、原子团符号的右下角,1 可以省略不写,原子团不是 1 时,要加"()",如 $Fe_2(SO_4)_3$;

⑤五检:根据化合价原则检验。

综上所述,我们可归纳为:

正价左,负价右,交叉约简定个数。写右下,"1"不加,规范程序五步骤。

例8 (2010 四川泸州,7,2 分)下列物质的化学式书写正确的是 (　　)

A. 氧化镁:Mg_2O　　　　B. 氢氧化钠:NaOH

C. 氢氧化钙:$Ca(HO)_2$　　D. 硫酸钾:KSO_4

答案 B　根据化合价原则,化合物中各元素的正负化合价的代数为 0,则 A 中 $\overset{+2}{Mg_2}\overset{-2}{O}\rightarrow MgO$;B 中 $\overset{+1}{Na}\overset{-1}{OH}\rightarrow NaOH$;C 中 $\overset{+2}{Ca}\overset{-1}{OH}\rightarrow Ca(OH)_2$;D 中 $\overset{+1}{K}\overset{-2}{SO_4}\rightarrow K_2SO_4$。

知识④ 化学物质的多样性

1. 物质的分类

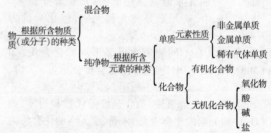

2. 混合物

(1)**概念**:由两种或多种物质混合而成的物质,没有固定的组成,各成分保持自己原有的化学性质。

(2)**对概念的理解**:混合物可以看作几种纯净物混合而成的,混合物的形成过程中发生的是物理变化。由于混合物的组成一般不固定,所以往往不能用化学式表示。如空气。

(3)**常见的混合物**:空气、合金、矿石、溶液等。

(4)**混合物的提纯**:混合物经过物理或化学的方法可以提纯。

例1 (2010 重庆江津,5,3 分)下列各组物质,两者都属于混合物的是 (　　)

科学元典

胶水是由什么制成的? 胶水由以下组分组成:聚乙烯醇、白乳胶、硬脂酸钠、滑石粉、尿素、乙二醇、蔗糖、香精、水。胶水不是独立存在的,它必须涂在两个物体之间才能发挥粘接作用。胶水的粘度用布氏粘度计测出,单位是"cps"(厘泊)。胶水粘度的读数一般在 300～30000cps 之间。在水溶性的粘合剂中,固体含量不决定胶水的粘度,而在于胶水的配方内的增塑剂、增粘剂等等。

A. 干冰、碳酸氢铵　　　B. 海水、大理石
C. 氢气、沼气　　　　　D. 小苏打、铝粉

答案 **B** 干冰是固体二氧化碳,是纯净物,A 错;海水中溶有多种物质,大理石主要成分是碳酸钙,二者均属于混合物;氢气是单质,C 错;小苏打是 $NaHCO_3$,属于盐,铝粉是单质,D 错。

3. 纯净物

(1)概念:只由一种物质组成的物质。

(2)对概念的理解:纯净物只由一种物质组成,有固定的组成,可以用化学式表示。

(3)纯净物的分类:纯净物根据物质组成的元素种类,分为两大类:单质和化合物。

例2 (2010 北京,3,1 分)下列物质中,属于纯净物的是　　　　　　　　　　　　( )
A. 石灰水　　　　　　　B. 空气
C. 生铁　　　　　　　　D. 干冰

答案 **D** 石灰水是氢氧化钙溶液,溶液是混合物;空气是由多种物质组成的混合物;生铁中含 C、Fe,属于混合物,故 A、B、C 三项错误。

4. 单质

(1)概念:由同种元素组成的纯净物。

(2)对概念的理解:①理解单质的概念不仅要关注它是由一种元素组成,还应注意它首先是一种纯净物。如:氧气、氮气、碳、硫、铁、铜、各种稀有气体等都属于单质。②由同种元素组成的物质不一定是单质,还可能是混合物。如:氧气与臭氧的混合物、白磷与红磷的混合物、金刚石与石墨的混合物等都只含一种元素,但都属于混合物。

(3)单质的分类:依据组成单质元素的性质把单质分为三类:

单质 { 金属单质:由金属元素组成的单质,如铁、铜、银等
非金属单质:由非金属元素组成的单质,如碳、磷、氧气等
稀有气体单质:由稀有气体元素组成的单质,如氦、氖、氩等

例3 (2010 上海,38,1 分)最近科学家获得了极具理论研究价值的 N_4 分子。有关 N_4 说法正确的是　　　　　　　　　　　　　　( )
A. N_4 和 N_2 互为同素异形体
B. N_4 是一种新型的有机物
C. 1 个 N_4 分子由 2 个 N_2 分子构成
D. 1 mol N_4 约含 6.02×10^{23} 个氮原子

答案 **A** N_4 是氮元素的一种单质;1 个 N_4 分子由

4 个 N 原子构成;1 mol N_4 约含 6.02×10^{23} 个 N_4 分子;同素异形体是由同种元素组成的性质不同的单质,N_4 和 N_2 都是由氮元素组成的单质,其化学性质不同,故属于同素异形体。

5. 化合物

(1)概念:由不同种元素组成的纯净物。

(2)对概念的理解:理解化合物的概念同样不仅要关注它是由两种或两种以上的元素组成,还应注意它首先是一种纯净物。如:二氧化碳、氯化钠、高锰酸钾等都属于化合物。

(3)化合物的分类:化合物分为有机化合物和无机化合物;无机化合物又分为氧化物、酸、碱和盐。

例4 (2010 江苏扬州,2,2 分)鸡蛋壳中 $Ca_3(PO_4)_2$、$Mg_3(PO_4)_2$ 约占 2.8%,这两种物质都属于　　　( )
A. 金属单质　　　　　　B. 酸
C. 氧化物　　　　　　　D. 化合物

答案 **D** 这两种物质均是由三种元素组成的化合物。

(4)有机化合物

①概念:通常人们将含有<u>碳元素</u>的<u>化合物</u>称为有机化合物,简称有机物,如甲烷、乙醇、葡萄糖、淀粉等。

🔊 **特别提醒**

像 NaCl、H_2SO_4 和 NaOH 等不含碳元素的化合物称为无机化合物,而少数含碳元素的化合物,如 CO、CO_2 和 $CaCO_3$ 等虽然含有碳元素,但具有无机化合物的特点,也把它们看作无机化合物。故有机物一定含有碳元素,但含有碳元素的不一定是有机物,含有碳元素但不属于有机物的化合物主要包括:碳的氧化物、碳酸、碳酸盐和碳酸氢盐。

②组成和结构:有机物都含碳元素,多数含有氢元素,其次可能还含有氧、氮、氯、硫、磷等元素。有机物中碳原子不仅可以和 H、O、Cl、N 等原子直接结合,而且碳原子之间也可以互相连接成链状或环状。原子的排列方式不同,形成有机物的结构就不同,所表现出来的性质也不同。

③特点:大多数有机化合物都<u>难溶于水,易溶于有机溶剂</u>;大多数有机化合物<u>受热易分解</u>,且容易<u>燃烧</u>,燃烧产物有 CO_2 和水;绝大多数有机化合物<u>不易导电,熔点低</u>。

④分类

有机物小分子:相对分子质量较小,如乙醇、甲烷、葡萄糖等。

有机高分子化合物:简称<u>有机高分子</u>,其<u>相对分子质</u>

什么是502胶? 502胶是以 α-氰基丙烯酸乙酯为主,加入增粘剂、稳定剂、增韧剂、阻聚剂等,通过先进生产工艺合成的单组分瞬间固化粘合剂,适用范围为除对聚乙烯、聚丙烯、含氟及含硅塑料、橡胶、软质聚氯乙烯等材料必须进行特殊处理(比如打磨表面)才能使用外,对其他各种材料均能直接粘接。

量比较大，从几万到几十万，甚至高达几百万或更高，如淀粉、蛋白质等。

例5 (2010 江苏苏州,6,2分)下列物质不属于有机物的是 （ ）

A. 甲醛（HCHO） B. 葡萄糖（$C_6H_{12}O_6$）

C. 醋酸（CH_3COOH） D. 碳酸（H_2CO_3）

答案 D 有机物一般是指含有碳元素的化合物，但是碳酸、碳酸盐以及碳的氧化物等组成与结构与无机物相似，一般把它们归入无机物，故选 D。

（5）无机化合物

①概念：无机化合物简称无机物，通常指不含碳元素的化合物，但少数含碳元素的化合物，如 CO、CO_2、H_2CO_3、$CaCO_3$ 等，不具有有机化合物的特点，归在无机化合物中。

②分类：无机化合物根据元素组成及在水中离解成的粒子特点分为氧化物、酸、碱、盐。

③氧化物、酸、碱、盐的比较

物质类别	概念	分类
氧化物	由两种元素组成，其中一种是氧元素的化合物	金属氧化物：由金属元素与氧元素组成，如 MgO、Fe_2O_3 等
		非金属氧化物：由非金属元素与氧元素组成，如 CO_2、SO_2、H_2O 等
酸	能离解成氢离子和酸根离子的化合物	含氧酸：如 H_2SO_4、H_2CO_3、HNO_3 等
		无氧酸：如 HCl、H_2S 等
碱	由金属离子和氢氧根离子构成的化合物	可溶性碱：如 NaOH、$Ca(OH)_2$ 等
		不溶性碱：如 $Mg(OH)_2$、$Fe(OH)_3$ 等
盐	由金属离子和酸根离子构成的化合物（铵盐除外）	正盐：如 NaCl、Na_2CO_3，仅由金属离子和酸根离子两部分组成
		酸式盐：如 $NaHSO_4$，由金属离子、酸根离子和氢离子构成
		碱式盐：如 $Cu_2(OH)_2CO_3$，由金属离子、酸根离子和氢氧根离子构成

例6 (2010 山东潍坊,4,12分)物质的分类非常重要。下列按酸、碱、盐的顺序排列的一组是 （ ）

A. H_2SO_4、Na_2CO_3、NaCl

B. $Ca(OH)_2$、HCl、Na_2SO_4

C. NaOH、H_2CO_3、NaCl

D. H_2SO_4、NaOH、Na_2CO_3

答案 D A 项，Na_2CO_3 是盐；B 项，$Ca(OH)_2$ 是碱，HCl 是酸；C 项，NaOH 是碱，H_2CO_3 是酸；故选 D。

【变式训练】 (2010 江苏苏州,31,4分)在下表"类别"栏内，选填合适的字母序号。

化学式	HNO_3	$NaHCO_3$	$Ca(OH)_2$	S
类别				

A. 非金属 B. 酸式盐

C. 酸 D. 碱

答案

化学式				
类别	C	B	D	A

解析 物质分类是初中化学中的一个难点也是一个重点，紧扣概念是解题关键。

（6）有机化合物与无机化合物的主要区别

性质	有机化合物	无机化合物
溶解性	多数不溶于水，易溶于有机溶剂	有些溶于水而不溶于有机溶剂
耐热性	多数不耐热，熔点较低，一般在 400℃以下	多数耐热，难熔化，熔点一般比较高
可燃性	多数可以燃烧	多数不能燃烧

-------- 拓展知识 --------

知识1 分子为什么不能保持物质的物理性质

分子是保持物质化学性质的最小粒子，分子只能保持物质的化学性质，而不能保持物质的物理性质的原因是：物质的物理性质，如颜色、状态等是大量同种分子的集合体的共同表现，故单个分子不能体现物质的物理性质。

科学元典

如何洗掉 502 胶？ （1）用绝缘油：倒点变压器里的绝缘油在桌上，502 胶水很快变软，可以很快搓掉。（2）用有机溶剂：只要用溶解树脂的有机溶剂就可以，比如丙酮。但吸入丙酮有毒，要注意使用方法，可以把粘胶的部分塞到瓶子里；（3）小面积粘上 502 胶水，只要用热水浸泡一下就可以，如果大面积粘上 502 胶水，涂上丙酮，大约等 5~10 分钟就可以除去。

知识② 原子结构认识的发展

(1)英国化学家道尔顿于1803年提出了原子学说,其主要观点为:

①一切物质均是由原子构成的;

②原子是不可分割的实心球体;

③同种原子的质量相同,不同种原子的质量不同;

④不同元素的原子以一定比例结合构成化合物的原子。从现代的化学理论来看,道尔顿的原子学说有许多观念是不正确的。

(2)**汤姆生提出的"葡萄干—布丁无核模型"**

汤姆生认为在原子结构中电子是一层层地镶嵌在带正电的球体之中,就像是葡萄干分布于布丁之中。

(3)**卢瑟福提出"行星模型"**

卢瑟福通过用α粒子(带两个单位正电荷的氦原子核)轰击金箔的实验观察到α粒子的散射现象之后,提出了原子结构的"行星模型"即原子是由带正电荷的原子核和核外电子构成的。

例 (2010 江苏扬州,22,6分)人类对原子结构的认识永无止境。

(1)道尔顿认为原子是"不可再分的实心球体",汤姆生认为原子是"嵌着葡萄干的面包",如今这些观点均_____(填"正确"或"错误"),卢瑟福进行α粒子散射实验后,认为原子是"行星模型",即原子是由带_____电荷的原子核和核外电子构成的。

道尔顿　　汤姆生　　卢瑟福

(2)下图是元素周期表的一部分(数字表示相应元素的原子序数)。表中部分元素的原子(离子)结构示意图如下,其中属于阳离子的是_____(填数字序号)。

　　①　　　　②　　　　③

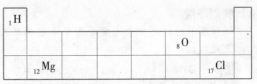

选用上表中元素填空:A_2B_2 型化合物的化学式是_____,带一个单位负电荷的一种阴离子_____。某耐火材料是由 Mg、O 组成的化合物,写出其化学式_____。

答案 (1)错误　正

(2)②　H_2O_2　Cl^- 或 OH^-　MgO

解析 (1)原子是可分的微粒,且核外电子围绕原子核做高速运动。

(2)阳离子的质子数大于核外电子数,常见的 A_2B_2 型化合物是过氧化氢,即 H_2O_2;带一个单位负电荷的阴离子可以是 Cl^-,也可以是 OH^-。

知识③ 原子的不可再分与原子的结构

化学变化中原子不会由一种原子变成另外一种原子,即化学变化中原子的种类不变,其原因是化学变化中原子核没有发生变化。如硫燃烧生成了二氧化硫,硫和氧气中分别含有硫原子和氧原子,反应后生成的二氧化硫中仍然含硫原子和氧原子。

原子不是最小粒子,只是在化学变化的范围内为"最小粒子",它还可再分,如原子弹爆炸时的核裂变,就是原子发生了变化。

原子尽管很小,但具有一定的构成,是由居于原子中心的带正电的原子核和核外带负电的电子构成的。原子核又是由不带电的中子和带正电的质子构成的。

知识④ 原子质量与相对原子质量的区别和联系

	原子的质量	相对原子质量
区别	测定出来的,是原子的实际质量,数值非常小,有单位(kg)	比较得出的,是原子的相对质量,数值大于或等于1,有单位(1)
联系	某原子的相对原子质量(A_r) $= \dfrac{\text{该原子一个原子的质量}}{\text{一个碳}-12\text{原子质量的}\frac{1}{12}}$	

◄))) **特别提醒**

两种原子的相对原子质量之比等于它们的质量之比。

例　(2010 广东广州,11,2分)已知某氧原子的相对原子质量为16,某硫原子的相对原子质量为32。如果该氧原子的质量为 m,则该硫原子的质量为　　　　　（　　）

A. 32 m　　　　　　B. 2 m

C. m　　　　　　　D. 不能确定

答案 B　设硫原子的质量为 x,根据相对原子质量的概念可知: $\frac{m}{16} = \frac{x}{32}$, $x = 2m$。

知识⑤ 用碳-12作为相对原子质量标准的原因

原子的实际质量很小,如果用千克来表示,很不方便。于是采用^{12}C一个原子质量的1/12作标准,其他原子的质量跟它的比值,就是这种原子的相对原子质量。

采用^{12}C作为相对原子质量的标准的原因是:

(1)碳形成很多高质量的"分子"和氢化物,利于测定质谱;

(2)^{12}C很容易在质谱仪中测定,而用质谱仪测定原子量是现代最准确的方法;

(3)采用^{12}C后,所有元素的原子量都变动不大,仅比过去减少0.004 3%;

(4)这种碳原子在自然界的丰度比较稳定;

(5)碳在自然界分布较广,它的化合物特别是有机化合物繁多;

(6)密度最小的氢的原子量仍不小于1。

知识⑥ 原子团在化学反应中一定不分开吗

在许多化学反应里,像一个原子一样,作为一个整体参加反应的原子集团,叫做原子团。如: SO_4^{2-}、CO_3^{2-} 等。

在所有的化学反应中,原子是最小的粒子,不会由一种原子变成另一种原子;原子团只是在某些反应中作为一个整体参加反应,即反应前后原子团不分解,但并非在所有的化学反应中都如此。如在 Zn $+ H_2SO_4 \xrightarrow{\quad\quad} ZnSO_4 + H_2 \uparrow$ 的反应中,反应前 H_2SO_4 中含有 SO_4^{2-},反应后 $ZnSO_4$ 含有 SO_4^{2-},则 SO_4^{2-} 作为一个整体参加了此反应。但在 $2KClO_3 \xrightarrow{\triangle} 2KCl + 3O_2 \uparrow$

反应中,反应前 $KClO_3$ 中有 ClO_3^-,反应过程中 ClO_3^- 分解了。

知识⑦ 初中化学常见原子团

在初中化学学习过程中,经常使用的原子团(又称为根)有以下几个:

NH_4^+(铵根)、OH^-(氢氧根)、MnO_4^-(高锰酸根)、ClO_3^-(氯酸根)、NO_3^-(硝酸根)、SO_4^{2-}(硫酸根)、CO_3^{2-}(碳酸根)、HCO_3^-(碳酸氢根)、MnO_4^{2-}(锰酸根)、PO_4^{3-}(磷酸根)。

不经常使用的有以下几个:

SO_3^{2-}(亚硫酸根)、NO_2^-(亚硝酸根)、HSO_3^-(亚硫酸氢根)、$H_2PO_4^-$(磷酸二氢根)。

知识⑧ 含原子团的化学式命名

原子团	命名方法	举例
NH_4^+（铵根）	某化铵或某酸铵	NH_4Cl（氯化铵） NH_4NO_3（硝酸铵）
OH^-（氢氧根）	氢氧化某	$NaOH$（氢氧化钠）
酸根	某酸某	Na_2CO_3（碳酸钠） $ZnSO_4$（硫酸锌）

知识⑨ 物质、分子、原子之间的构成关系

物质不同,构成物质的粒子也不同。有的物质由分子构成,如水由水分子构成;有的物质是由原子直接构成的,如汞由汞原子构成(Hg)。

分子与构成这种分子的原子相比较,原子比分子小,但并不是所有的原子都一定比分子小。分子和原子是同一层次不同意义的两个概念,不能笼统地认为分子大于原子。

例　(2010 云南红河,8,2分)下图是水的微观层次结构,图中右侧"○"表示　　　（　　）

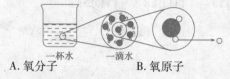

A. 氧分子　　　　　　　　B. 氧原子

科学元典

什么是沼气?　沼气的主要成分是甲烷(CH_4)。甲烷在空气中燃烧,生成二氧化碳和水,并放出热量。我国农村把秸秆、杂草、树叶、人畜粪尿等放入密封的发酵池中,并加入甲烷菌等有机物质发酵分解,几天以后就有大量甲烷生成。如果控制好条件,定期取出发酵后的废料,加入新料,就可以连续产生沼气。取出的废料可作肥料,比原来的肥效大大提高。生成的甲烷,通过管道输送到各家各户,供取暖、煮饭、烧水、照明等。

C.氢分子　　　　　　　　D.氢原子

答案 D　水是由水分子构成的,每个水分子是由 2 个氢原子和 1 个氧原子构成的,故图中的"○"表示的是氢原子。

知识⑩　共价化合物

1. **概念**:像 HCl、CO_2 这样以共用电子对结合在一起的化合物。
2. **共价化合物的类型**
   (1)两种非金属原子结合成的化合物,如 HCl、H_2O、CO_2、SO_2 等。
   (2)非金属与酸根构成的化合物,如 H_2SO_4、HNO_3 等。

知识⑪　离子化合物的主要类型

离子化合物是由阴、阳离子通过静电作用结合形成的不带电的化合物,离子化合物的结构主要有两种类型:
(1)金属元素的原子与非金属元素的原子相结合而构成,如 NaCl、KCl 等。
(2)金属元素的原子与酸根结合而构成,如$Mg(NO_3)_2$、$ZnSO_4$ 等。

知识⑫　离子化合物与共价化合物的区别

离子化合物是由阴、阳离子相互作用形成的化合物;共价化合物是全部以共用电子对形成分子的化合物。离子化合物由离子构成,共价化合物由分子构成。

知识⑬　元素在元素周期表中随原子序数的递增呈现的规律

通过课本 1～18 号元素原子结构示意图,总结出随原子序数递增呈现的一些规律。
(1)同一电子层(第一层除外)的最外层电子数由 1 逐渐递增至 8。
(2)由金属元素开始——→非金属元素——→稀有气体元素结束。
(3)元素的最高化合价由 +1 逐渐递增至 +7,最后以零价结束。
(4)同一族的最外层电子数相同,电子层数逐渐递增,同一族的元素具有相似的化学性质。

知识⑭　元素周期表中的族

元素周期表中有 18 个纵行,除第 8、9、10 三个纵行共同组成一个族外,其余 15 个纵行,每一个纵行叫做一个族,共有 16 个族。在元素周期表中标示的ⅠA、ⅠB 中的 A 表示主族,B 表示副族,故元素周期表的 16 个族包括 7 个主族、7 个副族,1 个第Ⅷ族,1 个 0 族。

知识⑮　人工合成元素的新进展

原子序数	元素符号	元素名称	合成年份	合成者
104	Rf	𬬻	1964	[苏]弗列洛夫
			1969	[美]乔索等
105	Db	𬭊	1967	[苏]杜布纳研究所
			1970	[美]乔索等
106	Sg	𬭳	1974	[苏]杜布纳研究所
			1974	[美]乔索等
107	Bh	𬭛	1976	[苏]杜布纳研究所
			1981	[德]明岑贝格等
108	Hs	𬭶	1984	[德]明岑贝格等,达姆施塔特重离子研究中心
109	Mt	䥑	1982	[德]明岑贝格等,达姆施塔特重离子研究中心
110	Ds	𫟼	1994	[德]达姆施塔特重离子研究中心
111	Rg	𬬭	1994	[德]达姆施塔特重离子研究中心
112	Uub		1996	[德]P. 阿尔穆勃鲁斯特和 S. 霍夫曼等,达姆施塔特重离子研究中心
114	Uuq		1999	[俄]杜布纳研究所 [美]劳伦斯贝克莱国家实验室等

知识⑯　定组成定律

(1)定组成定律也叫定比定律,名称不同但内容基本上是一样的。定组成定律是说化合物有固定的组成,定比定律则是说组成某一化合物的时候,各成分元素常以一定的质量比互相化合。
(2)俄国学者罗蒙诺索夫和法国科学家拉瓦锡分别用天平做定量实验后,认为化合物有一定的组成。法国药剂师普罗斯,又用许多实验证明以后,最后作了结论。1860 年比利时分析化学家斯达通过精确实

科学元典

你知道氢能源吗?　　当今世界开发新能源迫在眉睫,原因是目前所用的能源如石油、天然气、煤,均属于不可再生资源,地球上存量有限,而人类生存又时刻离不开能源,终有一天这些资源将要枯竭,这就迫切需要寻找一种新能源来替代化石燃料。氢正是这样一种人们期待的新的二次能源,且有来源广、放热多、无污染等优点。

验(用四种方法制备的氯化银,误差小于 0.004 90),证实了定组成定律。

(3)在化学不断发展的过程中,终于发现了定组成定律的例外。有些由金属元素组成的金属互化物,不遵守化合价规则,它们的组成在相当大的限度内是可以变化的。如:$CuZn$、Cu_5Zn_8、$CuZn_3$ 等。

知识⑰ 放射性元素

元素周期表中的单元格包含了元素的原子序数、元素符号、元素名称、相对原子质量等信息,其中元素符号的颜色若为红色表明该元素为放射性元素。如 84 号 Po、85 号 At 以及锕系中的全部元素均为放射性元素。

放射性元素能够自发地从原子核内放射出粒子或射线,同时释放出能量,这种现象叫做放射性。

放射性元素最早应用的领域是医学,如治疗恶性肿瘤的放疗就是利用具有强大贯穿本领的放射性元素镭。

知识⑱ 同位素

同位素指具有相同的质子数,但中子数不同的同一元素的不同原子,如氢有 3 种同位素,分别称为氕(H)、氘(D)、氚(T),即原子核内质子数均为 1,但中子数分别为 0、1、2 的氢原子。

同位素有天然存在的,也有人工合成的。同一元素的同位素虽然中子数不同,但他们的化学性质基本相同。

例 (2010 重庆,10,2 分)核能已经成为一种重要的能源,氘和氚都是未来生产核能的燃料,氚是氢元素的一种原子,氚原子的核电荷数是 (   )

A.1　　　B.2　　　C.3　　　D.4

答案 A　氚为氢元素的一种原子,氢元素为 1 号元素,即核电荷数等于 1。

知识⑲ 元素周期表中单元格的应用

元素周期表中的每一单元格都包括有关元素的四点基本信息,即原子序数、元素符号、元素名称和相对原子质量。除此之外,还能利用单元格中的信息判断元素的类别(依据元素名称的偏旁确定该元素是金属元素还是非金属元素),判断元素是否有放射性(看元素符号是否为红色,红色的为放射性元素),判断元素是人造元素还是自然存在的(看元素

名称后面是否带有"＊",带"＊"的为人造元素),还能计算元素原子核内的中子数(相对原子质量 - 原子序数)。

例 (2010 贵州贵阳,36,8 分)将物质按一定标准分类后进行研究,能收到事半功倍的效果。请参与下列同学的讨论并按要求回答:

(1)请将上图中所述物质的化学式填在相应的空格处:氧化物＿＿＿、酸＿＿＿、碱＿＿＿、盐＿＿＿。

(2)下图是氧元素、铝元素在元素周期表中的信息示意图及铝元素的原子结构示意图。请回答:

①氧元素属于＿＿＿＿元素(填"金属"或"非金属"),铝的元素符号是＿＿＿＿。

②铝原子的最外层电子数是＿＿＿＿,铝元素和氧元素组成化合物的化学式为＿＿＿＿。

答案 (1)H_2O　H_2SO_4　$NaOH$　$NaCl$
(2)①非金属　Al　②3　Al_2O_3

解析 (1)含两种元素,其中一种是氧元素的化合物是氧化物,符合条件的是 H_2O。酸是由氢离子和酸根离子构成的,所以 H_2SO_4 属酸类。碱由金属离子和氢氧根离子构成,所以 $NaOH$ 属碱类。氯化钠由金属离子和酸根离子构成,属盐类。

(2)在元素周期表中,据名称,"气"字头属非金属元素,"钅"字旁属金属元素;在铝原子结构中质子数 = 核外电子数,可知最外层电子数为 3;铝在化合物中显 +3 价,所以氧化物的化学式为 Al_2O_3。

知识⑳ 化学符号周围数字的意义

数字、符号的位置	意义
元素符号前面的数字	表示该原子的个数
离子符号前面的数字	表示该离子的个数
化学式前面的数字	表示该分子的个数

科学元典

氢能源开发的第一难题是什么?　目前,世界各国正在研究如何能大量而廉价的生产氢气。用太阳能来分解水是一个主要研究方向,在光的作用下将水分解成氢气和氧气,关键在于找到一种合适的催化剂。如今世界上有 50 多个实验室在进行研究,至今尚未有重大突破,但它蕴含着广阔的前景。

元素符号正上方的数字和符号	表示化合物中某元素的化合价
元素符号右上角的数字和符号	表示该离子所带的电荷数及正负
元素符号右下角的数字	表示某物质的一个分子中所含该原子的个数

例 (2010 江苏连云港,21,6 分)用数字和化学符号表示:

(1)2 个氮原子_____;(2)2 个氢分子_____;

(3)亚铁离子_____;(4)氢氧根离子_____;

(5)+2 价的钙元素_____;

(6)五氧化二磷_____。

答案 (1)2N (2)2H₂ (3)Fe²⁺ (4)OH⁻

(5)$\overset{+2}{Ca}$ (6)P₂O₅

解析 2 个氮原子为 2N,2 个氢分子为 2H₂,带 2 个单位正电荷的亚铁离子为 Fe²⁺,氢氧根离子为 OH⁻,显 +2 价的钙元素表示为 $\overset{+2}{Ca}$,五氧化二磷的化学式为 P₂O₅。

知识㉑ 元素的可变化合价

　　有许多元素在化合物中只有一种化合价,如 Na 在化合物中只会显 +1 价。也有许多元素具有多种化合价,如锰的化合价有 +2、+4、+6、+7 价,硫的化合价有 -2、+4、+6 价。

(1)一般情况下,元素在不同的物质中可显示不同的化合价,如 MnO₂(二氧化锰)、K₂MnO₄(锰酸钾)、KMnO₄(高锰酸钾)中锰的化合价分别为 +4、+6、+7。

(2)同一种元素在同一种化合物中显示不同的化合价,如 NH₄NO₃ 中,氮元素的化合价分别为 -3、+5。

例 (2010 重庆潼南,3,2 分)下列物质中氮元素的化合价为 +2 的是　　　　　　(　　)

A. NO　　　　　　　B. N₂O₃

C. N₂O₅　　　　　　D. N₂O₄

答案 A　NO 中氮元素的化合价为 +2 价;N₂O₃ 中氮元素的化合价为 +3 价;N₂O₅ 中氮元素的化合价为 +5 价;N₂O₄ 中氮元素的化合价为 +4 价。

知识㉒ 化合物中化合价的规定

化合物	化合价		
	化合价的数值	正价	负价
离子化合物	1 个原子得失电子的数目	失电子的原子(阳离子)为正价	得电子的原子(阴离子)为负价
共价化合物	1 个原子跟其他元素的原子共用电子对的数目	电子对偏离的原子显正价	电子对偏向的原子显负价

不论是在离子化合物还是共价化合物中,正负化合价的代数和都等于零

知识㉓ 元素、物质、分子、原子、离子的关系

　　世界上千千万万种物质都是由原子、分子和离子构成的。物质是由元素组成的,物质与其构成粒子之间的关系如下:

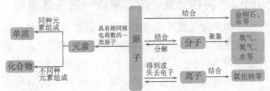

知识㉔ 化学式与元素符号的关系

化学用语		元素符号	化学式
意义	宏观	表示一种元素 表示一种物质(由原子构成的物质)	表示这种物质 表示这种物质由几种元素组成
	微观	表示该元素的一个原子	表示这种物质的一个分子(由分子构成的物质) 表示一个分子含有各原子的个数(由分子构成的物质)
	量的意义		表示这种物质的相对分子质量 表示这种物质中各元素的原子个数比和质量之比 表示物质中各组成元素的质量分数

科学元典

化学烟雾　光化学烟雾指氮氧化物、烃类等一次污染物在阳光紫外线的作用下发生一系列光化学反应,生成臭氧、过氧乙酰硝酸酯、高活性自由基、醛类和酮类和有机酸等二次污染物,这些一次污染物和二次污染物的混合物称为光化学烟雾。

		H$_2$O 表示水
举例	H 表示氢元素 表示一个氢原子	表示水是由氢元素和氧元素组成的 表示 1 个水分子 表示 1 个水分子中含有 2 个氢原子和 1 个氧原子
注意事项		单独的化学式和元素符号，既有宏观意义，又有微观意义 化学式和元素符号前加上数字，则该符号只表示微观意义，即只表示相应的粒子个数，如"2H"表示两个氢原子，"3H$_2$O"表示三个水分子 化学式中元素符号右下角的数字表示每个分子中所含该元素原子的个数，如"CO$_2$"中的"2"表示一个二氧化碳分子中含有两个氧原子

知识㉕ 同种元素组成的物质一定是单质吗

　　由同种元素组成的纯净物叫做单质。理解单质的概念必须抓住两点：一由同种元素组成，二必须是纯净物，如氧气是单质。由同种元素组成的物质不一定是单质，也可能是混合物，但绝不可能是化合物，如氧气（O$_2$）、臭氧（O$_3$）两种物质混在一起是一种混合物，但是只有一种氧元素；同样的例子还有红磷、白磷；金刚石和石墨等。

例 （2010 四川自贡，13，2 分）下图中依次是金刚石、石墨、C$_{60}$、碳纳米管的结构示意图，下列说法正确的是　　　　　　　　　　（　　）

A. 这四种物质都很软，都可作润滑剂
B. 这四种物质碳原子的排列方式相同
C. 这四种物质完全燃烧后的产物都是 CO$_2$
D. 这四种物质的结构中都是每个碳原子连接 3 个碳原子

答案 C 金刚石、石墨、C$_{60}$、碳纳米管四种单质都是由碳元素组成的，其结构不同，因而物理性质和用途各不相同。但四种物质的组成元素相同，故四种物质完全燃烧的产物都是 CO$_2$。

知识㉖ 单质与化合物的区别和联系

项目 类别	内容	单质	化合物
区别	宏观组成	同种元素	不同种元素
	微观构成	同种原子或由同种原子构成的同种分子	由不同种原子构成的同一种分子
	化学性质	不能发生分解反应	一定条件下能发生分解反应
联系	相互转变	它们均属于纯净物。单质发生化合反应可以生成化合物，化合物发生分解反应可以生成单质	
	质子数	同一种元素的原子，不论在单质里还是在化合物里，原子核内质子数保持不变	

知识㉗ 化合物与氧化物的区别和联系

	化合物	氧化物
区别	①由不同种元素组成的纯净物叫化合物 ②由两种或两种以上元素组成 ③不一定含有氧元素 ④属于纯净物中的一类	①由两种元素组成的化合物中，如果有一种元素是氧元素，这种化合物叫氧化物 ②一定由两种元素组成 ③一定含有氧元素 ④属于化合物中的一类
联系	氧化物和化合物是个体与总体的关系，氧化物属于化合物中的一类	

科学元典

　　洛杉矶光化学烟雾事件　洛杉矶光化学烟雾事件是指 40 年代至 50 年代，发生于美国洛杉矶市的一系列光化学烟雾事件的总称。1952 年最为严重，大批居民发生眼睛红肿、喉痛、咳嗽、皮肤潮红等症状，严重者心肺功能衰竭，近 400 名 65 岁以上老人死亡。植物大面积死亡，车祸增多。

知识 28　纯净物与混合物

	纯净物	混合物
概念	宏观:由一种物质组成的物质 微观:由同种分子构成(对于由分子构成的物质而言)	宏观:由两种或多种物质组成的物质 微观:由不同种分子构成(对于由分子构成的物质而言)
特点	①具有固定的组成 ②具有一定的性质 ③有专门的化学符号	①没有固定的组成和性质 ②各成分保持各自的性质 ③没有专门的化学符号
实例	氧气、高锰酸钾、二氧化碳	空气、粗盐、蔗糖水
联系	纯净物 $\xrightarrow[\text{分离 提纯}]{\text{简单混合}}$ 混合物	

知识 29　初中常考的纯净物与混合物

(1)混合物:石油、煤、天然气、食盐、洁净的空气、生理盐水、矿泉水、汽水、焦炭、活性炭、木炭、炭黑、碘酒、白酒、双氧水、盐酸、硫酸、溶液、合金等都是混合物。

(2)纯净物:水银、烧碱、纯碱、胆矾、液态氧、液态氮、蒸馏水(纯净水)、干冰、冰水共存物、金刚石、石墨、生石灰、熟石灰、氯化钠、氧化铁等都是纯净物。

知识 30　氧化物的定义、分类、命名

1. **定义**:由两种元素组成,其中一种是氧元素的化合物(即由氧元素和另一种元素组成的化合物)。

2. **分类**

(1)根据组成

$\begin{cases}\text{金属氧化物}\quad\text{如 }Na_2O\text{、}CuO\text{ 等}\\\text{非金属氧化物}\quad\text{如 }CO_2\text{、}NO\text{ 等}\end{cases}$

(2)根据性质

$\begin{cases}\text{酸性氧化物}\quad\text{能和碱反应生成盐和水的}\\\quad\text{氧化物,如 }CO_2\text{、}SO_3\text{ 等}\\\text{碱性氧化物}\quad\text{能和酸反应生成盐和水的}\\\quad\text{氧化物,如 }CaO\text{、}Fe_2O_3\text{ 等}\\\text{两性氧化物}\quad(\text{初中不作要求})\\\text{不成盐氧化物}\quad\text{不能直接反应生成盐的}\\\quad\text{氧化物,如 }CO\text{、}NO\text{ 等}\end{cases}$

特别提醒

酸性氧化物多数是非金属氧化物,但也可能是金属氧化物(如 Mn_2O_7);碱性氧化物肯定是金属氧化物。

3. **命名**

氧化物一般读作"几氧化几某",数字为"1"时一般不读,但有时需读出(元素具有可变化合价时,氧原子个数为 1 时)。如:

Fe_3O_4	读作	四氧化三铁
CO_2	读作	二氧化碳
MgO	读作	氧化镁
CO	读作	一氧化碳
NO	读作	一氧化氮

知识 31　金属氧化物性质小结

1. 与水反应生成碱(可溶)

$$Na_2O + H_2O =\!=\!= 2NaOH$$

$$CaO + H_2O =\!=\!= Ca(OH)_2$$

2. 与强酸反应

$$CaO + 2HCl =\!=\!= CaCl_2 + H_2O$$

$$Fe_2O_3 + 6HCl =\!=\!= 2FeCl_3 + 3H_2O$$

$$Fe_2O_3 + 3H_2SO_4 =\!=\!= Fe_2(SO_4)_3 + 3H_2O$$

$$CuO + 2HCl =\!=\!= CuCl_2 + H_2O$$

$$CuO + H_2SO_4 =\!=\!= CuSO_4 + H_2O$$

3. 与 H_2、CO 或 C 反应

$$CuO + H_2 \xrightarrow{\triangle} Cu + H_2O$$

$$2CuO + C \xrightarrow{\text{高温}} 2Cu + CO_2\uparrow$$

$$CuO + CO \xrightarrow{\text{高温}} Cu + CO_2$$

$$Fe_2O_3 + 3H_2 \xrightarrow{\text{高温}} 2Fe + 3H_2O$$

$$2Fe_2O_3 + 3C \xrightarrow{\text{高温}} 4Fe + 3CO_2\uparrow$$

科学元典

伦敦烟雾事件　伦敦烟雾事件是指 1952 年 12 月 5 日至 8 日,英国伦敦上空烟雾弥漫,在 15~40 米的逆温层,大气中尘浓度达每立方米 4.46 毫克,二氧化硫每立方米 3.8 毫克。居民从烟雾发生第三、四天起开始发病,出现咳嗽、喉痛、胸闷、头痛、呼吸困难、眼睛刺激等症状,造成四天中死亡人数较常年同期多 4000 人的严重事件。

$$Fe_2O_3 + 3CO \xrightarrow{\text{高温}} 2Fe + 3CO_2$$

$$Fe_3O_4 + 4H_2 \xrightarrow{\text{高温}} 3Fe + 4H_2O$$

$$Fe_3O_4 + 2C \xrightarrow{\text{高温}} 3Fe + 2CO_2\uparrow$$

$$Fe_3O_4 + 4CO \xrightarrow{\text{高温}} 3Fe + 4CO_2$$

例 (2010·浙江绍兴,22,6分) 有同学将金属氧化物知识整理如下:

氧化钾	氧化钙	氧化钠	氧化镁	氧化铝	氧化锌	氧化铁	氧化铜
K_2O	CaO	Na_2O	MgO	Al_2O_3	ZnO		CuO

(1)写出表中氧化铁的化学式_____;

(2)表中的排列规律是根据金属_____排列的(填序号)。

①元素化合价 ②活动性顺序 ③原子的相对原子质量

答案 (1)Fe_2O_3 (2)②

解析 铁有 +2、+3 两种化合价,显 +2 价的叫亚铁,显 +3 价的叫铁,故氧化铁的化学式为 Fe_2O_3。从表中信息可知,各氧化物中的金属元素按金属活动性顺序排列。

知识 ③② 非金属氧化物性质小结

1. 与水反应生成相应的酸

$$CO_2 + H_2O = H_2CO_3$$

$$SO_2 + H_2O = H_2SO_3$$

2. 与碱反应生成盐和水

$$Ca(OH)_2 + CO_2 = CaCO_3\downarrow + H_2O$$

$$2NaOH + CO_2 = Na_2CO_3 + H_2O$$

$$Ca(OH)_2 + SO_2 = CaSO_3\downarrow + H_2O$$

$$2NaOH + SO_2 = Na_2SO_3 + H_2O$$

特别提醒

非金属氧化物一般都是酸性氧化物,但 H_2O、CO、NO 等则不是酸性氧化物。

知识 ③③ 过氧化物

常见的过氧化物有过氧化氢(H_2O_2)、过氧化钠(Na_2O_2)、过氧化钙(CaO_2)。

过氧化氢俗称双氧水,在催化剂的催化作用下

能分解生成水和氧气,常常用于实验室制取氧气。过氧化氢具有极强的氧化性,还可用作杀菌剂、漂白剂。

过氧化钠能与二氧化碳反应:$2Na_2O_2 + 2CO_2 = 2Na_2CO_3 + O_2$,根据该性质,可将过氧化钠用在坑道、潜水、潜艇或宇宙飞船等缺氧的场所,将人们呼出的 CO_2 转换成 O_2,供给呼吸。

例 (2010·河南,21,12分) 过氧化钠(化学式为 Na_2O_2)可用在呼吸面具中作为氧气来源。Na_2O_2 能跟 CO_2 反应生成 O_2 和另一种固体化合物(用 X 表示);它也能跟 H_2O 反应生成 O_2,化学方程式为:$2Na_2O_2 + 2H_2O = 4NaOH + O_2\uparrow$。以下是某兴趣小组进行的探究活动。

(1)利用如下图所示实验装置制取氧气,请回答有关问题。

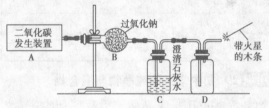

①实验室制取 CO_2 的化学方程式为_____。

②表明 CO_2 未被 Na_2O_2 完全吸收的实验现象为_____。

③O_2 可采用 D 装置收集,并用带火星的木条检验,这是利用了 O_2 的哪些性质?

④若 A 装置产生的 CO_2 中混有水蒸气,要检验干燥的 CO_2 能否与 Na_2O_2 反应生成 O_2,以上实验装置应如何改进?

(2)为探究 X 是哪种物质及其有关性质,同学们进行了如下分析和实验。

①有同学猜想 X 可能是酸、碱或盐中的一种。通过对物质组成的分析,大家一致认为 X 肯定不是酸和碱,理由是_____。

②同学们通过讨论和实验证明了 X 是 Na_2CO_3。以下是他们设计的有关 Na_2CO_3 性质的探究实验,请根据卷首资料提供的信息,将下表填写完整。

实验操作	现　象	有关的化学方程式
实验一：取少量固体样品，_____	澄清石灰水变浑浊	$Na_2CO_3 + 2HCl =\!=$ $2NaCl + H_2O + CO_2\uparrow$ $CO_2 + Ca(OH)_2 =\!=$ $CaCO_3\downarrow + H_2O$
实验二：取少量固体样品，加水配成溶液，滴加适量的_____溶液	有白色沉淀产生	

(3)7.8 g 过氧化钠与足量的水反应，生成氧气的质量是多少？若反应后得到了 40 g 氢氧化钠溶液，请计算氢氧化钠溶液中溶质的质量分数。

答案（1）① $CaCO_3 + 2HCl =\!= CaCl_2 + H_2O + CO_2\uparrow$

②澄清石灰水变浑浊

③氧气密度比空气的大，氧气有助燃性。

④在 A、B 装置之间和 B、C 装置之间增加气体干燥装置（答出在 A、B 装置之间增加气体干燥装置即可）。

（2）① Na_2O_2 和 CO_2 都不含氢元素，根据原子守恒定律，二者反应后不可能生成含氢元素的酸或碱

②

实验操作	现　象	有关的化学方程式
滴加稀盐酸，然后将产生的气体通入澄清石灰水	有气泡产生	
氯化钙或氯化钡等		$Na_2CO_3 + CaCl_2 =\!=$ $CaCO_3\downarrow + 2NaCl$ 或 $Na_2CO_3 + BaCl_2 =\!=$ $BaCO_3\downarrow + 2NaCl$ 等

（3）解：设生成氧气的质量为 x，生成氢氧化钠的质量为 y。

$$2Na_2O_2 + 2H_2O =\!= 4NaOH + O_2\uparrow$$

$$\begin{array}{cccc} 156 & & 160 & 32 \\ 7.8\text{ g} & & y & x \end{array}$$

$$\frac{156}{32} = \frac{7.8\text{ g}}{x} \quad x = \frac{32 \times 7.8\text{ g}}{156} = 1.6\text{ g}$$

$$\frac{156}{160} = \frac{7.8\text{ g}}{y} \quad y = \frac{160 \times 7.8\text{ g}}{156} = 8\text{ g}$$

氢氧化钠溶液中溶质的质量分数为：

$$\frac{8\text{ g}}{40\text{ g}} \times 100\% = 20\%$$

答：生成氧气的质量为 1.6 g，氢氧化钠溶液中溶质的质量分数为 20%。

解析（1）④要干燥 CO_2 必须在 A、B 装置之间增加气体干燥装置如盛浓 H_2SO_4 的洗气瓶，或盛 $CaCl_2$ 的干燥管等。（2）① $Na_2O_2 + CO_2 \longrightarrow X + O_2$，根据化学反应中元素的种类不发生变化，X 中一定含有钠元素和碳元素，可能含有氧元素，而只含钠和碳的化合物在初中教材中是见不到的，也不会出现在初中化学试题中，所以 X 只能是 Na_2CO_3。②实验一：根据有关的化学方程式，应向样品中加入的是盐酸，将生成的气体通入到澄清的石灰水中；实验二，根据现象判断加入的试剂与样品反应生成了沉淀，应是可溶性的钙盐或钡盐。

🎯 **方法清单**

方法 1　原子结构示意图的应用

(1) 表示原子的构成——原子核、核电荷数及核外电子数，镁原子的原子结构示意图如下：

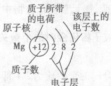

(2) **判断元素的种类**：核内质子数决定元素种类，如 $\overset{)}{\underset{)}{(+12}}$ 2 8 2 表示该元素是镁元素。

(3) **判断是原子还是离子**：核内质子数 = 核外电子数表示的是原子，如 $(+12$ 2 8 2 表示的是镁原子。

核内质子数 < 核外电子数表示的是阴离子，如 $(+8$ 2 8 表示的是氧离子（O^{2-}）。

核内质子数 > 核外电子数表示的是阳离子。如 $(+11$ 2 8 表示的是钠离子（Na^+）。

(4) **判断多种微粒中同种元素的粒子**：核内质子数相

什么是二噁英　二噁英(Dioxin)，又称二氧杂芑，实际上是二噁英类的一个简称，它指的是结构和性质都很相似的包含众多同类物或异构体的两大类有机化合物。二噁英包括 210 种化合物，这类物质非常稳定，熔点较高，极难溶于水，可以溶于大部分有机溶剂，是无色无味的脂溶性物质，所以非常容易在生物体内积累。它的毒性十分大，有"世纪之毒"之称。是人类一级致癌物。环境中的二噁英很难自然降解消除。

科学元典

同的粒子属于同种元素,如 $(+11) 2 8 1$ 和 $(+11) 2 8$ 是

钠元素的不同粒子。

(5)判断化学性质相似的粒子:最外层电子数决定粒子的化学性质,具有相同最外层电子数的粒子具有

相似的化学性质。如 $(+11) 2 8 1$ 和 $(+19) 2 8 8 1$

化学性质相似。氦除外,氦为稀有气体元素, $(+2) 2$

与 $(+10) 2 8$ 化学性质相似,但 $(+2) 2$ 与 $(+12) 2 8 2$ 化

学性质不同。

(6)判断离子所带电荷数: $n =$ 核内质子数 $-$ 核外电子数,若 n 为正值表示正电荷,若 n 为负值表示负电

荷,如 $(+8) 2 8$ 表明每个氧离子带两个单位负电荷;

$(+12) 2 8$ 表明每个镁离子带两个单位正电荷。离子

所带电荷数与元素化合价的绝对值相等。镁离子带两个单位正电荷,镁元素在化合物中显 $+2$ 价。

(7)判断不同粒子相化合时的个数关系:如 $(+11) 2 8$

与 $(+8) 2 8$ 化合时的个数比为2:1 即 Na_2O; $(+12) 2 8$

与 $(+8) 2 8$ 化合时的个数比为1:1 即 MgO。当不同

粒子结合构成化合物时,必须是原子与原子结合,离子与离子结合,依据最外层电子数或离子所带电荷数判断两种微粒结合时的个数比。

例 (2010 新疆乌鲁木齐,12,4分)下图是几种元素的原子结构示意图,请根据题目要求填写下列空白。

$(+10) 2 8$ $(+8) 2 6$ $(+6) 2 4$ $(+11) 2 8 1$

A   B   C   D

$(+13) 2 8 3$ $(+16) 2 8 6$ $(+17) 2 8 7$

E   F   G

(1)属于金属元素的是_____(填序号),其原子结构特点为_____,在化学反应中易失电子,能形成_____离子。

(2)写出 F 单质在 B 单质中燃烧的化学方程式:_____。

答案 (1)D、E 最外层电子数少于4 阳

(2) $S + O_2 \xrightarrow{\text{点燃}} SO_2$

解析 在6~18 号元素中,属于金属元素的有11、12、13 号,但题中无 12 号元素;金属元素最外层电子数一般少于4,在化学反应中易失去电子形成阳离子。从图中可以得知:B 为氧元素,F 为硫元素,两者反应方程式为 $S + O_2 \xrightarrow{\text{点燃}} SO_2$。

方法 2 化合价的应用

(1)根据化合价写化学式

化合物的化学式可以根据元素的化合价来书写。步骤是"排序→标价→定数"。如已知磷的化合价是 $+5$ 价,氧的化合价为 -2 价,由它们组成的化合物的化学式是

$$\overset{+5}{P} \quad \overset{-2}{O} \longrightarrow P \times O \longrightarrow P_2O_5。$$

(2)判断化学式的正误

①标出化合物中各元素的化合价;

②求正、负化合价的代数和是否为零;

③结论:为零则正确,不为零则错误。

如判断硝酸镁的化学式 $Mg(NO_3)_2$ 是否正确:

$\overset{+2}{Mg}(\overset{-1}{NO_3})_2, +2 + (-1) \times 2 = 0$,正确。

(3)根据化学式确定元素或根的化合价。

例 (2010 四川乐山,21,2.5 分)我国交通法规明确禁止酒后驾车。交通警察使用的一种酒精检测仪中装有重铬酸钾($K_2Cr_2O_7$),它对酒精非常敏感,该化合物中铬元素(Cr)的化合价为 ( )

A. $+3$ B. $+4$

C. $+5$ D. $+6$

答案 D 化合物中各元素正负化合价的代数和为0,K 为 $+1$ 价,O 为 -2 价,设 Cr 的化合价为 x,则 $(+1) \times 2 + 2x + (-2) \times 7 = 0$,$x = +6$。

科学元典

二噁英来源 大气环境中的二噁英90%来源于城市和工业垃圾焚烧。含铅汽油、煤、防腐处理过的木材以及石油产品、各种废弃物特别是医疗废物在燃烧时容易产生二噁英。聚氯乙烯塑料、纸张、氯气以及某些农药的生产环节等过程都可向环境中释放二噁英。二噁英还作为杂质存在于一些农药产品中。在制造包括农药在内的化学物质,尤其是氯系化学物质,像杀虫剂、除草剂、木材防腐剂、落叶剂、多氯联苯等产品的过程中产生。

方法 3 运用口诀巧记化合价

1. 常见元素化合价口诀(版本一)

一价氢氯钾钠银,二价钙镁钡氧锌,三铝四硅五价磷。二三铁二四碳,氟有负一铜一二,二三四五氮来占,负三还有磷和氮,二四六硫都齐全,二四六七锰都卷。

2. 常见元素化合价口诀(版本二)

一价钾、钠、银、氢、氟,二价钙、镁、钡和锌,铝正三氧负二,以上价态要记真。铜一二来铁二三,碳硅二四要记全,硫显负二正四六,负三正五氮和磷,氯价最常显负一,还有正价一五七,锰显正价二四六,最高价数也是七。

3. 常见元素化合价口诀(版本三)

一价钾钠氯氢银;二价氧钙钡镁锌;三铝四硅五

价磷;二三铁、二四碳,二四六硫三五氮;铜汞二价最常见。

4. 常见原子团的化合价口诀

一价铵根氢氧根,另有硝酸氯酸根。二价硫酸碳酸根,勿忘一个锰酸根。三价只有磷酸根。除了铵根皆为负,常写常用能记住。

方法 4 用列表法、图示法分清有关物质分类概念间的关系

1. 单质、化合物、氧化物、含氧化合物间的关系

2. 用列表法比较物质分类中的几个概念

(1)纯净物与混合物的比较

	纯净物	混合物
区别	由同种物质组成(对于由分子构成的物质,是由同种分子构成的),组成是固定的	由不同种物质组成(对于由分子构成的物质,是由不同种分子构成的),组成是不固定的
成分	单一	含有两种或两种以上的物质
性质	有固定的物理性质和化学性质	各成分保持各自原有的化学性质
表示方法	有固定的化学式	多种成分,不能用某一化学式表示
分离方法	组成固定,不需分离;若需将化合物分成几种单质,则必须通过化学方法才能实现	物理方法 ⎰筛选 过滤 蒸馏⎱
实例	氧气、氢气、水、二氧化碳、高锰酸钾等	空气、溶液、合金、煤、石油、天然气等
说明	纯净物是相对而言的,自然界中绝对纯净的物质是不存在的,通常的纯净物是指含杂质很少的具有高纯度的物质　混合物 $\xrightarrow[混合]{分离}$ 纯净物	

(2)酸、碱、盐的比较

项目	从化学组成看	从电离观点看	组成特点
酸	由氢元素和酸根组成	电离时生成的阳离子全都是氢离子(H^+)的化合物	一定含氢元素
碱	由金属元素和氢氧根组成(氨水也是碱)	电离时生成的阴离子全都是氢氧根离子(OH^-)的化合物	一定含氢、氧元素
盐	含有金属元素(或 NH_4^+)和酸根	电离时能生成金属离子(或 NH_4^+)和酸根离子的化合物	酸式盐中一定含氢元素,碱式盐中一定含氢、氧元素

二噁英对健康的影响 二噁英是一种剧毒物质,极少量的二噁英就会给健康带来严重的危害。它们能干扰机体的内分泌,如雌性动物卵巢功能障碍,抑制雌激素的作用,使雌性动物不孕等。雄性动物会出现精细胞减少、雄性动物雌性化等。二噁英有明显的免疫毒性,可引起动物胸腺萎缩、细胞免疫与体液免疫功能降低等。二噁英还具有致癌毒性。因此二噁英污染是关系到人类存亡的重大问题,必须严格加以控制。

专题8 物质的变化和性质

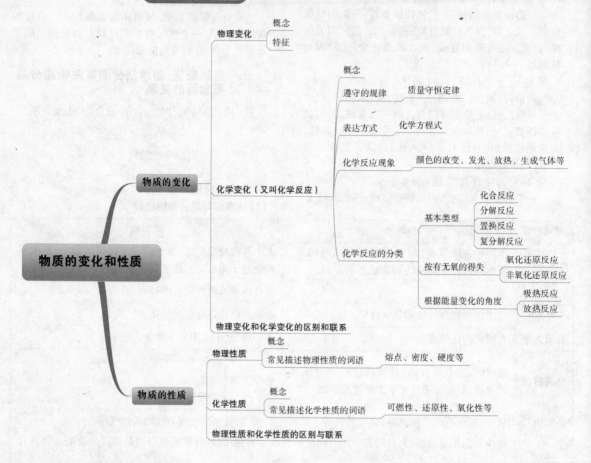

知识清单

基础知识

知识① 物质的变化

1. 物理变化

（1）**物理变化**：物质发生变化过程中没有生成其他物质的变化。如水蒸发、胆矾被研碎、石蜡熔化等。

（2）**物理变化的微观实质**：物质发生物理变化时分子本身不变，改变的是分子的运动状态，分子间的间隔。

例1（2010 重庆,1,2分）下列变化中没有生成新物质的是 （　　）

A. 燃放烟花　　　　　　B. 食物腐烂
C. 剪贴窗花　　　　　　D. 钢铁生锈

答案 C　剪贴窗花只是改变纸的外形,没有生成新的物质。

2. 化学变化

（1）**化学变化**：物质发生变化时生成其他物质的变化。如木条燃烧变成灰烬、石灰石与盐酸反应生成二氧化碳、铁生锈、食物腐烂等都是化学变化。

（2）**化学变化的微观实质**：物质发生化学变化时,反应物的分子在化学反应中被分成了原子,原子重新组合构成了新分子。

（3）**化学变化的特征**：化学变化的基本特征是有新物质生成,常表现为颜色改变、放出气体、生成沉淀等。

科学元典

二噁英防治措施　（1）积极提倡垃圾分类收集和处理。（2）控制无组织的垃圾焚烧,通过采用新的焚烧技术,提高燃烧温度(1200℃以上),降低二噁英类的排放量。（3）制定大气二噁英的环境质量标准以及每日可耐受摄入量。

化学变化不但生成了其他物质,而且还伴随着能量的变化,这种能量变化常表现为吸热、放热、发光等。

例2 (2010 福建龙岩,1,3分)看了《2012 世界末日》,许多人都感觉自然灾害的频发足以毁灭我们的地球,灾害中常有如下现象发生,其中属于化学变化的是 (　　)

A. 冰雪融化　　　　　B. 房屋倒塌

C. 火山喷发　　　　　D. 山体滑坡

答案 C　冰雪融化是物态变化,没有生成新物质;房屋倒塌、山体滑坡过程中也没生成新物质。

3. 物理变化和化学变化的比较

	物理变化	化学变化
定义	没有生成其他物质的变化	生成了其他物质的变化
特征	没有生成新的物质,物质的形状、状态可能发生变化,也可能有发光、放热等现象出现	有新物质生成,在变化过程中常伴随有发光、放热、变色、放出气体、产生沉淀等现象发生
实例	瓷碗破碎、石蜡熔化等	铁生锈、木柴燃烧等
判断方法(区别)	在变化中是否有其他物质生成	
联系	在发生化学变化的过程中可能同时发生物理变化,在发生物理变化的过程中一定不发生化学变化	

🔊 **特别提醒**

①判断一种变化是物理变化还是化学变化,关键是看变化中是否有其他物质生成。如果变化时没有其他物质生成则是物理变化;如果变化时生成了其他物质,则是化学变化。

②化学变化过程中常常伴随发光、放热、变色、产生气体或生成沉淀、爆炸等现象。但伴随这些现象的变化不一定是化学变化。如电灯通电时既发光又放热,但没有新物质生成,这个变化就属于物理变化。

例3 (2010 四川乐山,25,2.5分)下列变化中,属于化学变化且颜色变化正确的是 (　　)

A. 向有少量高锰酸钾粉末的试管中加水,所得溶液呈紫色

B. 向滴有酚酞的氢氧化钠溶液中滴加盐酸,溶液由无色逐渐变成红色

C. 将烘烤过的木炭投入盛有红棕色二氧化氮气体的集气瓶中,红棕色消失

D. 红色的铜在潮湿的空气中放置一段时间后,逐渐变绿

答案 D　高锰酸钾溶于水发生物理变化;向 NaOH 溶液中滴加酚酞变红,然后滴加盐酸,发生了化学反应,但颜色应由红色变为无色;木炭具有较强的吸附能力,吸附属于物理变化;铜生锈是化学变化,铜锈为绿色正确。

知识 2 物质的性质

1. 物理性质

(1)**概念**:物质不需要发生化学变化就表现出来的性质叫做物理性质。颜色、状态、气味、硬度、熔点、沸点、密度等都属于物质的物理性质。

(2)**实例**:在通常状况下,氧气是一种无色、无味的气体。

(3)**物质的物理性质**:有的可以被人的感觉器官直接感知,如物质的颜色、状态、气味等;有的能被仪器测定,如沸点、密度等。

2. 化学性质

(1)**概念**:物质在化学变化中表现出来的性质叫做化学性质。例如,在生活中,铁能在潮湿的空气中生成铁锈,铜能在潮湿的空气中生成铜绿。

(2)**化学性质**:只能通过化学变化表现出来。

例1 (2010 江苏镇江,2,2分)下列性质属于化学性质的是 (　　)

A. 沸点　　B. 硬度　　C. 可燃性　　D. 溶解性

答案 C　沸点、硬度、溶解性均属于物质的物理性质,可燃性需通过化学变化表现出来。

3. 物理性质与化学性质的比较

	物理性质	化学性质
概念	物质不需要通过化学变化就能表现出来的性质	物质在化学变化中表现出来的性质
性质确定	由感觉器官直接感知或由仪器测定	通过化学变化可知

🛣️ 科学元典

汽车尾气的直接危害　科学分析表明,汽车尾气中含有上百种不同的化合物,其中的污染物有固体悬浮微粒、一氧化碳、二氧化碳、碳氢化合物、氮氧化物、铅及硫氧化物等。一辆轿车一年排出的有害废气比自身重量大 3 倍。英国空气洁净和环境保护协会曾发表研究报告称:与交通事故遇难者相比,英国每年死于空气污染的人要多出 10 倍。

性质内容	颜色、状态、气味、熔点、沸点、硬度、密度、溶解性、挥发性、导电性、导热性等	可燃性、助燃性、氧化性、还原性、腐蚀性、毒性、酸性、碱性等
区别（判断依据）	是否需要通过化学变化表现出来	
联系	都是物质的属性	

4. 物质的性质与物质的变化的区别和联系

	物质的性质	物质的变化
区别	物质的性质是指物质的特有属性，不同的物质其属性不同，是变化的内因	物质的变化是一个过程，是有序的、动态的，是性质的具体体现
联系	物质的性质决定了它能发生的变化，而变化又是性质的具体表现	

◀)) **特别提醒**

判断某种叙述是指物质的"性质"还是"变化"时，首先要准确把握它们的区别和联系，若叙述中有"能""难""易""会""就"等词语，往往指性质；若叙述中有"已经""了""在"等词语，往往指物质的变化。

例2 (2010 云南昆明,16,2 分)下面是常见物质的性质和变化：

a. 酒精能挥发

b. 铁在潮湿的空气里生成铁锈

c. 水沸腾变成水蒸气

d. 二氧化碳能使澄清的石灰水变浑浊

(1)属于物理变化的是_____（填写序号，下同）。

(2)属于化学性质的是_____。

答案 (1)c (2)d

解析 a.描述的是酒精的物理性质；b.描述的是铁发生了化学变化；c.描述水的物理变化；d.描述的是 CO_2 的化学性质。

5. 物质的性质和用途的关系

若在使用物质的过程中，物质本身没有变化，则是利用了该物质的物理性质；若在使用过程中，物质本身发生了变化，变成了其他物质，则是利用了该物质的化学性质。

物质的性质与用途的关系：物质的性质是决定物质用途的主要因素，物质的用途体现物质的性质。

例3 (2010 湖北襄樊,2,1 分)在实际生活中，下列物质的用途与其化学性质无关的是 ( )

A. 用小苏打治疗胃酸过多症

B. 干冰用于人工降雨

C. 用食醋除去热水瓶中的水垢

D. 熟石灰用于改良酸性土壤

答案 B 小苏打能与胃酸发生化学反应，利用了小苏打的化学性质；同理，食醋与水垢、熟石灰与酸性土壤均发生化学反应，是它们化学性质的应用。

知识 **③ 燃烧与灭火**

1. 燃烧

(1)概念：通常所说的燃烧指的是可燃物与氧气发生的一种发光、放热的剧烈的氧化反应。

(2)燃烧的条件

①燃烧条件的实验探究

实验方案	实验现象	分析
分别将一小块白磷和一小块红磷放在薄铜片上，另取一小块白磷放入热水中，如图： 白磷 红磷 薄铜片 热水 白磷	①薄铜片上：白磷燃烧，产生大量白烟，红磷没有变化 ②热水中：白磷没有燃烧	①白磷、红磷都是可燃物，薄铜片上的白磷与 O_2 接触，同时温度达到白磷着火点，故白磷能够燃烧 ②薄铜片上的红磷与 O_2 接触，但温度没有达到着火点，热水中的白磷温度达到了着火点，但没有与 O_2 接触，所以红磷和水中的白磷都不能燃烧

②燃烧的条件

燃烧必须同时具备 { 可燃物 / 氧气（空气） / 达到燃烧所需的最低温度（着火点）

◀)) **特别提醒**

a. 着火点：可燃物燃烧所需的最低温度叫着火点，是物质固有的一种性质，与物质本身的性质和颗粒大小有关，一般不随外界条件的改变而改变。

b. 燃烧必须同时具备三个条件，缺一不可。如图：

科学元典

城市污水厂
污泥处理与资源化

工业废水的生物处理方法(一) 废水生物处理是利用微生物的生命活动，对废水中呈溶解态或胶体状态的有机污染物进行降解，从而使废水得到净化的一种处理方法。(1)厌氧生物处理法 此法主要用于处理污水中的沉淀污泥，又称污泥消化，也用于处理高浓度的有机废水。(2)活性污泥法 利用含有好氧微生物的活性污泥，在通气条件下，使污水净化。根据曝气方式的不同，分为普通曝气法、完全混合曝气法、逐步曝气法、旋流式曝气法和纯氧曝气法。

燃烧条件示意图

c.在通常状况下一些常见物质的着火点

物质	白磷	红磷	木材	木炭	无烟煤
着火点/℃	40	240	250～330	320～370	700～750

（3）影响燃烧的因素

①内在因素：可燃物的性质，不同种物质燃烧的现象不同。例如，硫在空气中燃烧发出淡蓝色火焰，细铁丝在空气中却不能燃烧。

②外部因素：与氧气接触面积越大，氧气浓度越高，燃烧越剧烈，同种物质在不同条件下，燃烧现象也不同。例如，硫在氧气中燃烧发出明亮的蓝紫色火焰，与在空气中燃烧现象不同。

例1（2010上海,39,1分）学校食堂为了让煤充分燃烧，达到节能减排之目的，正确合理的措施是（　　）

A.增加煤的用量　　B.粉碎煤块

C.提高锅炉的耐热性　D.减少空气通入量

答案 B　使燃料充分燃烧的方法是通入充足的氧气（或空气）；增大可燃物与氧气的接触面积。

（4）燃烧的利与弊

　　燃烧会放出热量，人类需要的大部分能量来源于化石燃料的燃烧，人类利用燃烧放出的热量，可以做饭、取暖、发电、冶炼金属等，但燃烧也有不利的地方，燃料燃烧不充分时，不仅产生的热量少，浪费资源，而且还会产生 CO 等物质，污染环境。

例2（2010山东威海,11,5分）火就是化学上所说的燃烧。根据你对燃烧反应的理解，若以"燃烧的利与弊"作为论题，你的观点是＿＿＿＿＿＿＿
＿＿＿＿＿＿，请你列举有力的证据论证你的观点。

要求：①论据简洁、论证充分。②同一论据只需举出一个事例说明即可。③字数在150字以内。

答案 观点一：燃烧的"利"大于"弊"

论据①：燃烧能为人类活动提供能量

如燃烧煤、天然气、柴草做饭，火力发电；汽油、柴油燃烧给汽车提供能源。

论据②：燃烧反应能为大自然和人类提供新物质

如金属单质在氧气中燃烧获得高纯度的金属氧化物。在化学工业上，人们利用特定的燃烧反应为化学工业提供所需的反应物，如炼铁工业利用炭在空气中不完全燃烧产生一氧化碳，用来冶炼铁。含碳燃料的燃烧产生的二氧化碳为植物的光合作用提供原料。

观点二：燃烧既有"利"也有"弊"

论据①：燃烧能为人类活动提供能量

如燃烧煤、天然气、柴草做饭，火力发电；汽油、柴油燃烧给汽车提供能源。

论据②：燃烧能为人类活动提供新物质

如金属单质在氧气中燃烧获得高纯度的金属氧化物。

论据③：火灾给人类生命和财产造成巨大的损失

论据④：燃烧给自然界带来大量有害的物质

如含碳、硫、氮、重金属元素的可燃物的燃烧给环境带来大量的有害物质。化石燃料燃烧造成大气中二氧化碳含量上升。

观点三：燃烧的"弊"大于"利"

论据①：火灾给人类生命和财产造成巨大的损失

论据②：燃烧给自然界带来大量有害的物质。

如含碳、硫、氮、重金属元素的可燃物的燃烧给环境带来大量的有害物质。化石燃料燃烧造成大气中二氧化碳含量上升。

解析 本题是典型的具有开放性的简答题。相比而言，燃烧的"利"大于"弊"，或者说燃烧有"利"也有"弊"。当确定观点后，论述时一定要根据相应的观点作出充分的论证。

2.灭火的方法

(1)灭火的原理:破坏燃烧的条件,即可达到灭火的目的。

①清除可燃物或使可燃物与其他物品隔离;②隔绝氧气(或空气);③使可燃物的温度降到着火点以下。破坏燃烧的三个条件中的任何一个即可达到灭火的目的。

(2)灭火方法:①将可燃物撤离燃烧区,与火源隔离。如液化气、煤气起火,首先要及时关闭阀门,以断绝可燃物的来源;扑灭森林火灾,可用设置隔离带的方法使森林中的树木与燃烧区隔离。②将燃着的可燃物与空气隔绝。如厨房油锅起火,盖上锅盖就能灭火;二氧化碳灭火器能灭火的原因之一,是由于灭火器喷出大量二氧化碳在燃烧物表面形成一层二氧化碳气体层,使燃烧物与空气隔绝,达到灭火的目的。③用大量的冷却剂(如水、干冰等)冷却可燃物,使温度降低到可燃物的着火点以下。如建筑物起火时,用高压水枪灭火等。

📢 **特别提醒**

灭火时降低温度不是降低着火点。着火点是物质的固有属性,一般情况下不能改变。

(3)几种常用灭火器的灭火原理和适用范围

灭火器	灭火原理	适用范围
泡沫灭火器	灭火时,能喷射出大量二氧化碳及泡沫,它们能黏附在可燃物上,使可燃物与空气隔绝,达到灭火的目的	可用来扑灭木材、棉布等燃烧引起的失火
干粉灭火器	利用压缩的二氧化碳吹出干粉(主要含有碳酸氢钠)来灭火	具有流动性好、喷射率高、不腐蚀容器和不易变质等优良性能,除可用来扑灭一般失火外,还可用来扑灭油、气等燃烧引起的失火
 二氧化碳灭火器	在加压时将液态二氧化碳压缩在小钢瓶中,灭火时再将其喷出,有降温和隔绝空气的作用	灭火时不会因留下任何痕迹而使物体损坏,因此可用来扑灭图书、档案、贵重设备、精密仪器等处的失火。使用时,手一定要先握在钢瓶的木柄上,否则,会把手冻伤

例3 (2010 福建福州,8,3 分)英国科技人员研制出自动灭火陶瓷砖,砖里压入了一定量的氮气和二氧化碳。用这种砖砌成的房屋发生火灾时,在高温烘烧下,砖会裂开并喷出氮气和二氧化碳,从而抑制和扑灭火焰。自动灭火陶瓷砖的灭火原理是
( )

A. 清除可燃物

B. 使燃烧物与氧气隔绝

C. 降低燃烧物的着火点

D. 使燃烧物的温度降低到着火点以下

答案 B 本题考查灭火原理。氮气和二氧化碳均不具有可燃性和助燃性,且二氧化碳的密度大于空气的密度,高温烘烧下,喷出的二氧化碳会将可燃物与空气隔绝,从而达到灭火的目的。

(4)灭火原理的实验探究

实验方案	现象	分析
点燃三支蜡烛,在其中一支蜡烛上扣一只烧杯,将另两支蜡烛放在烧杯中,然后向其中一只烧杯中加适量碳酸钠和稀盐酸。如下图:	①倒扣在烧杯中的蜡烛熄灭 ②正放在烧杯中的蜡烛正常燃烧 ③加入适量碳酸钠和稀盐酸的烧杯中的蜡烛很快熄灭	①倒扣在烧杯中的蜡烛因氧气不足而熄灭 ②正放在烧杯中的蜡烛与氧气接触,温度保持在蜡烛的着火点以上,因此能正常燃烧 ③稀盐酸与碳酸钠迅速反应产生大量的二氧化碳气体,二氧化碳既不燃烧也不支持燃烧,所以蜡烛很快熄灭

科学元典

金属污染当中的"五毒"是什么? 重金属对人体有毒害作用,其中毒害作用最大的有5种:汞(Hg)、镉(Cd)、铅(Pb)、铬(Cr)和砷(As),俗称"五毒"。以上这五种元素都是重金属元素,主要是在采矿和冶炼中释放的。既然这"五毒"有如此恶劣的毒性作用,人类是不是可以完全隔离这几类物质呢?不的,痕量的金属元素是动、植物及人体所必需的。这几种金属也是工业中必不可少的元素。

例4 (2010 福建晋江,11,2分)在实验室中常将白磷浸泡在水中保存,其主要目的是 ( )
A.降低白磷的着火点
B.防止白磷与空气接触
C.使白磷与水结合成稳定的物质
D.将白磷溶解不易着火

答案 **B** 白磷的着火点非常低,只有40℃,易自燃,因此实验室中常将白磷浸泡在水中保存,以隔绝空气,防止其自燃。

3.缓慢氧化、自燃

(1)有些氧化反应进行得很慢,甚至不容易被察觉,这种氧化叫做缓慢氧化。如动植物的呼吸、钢铁生锈、酒和醋的酿造、食物腐败等。一般情况下,不伴随发光现象,但有热量产生,有时产生的热很快散失。

(2)自燃是由缓慢氧化引起的自发燃烧。如果缓慢氧化产生的热量不能及时散失,就会越积越多,当温度升高到可燃物的着火点时,如果再遇到氧气就会引起自发的燃烧,这就是自燃。一些着火点较低的可燃物(如农村的秸秆堆、工厂堆放的擦机械的棉纱、粮库的粮仓)如果不注意通风,时间久了,极易引发火灾,就是这个道理。

例5 (2010 广西梧州,29,2分)属于缓慢氧化的变化是 ( )
A.木炭燃烧
B.食物腐败
C.蜡烛燃烧
D.汽油燃烧

答案 **B** A、C、D均发生了燃烧,属于剧烈氧化反应。

4.爆炸

(1)爆炸的原理:通常说的爆炸指可燃物在有限空间内急速燃烧,短时间内聚积大量的热量,使气体体积迅速膨胀引起爆炸。

(2)爆炸是我们日常生活中常见的现象,但有的爆炸仅仅是由物理变化引起的,如轮胎爆炸;有些爆炸则是由化学变化引起的,如火药爆炸,汽油、液化气等燃料的爆炸等。其中,由化学变化引起的爆炸是学习的重点,这种类型的爆炸主要是由于:①在有限的空间(如爆炸、炸弹)内,发生急速的燃烧,短时间聚积大量的热,使气体的体积迅速膨胀;②如果氧气的浓度高,或者可燃物(气体、粉尘)与氧气的接触面积很大,燃烧范围广,周围的空气迅速猛烈膨胀。防止这类爆炸的方法:通风、禁止烟火等。

(3)燃烧、缓慢氧化、自燃、爆炸的比较

	燃烧	缓慢氧化	自燃	爆炸
概念	可燃物与氧气发生的发光、放热的剧烈的氧化反应	缓慢进行的氧化反应	由缓慢氧化引起的自发燃烧	可燃物在有限的空间内发生的急速燃烧
能量变化	放热明显	放出热量随时散失	放热明显	放热明显
温度	达到可燃物的着火点	未达到可燃物的着火点	达到可燃物着火点	达到可燃物的着火点
是否发光	发光	无明显发光现象	发光	发光
联系	燃烧、爆炸、自燃、缓慢氧化均属于氧化反应,均会放出热量			

例6 (2010 山东临沂,6,2分)点燃下列各组混合气体,一定不会发生爆炸的是 ( )
A.二氧化碳和氧气
B.一氧化碳和空气
C.液化石油气和空气
D.天然气和氧气

答案 **A** 可燃性气体与空气(或氧气)的混合气体点燃时会发生爆炸,但若是化学性质稳定的气体如N_2、CO_2和稀有气体与其他气体混合时不会发生爆炸。

5.易燃物、易爆物的安全知识

(1)**易燃物**:一般来说,易燃物指的是那些易燃的气体和液体,容易燃烧、自燃或遇水可以燃烧的固体,以及一些可以引起其他物质燃烧的物质等。常见的有硫、磷、酒精、液化石油气、氢气、乙炔、沼气、石油产品、面粉、棉絮等。

(2)**易爆物**:指的是那些受热或受到撞击时,容易发生爆炸的物质等。

(3)**一些与燃烧和爆炸有关的图标**

当心火灾——易燃物质　　禁止放易燃物　　当心爆炸——爆炸性物质　　当心火灾——氧化物

禁止烟火　　　禁止带火种　　　禁止燃放鞭炮　　　禁止吸烟

科学元典

你知道第三代空气污染是什么吗? 第一代空气污染主要是燃煤造成的"煤烟型污染";第二代污染是汽车尾气造成的"光化学烟雾型污染";第三代污染专指室内空气污染。室内空气污染包括化学性污染、放射性污染和生物性污染。化学性污染:指新家具以及现代装修使用的粘合剂中的甲醛污染。放射性污染:主要来自装饰材料,如大理石装饰板往往含一定量的氡,比较常见的几种有毒污染物为:氡、甲醛、苯、三氯乙烯等。居室内的地毯容易引起生物污染。

（4）在生产、运输、使用、贮存易燃易爆物时的注意事项：

①对厂房和仓库的要求：与周围建筑间有足够的防火距离，车间、仓库要有防火、防爆、通风、静电除尘、消防器材设备，严禁烟火，杜绝一切可能产生火花的因素。②容器要求：要牢固、密封、警示标志明显且要注明物品名称、化学性质、注意事项。③存放要求：单存、单放，远离火种、注意通风。④运输要求：轻拿轻放、勿撞击。⑤工作人员要求：严禁烟火、人走电断。

例7（2010 广东汕头,3,2 分）2010 年 5 月起，广州市的液化石油气瓶要统一加贴新标志。新标志上要含有以下选项中的（　　）

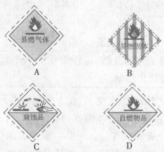

答案 A　通过对课本图标的学习和观察，首先了解消防图标的构成和含义。液化石油气为气体易燃物，对比题中图标进行分析得出答案。

知识④ 质量守恒定律

1.探究化学反应前后物质的质量关系

（1）方案一：白磷燃烧前后质量的测定（装置如下图）

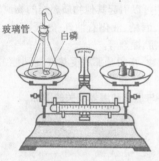

白磷燃烧前后质量的测定

实验步骤	实验与问题	探究与讨论
①组装好图中天平左盘上的装置，并用天平称其质量 ②取下锥形瓶，引燃白磷 ③待锥形瓶冷却后，将锥形瓶放在天平上观察是否平衡	①白磷燃烧时，在锥形瓶底部铺一层细沙，目的是什么？	①为了防止锥形瓶炸裂
	②描述整个过程中小气球的变化情况，并加以解释。	②白磷燃烧放热，瓶中空气膨胀，小气球鼓起；冷却后，因为白磷燃烧消耗瓶中的氧气，生成 P_2O_5 固体，使瓶中气体减少，压强变小，小气球会变瘪
	③待锥形瓶冷却后，重新放到托盘天平上，天平是否平衡？说明了什么问题？	③平衡说明参加化学反应的反应物质量总和等于反应后生成物的质量总和
	④如果白磷燃烧前后，小气球没有发生变化，其原因可能是什么？	④装置漏气或白磷的量太少等
	⑤若不用气球，直接用瓶塞塞紧锥形瓶可以吗？为什么？	⑤不行，白磷燃烧时放出热量，使瓶中气体膨胀，容易将瓶塞冲开，有危险
	⑥这个实验所发生的反应应该如何用文字表达？	⑥白磷 + 氧气 $\xrightarrow{\text{点燃}}$ 五氧化二磷

玻璃管　白磷

科学元典

雨后的空气为什么清新　雨后空气中的氧气有些变成了臭氧，这是化学变化。臭氧也是氧的单质，而臭氧却含有三个氧原子。稀薄的臭氧一点也不臭，它具有氧化能力，能够漂白与杀菌。雨后空气中就弥漫着少量的臭氧，因此它能净化空气，使空气清新。另外，一场大雨，给空气淋个个浴，把空气中的灰尘冲掉了，也会使空气清新。

(2)方案二:铁钉与硫酸铜溶液反应前后质量的测定

实验步骤	实验与问题	探究与讨论
①将铁钉和硫酸铜溶液放在天平上称量。②将铁钉放入烧杯的溶液中。③用天平称量反应后的质量	①实验现象是什么?	①铁钉表面覆盖了一层红色的固体,烧杯中液体的颜色由蓝色逐渐变成浅绿色
	②反应前后,天平是否保持平衡?说明了什么问题?	②平衡,说明参加化学反应的反应物的质量总和等于反应后生成物的质量总和
	③这个实验所发生的反应应该如何用文字表达?	③铁 + 硫酸铜 —— 铜 + 硫酸亚铁

2. 质量守恒定律的概念及对概念的理解

(1)概念:参加化学反应的各物质的质量总和,等于反应后生成的各物质的质量总和。这个规律就叫做质量守恒定律。

(2)对概念的理解:

①质量守恒定律只适用于化学反应,不能用于物理变化。例如,将 2 g 水加热变成 2 g 水蒸气,这一变化前后质量虽然相等,但这是物理变化,不能说它遵守质量守恒定律。

②质量守恒定律指的是"质量守恒",不包括其他方面的守恒,如对反应物和生成物均是气体的反应来说,反应前后的总质量守恒,但是其体积却不一定守恒。

③质量守恒定律中的"质量",是指"参加"化学反应的反应物的质量,不是所有反应物质量的任意简单相加。例如,2 g 氢气与 8 g 氧气在点燃的条件下,并非生成 10 g 水,而是 1 g 氢气与 8 g 氧气参加反应,生成 9 g 水。

(3)用实验探究反应前后质量是否守恒应注意的问题

实验装置	实验名称	问题	结论、解释
盐酸 碳酸钠粉末 盐酸与碳酸钠粉末反应前后质量的测定	碳酸钠和盐酸反应	①实验现象是什么? ②反应完成后,天平是否平衡? ③如何解释上述现象?	①有气泡产生,白色粉末逐渐消失 ②不平衡 ③碳酸钠粉末和盐酸反应,产生的 CO_2 气体逸出,导致反应后的总质量比反应前的总质量减小 表达式:$Na_2CO_3 + 2HCl == 2NaCl + H_2O + CO_2\uparrow$
镁条燃烧	镁条燃烧	①实验现象是什么? ②反应后所得固体和石棉网的质量之和与原来镁条和石棉网的质量总和是否相等? ③如何解释上述现象?	①镁条燃烧,发出耀眼的白光,生成白色固体,放出热量 ②不相等 ③镁条燃烧时,空气中的氧气参加了反应,生成的氧化镁中包含了参加反应的氧气的质量,导致反应后的总质量比反应前的总质量大 表达式:$2Mg + O_2 \xrightarrow{\text{点燃}} 2MgO$

科学元典

什么是生物农药 生物农药是指利用生物活体或其代谢产物对害虫、病菌、杂草、线虫、鼠类等有害生物进行防治的一类农药制剂。生物农药一般是天然化合物或遗传基因修饰剂,主要包括生物化学农药(信息素、激素、植物调节剂、昆虫生长调节剂)和微生物农药(真菌、细菌、昆虫病毒、原生动物,或经遗传改造的微生物)两个部分。我国生物农药按照其成分和来源可分为微生物活体农药、微生物代谢产物农药、植物源农药、动物源农药四个部分。

通过以上两个实验可知,研究反应前后质量是否守恒应注意:

①反应中是否有气体生成或参加反应。

②如果反应中有气体生成或参加反应,在开放的装置中不能得出正确的结论,应改进装置,在密闭的装置中,才能观察到正确的现象,得出正确的结论。

例1 (2010 陕西,14,2 分)下列实验能够直接用于验证质量守恒定律的是 （　　）

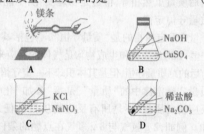

答案 B　A 项,镁条燃烧的反应物中有氧气;D 项,Na_2CO_3 与稀盐酸反应会生成 CO_2 气体,在开放的装置中不能验证质量守恒定律;C 项,是物理变化,质量守恒定律不适用于物理变化。

3. 质量守恒定律的微观实质

(1) 化学反应的实质

在化学反应过程中,参加反应的各物质(反应物)的原子,<u>重新组合</u>而生成其他物质(生成物)的过程。

由分子构成的物质在化学反应中的变化过程可表示为:

$$\boxed{分子} \xrightarrow{分裂} \boxed{原子} \xrightarrow{重新组合} \boxed{分子} \xrightarrow{聚集} \boxed{新物质}$$

(2) 质量守恒的原因

在化学反应中,反应前后<u>原子的种类</u>没有改变,<u>数目</u>没有增减,原子本身的<u>质量</u>也没有改变。所以,反应前后的质量总和必然相等。例如,水通电分解生成氢气和氧气,从微观角度看:当水分子分解时,生成氢原子和氧原子,每两个氢原子又结合成一个氢分子,每两个氧原子结合成一个氧分子。

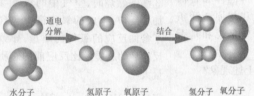

通电分解　　　　结合

水分子　　氢原子 氧原子　　　氢分子 氧分子

水电解的微观示意图

(3) 对质量守恒定律理解的扩展和延伸

理解质量守恒定律要抓住"五个不变""两个一定变""两个可能变"。

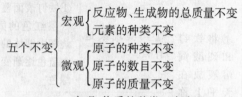

五个不变　宏观　反应物、生成物的总质量不变 / 元素的种类不变
微观　原子的种类不变 / 原子的数目不变 / 原子的质量不变

两个一定变　宏观:物质的种类一定变 / 微观:构成物质的分子种类一定变

两个可能变　分子的总数可能变 / 物质的存在状态可能变

如从水电解的微观示意图能得出的信息:

①在化学反应中,分子可以分成原子,原子又重新组合成新的分子。

②一个水分子是由两个氢原子和一个氧原子构成的。或一个氧分子由两个氧原子构成、一个氢分子由两个氢原子构成,或氢气、氧气是单质,水是化合物。

③原子是化学变化中的最小粒子。

④水是由氢、氧元素组成的。

⑤在化学反应中,元素的种类不变。

⑥在化学反应中,原子的种类、数目不变。

⑦参加反应的各物质的质量总和等于反应后生成的各物质的质量总和。

例2 (2010 甘肃兰州,25,2 分)质量守恒定律是帮助我们认识化学反应实质的重要理论。在化学反应 $aA + bB = cC + dD$ 中,下列说法正确的是 （　　）

A. 化学计量数 a 与 b 之和一定等于 c 与 d 之和

B. 若取 x g A 和 x g B 反应,生成 C 和 D 的质量总和不一定是 $2x$ g

C. 反应物 A 和 B 的质量比一定等于生成物 C 和 D 的质量比

D. 若 A 和 C 都是盐,则该反应一定是复分解反应

答案 B　A 项,如 $3CO + Fe_2O_3 \xrightarrow{\text{高温}} 2Fe + 3CO_2$,$3 + 1 \neq 2 + 3$;B 项,当 A 与 B 没有恰好完全反应,A 或 B 有剩余时,成立;C 项,如 $CH_4 + 2O_2 \xrightarrow{\text{点燃}} CO_2 + 2H_2O$,其质量比为 $16 : 64 : 44 : 36$;D 项,如 $Cu + 2AgNO_3 = Cu(NO_3)_2 + 2Ag$,该反应是置换反应。

科学元典

生物农药的优点　①选择性强,对人畜安全。目前开发应用的生物农药产品,它们只对病虫害有作用。②对生态环境影响小。它的最大特点是极易被日光、植物或各种土壤微生物分解,对自然生态环境安全、无污染。③可以诱发害虫流行病。一些生物农药品种不仅对当年当代的有害生物发挥控制作用,而且对后代或者翌年的有害生物种群起到一定的抑制作用。④可利用农副产品生产加工。

4.质量守恒定律的应用

(1)确定反应物或生成物的质量

确定反应物或生成物的质量时首先要遵循参加反应的各种物质的质量总和等于生成的各种物质的质量总和;其次各种物质的质量比等于相对分子质量与化学计量数的乘积之比。

例3 (2010 山东潍坊,18,2 分)在一个密闭容器中放入甲、乙、丙、丁四种物质,在一定条件下发生化学反应,一段时间后,测得有关数据如下表:

物质	甲	乙	丙	丁
反应前质量/g	18	1	2	32
反应后质量/g	x(未知)	26	2	12

下列说法中,不正确的是 ( )

A.反应后物质甲的质量为13 g

B.乙是反应物

C.反应中乙、丁的质量比为5:4

D.物质丙可能是该反应的催化剂

答案 B 反应后质量减少的是反应物,质量增加的是生成物。乙是生成物,生成乙的质量为26 g−1 g=25 g,丁是反应物,反应的质量为32 g−12 g=20 g,根据质量守恒定律可知,甲是反应物,参加反应的质量是:25 g−20 g=5 g,则反应后甲的质量为18 g−5 g=13 g,反应中乙、丁的质量比为25 g:20 g=5:4,因反应中丙的质量没有变化,则丙可能是催化剂,也可能不参与反应。

(2)确定物质的元素组成

理解在化学反应前后,元素的种类不发生改变。可通过计算确定具体的元素质量。

例4 (2010 四川绵阳,10,3 分)6.4 g 某物质 R完全燃烧生成8.8 g CO_2,化学反应方程式是 $2R+3O_2 \xrightarrow{\text{点燃}} 2CO_2+4H_2O$,则由此得出的下列结论,完全正确的一组是 ( )

①R 由碳、氢两种元素组成 ②R中碳元素的质量分数是37.5% ③6.4 g R 燃烧还生成了7.2 g H_2O ④R 的相对分子质量等于64

A.①②　　　　　　B.③④
C.①④　　　　　　D.②③

答案 D 本题考查质量守恒定律的应用及化学式、化学方程式的有关计算,难度较大。根据质量守恒定律,反应前后原子种类、数目不变,结合题给化

学方程式,可得 R 的化学式为 CH_4O,故①错误,A、C不能选;根据化学式 CH_4O 可求得 R 的相对分子质量为:12+4+16=32,④错误;其中碳元素的质量分数为 $\frac{12}{32} \times 100\% = 37.5\%$,②正确;故应选择 D。

(3)确定反应物或生成物的化学式

比较反应前后各种原子个数的多少,找出原子个数的差异。但不能忘记化学式前的化学计量数。

例5 (2010 甘肃兰州,16,2 分)摩托罗拉公司研发了一种由甲醇为原料的新型手机电池,其容量为锂电池的10 倍,可连续使用一个月才充一次电,其电池反应原理为:

$$2CH_3OH + 3X === 2Na_2CO_3 + 6H_2O$$

其中 X 的化学式为 ( )

A. O_2 　　　　　B.CO
C. CO_2 　　　　D. H_2

答案 A 根据质量守恒定律知反应前后原子的种类和个数不变,3X 中含有 6 个 O,即 X 的化学式为 O_2。

(4)确定某物质的相对分子质量(或相对原子质量)

运用质量守恒定律确定某物质的相对分子质量(或相对原子质量)时,首先寻找两种已知质量的物质,再根据化学方程式中各物质间的质量成正比即可计算得出。注意观察物质化学式前面的化学计量数。

例6 (2010 重庆潼南,15,2 分)有下列化学方程式:$A+3B_2 === 2C+2D$,若参加反应的 A 的质量为7 克,参加反应的 B_2 的质量为24 克,生成 D 的质量为9 克,C 的相对分子质量为44,则 B 的相对原子质量为 ( )

A.16 　　　　　B.20
C.32 　　　　　D.36

答案 A 根据质量守恒定律,反应物的质量总和为:7 g+24 g=31 g,则生成 C 的质量为:31 g−9 g=22 g。设 B 的相对原子质量为 x,

$$A+3B_2 === 2C+2D$$

	$6x$	2×44	
	24 g	22 g	

$6x:88=24 g:22 g$

$x=16$

环境污染会导致癌症吗? 环境污染是导致癌症的重要因素。近年来,随着工业和交通运输业的发展,肺癌的发生率和病死率明显增高,空气污染物中的多环碳氢化合物有致癌作用。在工业发达的地区,工业生产过程中可排放出各种烟尘、金属粉尘、纤维及各种化学物质。锅炉排放出的烟尘、SO_2,交通工具排出的苯并芘、氮氧化物、烃类等,这些物质排放于大气中被人体直接吸入,可诱发各种病变和癌症。

(5)确定化学反应的类型

判定反应的类型,根据质量守恒定律首先判断反应物、生成物的种类和质量(从数值上看,反应物质量减少,生成物质量增加),即可确定。如果是微观示意图,要对比观察减少的粒子和增加的粒子的种类和数目再进行判断。

例7 (2010云南昆明,22,3分)下面是某化学反应前后的微观模拟图,请根据图示回答:

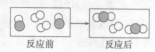

反应前　　　　反应后

(1)该化学反应中,参加反应的"●●"和"○○"与反应后生成的"○●○"各粒子间的个数比为_____。

(2)该反应的基本反应类型为_____。

(3)根据上图所示,以具体物质为例,写出该反应的化学方程式_____。

答案 (1)2:1:2　　(2)化合反应

(3)$2CO + O_2 \xrightarrow{\text{点燃}} 2CO_2$ 或 $2NO + O_2 == 2NO_2$

解析 从图可以看出,参加反应的●●粒子个数是2,○○粒子个数是1,生成的○●○粒子个数是2,该反应是化合反应。

(6)判断化学方程式是否正确

根据质量守恒定律判断化学方程式的对与否关键是看等号两边的原子总数是否相等,同时注意化学式书写是否有误。

例8 (2010云南玉溪,12,2分)下列化学方程式完全正确的是 (　　)

A. 天然气燃烧　$CH_4 + O_2 \xrightarrow{\text{点燃}} CO_2 + H_2O$

B. 处理污水中的硫酸　$Ca(OH)_2 + H_2SO_4 ==$
$CaSO_4 + H_2O$

C. 二氧化碳气体的检验　$CO_2 + Ca(OH)_2 ==$
$CaCO_3 \downarrow + H_2O$

D. 稀硫酸除铁锈　$2H_2SO_4 + Fe_2O_3 == 2FeSO_4$
$+ 2H_2O$

答案 C　A项没有配平,正确的应为 $CH_4 + 2O_2$
$\xrightarrow{\text{点燃}} CO_2 + 2H_2O$;B项没有配平,正确的应为
$Ca(OH)_2 + H_2SO_4 == CaSO_4 + 2H_2O$;D将生成物的化学式写错,除铁锈反应后生成 $Fe_2(SO_4)_3$,正确的应为 $3H_2SO_4 + Fe_2O_3 == Fe_2(SO_4)_3 + 3H_2O$。

知识⑤ 化学方程式

1.化学方程式的概念

用化学式来表示化学反应的式子。如 $C + O_2 \xrightarrow{\text{点燃}} CO_2$ 是碳充分燃烧的化学方程式。

2.化学方程式的读法、意义

(1)化学方程式的读法

以 $C + O_2 \xrightarrow{\text{点燃}} CO_2$ 为例,其读法为:

宏观:碳和氧气在点燃的条件下反应生成二氧化碳。

量的方面:每12份碳和32份氧气完全反应生成44份二氧化碳。

(2)化学方程式表示的意义

宏观:表示反应物、生成物以及反应条件;

微观:表示反应物、生成物之间的粒子个数比;

量的方面:表示反应物、生成物之间的质量关系。

3.化学方程式的书写原则

遵循两个原则:一是必须以客观事实为基础,绝不能凭空设想、主观臆造事实上不存在的物质和化学反应;二是遵循质量守恒定律,即方程式两边各种原子的种类和数目必须相等。

4.书写化学方程式的具体步骤

(1)写:根据实验事实写出反应物和生成物的化学式。反应物在左,生成物在右,中间用横线连接,如:
$H_2 + O_2 \longrightarrow H_2O,H_2O \longrightarrow H_2 + O_2$。

(2)配:根据反应前后原子的种类和数目不变的原则,在反应物和生成物的化学式前配上适当的化学计量数,使各种元素的原子个数在反应前后相等,然后将横线变成等号。配平后,化学式前的化学计量数之比应是最简整数比,如:$2H_2 + O_2 == 2H_2O$,$2H_2O == 2H_2 + O_2$。

(3)注:注明反应条件[如点燃、加热(常用"△"表示)、光照、通电等]和生成物的状态(气体用"↑",沉淀用"↓")。如:$2H_2 + O_2 \xrightarrow{\text{点燃}} 2H_2O,2H_2O \xrightarrow{\text{通电}} 2H_2 \uparrow + O_2 \uparrow$。

◀)) 特别提醒

化学方程式中"↑"和"↓"的应用:

①"↑"或"↓"是生成物状态符号,无论反应物是气体还是固体,都不能标"↑"或"↓";

②若反应在溶液中进行且生成物中有沉淀生成,则使用"↓";若不在溶液中进行,无论生成物中是否有固体或难溶物,都不使用"↓";

科学元典

蔡伦 中国"四大发明"中造纸术的改进者。永元四年,蔡伦任尚方令后,利用供职之便,常到乡间作坊察看,见蚕妇缫丝漂絮后,竹箪上尚留下一层短毛丝絮,揭下似缣帛,可以用来书写,从而得到启发,便收集树皮、废麻、破布、旧渔网等原料,在宫廷作坊施以锉、煮、浸、捣、抄等法,试用植物纤维造纸,终于造出植物纤维纸。元兴元年,他将造纸过程、方法写成奏章,连同造出来的植物纤维纸,呈报汉和帝,和帝大加赞赏。蔡伦造纸术很快传开。人们把这种纸称为"蔡侯纸"。

③常温下,若反应物中无气体,生成物中有气体,则使用"↑"符号。

例 (2010上海,40,1分) 化学方程式是描述化学反应的语言,正确的化学方程式是 ( )

A. $CuO + H_2O \longrightarrow Cu(OH)_2$

B. $2NaOH + CuSO_4 \longrightarrow Na_2SO_4 + Cu(OH)_2 \downarrow$

C. $4Fe + 3O_2 \xrightarrow{\text{点燃}} 2Fe_2O_3$

D. $Mg + HCl \longrightarrow MgCl_2 + H_2 \uparrow$

答案 **B** 判断化学方程式是否正确,首先要看是否符合客观事实;其次要看是否符合质量守恒定律,即是否配平;最后要看反应条件,生成物的状态是否标注正确。A 不反应,C 应生成四氧化三铁,D 未配平。

知识6 化学反应的分类

1. 化学反应的基本类型

(1) 化合反应

①概念:由两种或两种以上物质生成另一种物质的反应,如 $2H_2 + O_2 \xrightarrow{\text{点燃}} 2H_2O$,$4P + 5O_2 \xrightarrow{\text{点燃}} 2P_2O_5$,$CaO + H_2O \Longrightarrow Ca(OH)_2$ 等。

②特征:"多变一"

③表达式:$A + B \Longrightarrow AB$

④初中常见的化合反应

a. 金属单质和氧气反应

铝与氧气:$4Al + 3O_2 \Longrightarrow 2Al_2O_3$

铁与氧气:$3Fe + 2O_2 \xrightarrow{\text{点燃}} Fe_3O_4$

镁与氧气:$2Mg + O_2 \xrightarrow{\text{点燃}} 2MgO$

汞与氧气:$2Hg + O_2 \xrightarrow{\triangle} 2HgO$

铜与氧气:$2Cu + O_2 \xrightarrow{\triangle} 2CuO$

b. 非金属单质与氧气反应

磷与氧气:$4P + 5O_2 \xrightarrow{\text{点燃}} 2P_2O_5$

硫与氧气:$S + O_2 \xrightarrow{\text{点燃}} SO_2$

氢气与氧气:$2H_2 + O_2 \xrightarrow{\text{点燃}} 2H_2O$

碳与氧气:$\begin{cases} C + O_2 \xrightarrow{\text{点燃}} CO_2 (O_2\ 充足) \\ 2C + O_2 \xrightarrow{\text{点燃}} 2CO (O_2\ 不充足) \end{cases}$

c. 氧化物和水反应

氧化钙与水:$CaO + H_2O \Longrightarrow Ca(OH)_2$

二氧化碳与水:$CO_2 + H_2O \Longrightarrow H_2CO_3$

二氧化硫与水:$SO_2 + H_2O \Longrightarrow H_2SO_3$

三氧化硫与水:$SO_3 + H_2O \Longrightarrow H_2SO_4$

d. 其他化学反应

一氧化碳燃烧:$2CO + O_2 \xrightarrow{\text{点燃}} 2CO_2$

氢气在氯气中燃烧:$H_2 + Cl_2 \xrightarrow{\text{点燃}} 2HCl$

钠在氯气中燃烧:$2Na + Cl_2 \xrightarrow{\text{点燃}} 2NaCl$

碳酸钙与二氧化碳、水反应:$CaCO_3 + H_2O + CO_2 \Longrightarrow Ca(HCO_3)_2$

例1 (2010江苏淮安,8,2分) 下列化学反应中属于化合反应的是 ( )

A. $H_2CO_3 \Longrightarrow H_2O + CO_2 \uparrow$

B. $NH_3 + HCl \Longrightarrow NH_4Cl$

C. $2HI + Cl_2 \Longrightarrow 2HCl + I_2$

D. $NaOH + HCl \Longrightarrow NaCl + H_2O$

答案 **B** 根据化合反应的概念很容易辨认具有"多变一"特征的是 B。

(2) 分解反应

①概念:由一种物质生成两种或两种以上其他物质的反应,如 $H_2CO_3 \Longrightarrow H_2O + CO_2 \uparrow$,$2H_2O \xrightarrow{\text{通电}} 2H_2 \uparrow + O_2 \uparrow$。

②特征:"一变多"

③表达式:$AB \Longrightarrow A + B$

④初中常见分解反应

a. 某些氧化物的分解

电解水:$2H_2O \xrightarrow{\text{通电}} 2H_2 \uparrow + O_2 \uparrow$

过氧化氢分解:$2H_2O_2 \xrightarrow{MnO_2} 2H_2O + O_2 \uparrow$

b. 某些含氧酸的分解

碳酸分解:$H_2CO_3 \Longrightarrow H_2O + CO_2 \uparrow$

c. 不溶碱的分解

$2Fe(OH)_3 \xrightarrow{\triangle} Fe_2O_3 + 3H_2O$

$Mg(OH)_2 \xrightarrow{\triangle} MgO + H_2O$

d. 某些盐的分解

加热高锰酸钾:$2KMnO_4 \xrightarrow{\triangle} K_2MnO_4 + MnO_2 + O_2 \uparrow$

科学元典

魏伯阳 魏氏,名翔,一说名笃;字伯阳;号云牙子,一说号云霞子。东汉著名炼丹家。为高门望族之子,世袭簪缨,生性好道,不肯仕宦,闲居养性,时人莫知之。魏伯阳作《参同契》《五行相类》等,其说似解周易,其实假借爻象,以论作丹之意。后晋开运二年编成的《旧唐书》著录有魏伯阳撰《周易参同契》2卷、《周易五相类》1卷。今仅存《周易参同契》一书。

加热氯酸钾：$2KClO_3 \xrightarrow[\triangle]{MnO_2} 2KCl + 3O_2 \uparrow$

煅烧石灰石：$CaCO_3 \xrightarrow{高温} CaO + CO_2 \uparrow$

碳酸氢盐受热分解：$2NaHCO_3 \xrightarrow{\triangle} Na_2CO_3 + H_2O + CO_2 \uparrow$

$NH_4HCO_3 \xrightarrow{\triangle} NH_3 \uparrow + H_2O + CO_2 \uparrow$

碱式碳酸铜的分解：$Cu_2(OH)_2CO_3 \xrightarrow{\triangle} 2CuO + H_2O + CO_2 \uparrow$

例2 (2010 山东滨州,13,3分)在一密闭容器中有甲、乙、丙、丁四种物质,一定条件下使之反应,一段时间后测得反应前后各物质的质量如下:

物质	甲	乙	丙	丁
反应前质量/g	90	10	8	2
反应后质量/g	11	59.25	29.75	10

则该密闭容器中发生的化学反应类型为 （　）

A. 置换反应　　　　B. 分解反应
C. 化合反应　　　　D. 复分解反应

答案 **B** 观察表中数据可看出,甲反应后质量减少是反应物,乙、丙、丁反应后质量均增大,是生成物。该反应是由一种物质生成了三种其他物质,属于分解反应。

(3) 置换反应

①概念：由一种单质与一种化合物反应,生成另一种单质和另一种化合物的反应。如 $Zn + H_2SO_4 \Longrightarrow ZnSO_4 + H_2 \uparrow$,$H_2 + CuO \xrightarrow{\triangle} Cu + H_2O$。

②特征："一换一"或"单质 + 化合物——→单质 + 化合物"。

③表达式：$A + BC \Longrightarrow B + AC$

④置换反应的规律和发生条件

规律	发生条件	实例
H_2 + 金属氧化物 ——→金属 + 水	a. 加热；b. K、Ca、Na、Mg、Al 等的氧化物除外	$H_2 + CuO \xrightarrow{\triangle} Cu + H_2O$,$3H_2 + Fe_2O_3 \xrightarrow{\triangle} 2Fe + 3H_2O$
碳 + 金属氧化物 ——→金属 + CO_2	a. 高温；b. K、Ca、Na、Mg、Al 等的氧化物除外	$C + 2CuO \xrightarrow{高温} 2Cu + CO_2 \uparrow$,$3C + 2Fe_2O_3 \xrightarrow{高温} 4Fe + 3CO_2 \uparrow$
金属 + 酸 ——→盐 + 氢气	a. 浓硫酸、硝酸具有氧化性,与金属反应不生成氢气；b. 在金属活动性顺序表中排在氢前面的金属才能置换出酸中的氢	$Zn + H_2SO_4 \Longrightarrow ZnSO_4 + H_2 \uparrow$,$Mg + 2HCl \Longrightarrow MgCl_2 + H_2 \uparrow$ $2Al + 6HCl \Longrightarrow 2AlCl_3 + 3H_2 \uparrow$,$Fe + H_2SO_4 \Longrightarrow FeSO_4 + H_2 \uparrow$
金属 + 盐 ——→新盐 + 新金属	a. 盐必须能溶于水；b. 在金属活动性顺序表中,排在前面的金属才能置换出后面的金属；c. 钾、钙、钠很活泼,与盐溶液反应不能置换出金属	$Fe + CuSO_4 \Longrightarrow FeSO_4 + Cu$,$Cu + 2AgNO_3 \Longrightarrow 2Ag + Cu(NO_3)_2$

例3 (2010 福建福州,14,4分)在"宏观——微观——符号"之间建立联系,是化学学科特有的思维方式。某化学反应的微观模拟示意图是:

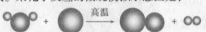

(其中"⬤"表示碳原子,"⬤"表示氧原子,"◯"表示氢原子)

该反应的化学方程式是 ＿＿＿＿＿＿＿＿,
所属基本反应类型是 ＿＿＿＿＿＿＿＿。

答案 $H_2O + C \xrightarrow{高温} CO + H_2$　置换反应

科学元典

葛洪 晋道教学者、著名炼丹家、医药学家。字稚川,自号抱朴子,汉族,晋丹阳郡句容(今江苏句容县)人。三国方士葛玄之侄孙,世称小仙翁。他曾受封为关内侯,后隐居罗浮山炼丹。著有《肘后方》,书中最早记载一些传染病如天花、恙虫症候及诊治。"天行发斑疮"是全世界最早有关天花的记载。其在炼丹方面也颇有心得,丹书《抱朴子·内篇》具体地描写了炼制金银丹药等多方面有关化学的知识,也介绍了许多物质性质和物质变化。

解析 从图示注解可知："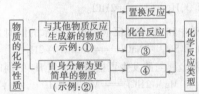"代表一个H_2O分子，"●"代表碳，生成物质分别为CO、H_2。故可写出反应的化学方程式。C、H_2为单质，H_2O、CO为化合物，符合置换反应的概念，故属于置换反应。

(4)复分解反应

①概念：由两种化合物相互交换成分，生成另外两种化合物的反应，如$NaOH + HCl = NaCl + H_2O$，$CuSO_4 + 2NaOH = Na_2SO_4 + Cu(OH)_2\downarrow$。

②特征："成分互换"

③表达式：$AD + BC = AC + BD$

④常见类型及反应规律、反应条件

a.金属氧化物和酸反应：金属氧化物+酸——盐+水(生成物中有水生成，一般都能反应)

盐酸除铁锈：$6HCl + Fe_2O_3 = 2FeCl_3 + 3H_2O$

硫酸除铁锈：$3H_2SO_4 + Fe_2O_3 = Fe_2(SO_4)_3 + 3H_2O$

b.碱和酸反应：碱+酸——盐+水(生成物中有水生成，一般都能反应)

氢氧化钠溶液和盐酸反应

$$NaOH + HCl = NaCl + H_2O$$

氢氧化钠溶液和稀硫酸反应

$$2NaOH + H_2SO_4 = Na_2SO_4 + 2H_2O$$

氢氧化铝和盐酸反应

$$Al(OH)_3 + 3HCl = AlCl_3 + 3H_2O$$

氢氧化镁和盐酸反应

$$Mg(OH)_2 + 2HCl = MgCl_2 + 2H_2O$$

c.盐和酸反应：盐+酸——另一种盐+另一种酸(参加反应的盐不包括不溶于酸的盐，如$BaSO_4$、$AgCl$；生成物中有气体、沉淀或水生成)

盐酸和碳酸钙反应

$$2HCl + CaCO_3 = CaCl_2 + H_2O + CO_2\uparrow$$

盐酸和碳酸钠反应

$$2HCl + Na_2CO_3 = 2NaCl + H_2O + CO_2\uparrow$$

盐酸和碳酸氢钠反应

$$HCl + NaHCO_3 = NaCl + H_2O + CO_2\uparrow$$

盐酸和碳酸钾反应

$$2HCl + K_2CO_3 = 2KCl + H_2O + CO_2\uparrow$$

d.盐和碱反应：可溶性盐+可溶性碱——另一种盐+另一种碱(反应物均溶于水；生成物中有气体、沉淀或水生成)

硫酸铜溶液和氢氧化钠溶液反应

$$CuSO_4 + 2NaOH = Na_2SO_4 + Cu(OH)_2\downarrow$$

碳酸钠溶液和石灰水反应

$$Na_2CO_3 + Ca(OH)_2 = CaCO_3\downarrow + 2NaOH$$

氯化铵和熟石灰反应

$$2NH_4Cl + Ca(OH)_2 \xrightarrow{\triangle} CaCl_2 + 2NH_3\uparrow + 2H_2O$$

e.盐和盐反应：两种可溶性盐反应生成另外两种新盐(反应物均可溶；生成物中有沉淀)

氯化钠溶液和硝酸银溶液反应

$$NaCl + AgNO_3 = AgCl\downarrow + NaNO_3$$

硫酸铜溶液和氯化钡溶液反应

$$CuSO_4 + BaCl_2 = BaSO_4\downarrow + CuCl_2$$

例4（2010安徽芜湖,11,4分）有人将物质的化学性质分为两大类：一类是指与其他物质生成新的物质，另一类是指自身分解为更简单的物质。下图表示物质化学性质的分类与化学反应类型的关系。

```
              ┌──────────┐
              │  置换反应  │
           ┌─→├──────────┤
与其他物质反应  │  化合反应  │
物  生成新的物质 ├──────────┤
质  (示例：①) └─→│    ③    │      化
的              └──────────┘      学
化                               反
学  ┌──────────┐                应
性  自身分解为更  │    ④    │      类
质  简单的物质  ─→├──────────┤      型
   (示例：②)    └──────────┘
```

(1)请用下列两种物质的化学性质的序号填空：

①_____;②_____。

a.硫可以在氧气中燃烧　b.氧化汞受热分解

(2)请用除上图中以外的两种化学反应类型的名称填空：

③_____;④_____。

答案 (1)①a　②b　(2)③复分解反应　④分解反应

解析 本题考查四大化学反应基本类型。分析题干不难得出：自身分解为更简单的物质，这种反应是分解反应，所以示例②选择b，④填分解反应；与其他物质反应生成新的物质，这样的反应包括置换反应、化合反应、复分解反应，所以示例①选择a，③填复分解反应。

2.化学反应中的能量变化

(1)化学反应不仅有物质的变化，还伴随着能量的变化，通常表现为热量变化。 有些化学反应会放出热量(称为放热反应)，如燃烧、镁和盐酸反应等；也有些反应会吸收热量(称为吸热反应)，如碳与二氧化碳反应($C + CO_2 \xrightarrow{\text{高温}} 2CO$)。

(2)常见的吸热反应:化学上把最终表现为吸收热量的反应叫吸热反应,初中化学所涉及的吸热反应主要有以下几种:

① $C + CO_2 \xrightarrow{\text{高温}} 2CO$

② $C + 2CuO \xrightarrow{\text{高温}} 2Cu + CO_2\uparrow$

③ $CaCO_3 \xrightarrow{\text{高温}} CaO + CO_2\uparrow$

④ $3CO + Fe_2O_3 \xrightarrow{\text{高温}} 2Fe + 3CO_2$

可见,一般反应条件为高温的反应是吸热反应。

(3)常见的放热反应:化学上把最终表现为放出热量的反应叫放热反应。初中化学所涉及的放热反应主要有以下几种情况:

①燃烧:所有燃烧均会放热,如 $CH_4 + 2O_2 \xrightarrow{\text{点燃}} CO_2$

$+ 2H_2O, H_2 + Cl_2 \xrightarrow{\text{点燃}} 2HCl$。

②酸碱中和:酸与碱反应生成盐和水的同时放出热量,如 $H_2SO_4 + 2NaOH == Na_2SO_4 + 2H_2O$。

③活泼金属与酸发生置换反应生成 H_2 的同时放出热量,如 $Mg + 2HCl == MgCl_2 + H_2\uparrow, Zn + H_2SO_4 == ZnSO_4 + H_2\uparrow$。

④缓慢氧化也是放热反应,如铁生锈、食物腐烂过程中均放出热量。

⑤其他:如双氧水分解也是放热反应

(4)人类生活对能量的利用

①生活燃料的利用:做饭、取暖等;

②利用燃料烧烧产生的能量:发电、制陶瓷、冶炼金属和发射火箭;

③利用爆炸产生的巨大能量:开山炸石、拆除违规建筑;

④食物在体内发生缓慢氧化放出热量,维持体温和日常活动所需的能量。

(5)燃料充分燃烧的方法

①燃烧时要有足够多的空气(或氧气);

②燃料和空气(或氧气)要有足够大的接触面积。

(6)燃料充分燃烧的意义

①使有限的能源发挥最大的作用,节约能源;②降低环境污染程度。

例5 (2010 江苏常州,12,2 分)"蜂窝煤"比煤球更有利于煤的完全燃烧、提高燃烧效率,这主要是因为 ( )

A. 降低了煤的着火点

B. 升高了煤的着火点

C. 提高了氧气的浓度

D. 增大了煤与氧气的接触面积

答案 **D** 使可燃物充分燃烧可以增大氧气的浓度或增大可燃物与氧气的接触面积。"蜂窝煤"即增大了煤与氧气的接触面积。

3. 从得失氧的角度区分化学反应

(1)氧化还原反应

①氧化反应:物质与氧发生的化学反应,如 $S + O_2$ $\xrightarrow{\text{点燃}} SO_2, H_2 + CuO \xrightarrow{\triangle} H_2O + Cu$。

🔊 **特别提醒**

物质与氧发生的化学反应包括了物质与氧气发生的化学反应,如 $S + O_2 \xrightarrow{\text{点燃}} SO_2$;也包括了物质与化合物中氧元素的反应,如 $H_2 + CuO \xrightarrow{\triangle} H_2O + Cu, H_2$ 与 CuO 中的氧结合成 H_2O。

②还原反应:含氧化合物中的氧被夺去的反应叫还原反应。如 $C + 2CuO \xrightarrow{\text{高温}} 2Cu + CO_2\uparrow, CuO$ 被夺去了氧变成了铜发生了还原反应。

③氧化还原反应:一种物质被氧化,同时另一种物质被还原的反应叫做氧化还原反应。

🔊 **特别提醒**

a. 氧化还原反应是从得失氧角度研究化学反应,不属于基本反应类型。

b. 氧化反应和还原反应并存于同一个反应中。一个化学反应,它是氧化反应就一定是还原反应。

④氧化剂与还原剂

氧化剂:在氧化还原反应中能提供氧元素的物质,氧化剂具有氧化性。

还原剂:在氧化还原反应中能夺取氧元素的物质,还原剂具有还原性。

🔊 **特别提醒**

a. 在氧化还原反应中,氧化剂、还原剂只存在于反应物中,不能是生成物中的物质。

b. 氧化剂具有氧化性,能提供氧,但自身会被还原;还原剂具有还原性,能夺取氧,但自身会被氧化。

科学元典

宋应星 宋应星是中国明末科学家。在担任江西分宜县教谕期间写成了《天工开物》。全书按"贵五谷而贱金玉之义"分为《乃粒》、《乃服》、《彰施》、《粹精》、《作咸》、《甘嗜》、《膏液》、《陶埏》、《冶铸》、《舟车》、《锤锻》、《燔石》、《杀青》、《五金》、《佳兵》、《丹青》、《曲蘖》和《珠玉》共18卷。宋应星除著《天工开物》外,还有《卮言十种》、《画音归正》、《杂色文》、《原耗》等著作,多已失传。

例6 (2010重庆,21,4分)重庆在高科技产业方面发展迅速,今年重庆本土生产的第一台笔记本电脑下线,使老工业基地焕发出新的活力。

(1)生产电脑芯片的材料主要是高纯硅。工业生产硅的原理为:$2C + SiO_2 \xrightarrow{高温} Si + 2CO\uparrow$,在反应中$SiO_2$发生了_____(填"氧化"或"还原")反应。该反应生产的是粗硅,将粗硅提纯才得到高纯硅,在提纯过程中发生的反应之一是:$H_2 + SiCl_4 \xrightarrow{高温} HCl + X$,X的化学式为_____。

(2)天原化工厂通过电解饱和食盐水获得的氢气可用于生产高纯硅。已知电解饱和食盐水生成氢气、氯气(Cl_2)和烧碱,反应的化学方程式为:_____,产生的H_2若在潮湿的Cl_2中燃烧,会产生大量的"白雾","白雾"是_____。

答案 (1)还原 $SiHCl_3$ (2)$2NaCl + 2H_2O \xrightarrow{通电} 2NaOH + H_2\uparrow + Cl_2\uparrow$ 盐酸小液滴

解析 (1)在工业生产硅的原理中,SiO_2提供氧元素,是氧化剂,氧元素被夺去发生还原反应。根据反应前后原子的种类、数目不变可得X的化学式为$SiHCl_3$。

(2)注意根据步骤书写化学方程式。H_2在Cl_2中燃烧会生成HCl气体,由于潮湿有水蒸气,HCl气体溶于水形成盐酸小液滴,故而有"白雾"。

(2)**非氧化还原反应**

非氧化还原反应指化学反应过程中既没有氧的得失,也没有化合价发生改变的反应。

①复分解反应是非氧化还原反应。

如 $HCl + AgNO_3 === AgCl\downarrow + HNO_3$, $Na_2CO_3 + CaCl_2 === CaCO_3\downarrow + 2NaCl$, $HCl + NaOH === NaCl + H_2O$。

②非金属氧化物和可溶性碱的反应:非金属氧化物 + 可溶性碱 —— 盐 + 水

二氧化碳通入澄清石灰水

$$CO_2 + Ca(OH)_2 === CaCO_3\downarrow + H_2O$$

二氧化碳通入氢氧化钠溶液

$$CO_2 + 2NaOH === Na_2CO_3 + H_2O$$

二氧化硫通入氢氧化钠溶液

$$SO_2 + 2NaOH === Na_2SO_3 + H_2O$$

三氧化硫和氢氧化钠溶液反应

$$SO_3 + 2NaOH === Na_2SO_4 + H_2O$$

知识⑦ 催化剂和催化作用

1.概念

概念	描述
催化剂	在化学反应里能改变其他物质的化学反应速率,而本身的质量和化学性质在反应前后都没有发生改变,这样的物质叫做催化剂(又叫触媒)
催化作用	催化剂在化学反应中所起的作用

2.特点

催化剂概念的要点可概括为"一变"、"二不变"。

(1)"一变"是指催化剂能改变其他物质的化学反应速率,这里"改变"包括加快和减慢,也就是说催化剂可以加快反应速率,也可以减慢反应速率。

特别提醒

催化剂只是改变化学反应速率,不能决定反应能否发生,不能改变生成物的质量。

(2)"二不变",指化学反应前后,催化剂本身的质量和化学性质不变。

特别提醒

①催化剂一般有选择性,即仅能对某一反应或某一类型的反应起催化作用。如二氧化锰是过氧化氢溶液分解的催化剂,但对另外的反应不一定是。

②对某些反应来说,催化剂也可能不止一种,如能催化过氧化氢溶液分解的催化剂除二氧化锰外,还有硫酸铜溶液、红砖粉(主要成分为氧化铁)等。

③催化剂可以重复使用。

知识⑧ 影响化学反应速率的因素

1.反应物的浓度:反应物的浓度越大,反应速率越快。

2.反应物间的接触面积:反应物间的接触面积越大,反应速率越快。

3.反应的温度:反应时的温度越高,反应速率越快。

4.有无催化剂及催化剂的种类:一般情况下,催化剂可以加快反应速率(减慢的除外);在有的反应中,不同种类的催化剂对化学反应速率的影响不同。

科学元典

波义耳 他是17世纪最有成就的化学家和近代化学的奠基人。1627年1月25日生于爱尔兰。他一生中做了大量的实验,著名的波义耳定律就是通过对实验的细心观察总结得出的。波义耳写了《怀疑派化学家》。在书中,他第一次对化学元素作了明确和科学的定义,他坚决反对亚里士多德的"四元素说"和帕拉采尔苏斯的"三元素论",而比较赞同德谟克利特的物质观。被恩格斯誉为"把化学确立为科学"的科学家。

拓展知识

知识① 古诗词中的变化

古诗词是古人留给我们宝贵的精神财富,古诗词中往往蕴含着丰富的化学知识,有许多词、句就是典型的物理变化或化学变化。

(1)成语中的变化

①物理变化,如:只要功夫深,铁杵磨成针;

冰冻三尺,非一日之寒;

木已成舟、滴水成冰、花香四溢。

②化学变化:百炼成钢、点石成金、蜡炬成灰。

(2)诗词中的变化

于谦的《石灰吟》:

千锤万凿出深山:物理变化

烈火焚烧若等闲

粉身碎骨浑不怕 ｝化学变化

要留清白在人间

例 (2010 四川广安,1,2 分)下列典故主要体现化学变化的是 （ ）

A. 司马光砸缸　　　　B. 铁杵磨成针

C. 火烧赤壁　　　　　D. 凿壁偷光

答案 C 火烧赤壁是物质的燃烧,发生的是化学变化。

知识② 物质的三态

(1)物态变化是指同一种物质可在固态、液态、气态三种状态间发生转化的过程。如下图,物态变化过程中没有生成新物质,是物理变化。

(2)物态变化各过程中的名称及热量变化

变化过程	名称	热量变化
固态→气态	升华	吸热
气态→固态	凝华	放热
固态→液态	熔化	吸热
液态→固态	凝固	放热
液态→气态	汽化	吸热
气态→液态	液化	放热

知识③ 常见物质的熔点、沸点

常见物质的熔点和沸点(在标准大气压强下)

物质	熔点/℃	沸点/℃
水	0	100
铁	1 535	2 750
铝	660.37	2 467
氧气	−218.4	−182.9

知识④ 有关描述物质物理性质词语的解释

1. **熔点**

物质从固态变成液态叫熔化,物体熔化时的温度叫熔点。

2. **沸点**

液体沸腾时的温度叫沸点。

3. **压强**

物体在单位面积上所受的压力叫压强。

4. **密度**

物质单位体积上的质量叫密度,符号为 ρ。

5. **溶解性**

一种物质溶解在另一种物质里的能力,称为这种物质的溶解性,溶解性跟溶质、溶剂的性质及温度等因素有关。

6. **潮解**

物质在空气中吸收水分,表面潮湿并逐渐溶解的现象。如固体 NaOH、精盐在空气中易潮解。

7. **挥发性**

物质由固态或液态变为气体或蒸气的过程。如浓盐酸具有挥发性,可挥发出氯化氢气体。

8. **导电性**

物体传导电流的能力叫导电性,固体导电靠的是自由移动的电子,溶液导电依靠的是自由移动的离子。

9. **导热性**

物体传导热量的能力,一般导电性好的材料,其导热性也好。

10. **延展性**

物体在外力作用下能延伸成细丝的性质叫延性;在外力作用下能碾成薄片的特性叫展性。二者合称为延展性,延展性一般是金属的物理性质之一。

例 (2010 江苏苏州,8,2分)下列说法能体现物质物理性质的是 ( )

A. 镁粉用作照明弹

B. 铜丝用作导线

C. 氢气用作清洁燃料

D. 二氧化碳用作碳酸饮料

答案 B 铜丝具有良好的导电性常用作导线。导电性是物理性质。

知识 5 有关描述物质化学性质词语的解释

1. 可燃性

物质在一定的条件下,能进行燃烧的性质,如硫具有可燃性。

2. 助燃性

物质能够支持燃烧的性质,如氧气具有助燃性。

3. 氧化性

在氧化还原反应中,能够提供氧元素的性质。

4. 还原性

在氧化还原反应中,能够夺取含氧化合物中氧元素的性质,初中化学常见的还原性物质(即还原剂)有 H_2、CO、C。

5. 酸碱性

物质显酸碱性的合称,指物质能够使酸碱指示剂变色的性质,酸性溶液能使紫色石蕊变红,碱性溶液能使紫色石蕊变蓝。

6. 稳定性

物质不易与其他物质发生化学反应或自身不易发生分解反应的性质,如稀有气体化学性质稳定。

7. 风化

结晶水合物(如 $Na_2CO_3 \cdot 10H_2O$)在干燥的环境中失去结晶水的性质。

例 (2010 广东广州,4,2分)下列 CO 的性质中属于化学性质的是 ( )

A. 常温下为无色气体　　B. 难溶于水

C. 没有气味　　　　　　D. 可以燃烧

答案 D 化学性质通过发生化学变化体现出来;D 项燃烧发生了化学变化,符合题意。A、B、C 三项中的性质不需经过化学变化就可以体现,属物理性质。

知识 6 对燃烧概念的理解

通常所说的燃烧是一种可燃物与空气中的氧气发生的一种发光、发热的剧烈的氧化反应。但实际上燃烧并不一定有氧气参加,任何发光、发热的剧烈化学反应都可称之为"燃烧"。

如:$2Mg + CO_2 \xrightarrow{\text{点燃}} 2MgO + C$,$2Na + Cl_2 \xrightarrow{\text{点燃}} 2NaCl$。

知识 7 影响物质着火点的因素

着火点不是固定不变的。对固体燃料来说着火点的高低跟面积的大小、材料的粗细、导热系数的大小都有关系。颗粒越细,表面积越大,导热系数越小,着火点越低,所以块状的木材难点燃,而木材的刨花很好点燃。对于液体燃料和气体燃料来说,火焰接触它们的情况和外界压强的大小都有关系,所以测定物质的着火点对外界条件有一定标准。

知识 8 影响燃烧剧烈程度的因素

1. 内在因素

可燃物的性质,不同种物质燃烧的现象不同。例如,硫在空气中燃烧发出淡蓝色火焰,细铁丝在空气中却不能燃烧。

2. 外部因素

(1)与氧气的接触面积越大,燃烧越剧烈。如煤的燃烧经历了煤块→煤球→蜂窝煤的过程,蜂窝煤能使煤更充分燃烧的原因是与空气的接触面积增大;如俗语说"人要实,火要虚"的原理也一样。

(2)氧气的浓度越大,燃烧就越剧烈,如硫在空气中燃烧发出淡蓝色火焰,而在氧气中燃烧发出蓝紫色火焰。可燃物在纯氧中比在空气中燃烧都会更剧烈。

知识 9 描述物质燃烧现象的方法

物质燃烧的现象一般从以下三个方面描述

①物质燃烧发出的火或火焰的颜色及其强度。

②物质燃烧均放出大量的热。

③生成物的颜色、气味、状态及特征反应现象。

如镁在空气中燃烧的现象:a. 剧烈燃烧,发出耀眼的白光;b. 放出大量的热;c. 生成白色粉末状固体。

磷在空气中燃烧的现象:a. 发出黄色火焰;b. 放出大量的热;c. 冒出大量白烟。

知识 10 点燃、高温、加热、燃烧

在描述化学反应时,常使用"加热"、"点燃"、"高温"、"燃烧"等术语,几者的区别在于:加热是指利用热源放出的热量使某个体系达到一定的温度范围,一般用酒精灯作为热源,且热源一般与被加热物质不直接接触;高温与加热相似,二者的区别在于温度不同,加热时用酒精灯,而高温时用酒精喷灯;点燃则是指物质进行燃烧时所必需的温度条件,点燃时热源与点燃的物质直接接触;燃烧是一种发光放

科学元典

拉瓦锡　法国巴黎人,推翻燃素说,建立燃烧的氧化学说的著名化学家。1773 年含勒首先制得了氧气(他称为"火气");1777 年拉瓦锡正式把这种助燃、助呼吸的气体称为氧气。在 1772 年至 1777 年的 5 年中,拉瓦锡又做了大量的燃烧试验,于 1777 年向巴黎科学院提交了名为《燃烧概论》的报告。这一学说的建立,把人们长久未能解释的燃烧的秘密揭开了,燃素学说完全被推翻,开始了现代化学的历史。拉瓦锡也因此被后人誉为现代化学的创始人。

热的化学反应,描述的是一种现象,而不是反应的条件。

知识⑪ 烟与雾的区别

"烟"是固体小颗粒悬浮在空气中形成的现象。如磷燃烧会产生大量白烟。

"雾"是小液滴悬浮在空气中形成的现象。如:浓盐酸具有挥发性,打开瓶塞,瓶口上端有白雾,原因是盐酸挥发到空气中形成了盐酸的小液滴。

知识⑫ "光"与"火焰"的区别

"火焰"是气态物质燃烧时产生的特有现象。一般说来,可燃性气体和熔沸点较低易汽化的固体、液体,燃烧时除发光、放热外都有火焰,如氢气、酒精、硫等。而不易汽化的可燃物,如铁等,燃烧时则没有火焰只产生光(或火星)。

知识⑬ 爆炸(物理性爆炸和化学性爆炸)

(1)概念

在有限的空间(如爆竹、炸弹)内,如果发生急速的燃烧,短时间内聚积大量的热,使气体的体积迅速膨胀而引起的;也可以因氧气的浓度较高,或可燃物(气体、粉尘)与氧气的接触面积很大,燃烧范围广,周围的空气迅速猛烈膨胀而引起的。

(2)对概念的理解

①我们所说的爆炸,大部分是指由化学反应引起的,如空气和可燃性气体的混合气体的爆炸、空气和煤粉或面粉的混合物的爆炸等,这些爆炸都是氧化反应。

②爆炸并不都是跟氧气起反应,如氯气和氢气混合气体的爆炸。同时爆炸也并不都是化学变化,也可能是物理变化,如锅炉爆炸、汽车轮胎爆炸、暖水瓶爆炸等都是物理变化。

知识⑭ 爆炸极限

1.概念

可燃性气体在空气中达到一定浓度时,遇到明火会发生爆炸。人们把容易导致爆炸的空气中可燃性气体的体积分数范围,称为该气体的爆炸极限。

特别提醒

①当可燃性气体在混合气体中的含量高于爆炸极限的上限时,可以安静地燃烧;而低于爆炸极限的下限时,则无法燃烧。

②我们通常所说的可燃性气体检验纯度,其实就是检验可燃性气体有没有达到爆炸极限,只要超过爆炸极限的上限,可燃性气体就可以安静燃烧。

2.几种常见物质的爆炸极限

可燃物	爆炸极限
甲烷(CH_4)	5% ~15%
丙烷(C_3H_8)	2.2% ~9.5%
乙醇(C_2H_5OH)	3.4% ~19%
氢气(H_2)	4.0% ~75%
一氧化碳(CO)	12.5% ~74%
液化气	2.0% ~12%
水煤气	7.0% ~72%

知识⑮ 粉尘爆炸实验

1.实验装置及步骤

下面是模拟粉尘爆炸的一个实验:如下图所示,在无盖小塑料筒里放入干燥面粉,点燃蜡烛,用塑料盖盖住金属筒,迅速鼓入大量空气,不久,便会听到"砰"的一声,爆炸的气浪将金属筒的塑料盖掀起。

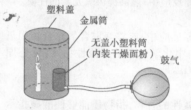

2.现象

砰的一声响,伴随一团火光产生,放热,塑料盖掀起。

3.分析

面粉被吹起后,与空气充分接触,又被蜡烛点燃,在有限的空间内发生急剧地燃烧,并放出大量热,产生的气浪将塑料盖掀起。说明可燃的粉尘在有限的空间内急剧燃烧,能发生爆炸。

知识⑯ 对燃烧的条件进行实验探究的设计思路

1.实验探究

实验操作	现象	结论
白磷 红磷 热水 白磷	铜片上的红磷不燃烧,白磷燃烧;而水中的白磷不燃烧	热水传导给铜片的温度未达到红磷着火点,所以红磷不燃烧;但达到了白磷的着火点,所以白磷燃烧;水中的白磷虽达到着火点但无氧气,所以不燃烧

科学元典

卡文迪许 著名物理学家和化学家。一生中所从事的研究工作很广泛。他首次将氢气收集起来加以研究;首次发现水是由氢和氧两种元素组成的;1784 年首先发现了空气中含有氮气(当时称作"浊气")。著名的剑桥大学"卡文迪许实验室"就是为了纪念他而建立的。

2.结论

燃烧需要的条件有以下三点：

(1)可燃物；

(2)氧气(或空气)；

(3)达到可燃物的着火点。

上述实验设计所运用的两种实验技巧如下：

(1)对比实验法：白磷、红磷在相同的条件下，白磷的着火点低可燃烧，红磷的着火点高不能燃烧。

(2)条件控制法：把一块白磷放入热水中，液封隔绝空气。其研究思路是只提供可燃物和反应的温度，不提供氧气，检验能否燃烧。像这种控制其他条件检验一个条件的方法叫条件控制法。

知识⑰ 燃烧与发光、放热、火焰之间的关系

1.燃烧与发光、放热的关系

燃烧一定发光、放热，但发光、放热的变化不一定是化学变化，因而不一定是燃烧，如原子弹、氢弹的爆炸。

2.燃烧与火焰的关系

火焰是气体物质燃烧所特有的现象。液体物质的燃烧主要是其蒸气的燃烧，因而产生火焰。若固体物质的沸点较高，燃烧时无蒸气逸出，则无火焰，如铁的燃烧；若固体物质的沸点较低，燃烧时有蒸气逸出，就有火焰，如钠、硫的燃烧。

3.发光与放热的关系

化学反应瞬间放出热量较多时，就以光的形式出现，反之则不发光，因此，发光不一定放热，放热不一定发光。燃烧反应是既发光又放热的反应，单一的发光或放热反应不一定是燃烧。

知识⑱ 催化剂在化工生产中的作用

催化剂在化工生产中有重要作用，有的反应如果没有催化剂就不能进行，大多数化工生产都有催化剂参与。例如，在石油炼制过程中，用高效催化剂生产汽油、煤油等；在汽车尾气处理中用催化剂促进有害气体的转化；酿造工业和制药工业都要用酶作催化剂，某些酶制剂还是宝贵的药物。

知识⑲ 泡沫灭火器的灭火原理

(1)泡沫灭火器的灭火原理

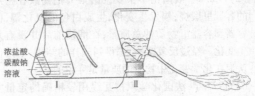

浓盐酸
碳酸钠
溶液

灭火器原理

现象：当把吸滤瓶倒置后，浓 HCl 与 Na_2CO_3 溶液剧烈反应，产生大量 CO_2 气体夹带着水从导管喷出。

方程式：$Na_2CO_3 + 2HCl \Longrightarrow 2NaCl + H_2O + CO_2 \uparrow$ (泡沫灭火器原理)

(2)实际使用的泡沫灭火器，常用硫酸铝来代替盐酸(或硫酸)，用碳酸氢钠来代替碳酸钠，为了产生泡沫，常放入以甘草或皂角等为原料制取的液体。把泡沫灭火器倒转时，两种药液相互混合，发生如下反应：

$Al_2(SO_4)_3 + 6NaHCO_3 \Longrightarrow 3Na_2SO_4 + 2Al(OH)_3 \downarrow + 6CO_2 \uparrow$

大量的二氧化碳跟发泡剂形成泡沫，从喷嘴中喷射出来，覆盖在燃烧物上，使燃烧物隔绝空气和降低温度，达到灭火的目的。但是，因为泡沫中含有水分，不宜用于扑救遇水发生燃烧或爆炸的物质(如钾、钠、电石等)引起的火灾；对于电器火灾，要在切断电源后才能使用泡沫灭火器。

知识⑳ 常用危险品的分类

常用危险化学品按其主要危险特性分为 8 类：

第 1 类 爆炸品：如硝酸铵

第 2 类 压缩气体和液化气体：如液化石油气

第 3 类 易燃液体：如乙醇

第 4 类 易燃固体、自燃物品和遇湿易燃物品：如白磷、钾

第 5 类 氧化剂和无机过氧化物：如 $KMnO_4$、$KClO_3$、CaO_2

第 6 类 有毒品：如汞

第 7 类 放射性物品：如铀 - 235

第 8 类 腐蚀品：如浓 H_2SO_4、NaOH 固体

知识㉑ 质量守恒定律的发现

(1)早在 300 多年前，化学家们就对化学反应进行定量研究。1673 年，英国化学家波义耳(Robert Boyle,

科学元典

舍勒 18 世纪中后期著名的瑞典化学家，氧气的最早发现者之一。1773 年，舍勒用两种方法制得了比较纯净的氧气。他发现，当某一物质与这两种方法所制得的气体发生燃烧后，这种气体就会消失，他因此称它为"火气"。舍勒还有过许多其他重要的发明和发现。如：1714 年利用二氧化锰和盐酸制取了氯气；1781 年发现了白钨矿；1782 年制成了乙醚。他还是著名绿色颜料"舍勒绿"的发明者。

1627–1691)在一个敞口的容器中加热金属,结果发现反应后容器中物质的质量增加了。

(2)1756年,俄国化学家罗蒙诺索夫把锡放在密闭的容器里煅烧,锡发生变化,生成白色的氧化锡,但容器和容器里物质的总质量,在煅烧前后并没有发生变化。经过反复实验,都得到同样的结果,于是他认为在化学变化中物质的质量是守恒的。

(3)1777年,法国化学家拉瓦锡用较精确的定量实验法,在密封容器中研究氧化汞的分解与合成中各物质质量之间的关系,得到的结论是:参加化学反应的各物质的质量总和等于反应后生成的各物质的质量总和。

(4)后来,人们用先进的测量仪器做了大量精度极高的实验,确认拉瓦易的结论是正确的。从此,质量守恒定律被人们所认识。

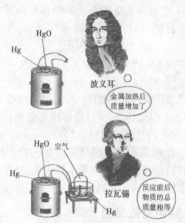

波义耳
金属加热后质量增加了

HgO
Hg
HgO 空气
Hg
拉瓦锡
反应前后物质的总质量相等

例 (2010 福建福州,9,3分)当空气受 SO_2 严重污染时,可通过飞机喷洒 X 粉末,使空气中的 SO_2 含量明显降低,该过程发生的反应是 $2X + 2SO_2 + O_2 === 2CaSO_4 + 2CO_2$。X 的化学式是　　　(　　)

A. CaO　　　　　　B. $CaCO_3$
C. $Ca(OH)_2$　　　　D. Na_2CO_3

答案 B　在化学反应中,原子的种类和数目不发生改变。观察反应后元素种类,由于没有 H、Na 元素,故 C、D 错误;再观察反应后共有 2 个碳原子,而反应前除 X 外,没有碳原子,故选 B。

知识22 从化合价变化角度看化学反应基本类型

(1)氧化还原反应指:一种物质在得到氧的同时,另一种物质失去氧的反应。如果从化合价变化角度看,反应后元素化合价升高的物质发生氧化反应,元

素化合价降低的物质发生还原反应。如 $C + CO_2 \xrightarrow{\text{高温}} 2CO$,在反应中 $CO_2 \to CO$,碳元素化合价降低,CO_2 具有氧化性;$C \to CO$,碳元素化合价升高,单质碳具有还原性。

(2)在化学反应前后,物质所含元素化合价发生变化的反应是氧化还原反应,它与化学反应基本类型间的关系如下图所示。

复分解反应　化合反应　分解反应
氧化还原反应
置换反应

由此可见:从化合价变化角度来看,四种基本反应类型中,置换反应一定是氧化还原反应;化合、分解反应可能是氧化还原反应;复分解反应一定不是氧化还原反应。举例如下:

①置换反应: $\overset{0}{Zn} + \overset{+1}{H_2}SO_4 === ZnSO_4 + \overset{0}{H_2}\uparrow$

②化合反应 $\begin{cases} \overset{0}{C} + \overset{0}{O_2} \xrightarrow{\text{点燃}} \overset{+4-2}{CO_2}(\text{是氧化还原反应}) \\ \overset{+2-2}{CaO} + \overset{+1}{H_2}O === \overset{+2-2+1}{Ca(OH)_2} \\ (\text{不是氧化还原反应}) \end{cases}$

③分解反应 $\begin{cases} 2\overset{+5-2}{KClO_3} \xrightarrow[\triangle]{MnO_2} 2\overset{-1}{KCl} + 3\overset{0}{O_2}\uparrow \\ (\text{是氧化还原反应}) \\ \overset{+2+4-2}{CaCO_3} \xrightarrow{\text{高温}} \overset{+2}{CaO} + \overset{+4-2}{CO_2}\uparrow \\ (\text{不是氧化还原反应}) \end{cases}$

④复分解反应: $\overset{+1-1}{HCl} + \overset{+1-2+1}{NaOH} === \overset{+1-1}{NaCl} + \overset{+1-2}{H_2O}$

知识23 氧化反应与缓慢氧化的区别和联系

	氧化反应	缓慢氧化
概念	物质与氧(包括氧气)发生的反应	物质与氧气发生的缓慢的、不易察觉的氧化反应
举例	所有与氧气发生的反应	铁生锈,食物腐烂等
区别	氧化反应包括剧烈氧化和缓慢氧化两种	
联系	①都是氧化反应;②都放出热量	

例 (2010 云南玉溪,16,2 分)关于 $H_2 \to H_2O$,$CO \to CO_2$,$Mg \to MgO$ 三种物质的转化过程,下列说法不正确的是　　　(　　)

科学元典

普利斯特里　18 世纪中后期著名的英国化学家,和舍勒一样被认为是氧气的最早发现者。他撰写了《几种气体的实验和观察》一书。虽然普利斯特里独立发现了氧气,但却把它称作"脱燃素的空气",而没有认识到它是空气中的一种重要组成气体。普利斯特里在研究中采用了许多新的实验技术,因而在学术界享有很高声誉,还曾被称为"气体化学之父"。

A. 都能通过化合反应实现
B. 都能通过置换反应实现
C. 都能通过与单质反应实现
D. 变化前后元素化合价都发生了改变

答案 B $H_2 \rightarrow H_2O$ 的途径：$2H_2 + O_2 \xrightarrow{点燃} 2H_2O$，$H_2 + CuO \xrightarrow{\triangle} H_2O + Cu$；$CO \rightarrow CO_2$ 的途径：$2CO + O_2 \xrightarrow{点燃} 2CO_2$，$CO + CuO \xrightarrow{\triangle} Cu + CO_2$；$Mg \rightarrow MgO$ 的途径：$2Mg + O_2 \xrightarrow{点燃} 2MgO$，$2Mg + CO_2 \xrightarrow{点燃} 2MgO + C$。

所以 $CO \rightarrow CO_2$ 不可能通过置换反应实现。

知识24 氧化物与氧化剂

(1)氧化物：氧元素跟另一种元素组成的化合物叫做氧化物。

氧化物具有以下特点：

①纯净物；

②该物质是由两种元素组成，其中有一种元素是氧元素。

(2)氧化剂：在氧化反应中提供氧的物质叫氧化剂，氧化剂具有氧化性。氧化剂可能是氧化物，也可能不是氧化物。如 $S + O_2 \xrightarrow{点燃} SO_2$，氧化剂是氧气；$H_2 + CuO \xrightarrow{\triangle} Cu + H_2O$，氧化剂是 CuO。

知识25 常见的氧化剂与还原剂

常见的氧化剂：氧气、高锰酸钾、氯酸钾、过氧化氢、氧化铜等。

常见的还原剂：氢气、碳、一氧化碳等。

知识26 氧化反应、还原反应、氧化剂、还原剂、氧化性、还原性的区别与联系

1. 区别

①$\begin{cases}氧化反应：物质跟氧发生的化学反应\\还原反应：含氧化合物里的氧被夺去的化学反应\end{cases}$

②$\begin{cases}氧化剂：指失氧的物质\\还原剂：指得氧的物质\end{cases}$指得、失氧的物质

③$\begin{cases}氧化性：指氧化剂失去氧的能力\\还原性：指还原剂得到氧的能力\end{cases}$指物质的性质

2. 联系

得到氧的物质 $\xrightarrow{是}$ 还原剂，被氧化，发生氧化反应；

失去氧的物质 $\xrightarrow{是}$ 氧化剂，被还原，发生还原反应。

3. 简单判断物质的氧化性与还原性的方法

从元素的化合价变化的角度来认识物质的氧化性和还原性。一般的，含有高价元素的物质具有氧化性，在反应中这种元素的化合价降低；含有低价元素的物质具有还原性，在反应中这种元素的化合价升高。如在 CO_2 中碳元素为 +4 价，则 CO_2 具有一定的氧化性，单质碳中碳元素化合价为零，单质碳具有还原性。下面的反应可以说明这一结论。

$$C + CO_2 \xrightarrow{高温} 2CO$$

在反应中，$CO_2 \rightarrow CO$，碳元素的化合价降低，CO_2 具有氧化性；$C \rightarrow CO$，碳元素的化合价升高，单质碳具有还原性。

知识27 化学计量数

化学计量数指配平化学方程式后，化学式前面的数字。在化学方程式中，各化学式前的化学计量数之比应是最简的整数比，计数量为 1 时，一般不写出。

知识28 书写化学方程式的常见错误

常见错误	违背规律
写错物质的化学式	
随意臆造生成物或事实上不存在的化学反应	客观事实
写错或漏写反应条件	
化学方程式没有配平	质量守恒定律
漏标或多标"↑"或"↓"符号	

例 (2010 江西南昌,11,2分)下列物质的用途与化学原理不相符合的是 ( )

选项	用途	化学原理(用化学方程式表示)
A	红磷用于制烟幕弹	$4P + 5O_2 \xrightarrow{点燃} 2P_2O_5$
B	稀硫酸用于除锈	$Fe + H_2SO_4 = FeSO_4 + H_2 \uparrow$
C	一氧化碳用于炼铁	$3CO + Fe_2O_3 \xrightarrow{高温} 2Fe + 3CO_2$
D	天然气用作燃料	$CH_4 + 2O_2 \xrightarrow{点燃} CO_2 + 2H_2O$

科学元典

卢瑟福 卢瑟福是二十世纪最伟大的实验物理学家之一。他关于放射性的研究确立了放射性是发自原子内部的变化。1912 年，卢瑟福根据 α 粒子散射实验现象提出原子核式结构模型。1919 年，卢瑟福发现了质子。他通过 α 粒子为物质所散射的研究，无可辩驳的论证了原子的核模型，因而一举把原子结构的研究引上了正确的轨道，于是他被誉为原子物理学之父。

答案 B　铁锈的主要成分是 Fe_2O_3，稀 H_2SO_4 用于除铁锈的化学方程式为 $Fe_2O_3 + 3H_2SO_4 \xlongequal{\quad} Fe_2(SO_4)_3 + 3H_2O$。

知识29 如何提取信息写化学方程式

题目中一般给出了反应物、生成物、反应条件，要求书写化学方程式。解题的关键是认真阅读所给的材料，提取有用信息，对所书写的化学方程式注意反应的条件、箭头和配平。

例　(2010 宁夏,15,4分)(1)硫化氢(H_2S)是一种易溶于水的气体，测定它水溶液的酸碱度，可选用_____。

(2)硫化氢与浓硫酸反应生成硫、二氧化硫和水。在这个反应中，所有含硫物质中硫元素的化合价共有_____种。硫化氢在空气中点燃可完全燃烧，生成二氧化硫和水。这一反应的化学方程式是_____。

答案 (1)pH 试纸　(2)4　$2H_2S + 3O_2 \xlongequal{点燃} 2H_2O + 2SO_2$

解析 (1)测定溶液酸碱度常用 pH 试纸；
(2)$H_2S + H_2SO_4(浓) \xlongequal{\quad} SO_2 \uparrow + S \downarrow + 2H_2O$
H_2S、H_2SO_4、SO_2、S 中硫元素的化合价分别为：-2、$+6$、$+4$、0，硫元素的化合价共有 4 种。

方法清单

方法1 物质的性质与变化的区别方法

(1)物质的性质决定着变化，而变化反映出性质。物质的变化和性质是两个不同的概念。如氢气能燃烧是指氢气的化学性质，它是在氢气燃烧这个化学变化中表现出来的氢气固有属性，而氢气燃烧是一个化学变化，它是氢气与氧气反应生成水这一变化过程。又如汽油挥发是物理变化，汽油易挥发则是指汽油的物理性质

(2)在汉语描述中，常常用一些词如"能"、"会"、"容易"、"可以"、"难"等，有这些词语的指物质的性质，没有这些词语的指物质的变化。
如铁生锈指化学变化，铁可以生锈指化学性质；浓盐酸挥发指物理变化，浓盐酸易挥发指物理性质。

例　(2010 陕西,9,4分)陕西榆林是我国重要的能源基地，煤化工产业发展迅速。煤化工是指在一定条件下将煤等物质转化为 H_2、CO 和炭黑等一系列重要化工原料的生产过程。

(1)用炭黑制成的墨汁书写或绘制的字画能够经久不变色，其原因是_____。
(2)将干燥的 H_2 和 CO 两种气体分别点燃，在火焰上方各罩一个冷而干燥的烧杯，烧杯内壁出现_____的原气体是 H_2。
(3)CO 是一种气体燃料，其燃烧的化学方程式为_____。

答案 (1)常温下碳的化学性质稳定
(2)水雾或水珠
(3)$2CO + O_2 \xlongequal{点燃} 2CO_2$

解析 (1)墨汁是用炭黑制成的，碳单质在常温下化学性质稳定；(2)H_2 燃烧生成水，CO 燃烧生成 CO_2，所以干燥烧杯中出现水雾或水珠的原气体是 H_2；(3)CO 燃烧生成 CO_2，书写化学方程式时注意标注反应条件和配平方程式。

方法2 配平化学方程式的方法

1. 化学方程式的配平

根据质量守恒定律，反应前后原子的种类和数目不变，在反应物和生成物的化学式前配上适当的化学计量数，使各种元素的原子个数在反应前后相等。

2. 常用方法

(1)最小公倍数法
①找出化学方程式左、右两边各出现一次，且原子个数既不相等又相对较多的元素，求出最小公倍数。
②用最小公倍数分别除以含有该元素的化学式中该元素的原子个数，其商就是化学式前的化学计量数。
③由已有的化学计量数，确定其他化学式的化学计量数。
如配平：$P + O_2 \xlongequal{点燃} P_2O_5$，反应前有 1 个氧分子(即 2 个氧原子)，反应后有 5 个氧原子，最小公倍数为 $2 \times 5 = 10$，O_2 的化学计量数为 $\frac{10}{2} = 5$，P_2O_5 的化学计量数为 $\frac{10}{5} = 2$，那么 P 的化学计量数为 4，把短线改为等号：$4P + 5O_2 \xlongequal{点燃} 2P_2O_5$。

(2)观察法
如配平：$CO + Fe_2O_3 \xlongequal{高温} Fe + CO_2$，观察发现此反应的 1 个特点是 1 个 CO 分子结合 1 个氧原子生成 1 个 CO_2 分子，而 Fe_2O_3 中提供了 3 个氧原子，需要与

科学元典

贝格曼　瑞典分析化学家。贝格曼一生做了大量分析工作，对化学分析作过很多改进。1775年他编制出在当时最完备的亲和力表，他曾多次分析矿泉水和矿物成分。贝格曼提出了一种新的测定化合物中金属的含量方法。他在 1780 年出版的《矿物的湿法分析》一书中，提供了那一时期矿石重量分析法的丰富历史资料。1779 年他还曾编著过一些书，系统地总结了当时分析化学发展所取得的成就。

3 个 CO 分子结合生成 3 个 CO_2 分子,因此 CO、CO_2 前均配上化学计量数 3,Fe 的化学计量数为 2,把短线改为等号:$3CO + Fe_2O_3 \xrightarrow{\text{高温}} 2Fe + 3CO_2$。

(3)奇数配偶数法

配平方法的要点:找出化学方程式两边出现次数最多而且在化学式中原子个数总是一奇一偶的元素,在原子个数是奇数的化学式前配上最小的偶数 2,使原子个数由奇数变为偶数并加以配平,若 2 配不平,再换成 4。

如配平:$FeS_2 + O_2 \xrightarrow{\text{高温}} Fe_2O_3 + SO_2$。

氧元素是该化学方程式中出现次数最多的元素,Fe_2O_3 中的氧原子个数为奇数(3 个),先在 Fe_2O_3 前配化学计量数 2,接着在 FeS_2 前面配上化学计量数 4,使两边的铁原子个数相等。$4FeS_2 + O_2 \xrightarrow{\text{高温}} 2Fe_2O_3 + SO_2$;再在 SO_2 前面配上化学计量数 8,使两边 S 原子个数相等,$4FeS_2 + O_2 \xrightarrow{\text{高温}} 2Fe_2O_3 + 8SO_2$;那么生成物各物质前的化学计量数都已确定,氧原子个数也确定,一共 22 个,所以在 O_2 前面必须加上化学计量数 11 才能使化学方程式配平,将短线改成等号,即 $4FeS_2 + 11O_2 \xrightarrow{\text{高温}} 2Fe_2O_3 + 8SO_2$。

(4)定一法

定一法又叫原子守恒法,它适用于配平较复杂的化学方程式,其配平步骤为:

①将式中最复杂的化学式的化学计量数定为 1,作为配平起点;

②根据原子个数守恒确定其他物质的化学计量数(可为分数);

③若配平后化学计量数出现分数,则在式子两边同乘其分母数,使化学计量数之比变成最简整数比。

例如:配平 $CH_3OH + O_2 \longrightarrow CO_2 + H_2O$。

配平步骤:

a.所给化学方程式中,化学式 CH_3OH 最复杂,将其化学计量数定为 1,作为配平起点;

b.通过观察,根据碳原子守恒,在 CO_2 前配上化学计量数 1,根据氢原子守恒,在 H_2O 前配上化学计量数 2,故生成物中含有氧原子数为 $1 \times 2 + 2 \times 1 = 4$,而反应物 CH_3OH 中有一个氧原子,故在 O_2 前配上化学计量数为 $\dfrac{4-1}{2} = \dfrac{3}{2}$;

c.通分化整,将式子两边化学式前的化学计量数都

同乘 2,去掉 O_2 前化学计量数的分母,化学方程式即配平。

配平结果:$2CH_3OH + 3O_2 \xrightarrow{\text{点燃}} 2CO_2 + 4H_2O$。

例 (2010 黑龙江哈尔滨,30,4 分)液化石油气是常用的燃料。请回答:

(1)根据上图提供的信息归纳丁烷的性质有＿＿＿＿＿＿
＿＿＿＿＿＿＿＿＿＿＿＿＿＿＿＿＿＿＿＿＿；

(2)写出丁烷在空气中燃烧生成二氧化碳和水的化学方程式＿＿＿＿＿＿＿＿＿＿＿＿＿＿＿＿＿。

答案 (1)通常状况下是无色气体,密度比空气大,常温加压可变成液体;可燃性

(2)$2C_4H_{10} + 13O_2 \xrightarrow{\text{点燃}} 8CO_2 + 10H_2O$

解析 给出信息中的"性状"即性质。根据丁烷的化学式和燃烧后的生成物即可写出化学方程式。

方法 3 火灾自救及逃生策略

1.可燃性气体泄漏时的注意事项

当室内天然气、液化石油气、煤气泄漏后室内充满可燃性气体,在此环境中打电话或打开换气扇开关,可能产生电火花,造成爆炸。所以应先关闭总阀、开窗通风,并在杜绝一切明火的同时,查找泄漏的原因。

2.火灾自救策略

①迅速找到安全通道;②火灾时上层空气中氧气少,毒气浓度大,所以要匍匐前进;③房间发生火灾时不能随便开门开窗,开门开窗会增加氧气量,使火势更加凶猛;④火灾时,会产生大量浓烟,使窒息而死,因此最好用湿布捂住口鼻;⑤若在山林中遇到火灾时,应逆风而跑,因为顺着风,更易被烧伤和发生危险。

科学元典

贝托莱 法国化学家。他是最早接受拉瓦锡新理论的人之一。他和拉瓦锡一道制定了新的化学命名法。贝托莱根据他自己的想法继续进行了舍勒关于氯的研究,于 1785 年证明氯可用来漂白。他继续进行了普利斯特里关于氨的研究,而且是第一个以相当高的精确度证明了氨的成分的人。他发现了氯酸钾。他在化学上的一项重大贡献是,1803 年他认识到化学反应的方式和速度不仅取决于一种物质对另一种物质的吸引力。他的这一观点正是质量作用定律的前身。

专题 9   化学计算

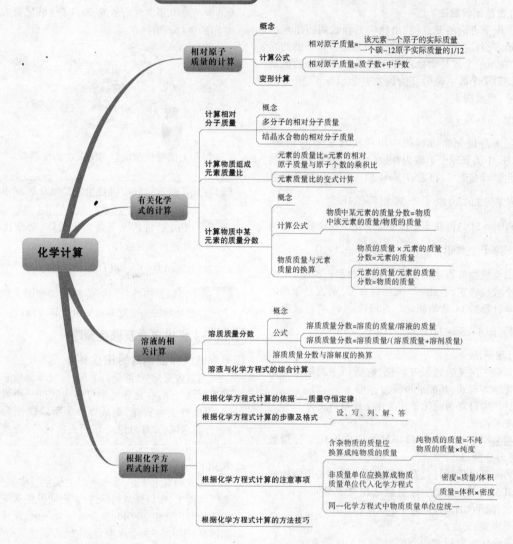

知识清单

基础知识

知识① **与化学式相关的计算**

1. 相对原子质量的计算

(1)**定义**:以一个碳 –12 原子质量的 1/12 为标准,其他原子的质量跟它的比值就是这种原子的相对原

子质量(符号为 A_r)。

(2)**计算式**:某原子的相对原子质量

$$= \frac{\text{该元素一个原子的实际质量(kg)}}{\text{一个碳 – 12 原子实际质量的 1/12(kg)}}。$$

特别提醒

①相对原子质量是有单位的,单位为 1,一般省略不写。②由于原子中电子的质量相对很小,所以相对原子质量约等于原子内所有质子和中子的相对

科学元典

道尔顿 英国科学家。近代原子学说的奠基人。道尔顿原子学说的主要观点是:一切元素都是由原子组成的;同一元素的原子的性质和质量都相同,不同元素的原子质量都不同;化合物是不同原子按简单整数比化合而成的。他还通过大量的实验,测出了 20 种不同元素的相对原子质量,并于 1803 年给出了世界上第一张原子量表。道尔顿一生著书 50 多部,其中最重要的是《化学哲学新体系》。

质量之和,因为一个质子和一个中子的相对质量取近似整数值时均为1,所以相对原子质量(取整数值)从数值上约等于质子数加中子数,即相对原子质量=质子数+中子数。

2.相对分子质量的计算

相对分子质量就是化学式中各原子的相对原子质量的总和,符号为 M_r。如化学式为 A_mB_n 的物质的相对分子质量 M_r = A 的相对原子质量 $\times m$ + B 的相对原子质量 $\times n$。

特别提醒

①计算相对分子质量时,一定要注意"+"和"×"的正确使用,同种元素的相对原子质量与其个数相乘,不同元素的相对原子质量则相加;

②化学式中原子团右下角的数字表示其个数(但如 $BaSO_4$ 中的4表示氧原子的个数,不表示原子团 SO_4^{2-} 的个数),计算时先求一个原子团的相对质量,再乘以其个数。如 $Ca(OH)_2$ 的相对分子质量 =40 + (1 + 16) ×2=74;

③化学式中的圆点,如:"$CuSO_4 \cdot 5H_2O$"中的"·"表示和,不表示积。即 $CuSO_4 \cdot 5H_2O$ 的相对分子质量 = $CuSO_4$ 的相对分子质量 + $5H_2O$ 的相对分子量 =160 + 5 ×18=250;

④化学式的相对分子质量是化学式中各原子相对原子质量的总和,因此相对分子质量的单位为1,书写时省略不写;

⑤计算多个相同分子的相对分子质量总和时,应先求出化学式的相对分子质量再乘以前面的系数,如 $2KClO_3$ 的相对分子质量 =2 ×(39 +35.5 + 16 ×3) =245;

⑥若已知化合物中某原子(或原子团)的相对原子质量 A 和原子个数 n 及其质量分数 x%,则化合物的相对分子质量 $=\dfrac{nA}{x\%}$。

例1 (2010 河南,5,1 分)下列关于维生素 C (化学式为 $C_6H_8O_6$)的说法正确的是　　(　　)

A. 该物质属于氧化物

B. 该物质中碳、氢、氧的质量比为3:4:3

C. 该物质的相对分子质量为 176

D. 分子由碳原子、氢分子和氧分子构成

答案 C 本题考查氧化物的概念、物质组成的表示。由维生素 C 的化学式可知,一个维生素 C 分

子由 6 个碳原子、8 个氢原子、6 个氧原子构成。其相对分子质量为 6 × 12 + 8 × 1 + 6 × 16 = 176。该物质中碳、氢、氧的质量比为(6 × 12):(8 × 1):(6 × 16) =9:1:12。

3.计算物质组成元素的质量比

(1)化合物里各元素的质量比是原子个数与相对原子质量的乘积之比。即各元素原子的相对原子质量总和之比。计算的关键在于正确判断出各元素的原子总数。

(2)公式为:各元素的质量比=各元素相对原子质量与相应原子个数的乘积之比。

如化学式为 A_mB_n 物质中,A、B 两元素的质量比 = A 的相对原子质量 $\times m$: B 的相对原子质量 $\times n$。

特别提醒

①元素是宏观概念,只讲种类,不讲个数。用元素符号表示时,元素符号前后都不能写数字,如计算四氧化三铁(Fe_3O_4)中铁元素和氧元素的质量比时不能写成 $3Fe:4O$。

②在化学式中,原子个数比等于元素的质量除以其相对原子质量之比。如 A_mB_n 中 A、B 两元素的质量比为 M:N,则化学式中 A、B 两元素的原子个数比 $m:n = \dfrac{M/A \text{ 的相对原子质量}}{N/B \text{ 的相对原子质量}}$。

③当化学式中含有多种元素时,可以计算全部元素的质量比,也可以计算其中某几种元素的质量比。

例2 (2010 山东滨州,21,3 分)在 2010 年 5 月 31 日山东电视台的《生活帮》节目中,播报了某些网吧给通宵上网的学生提供磷酸可待因糖浆,使学生短时兴奋,但长期服用会导致学生食欲减退、情绪易激动且吸食成瘾的恶果。已知磷酸可待因的化学式为 $C_{18}H_{21}NO_3 \cdot H_3PO_4 \cdot H_2O$。试回答下列问题:[提示:$CuSO_4 \cdot 5H_2O$ 的相对分子质量计算式为 64 × 1 + 32 × 1 + 16 × 4 + 5 ×(1 × 2 + 16 × 1) = 250]

磷酸可待因由　　　　种元素组成,其相对分子质量为　　　　,磷酸可待因分子中氢、氧两种元素的质量比为　　　　。

答案 五 415 13:64(或 26:128)

解析 由磷酸可待因的化学式可知,磷酸可待因由 C、H、O、N、P 五种元素组成,其相对分子质量为 12 ×18 + 1 ×26 + 14 + 31 + 16 ×8 =415,磷酸可待因中氢氧两种元素的质量比为(1 ×26):(16 ×8) = 26:128

科学元典

H. 戴维 年轻时就做出了不少惊世之举而成为举世瞩目的化学家。1799 年 4 月,戴维制取了一氧化二氮(又名笑气)。戴维在密闭的坩埚中电解潮湿的苛性钾,制得一种银白色的金属。由于这种金属是从钾草碱(potash)中制得的,所以将它定名为 Potassium(中译名为钾)。后来他又用电解的方法制得了金属钠、镁、钙、锶、钡和非金属元素硼,成为化学史上发现新元素最多的人。

$=13:64$。

4. 计算物质中某元素的质量分数

（1）物质中某元素的质量分数，就是该元素的质量与组成物质的各元素总质量之比。

（2）公式为：某元素的质量分数 =

$$\frac{某元素的相对原子质量×原子个数}{物质的相对分子质量}×100\%。$$

如 A_mB_n 中，A 元素的质量分数 =

$$\frac{A\ 的相对原子质量×m}{A_mB_n\ 的相对分子质量}×100\%。$$

（3）若题目给出物质的化学式，又同时知道物质的实际质量，则可依据物质质量×某元素的质量分数 = 该元素质量，将其中所含某元素的质量求出。同理，物质的质量 = 某元素质量÷该元素质量的分数。

🔊 **特别提醒**

计算时应先列式子，然后代入数据算出结果。如水中氢元素的质量分数为 $\dfrac{2A_r(H)}{M_r(H_2O)}×100\%=$

$\dfrac{1×2}{1×2+16}×100\%=\dfrac{2}{18}×100\%=11.1\%$，不能写

成 $\dfrac{M_r(H_2)}{M_r(H_2O)}×100\%=\dfrac{2}{18}×100\%=11.1\%。$

例3 （2010 山东烟台，30，4 分）我国从 1994 年开始强制食盐加碘，即在食盐中加入碘酸钾（KIO_3），以防治碘缺乏病的发生，2010 年将适当下调现行食盐加碘量。各地将根据本地区实际情况作相应调整。深圳已率先作出调整，由原来每千克食盐含碘 40 mg 下调至 25 mg。（提示：碘的相对原子质量为 127）

（1）碘酸钾中碘元素、钾元素、氧元素的质量比为＿＿＿＿＿＿＿＿＿；

（2）碘酸钾中碘元素的质量分数为＿＿＿＿＿＿；（保留至 0.1 ％或用分数表示）

（3）请为我市某企业计算：售往深圳的加碘食盐每袋（500 g）应比调整前少加碘酸钾多少毫克？

答案 （1）$127:39:48$

（2）59.3%（或 $\dfrac{127}{214}$）

（3）每 500 g 食盐中少加碘的质量为

$(40\ mg-25\ mg)÷2=7.5\ mg$

则每 500 g 食盐中少加碘酸钾的质量为

$7.5\ mg÷59.3\%=12.6\ mg$

答：售往深圳的加碘盐每 500 g 应比调整前少加碘酸钾 12.6 mg。

解析 本题考查与化学式有关的计算。第（3）问售往深圳的加碘食盐每袋重量为 500 g，食盐加碘量每千克食盐含碘从 40 mg 下调至 25 mg，所以 500 g 食盐中少加碘的质量为（40 mg−25 mg）÷2＝7.5 mg，每 500 g 食盐中少加碘酸钾的质量为 7.5 mg÷59.3%＝12.6 mg。

（4）混合物中物质的质量分数与元素质量分数之间的换算。

组成混合物的多种物质中只有一种物质含某元素，则在混合物中某物质的质量分数×该物质中某元素的质量分数 = 混合物中该元素的质量分数。

例4 （2010 江苏镇江，15，2 分）已知 NH_4NO_3 和 KH_2PO_4 固体混合物中氮元素的质量分数为 28%，则混合物中 KH_2PO_4 的质量分数为（　　）

A．20%　　　　　B．25%

C．85%　　　　　D．80%

答案 A　混合物中只有 NH_4NO_3 中含有氮元素，NH_4NO_3 中氮元素的质量分数为 35%，混合物中氮元素的质量分数为 28%，则混合物中 NH_4NO_3 的质量分数为 28%÷35%＝80%，KH_2PO_4 的质量分数为 1−80%＝20%。

知识② 利用化学方程式的简单计算

1. 理论依据

所有化学反应均遵循质量守恒定律，根据化学方程式计算的理论依据是质量守恒定律。

2. 基本依据

根据化学方程式计算的基本依据是化学方程式中各反应物、生成物之间的质量比为定值。而"在化学方程式中各物质的质量比在数值上等于各物质的相对分子质量与其化学计量数的乘积之比"。例如：镁燃烧的化学方程式为 $2Mg+O_2\xrightarrow{\text{点燃}}2MgO$，其中各物质的质量之比为 $m(Mg):m(O_2):m(MgO)=48:32:80=3:2:5。$

3. 根据化学方程式计算的步骤

具体的计算步骤如下：

（1）设未知量，求什么设什么。

（2）正确完整地写出相应的化学方程式。

（3）根据化学方程式写出各物质的相对分子（或原子）质量总和，标在相应的化学式下面。把题中的已

科学元典

阿伏加德罗　意大利化学家、物理学家。阿伏加德罗的主要贡献是他于 1811 年提出了著名的阿伏加德罗假说。但是由于当时阿伏加德罗没有对他的假说提出实验证明，以致其假说不易被人接受。直到 1860 年康尼扎罗用实验论证并在卡尔斯鲁厄化学会议上予以阐述后，该假说才获公认，成为现在的阿伏加德罗定律。

知条件和待求未知量写在相应物质的相对分子(或原子)质量总和的下面。

(4)列比例式,求解。

(5)简明地写出答案。

🔊 **特别提醒**

①各物质的质量比不用化简约分;②不是相关量不用标出。

4.应注意的问题

(1)解题时首先要认真审题、理清思路、确定解题方法、严格按解题步骤求解。

(2)化学方程式所表示的反应物、生成物的质量关系是进行化学计算的基础,在化学方程式中各物质的化学式一定要书写正确,一定要配平化学方程式或关系式中某元素原子的数目一定要相等,相对分子质量的计算一定要准确。

(3)化学方程式所表明的各物质指纯净物,参加计算的各物质的质量也必须是纯净物的质量。如果求纯净物的质量需进行换算,换算方法:纯净物的质量 = 物质总质量×该物质的质量分数(即纯度)。

(4)所列的比例式应为"正比例式"。

(5)在单位使用上,应做到上下单位相同。

(6)对题目中所给的"适量""足量""过量""恰好反应""完全反应""充分反应"等词语,要认真对待,正确理解,一般来说:

"适量"——两种(或多种)反应物之间按一定量比恰好反应。

"足量"——一种反应物完全反应,无剩余;另一种反应物可能完全反应,也可能过量。

"过量"——完全反应后,有一种(或多种)反应物剩余。

"恰好反应"和"完全反应"——完全反应,反应物无剩余。

"充分反应"和"反应完全"——同"足量"。

(7)用化学方程式计算时解题格式要规范。

5.利用化学方程式计算的几种类型

(1)已知某反应物或生成物的质量,求另一种反应物或生成物的质量。

(2)有关含杂质的物质质量间的计算。

(3)根据化学方程式进行计算的含体积、密度与质量间换算的有关计算。

(4)关于过量问题的计算。

(5)多步反应的计算。

(6)其他类型的计算。

例1 (2010陕西,23,5分) 我国是世界钢铁产量最大的国家,炼铁的主要原料是铁矿石。用赤铁矿石(主要成分为Fe_2O_3)炼铁的反应原理为:$Fe_2O_3 + 3CO \xrightarrow{\text{高温}} 2Fe + 3CO_2$。

(1)上述反应不是置换反应的理由是:_____。

(2)Fe_2O_3中铁元素的质量分数:_____。

(3)根据化学方程式计算:用含Fe_2O_3 60%的赤铁矿石800 t,理论上可炼出纯铁多少吨?

答案 (1)反应物中没有单质

(2)$\dfrac{Fe\text{的相对原子质量}\times 2}{Fe_2O_3\text{的相对分子质量}}\times 100\% = \dfrac{56\times 2}{160}\times 100\%$
$= 70\%$

(3)解:设理论上可炼出纯铁的质量为x。

$$Fe_2O_3 + 3CO \xrightarrow{\text{高温}} 2Fe + 3CO_2$$

$160 \phantom{CO \xrightarrow{\text{高温}} 2F}112$

$800\ t\times 60\% \phantom{CO \xrightarrow{\text{高温}}} x$

$\dfrac{160}{112} = \dfrac{800\ t\times 60\%}{x}$

$x = 336\ t$

答:理论上可炼出纯铁336 t。

解析 (1)置换反应要求反应物和生成物都有单质和化合物,而炼铁反应的反应物中没有单质,故不属于置换反应。

(2)利用公式进行计算即可。

(3)注意将铁矿石的质量转化为纯Fe_2O_3的质量,然后代入化学方程式进行计算。

6.计算时常见的错误

(1)不认真审题,答非所问;(2)元素符号或化学式写错;(3)化学方程式没有配平;(4)相对分子质量计算错误;(5)没有统一单位;(6)把不纯物质当成纯净物质计算。

例2 (2010江苏常州,26,3分) 16 g Fe_2O_3与184 g稀H_2SO_4恰好完全反应,求所得$Fe_2(SO_4)_3$溶液的溶质质量分数。

答案 解:设16 g Fe_2O_3与稀H_2SO_4完全反应生成$Fe_2(SO_4)_3$的质量为x。

$$Fe_2O_3 + 3H_2SO_4 === Fe_2(SO_4)_3 + 3H_2O$$

$160 400$

$16\ g x$

科学元典

加多林 芬兰人,第一位发现稀土元素的化学家。1794年,他得到了一块奇特的黑色石头。加多林对它进行了仔细的分析,证实了里面含有一种新元素。这就是第一个被发现的稀土元素钇(Yttrium)。后来,这种矿石被命名为加多林矿。加多林从小受到既是天文学家又是物理学家的父亲的严格教育,他曾经和著名的化学家舍勒合作过。在芬兰大学担任了25年化学教授。研究过很多种矿石及其分析方法。他还是北欧最早反对燃素学说的科学家。

$160 : 400 = 16\ g : x$

$x = \dfrac{400 \times 16\ g}{160} = 40\ g$

$Fe_2(SO_4)_3$ 溶液的溶质质量分数为 $\dfrac{40\ g}{16\ g + 184\ g} \times 100\% = 20\%$。

答：所得 $Fe_2(SO_4)_3$ 溶液的溶质质量分数为 20%。

解析 本题出现的两个数据中，只有 16 g Fe_2O_3 完全反应，而 184 g 是硫酸溶液的质量，因而不能直接作为方程式计算的已知量。

知识③ 溶液的相关计算

1. 溶质质量分数的计算

(1) 探究溶液的组成

【实验】 在三支试管中各加入 10 mL 水，然后分别加入约 0.5 g、1 g、2 g 无水硫酸铜。比较三种 $CuSO_4$ 溶液的颜色。

注：1 mL 水的质量大约为 1 g。

试管编号	溶液颜色比较	溶剂质量/g	溶质质量/g	溶液质量/g	溶液的浓与稀	溶质质量分数
1	较浅	10	0.5	10.5	稀	4.8%
2	略深	10	1	11	较浓	9.1%
3	更深	10	2	12	浓	16.7%

我们可以得出这样的实验结论：三支试管中溶液的颜色不同，在水的量相同的条件下，加入固体 $CuSO_4$ 多的溶液颜色深、浓度大。

浓溶液、稀溶液只是粗略地表示溶液中溶质的多少，要准确知道一定量的溶液里究竟含有多少溶质，常采用溶质的质量分数来表示。

(2) 溶液随溶质、溶剂的变化而变化

溶液是由溶质和溶剂组成的，当溶质或溶剂的量变化时，溶液的浓度也会变化。

①若溶质的量增加，溶剂的量不变，则溶液的量增加，溶液会变浓。

②若溶质的量减少，溶剂的量不变，则溶液的量减少，溶液会变稀。

③若溶质的量不变，溶剂的量增加，则溶液的量增加，溶液会变稀。

④若溶质的量不变，溶剂的量减少，则溶液的量减少，溶液会变浓。

(3) 溶质质量分数的定义

溶液中溶质的质量分数是<u>溶质质量</u>与<u>溶液质量</u>之比。

(4) 公式

$$溶质的质量分数 = \dfrac{溶质质量}{溶液质量} \times 100\%$$

$$= \dfrac{溶质质量}{溶质质量 + 溶剂质量} \times 100\%。$$

🔊 **特别提醒**

①定义中溶质质量是指溶解在溶液中的溶质的质量，不包括没有溶解部分的溶质质量；

②溶质的质量分数是一个比值，没有单位，<u>用百分数表示</u>，一般与温度和溶液的多少无关；

③计算式中溶质质量与溶液质量的<u>单位必须统一</u>；

④溶液质量是该溶液中溶剂质量与全部溶解的溶质质量之和（溶质可以是一种或几种）。

(5) 溶质质量分数计算的类型

1) 利用公式的基本计算

a. 已知溶质、溶剂的质量，求溶质的质量分数。

直接利用公式：溶质的质量分数 =

$$\dfrac{溶质的质量}{溶液的质量（溶质的质量 + 溶剂的质量）} \times 100\%$$

b. 已知溶液、溶质的质量分数，求溶质、溶剂的质量。

利用公式：溶质的质量 = 溶液的质量 × 溶质的质量分数

溶剂的质量 = 溶液的质量 − 溶质的质量

c. 已知溶质的质量、溶质的质量分数，求溶液的质量

利用公式：溶液的质量 = 溶质的质量 ÷ 溶质的质量分数

例1 （2010 福建南安，22，4 分）2010 年 4 月 14 日，青海省玉树县发生大地震，某护士为在帐篷里的一位病人滴注 500 mL 的生理盐水（NaCl 的质量分数为 0.9%，溶液的密度约为 1 g/mL）。计算 500 mL 的生理盐水中 NaCl 的质量为 _____ g，水的质量为 _____ g。

答案 4.5　495.5

解析 500 mL 生理盐水的质量为：500 mL × 1 g/mL = 500 g，500 g 生理盐水中 NaCl 的质量为：500 g × 0.9% = 4.5 g。水的质量为：500 g − 4.5 g = 495.5 g。

2) 质量、体积、密度与溶质质量分数的换算

当溶液的量用体积表示时，计算时应首先将溶液的体积换算成质量后再进行相关计算。因为计算溶质的质量分数的公式中各种量都是以质量来表示

科学元典

贝采利乌斯 19 世纪前期瑞典最杰出的化学家。1779 年 8 月 22 日，贝采利乌斯生于瑞典东部的一个小村庄。贝采利乌斯最早研究的课题是分析化学和矿物分类。在这期间，先后发现了碲、硒、硅和钍元素。他对化学的一大贡献是创造了一套用拉丁字母表示的元素符号（即现在使用的元素符号）。他还先后制定了五张原子量表。贝采利乌斯对化学的贡献还涉及许多重要领域，如发现了异构现象、创立了电化学、提出了催化剂概念等。

的,不得以体积的数据来代替。

利用公式:溶液的质量 = 溶液的体积×溶液的密度

例2 (2010 甘肃兰州,20,2 分)实验室用密度为 1.84 g/cm^3、质量分数为98%的浓硫酸和蒸馏水,配制 500 g 质量分数为20%的稀硫酸。需要用多少毫升的量筒量取多少毫升的浓硫酸   (   )

A.100 mL 54.35 mL   B.100 mL 55.5 mL

3)溶液的稀释与浓缩

	方法	计算依据	计算公式
溶液的稀释	①加水稀释 ②加稀溶液稀释	①加水稀释前后,溶液中溶质的质量不变 ②用稀溶液稀释浓溶液时,稀溶液中溶质的质量与浓溶液中溶质的质量之和等于混合后溶液中溶质的质量	加水稀释:稀释前后溶液中的溶质的质量不变 $m_浓 × \omega_浓\% = (m_浓 + m_水) × \omega_稀\%$
溶液的浓缩	①添加溶质 ②蒸发溶剂 ③加入浓溶液	①原溶液中的溶质与后加入的溶质质量之和等于混合后溶液中的溶质质量 ②蒸发溶剂前后溶液中溶质的质量不变 ③原溶液中的溶质与加入浓溶液中的溶质质量之和等于混合后溶液中的溶质质量	蒸发浓缩:浓缩前后溶液中溶质的质量不变 $(m_稀 - m_水) × \omega_浓\% = m_稀 × \omega_稀\%$

🔊 **特别提醒**

①几种溶液混合,溶液的体积不能简单相加,即 $V_总 \neq V_A + V_B$。

②混合后溶液的质量、溶质的质量可以相加,即 $m_总 = m_A + m_B$。

③要求混合后溶液的总体积,必须依据公式 $V = \dfrac{m}{\rho}$,所以要知道混合溶液的密度才能求出总体积。

例3 (2010 江苏常州,19,2 分)稀释质量分数为98%(密度为 1.84 g/mL)的浓硫酸配制 500 mL 质量分数为20%的稀硫酸(密度为 1.14 g/mL),稀释时需要的水的体积约为   (   )

A.436.8 mL   B.453.7 mL

C.250 mL 54.35 mL   D.250 mL 55.5 mL

答案 B 设需要98%的浓硫酸的体积为 x,则有:500 g×20% = x×1.84 g/cm^3×98%,x≈55.5 mL。量取 55.5 mL 浓硫酸应选用 100 mL 的量筒。故选 B。

C.456.0 mL   D.458.3 mL

答案 B 设需要98%的浓 H_2SO_4 溶液的体积为 x,则 x·1.84 g/mL×98% = 500 mL·1.14 g/mL×20%,x=63.2 mL;稀释时需加水的体积为(500 mL×1.14 g/mL - 63.2 mL×1.84 g/mL)÷1 g/mL = 453.7 mL。解答本题时求需要加水的体积不能用 500 mL - 63.2 mL = 436.8 mL,因为溶液浓度不同时,密度也不同,不能直接用浓度不同的溶液的体积直接计算,必须将体积换算成质量后求出需加水的质量然后换算成体积。

- - - - - - - - - -

科学元典

巴拉尔 他对海洋化学特别感兴趣,并对碘的新来源进行了大量的探索。1826 巴拉尔发现了一种性质介于氯和碘之间的物质。开始他认为这是氯和碘两种元素的化合物,便称之为氯化碘,但进一步试验使他相信这是一种新元素,便把它叫做溴。1851 年巴拉尔被委聘为法兰西学院的教授。

4)配制溶液的计算

①用溶质和水配制一定溶质质量分数的溶液

实验用品	托盘天平、烧杯、量筒、胶头滴管、玻璃棒、药匙等
实验步骤	计算→称量药品→量取水→搅拌溶解  a.计算所需溶质和水的质量 b.用托盘天平称量所需溶质,倒入烧杯中 c.把水的密度近似看作 1 g/cm³,用量筒量取一定体积的水,倒入盛有溶质的烧杯里,用玻璃棒搅拌,使溶质溶解 d.把配好的溶液装入试剂瓶中,盖好瓶塞并贴上标签(标签中应包括药品的名称和溶液中溶质的质量分数),放到试剂柜中
导致溶液质量分数变化的因素	a.称量时物质和砝码的位置放错,如正确称量5.8 g NaCl,应在右盘放置 5 g 砝码,再用 0.8 g 游码,若放错位置,将砝码放在天平的左盘,则实际称量 NaCl 的质量为 5 g－0.8 g＝4.2 g,这样会导致配制的溶液溶质质量分数变小 b.量筒量取水的体积时读取示数错误,读取示数时仰视读数所量取水的实际体积大于理论值,将会使配制的溶液溶质质量分数变小;读取示数时俯视读数所量取水的实际体积小于理论值,将会使配制的溶液溶质质量分数变大 c.将量筒中的水倒入烧杯时洒落到外面或未倒净,将导致溶液溶质质量分数增大 d.所用固体不纯,将会导致溶液溶质质量分数偏小

例4 (2010 河北,30,4 分) 小明要用 100 g 质量分数为 10% 的氢氧化钠溶液来制作"叶脉书签"。下图是他配制氢氧化钠溶液的实验操作示意图。

①　②　③　④　⑤

(1)量取所需要的水应选择_____(选填"10 mL"、"50 mL"或"100 mL")量筒。

(2)指出图中的一处操作错误:_____。

(3)用上述图示的序号表示配制溶液的操作顺序:
_____。

(4)配制好的氢氧化钠溶液要密封保存,其原因是:
_____。

答案 (1)100 mL

(2)称量时药品和砝码放置的位置颠倒(或量水时

仰视读数)

(3)④①③⑤②(或③④①⑤②)

(4)氢氧化钠溶液与二氧化碳反应变质(或防止氢氧化钠溶液与二氧化碳反应)

解析 配制一定溶质质量分数的溶液的步骤包括:计算、称量、量取、溶解。配制 100 g 10% 的氢氧化钠溶液需 NaOH 10 g,水 90 mL;用天平称量固体药品时应"左物右码",故操作①错误,量取 90 mL 水应选 100 mL 量筒,正确读取示数应使视线与凹液面最低处保持水平,故操作③错误。按顺序完整的配制过程应为④①③⑤②(或③④①⑤②)。因为 NaOH 溶液能与空气中的 CO_2 反应,故 NaOH 溶液应密封保存。

②若用浓溶液稀释配制溶液,其操作步骤为:

a.计算:计算出所需浓溶液的体积和所需水的体积。

b.量取:所用仪器为量筒、胶头滴管。

科学元典

杜马 法国化学家。1832 年,他研究了硫、磷、砷和汞的蒸汽密度。创立了根据蒸汽密度测定相对原子质量的方法,即著名的杜马蒸汽密度测定法。1832 年,杜马和 A.洛朗一起首次从煤焦油中发现并分离出蒽。1834 年,他系统的研究了卤代反应,提出了卤代学说。1839 年,杜马发现乙酸或乙醇中的烃基氢被氯等取代后基本性质未变,从而创立了有机结构的类型学说,认为有机化合物的类型决定物质的性质。杜马还证明了乙醇中有乙基和甲基存在,奠定了有机化学中的基团理论。

c.溶解:所用仪器为烧杯和玻璃棒。

③综合配制溶液的计算

　　利用所提供的信息可选取多种方案配制所需的溶液,如现有 KCl 固体、蒸馏水、5% 的 KCl 溶液、15% 的 KCl 溶液,配制 100 g 10% 的 KCl 溶液,其方案有:

方案	所需药品	主要步骤
一	10 g KCl + 90 g 蒸馏水	用天平称量 10 g KCl,用量筒量取 90 mL 水,分别倒入烧杯,用玻璃棒搅拌至 KCl 固体全部消失
二	66.7 g 15% 的 KCl 溶液 + 33.3 g蒸馏水	用量筒取 33.3 mL 水,用天平称 66.7 15% 的 KCl 溶液,混合均匀即可
三	5.3 g KCl + 94.7 g 5% 的 KCl 溶液	用天平称量 5.3 g KCl 固体和 94.7 g 5% 的 KCl 溶液,将 5.3 g KCl 倒入 94.7 g 5% 的 KCl 溶液中,用玻璃棒搅拌至 KCl 固体全部消失
四	50 g 5% KCl 溶液 + 50 g 15% KCl 溶液	用天平称量 5%、15% 的 KCl 溶液各 50 g,混合均匀即可

例5 (2010 重庆,24,6分)上海世博会上,100 辆燃料电池观光车活跃在世博园区,它们靠氢气和氧气反应提供能量。由于它们"喝"的是氢气,产生的是水,真正实现了"零排放"。

(1)若燃烧 1 kg 氢气,需氧气多少千克?

(2)在燃料电池里需要加入 30% 的 KOH 溶液。现有 10 kg 10% 的 KOH 溶液、14 kg KOH 固体和适量蒸馏水,可以配制出 30% 的 KOH 溶液多少千克?

答案(1)需要氧气 8 kg　(2)能配制出 30% 的 KOH 溶液 50 kg

解析(1)解:设需要氧气的质量为 x。

$$2H_2 + O_2 \xrightarrow{点燃} 2H_2O$$

$$4 \qquad 32$$
$$1\ kg \qquad x$$

$$\frac{4}{32} = \frac{1\ kg}{x}$$

$$x = 8\ kg$$

答:需要氧气的质量为 8 kg。

(2)KOH 的质量:10 kg×10% + 14 kg = 15 kg

30% 的 KOH 溶液的质量:$\dfrac{15\ kg}{30\%}$ = 50 kg

答:能配制出 30% 的氢氧化钾溶液 50 kg。

2.固体溶解度的计算公式

　　根据固体溶解度的计算公式 $\left[溶解度(S)=\dfrac{溶质的质量}{溶剂的质量}×100\ g\right]$ 可推导出 $\dfrac{溶解度}{100\ g}=\dfrac{溶质质量}{溶剂质量}$ 和 $\dfrac{溶解度}{溶解度+100\ g}=\dfrac{溶质质量}{溶液质量}$。

3.溶解度与溶质质量分数的关系

	溶解度	溶质质量分数
意义	物质溶解性的量度,受外界温度影响	表示溶液中溶质质量的多少,不受外界条件影响
溶剂要求	100 g	无要求
温度要求	与温度有关	一般与温度无关
溶液是否饱和	一定达到饱和	不一定饱和
计算公式	$\dfrac{溶解度}{100\ g}=\dfrac{溶质质量}{溶剂质量}$	$\dfrac{溶质质量}{溶液质量}×100\%$
单位	克(g)	无单位
联系	饱和溶液中溶质的质量分数 = $\dfrac{溶解度}{100\ g+溶解度}×100\%$	

例6 (2010 福建福州,15,5分)请根据下图 A、B 两种固体物质的溶解度曲线,回答下列问题。

(1)在_____℃时,A、B 两种物质溶解度相同。

(2)t_2℃时,100 g 水中溶解_____g A 物质恰好达到饱和,该饱和溶液中溶质的质量分数为_____,若要把该饱和溶液稀释成质量分数为 10% 的溶液,应加水_____g。

(3)将 t_2℃时 A、B 两种物质的饱和溶液降温至 t_1℃(其他条件不变),溶质的质量分数保持不变的是_____。

答案 (1)t_1 (2)25 20% 125 (3)B

解析 (1)从溶解度曲线中可看出,在 t_1℃时 A、B 两曲线相交,此时,A、B 的溶解度相同。

(2)t_2℃时,A 的溶解度为 25 g,即 t_2℃时,100 g 水中溶解 25 g A 即可达到饱和;此时溶质为 25 g,溶液为 25 g + 100 g = 125 g,饱和溶液中溶质质量分数为 $\dfrac{25\ g}{25\ g + 100\ g} \times 100\% = 20\%$;根据稀释前后溶质质量不变,设加水质量为 x,则 $(125\ g + x) \times 10\% = 25\ g$,$x = 125\ g$。

(3)温度从 t_2℃降至 t_1℃时,A 的溶解度减小,会析出一部分 A,导致溶质质量变少,溶质质量分数减小;B 的溶解度升高,但此时并未增加 B 的量,即溶质、溶剂的量不变,故其溶质质量分数不变。

知识④ 综合计算

化学计算题多种多样,千变万化,靠大量做题的方法是不可取的。在学习时应学会从不同的角度进行分析、思考问题,选择典型的题进行一题多解、一题多变或多题一解的训练,熟练掌握各类计算题的特点和解题规律,从而形成熟练的解题技能。

1. 综合计算题的常见类型

(1)将溶液的相关计算与化学方程式的相关计算结合在一起的综合计算。

(2)将图像、图表、表格、实验探究与化学方程式相结合的综合计算。

2. 综合计算题的解题过程一般如下

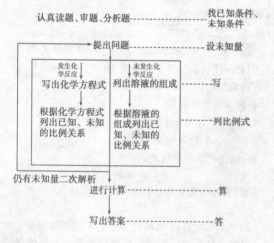

3. 溶质质量分数与化学方程式相结合的综合计算

溶质质量分数与化学方程式相结合的综合计算题,问题情景比较复杂。解题时,应首先明确溶液中的溶质是什么,溶质的质量可通过化学方程式计算得出,其次应明确所求溶液的质量如何计算,最后运用公式计算出溶液的溶质质量分数。

解题的关键是掌握生成溶液质量的计算方法。

生成溶液的质量 = 反应前各物质的质量总和 − 难溶性杂质(反应前混有的且不参加反应的)的质量 − 生成物中非溶液(生成的沉淀或气体)的质量。

(1)固体与液体反应后有关溶质质量分数的计算

对于固体与液体发生反应,求反应后溶液中溶质的质量分数问题的计算。首先要明确生成溶液中的溶质是什么,其次再通过化学反应计算溶质质量是多少(有时溶质质量由几个部分组成),最后分析各量间的关系,求出溶液总质量,再运用公式计算出反应后溶液中溶质的质量分数。

对于反应所得溶液的质量有两种求法:

①溶液组成法:溶液质量 = 溶质质量 + 溶剂质量,其中溶质一定是溶解的,溶剂水根据不同的题目通常有两种情况:原溶液中的水;化学反应生成的水。

②质量守恒法:溶液质量 = 进入液体的固体质量(包括由于反应进入和直接溶入的) + 液体质量 − 生成不溶物的质量 − 生成气体的质量。

(2)液体和液体反应后有关溶质质量分数的计算

对于液体与液体的反应,一般是计算酸、碱、盐之间发生复分解反应,求反应后溶液中溶质的质量分数。此类计算与固体和液体反应后的计算类似,首先应明确生成溶液中的溶质是什么,其次再通过化学反应计算溶质质量是多少(往往溶质质量由几个部分组成),最后分析各量间的关系,求出溶液总质量,再运用公式计算出反应后溶液中溶质的质量分数。

此类反应发生后溶液质量也有两种求法:

①溶液组成法(同上)。

②质量守恒法:溶液质量 = 所有液体质量之和 − 生成沉淀的质量 − 生成气体的质量。

综合型计算题是初中化学计算题中的重点、难点。这种题类型复杂,知识点多,阅读信息量大,思维过程复杂,要求学生有较高的分析应用能力,较强

科学元典

盖斯 俄国化学家。盖斯早期研究了巴库附近的矿物和天然气;发现了蔗糖氧化生成糖二酸。他研究了炼铁中的热现象,作了大量的量热工作。1836 年发现,在任何一个化学反应过程中,不论该反应过程是一步完成还是分成几步完成,反应所放出的总热量相同,并于 1840 年以热的加和性守恒定律公之于世,后被称为盖斯定律。此定律是能量守恒定律的先驱。因此,盖斯也是热化学的先驱者。

的文字表达能力。它考查的不仅是有关化学式、化学方程式、溶解度、溶质质量分数的有关知识,也考查学生基本概念、原理及元素化合物的有关知识。综合计算相对难度较大,但只要较好地掌握基本类型的计算,再加以认真审题,理清头绪,把握关系,步步相扣,就能使问题顺利解决。

例1 (2010 北京,35,3分)将 Na_2CO_3 和 NaCl 固体混合物 32.9 g 放入烧杯中,此时总质量为 202.9 g,加入 326.9 g 盐酸,恰好完全反应,待没有气泡逸出后再次称量,总质量为 521.0 g。计算所得溶液中溶质的质量分数(CO_2 的溶解忽略不计)。

答案 解:反应生成的 CO_2 质量 = 202.9 g + 326.9 g − 521.0 g = 8.8 g。

设 Na_2CO_3 的质量为 x,生成 NaCl 的质量为 y。

$$Na_2CO_3 + 2HCl === 2NaCl + CO_2\uparrow + H_2O$$

106		117	44
x		y	8.8 g

$x = 21.2$ g $y = 23.4$ g

所得溶液中溶质的质量分数 =

$$\frac{23.4\ g + (32.9\ g - 21.2\ g)}{32.9\ g + 326.9\ g - 8.8\ g} \times 100\% = 10\%$$

答:所得溶液中溶质的质量分数为 10%。

解析 解答本题要注意两点:一是根据质量守恒定律求出二氧化碳的质量;二是所得溶液中的溶质来自两部分,一部分是原混合物中的 NaCl,另一部分是反应生成的 NaCl。

4.图像、表格、实验探究与化学方程式相结合的综合计算

在近几年中考题中,出现了以图像、表格为载体的化学计算题,这类题的特点是利用数学方法将化学实验数据进行处理和表达,常常以坐标曲线、图像、表格等形式将解题信息呈现。解答此类题目时,要求学生能够对图像、表格进行科学分析,从中获取有用信息,并结合化学知识将有用信息,应用到解决实际问题中。

(1)图像与化学方程式相结合的综合计算

图像型计算题最常见的题型是坐标曲线题,其特点是借助数学方法中的坐标图,把多个因素对体系变化的影响用曲线图直观地表示出来。

坐标系中的曲线图不仅能表示化学反应,还能较好地反映化学变化的过程,读图时,要善于从曲线

图中捕捉到"三点"(起点、拐点和终点),并分析其含义。特别是要重点了解拐点表示对应两种物质一定恰好完全反应,这是此类题的解题关键。

例2 (2010 广西南宁,29,6分)将 104 g 由氯化钠和氯化钡组成的固体混合物溶解于足量的水中,向所得溶液中滴加 10.6% 的碳酸钠溶液,所加碳酸钠溶液质量与生成沉淀质量的关系见下图。

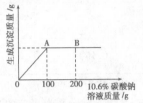

(1)图中表示恰好完全反应的点是_____。
(2)求生成沉淀的质量。
(3)求原混合物中氯化钠的质量分数。

答案 (1)A

(2)解:设需要氯化钡质量为 x,生成碳酸钡沉淀的质量为 y。

$$BaCl_2 + Na_2CO_3 === 2NaCl + BaCO_3\downarrow$$

208	106		197
x	100 g × 10.6%		y

$$\frac{208}{106} = \frac{x}{100\ g \times 10.6\%} \quad x = 20.8\ g$$

$$\frac{106}{197} = \frac{100\ g \times 10.6\%}{y} \quad y = 19.7\ g$$

(3)原混合物中 NaCl 的质量分数为:

$$\frac{104\ g - 20.8\ g}{104\ g} \times 100\% = 80\%$$

答:生成沉淀的质量为 19.7 g,原混合物中氯化钠的质量分数为 80%。

解析 本题是与图像有关的计算题,解题时仔细读图,分析曲线中的"三点"(起点、拐点和终点)和走势。根据题意可知,$BaCl_2$ 与 Na_2CO_3 在 A 点恰好完全反应,用去 100 g 10.6% 的 Na_2CO_3 溶液。

(2)表格与化学方程式相结合的综合计算

这类题往往给出一组或多组数据或条件,通过对表格中数据或条件的分析、对比,解答有关问题或进行计算。

策略:要通过仔细阅读,探求表格中各组数据之间内在规律性,努力从"变"中找"不变",及时发现规律之中的矛盾点,从"不变"中找"变",进而分析

科学元典

C.F.热拉尔 法国有机化学家。1843 年他建议改革原子量系统,把分子量定义为"物质在气态时占与 2 克氢气相同体积的重量",这样推演出的分子式称为"二体积式";他认为有机化合物中存在"同系物",提出"同系物"的概念。1853 年他通过对取代反应的研究,提出了新的类型说,把当时已知的有机化合物分别纳入水、氯化氢、氨、氢四种基本类型,认为这四种母体化合物中的氢被各种基团取代,可得到各种有机化合物。

矛盾的根源,解决问题。

例3 (2010 内蒙古包头,22,9 分) 为测定镁和硫酸镁固体混合物中镁元素的质量分数,先称取混合物 10 g,放入一干净的烧杯中,然后取一定溶质质量分数的稀硫酸 100 g,平均分四次加入其中,充分振荡,实验所得数据见下表:

	第1次	第2次	第3次	第4次
加入稀硫酸的质量/g	25	25	25	25
生成氢气的总质量/g	0.15	x	0.4	0.4

(1)上表中 x 的数值为 _____。

(2)现用 60 g 溶质质量分数为 98% 的浓硫酸,配制上述实验中所需溶质质量分数的硫酸溶液,需加入多少克水?

(3)固体混合物中,镁元素的质量分数为多少?

答案 (1)0.3

(2)解:设产生 0.15 g H_2 需要 H_2SO_4 的质量为 x,需加水的质量为 y。

$$Mg + H_2SO_4 === MgSO_4 + H_2\uparrow$$
$$\qquad\quad 98 \qquad\qquad\qquad 2$$
$$\qquad\quad x \qquad\qquad\qquad 0.15\ g$$

$\dfrac{98}{x} = \dfrac{2}{0.15}$ $x = 7.35\ g$

H_2SO_4 的质量分数为:$\dfrac{7.35\ g}{25\ g} \times 100\% = 29.4\%$

$\dfrac{60\ g \times 98\%}{60\ g + y} \times 100\% = 29.4\%$ $y = 140\ g$

(3)设混合物中 Mg 的质量为 z。

$$Mg + H_2SO_4 === MgSO_4 + H_2\uparrow$$
$$24 \qquad\qquad\qquad\qquad 2$$
$$z \qquad\qquad\qquad\qquad 0.4\ g$$

$\dfrac{24}{z} = \dfrac{2}{0.4\ g}$ $z = 4.8\ g$

镁元素的质量:$4.8\ g + (10\ g - 4.8\ g) \times \dfrac{24}{120} = 5.84\ g$

镁元素的质量分数为:$\dfrac{5.84\ g}{10\ g} \times 100\% = 58.4\%$

答:略。

解析 由表可知,25 g 稀硫酸能生成 0.15 g H_2,10 g 固体完全反应共生成氢气 0.4 g,所以第二次加入 25 g 稀硫酸也能生成 0.15 g H_2,则 $x = 0.15 + 0.15 = 0.3$。

（3）实验探究与化学方程式相结合的综合计算

做实验探究的综合计算题时,学生应将化学计算与化学实验紧密结合,在对实验原理,实验数据进行分析理解的基础上,理出解题思路,在解题过程中要特别注意实验数据与物质(或元素)质量间的关系。解题的关键是理清思路、找出正确有用数据、认真做好每一步计算。

例4 (2010 山东烟台,31,6 分) 某研究性学习小组在协助老师清理实验储备室时,发现一批存放多年的氢氧化钙。为检验其变质情况,进行了如下探究:取氢氧化钙样品 11.4 g 于锥形瓶中,加入 38.6 g 水,振荡形成悬浊液,放在电子天平上,向锥形瓶中逐滴滴加 14.6% 的稀盐酸,振荡后读取质量(如图甲所示)。实验测得加入稀盐酸的质量与锥形瓶中物质的质量关系如图乙所示。

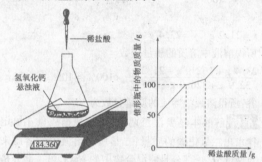

图甲 　　　　　　　图乙

求:11.4 g 该样品中各成分的质量。

答案 由题意和图像分析知,第一阶段锥形瓶中物质增加的质量就是与样品中氢氧化钙反应的盐酸的质量,第一阶段滴入盐酸的质量为 100 g − 50 g = 50 g。

设与盐酸反应的 $Ca(OH)_2$ 的质量为 x。

$$Ca(OH)_2 + 2HCl === CaCl_2 + CO_2\uparrow + H_2O$$
$$74 \qquad 2\times36.5$$
$$x \qquad 50\ g \times 14.6\%$$

$\dfrac{74}{2\times36.5} = \dfrac{x}{50\ g \times 14.6\%}$

$x = 7.4\ g$

混合物中碳酸钙的质量为 11.4 g − 7.4 g = 4 g。

答:此样品中氢氧化钙的质量是 7.4 g,碳酸钙的质量是 4 g。

解析 存放多年的 $Ca(OH)_2$ 可能与 CO_2 发生反应而

科学元典

巴斯德 法国化学家和微生物学家,是微生物学和免疫学的奠基人之一。公元 1848 年,巴斯德发现酒石酸盐结晶的旋光性,提出光学活性是由于分子不对称产生的;从而开创了立体化学。他研究发酵,证明了酵母是微生物。在葡萄酒保存方面,他发明的加热消毒的巴氏灭菌法,流传至今仍在使用。他用实验证明了传染病是由微生物引起的。他根据贞纳的种痘法,首创用疫苗接种法预防炭疽、霍乱以及治疗狂犬病等等。这些均是医学史上的重大里程碑。

变质。因此,11.4 g Ca(OH)₂样品中有Ca(OH)₂,也有CaCO₃。向11.4 g样品中加入稀HCl,稀HCl先与Ca(OH)₂反应,当与Ca(OH)₂完全反应后,再与CaCO₃反应。

------------------ **拓展知识** ------------------

知识① 结晶水合物的相对分子质量计算

许多物质从水溶液里析出晶体时,晶体里常含有一定数目的水分子,这样的水分子叫结晶水。含有结晶水的物质叫结晶水合物。结晶水合物是含有一定量水分子的固体化合物,如胆矾($CuSO_4 \cdot 5H_2O$)、石膏($CaSO_4 \cdot 2H_2O$)、绿矾($FeSO_4 \cdot 7H_2O$)、明矾$[KAl(SO_4)_2 \cdot 12H_2O]$等。结晶水合物的相对分子质量等于结晶水合物中两部分相对分子质量之和。如$CaSO_4 \cdot 2H_2O$的相对分子质量 $= (40 + 32 + 16 \times 4) + 2 \times (1 \times 2 + 16) = 136 + 36 = 172$；$KAl(SO_4)_2 \cdot 12H_2O$的相对分子质量 $= (39 + 27 + 32 \times 2 + 16 \times 4 \times 2) + 12 \times (1 \times 2 + 16) = 258 + 216 = 474$；$CuSO_4 \cdot 5H_2O$的相对分子质量 $= (64 + 32 + 16 \times 4) + 5 \times (1 \times 2 + 16) = 160 + 90 = 250$。

知识② 化学式中元素质量比的变式运算

在A_mB_n中元素A、B的质量比等于各元素的相对原子质量与原子个数的乘积比,即A、B元素质量比 = A的相对原子质量 $\times m$: B的相对原子质量 $\times n$,根据元素质量比的变形运算主要有:

(1)根据某化合物中元素的质量比求化学式

根据化合物中元素的质量比(或元素的质量分数比)求化学式,其方法是通过元素的相对原子质量来推断化学式。通过组成元素质量比或元素的质量分数进行分式变换,转换成原子个数(比),推测化学式。

(2)根据某化合物中元素的质量比确定元素的化合价

已知某化合物中元素的质量比确定某元素的化合价,可通过元素的质量比及元素的相对原子质量推断化学式中元素的原子个数之比,再根据化合物中正负化合价代数和为零的原则确定元素的化合价。

(3)根据元素的质量比确定元素的相对原子质量

化合物中元素的质量比等于相对原子质量与原子个数的乘积比,利用元素的质量比及化合物中各子个数即可求出元素的相对原子质量。相对原子质量之比等于元素的质量除以其原子个数所得的数值之比。

知识③ 化学式中质量分数的应用

1. 已知物质的质量求所含的某元素的质量

利用公式:元素的质量 = 物质的质量×该元素的质量分数。

例 (2010 广东,24,6分)下图是某品牌补铁剂的标签。请回答:

富马酸亚铁颗粒
化学式:$C_4H_2FeO_4$
每包含富马酸亚铁 0.2g
适应症:缺铁性贫血
服用量:每次1~2包(成人), ……

(1)富马酸亚铁中含有_____种元素,C、H、Fe、O原子个数比为_____。

(2)富马酸亚铁的相对分子质量为_____。

(3)若每次服用1包该补铁剂,摄入铁元素的质量为_____ mg(计算结果取整数)。

答案 (1)4　4:2:1:4

(2)170

(3)66

解析 (1)由富马酸亚铁的化学式可知:它含碳、氢、氧、铁四种元素,C、H、Fe、O原子个数比为4:2:1:4。

(2)相对分子质量为:$12 \times 4 + 1 \times 2 + 56 + 16 \times 4 = 170$。(3)1包该补铁剂中含铁元素质量为:

$0.2 \text{ g} \times \dfrac{56}{170} \approx 0.066 \text{ g}$,即66 mg。

2. 已知元素的质量求物质的质量

利用公式:物质的质量 = 元素的质量÷元素的质量分数。

知识④ 与物质纯度有关的计算

1. 化合物中含有杂质的计算

$$化合物的纯度(或质量分数) = \frac{纯物质的质量}{混合物的质量} \times 100\%。$$

2. 与物质纯度有关的计算

混合物中与某物质的质量分数、物质纯度有关的计算,我们主要是掌握有关样品的计算,此处的样品指的是主要成分为某一化合物并含有少量杂质的混合物,有关样品的计算可用公式表示为:样品中纯净物的质量分数×纯净物中某元素的质量分数=样品中该元素的质量分数。

同时应注意以下几方面的问题:

①公式中的样品中纯净物的质量分数就是样品的纯度。

②公式中的纯净物中某元素的质量分数,根据化学式可以直接求出,属于间接已知量。

③样品中纯净物的质量分数与样品中某元素的质量分数不能混淆。

④解题关键为分析有效成分是什么,有效成分中某元素的质量分数是多少。

知识⑤ 物质质量比与分子个数比之间的换算

换算公式:物质的质量比 $\xrightarrow[\text{分别乘以相对分子质量}]{\text{分别除以相对分子质量}}$ = 分子个数比。如 SO_3、SO_2、O_2 三种物质的质量比为 $5:4:2$,则 SO_3、SO_2、O_2 的分子个数比为 $\frac{5}{80}:\frac{4}{64}:\frac{2}{32}$ = $\frac{1}{16}:\frac{1}{16}:\frac{1}{16}$ = $1:1:1$。

知识⑥ 化学方程式计算中常用的几个关系式

（1）分解百分率 = $\frac{\text{已分解的物质的质量}}{\text{未分解时该物质的总质量}}$ ×100%。

（2）物质的纯度 = $\frac{\text{纯物质的质量}}{\text{混合物的质量}}$ ×100%。

（3）不纯物质的质量 = 纯物质的质量 + 杂质的质量。

（4）密度 = $\frac{\text{质量}}{\text{体积}}$。

（5）单位换算:1 L = 1 000 mL,1 mL = 1 cm³。

例 (2010 四川乐山,47,8分)生铁是铁和碳的合金。为测定某炼铁厂生产的生铁样品中铁的质量分数,化学兴趣小组的同学称得该生铁样品 6.0 g,放入烧杯中,向其中加入65.0 g稀硫酸,恰好完全反应(假设杂质不参与反应)。测得的实验数据如下:

	反应前	反应后
烧杯及其中物质的质量	97.0 g	96.8 g

请你完成有关计算(结果精确到 0.1 %)

（1）反应生成氢气的质量是多少?

（2）生铁样品中铁的质量分数是多少?

（3）反应后所得溶液中溶质的质量分数是多少?

答案（1）反应生成氢气的质量为:97.0 g – 96.8 g = 0.2 g。

（2）设参加反应的铁的质量为 x,生成 $FeSO_4$ 的质量为 y。

$$Fe + H_2SO_4 =\!=\!= FeSO_4 + H_2\uparrow$$

56	152	2
x	y	0.2 g

$56:2 = x:0.2\ g$　　$x = 5.6\ g$

$152:2 = y:0.2\ g$　　$y = 15.2\ g$

则生铁中铁的质量分数为: $\frac{5.6\ g}{6.0\ g}$ ×100% = 93.3%。

（3）反应后 $FeSO_4$ 溶液的溶质质量分数为:

$$\frac{15.2\ g}{65.0\ g+5.6\ g-0.2\ g} \times 100\% = \frac{15.2\ g}{70.4\ g} \times 100\% = 21.6\%。$$

答:（1）生成 H_2 的质量为 0.2 g;（2）生铁样品中铁的质量分数为 93.3%;（3）反应后所得溶液的溶质质量分数为 21.6%。

解析 由质量守恒定律可知,题中反应前后总质量的差值即为生成 H_2 的质量,根据化学方程式由氢气的质量可求出反应物铁与生成物硫酸亚铁的质量。

知识⑦ 含杂质物质的化学方程式计算

在实际生产和实验中绝对纯净的物质是不存在的,因此解题时把不纯的反应物换算成纯净物后才能进行化学方程式的计算,而计算出的纯净物也要换算成实际生产和实验中的不纯物。

解答这类题目,首先要将不纯的物质换算成纯净的物质。基本公式有:

纯净物的质量 = 不纯物质的质量×纯度

如果是溶液,在知道体积时,纯净物的质量 = 溶液的体积×密度×溶质的质量分数

质量 = 体积×密度

纯度 = $\frac{\text{纯物质的质量}}{\text{不纯物质的质量}}$ ×100%

= $\frac{\text{纯物质的质量}}{\text{纯物质的质量 + 杂质的质量}}$ ×100%

此类题目中,往往给定混合物中杂质所占的质量分数,此时应先换算成纯净物的质量分数。

科学元典

A. S. 库珀 英国有机化学家。他先在格拉斯哥和柏林攻读哲学,约于1854年改学化学。库珀曾分离得出两种新化合物:溴苯和对二溴苯,并最先用环状结构式表示氰尿酸。1857～1858年,提出碳原子为4价及自相连接的学说,并用点线代表价键,写出了人们容易理解的结构式。

纯度 = 1 - 杂质的质量分数

例 (2010 湖北宜昌,28,5 分) 鸡蛋壳的主要成分是碳酸钙,为了测定鸡蛋壳中碳酸钙的含量,小丽称取 30 g 干燥的碎鸡蛋壳放入烧杯中,并向其中加入 80 g 稀盐酸,恰好完全反应(假设鸡蛋壳中除碳酸钙外的其他成分都不溶于水,且不与稀盐酸反应),反应后烧杯中物质的总质量为 101.2 g。完成下列计算:(1)鸡蛋壳中碳酸钙的质量。(2)当碳酸钙恰好完全反应时所得溶液中溶质的质量分数(结果保留 1 位小数)。

答案 解:(1)根据质量守恒定律,生成 CO_2 的质量为:30 g + 80 g - 101.2 g = 8.8 g。

设 30 g 鸡蛋壳中碳酸钙的质量为 x。

$$CaCO_3 + 2HCl == CaCl_2 + H_2O + CO_2\uparrow$$

| 100 | | | | 44 |
| x | | | | 8.8 g |

$100 : 44 = x : 8.8 \text{ g}$　　　$x = 20 \text{ g}$

(2)设反应生成的 $CaCl_2$ 的质量为 y。

$$CaCO_3 + 2HCl == CaCl_2 + H_2O + CO_2\uparrow$$

| | | 111 | | 44 |
| | | y | | 8.8 g |

$111 : 44 = y : 8.8 \text{ g}$　　$y = 22.2 \text{ g}$

生成 $CaCl_2$ 溶液的溶质质量分数为:

$$\frac{22.2 \text{ g}}{20 \text{ g} + 80 \text{ g} - 8.8 \text{ g}} \times 100\% = 24.3\%$$

答:鸡蛋壳中碳酸钙的质量为 20 g,生成的溶液溶质质量分数为 24.3%。

解析 本题中 30 g 干燥的碎鸡蛋壳和 80 g 稀盐酸在烧杯中完全反应后的物质的总质量为 101.2 g,这三个数值均不能代入化学方程式计算,但它们之间存在一定的质量关系,根据质量守恒定律,30 g 鸡蛋壳中碳酸钙和 80 g 稀盐酸质量之和等于烧杯中完全反应后的剩余物质和生成二氧化碳的质量之和,求得生成二氧化碳质量为 80 g + 30 g - 101.2 g = 8.8 g,再将二氧化碳的质量为 8.8 g 代入化学方程式计算,可求得碳酸钙的质量。利用 CO_2 的质量求出生成的 $CaCl_2$ 的质量,最后根据 $CaCO_3$、$CaCl_2$、CO_2 和稀盐酸的质量关系计算生成的 $CaCl_2$ 溶液的溶质质量分数。

知识⑧ 天平平衡问题

化学计算中有关天平平衡问题的计算一般指反应前天平已处于平衡状态,当托盘两边烧杯中加入物质后,引起烧杯内物质净增量的变化,从而确定天平能否仍处于平衡的状态。解此类题目必须理顺以下关系:

烧杯内物质净增量 = 加入物质质量 - 放出气体质量;当左边净增量 = 右边净增量时,天平仍处于平衡状态;当左边净增量 > 右边净增量时,天平指针向左偏转;当左边净增量 < 右边净增量时,天平指针向右偏转。

例 (2010 内蒙古包头,12,3 分)天平两边各放质量相等的烧杯,并分别盛有 100 g 溶质质量分数为 7.3% 的稀盐酸,此时天平平衡。若向左右两烧杯中分别加入一定质量的下列各组物质,充分反应后,天平仍平衡的是 (　　)

A. 锌 6.5 g,铁 6.5 g
B. 锌 15 g,碳酸钠 15 g
C. 碳酸钙 10 g,氧化钙 5.6 g
D. 碳酸镁 4.2 g,硝酸银 4.2 g

答案 **AC** A 项,6.5 g 的锌与 6.5 g 的铁分别与 100 g 7.3% 的稀盐酸反应时,产生的 H_2 质量均为 0.2 g,因为 Zn 与稀 HCl 恰好完全反应,6.5 g 铁过量,故天平仍然平衡;C 项,10 g $CaCO_3$ 与 100 g 7.3% 的稀盐酸反应后产生 4.4 g CO_2 气体,相当于加入 10 g - 4.4 g = 5.6 g 的物质,5.6 g CaO 与盐酸反应无气体产生,故天平仍平衡;B 项,15 g Zn 与酸反应产生的气体质量小于 15 g Na_2CO_3 与酸反应产生的气体质量,故天平不平衡;D 项,碳酸镁与盐酸反应产生 CO_2,烧杯中有气体逸出,$AgNO_3$ 与盐酸反应后无气体逸出,两边质量不等,天平不平衡。

知识⑨ 标签题

这类题通常是以生活中一些常见物质的标签如药品、食品或工业产品的标签或说明书为命题素材,解题时针对所提问题,从标签找到解决问题的相关信息,进行有关的计算或求解。

例 (2010 山东济宁,7,2 分)锌是人体生长发育过程中必不可少的物质,被人们誉为生命之花。葡萄糖酸锌口服液是以葡萄糖酸锌(化学式为 $C_{12}H_{22}O_{14}Zn$)为主要原料制成的保健品,具有补锌功能。请读识产品说明后回答:

葡萄糖酸锌口服液

产品说明书	
【主要原料】	葡萄糖酸锌、白糖、香精
【含　量】	每 100 mL 中含锌 35.3 mg
【规　格】	10 mL/支

(1) 葡萄糖酸锌的相对分子质量是_____。

(2) 成人保健每天需服用两支,可补锌多少毫克?

答案 (1) 455　(2) $35.3 \text{ mg} \div \dfrac{100 \text{ mL}}{10 \text{ mL}} \times 2 = 7.06 \text{ mg}$

解析 (1) 葡萄糖酸锌的相对分子质量 $= 12 \times 12 + 1 \times 22 + 16 \times 14 + 65 = 455$。

(2) 注意读取说明书信息,每 100 mL 含锌 35.3 mg,每支 10 mL。

知识⑩ 无数据计算题

全题无数据或缺少数据的计算,题中常给出"相等""相同""前后质量不变"等关系,待求的结果一般是一个比值或某物质的质量分数。解这类题可根据题给的等量关系建立关系式,将所需的数据设出来(因结果为一比值,所设未知数最终会约去)进行解题。

如:将一定质量的碳和铜的混合物在空气中充分灼烧,冷却后剩余物质的质量与原混合物质量相等,求原混合物中铜与碳的质量比。

分析: 混合物中的碳在空气中灼烧变成二氧化碳气体,铜在空气中灼烧变成氧化铜,剩余物质氧化铜的质量等于反应前铜和碳的质量和,根据质量守恒定律可知混合物中碳的质量就等于氧化铜中氧的质量,原混合物中铜与碳的质量比从数值上等于氧化铜中铜与氧的元素质量比,因此原混合物中铜与碳的质量比为4:1。

知识⑪ 数据处理计算

题目所给的多组数据一般具有一定的规律性,解题时要排除干扰数据,选用已完全反应的数据进行计算。另外,解题过程中要把握三个要领:①步骤要完整;②格式要规范;③计算要准确。

解题时,要认真审题,弄清发生哪些化学反应,属于哪种类型的计算,需要进行哪些换算,本题的突破口在哪里,通过分析整理出清晰的解题思路,并规范完成解题过程。

例 (2010 湖南娄底,31,4 分) Cu 与 Zn 的合金称为黄铜,有优良的导热性和耐腐蚀性,可用作各种仪器零件。某化学兴趣小组的同学为了测定某黄铜的组成,取 20 g 该黄铜样品于烧杯中,向其中分 5 次加入相同溶质质量分数的稀硫酸,使之充分反应。每次所用稀硫酸的质量及剩余固体的质量记录于下表:

	加入稀硫酸的质量(g)	充分反应后剩余固体的质量(g)
第 1 次	20	17.4
第 2 次	20	14.8
第 3 次	20	12.2
第 4 次	20	12.0
第 5 次	20	m

试回答下列问题:

(1) 上述表格中 m 的值为_____;

(2) 黄铜样品中锌的质量分数_____;

(3) 所用稀硫酸中硫酸的质量分数是多少?

答案 (1) 12.0　(2) 40%　(3) 19.6%

解析 Cu 与 Zn 的合金中只有 Zn 能与稀 H_2SO_4 发生置换反应,分析表格中的数据发现,第 1、2、3 次每加入 20 g 稀 H_2SO_4 都能反应掉 2.6 g 的金属锌,但第 4 次加入 20 g 稀 H_2SO_4 只反应了 0.2 g 锌,说明第 4 次加入的稀硫酸已经过量,剩余的是不与稀 H_2SO_4 反应的铜,故 $m = 12.0$;黄铜样品中锌的质量分数为 $\dfrac{20 \text{ g} - 12 \text{ g}}{20 \text{ g}} \times 100\% = 40\%$;求所用稀 H_2SO_4 的溶质质量分数时,所选用的数据必须是稀硫酸充分反应的才行。因此,用第 1、2、3 次的任一组数据即 2.6 g Zn 与 20 g 稀 H_2SO_4 恰好完全反应或前 3 次之和即 7.8 g Zn 与 60 g 稀 H_2SO_4 恰好完全反应均可。

设与 2.6 g Zn 反应的 20 g 稀 H_2SO_4 的溶质质量分数为 x。

$$Zn + H_2SO_4 === ZnSO_4 + H_2\uparrow$$

$$65 \qquad\qquad 98$$

$$2.6 \text{ g} \qquad\quad 20 g\,x$$

$$65:98 = 2.6\text{g}:20\,g\,x$$

$$x = 19.6\%$$

科学元典

格雷姆 英国化学家。他以研究气体和液体的扩散现象著称。1831 年发表了气体扩散定律。他 1833 年区别了三种不同形式的磷酸盐(焦磷酸盐、正磷酸盐和偏磷酸盐)。1861 年他首先提出了胶体这一名称。1854 年发明了用渗析的方法将晶体和胶体分开。还区别了溶胶和凝胶,研究了凝胶的"胶溶"和"脱水收缩"现象。由于他对胶体的多方面研究,导致建立了一门新的学科——胶体化学。因此,格雷姆有"胶体化学之父"之称。

知识⑫ 溶液组成的表示方法

溶液是由溶剂、溶质两部分组成的,表示溶液组成的方法最常用的是溶质的质量分数。除此之外,溶液的组成也可以用体积分数来表示。溶液的体积分数是指溶质的体积与溶质和溶剂体积和之比,常用%、‰来表示,当用%表示时,也有时用%(体积)表达,以区别于质量分数。

知识⑬ 特殊的溶质质量分数计算

(1)结晶水合物溶于水时,其溶质指不含水的化合物,结晶水转化成溶剂水。如 $CuSO_4 \cdot 5H_2O$ 溶解于水,溶质是 $CuSO_4$,$5H_2O$ 转化成溶剂水。计算时应将 $CuSO_4 \cdot 5H_2O$ 的质量分成两部分。如 10 g $CuSO_4 \cdot 5H_2O$ 溶于 90 g 水中形成的溶液的溶质质量分数:

$$\frac{10 \text{ g} \times \dfrac{M_r(CuSO_4)}{M_r(CuSO_4 \cdot 5H_2O)}}{10 \text{ g} + 90 \text{ g}} \times 100\% = 6.4\%,\text{而不是:}$$

$$\frac{10 \text{g}}{10 \text{ g} + 90 \text{ g}} \times 100\% = 10\%。$$

(2)溶质只能是已溶解的那一部分,没有溶解的不能作溶质计算。如20℃时,20 g NaCl 投入到50 g 水中(20℃时,NaCl 的溶解度为36 g)。20℃时 50 g 水最多只能溶解 18 g NaCl,故溶质的质量为 18 g,而非 20 g,所以该 NaCl 溶液的溶质质量分数为 $\dfrac{18 \text{ g}}{50 \text{ g} + 18 \text{ g}}$
$\times 100\% = 26.5\%。$

(3)某混合物溶于水,要计算某一种溶质的质量分数,溶液的质量应包括混合物与水的质量。如5 g NaCl 和 1 g KNO_3 的混合物溶于 100 g 水,计算 NaCl 的溶质质量分数:

$$\omega(\text{NaCl}) = \frac{5 \text{ g}}{5 \text{ g} + 1 \text{ g} + 100 \text{ g}} \times 100\%。$$

(4)某些物质能与水发生化合反应。如 Na_2O 加入水中,会发生如下反应:$Na_2O + H_2O === 2NaOH$,溶液中的溶质应是 NaOH,而不是 Na_2O。
某些物质与溶液反应后生成新的物质,新物质当溶质。如将足量的 20 克锌放入 100 克 19.6% 的稀硫酸中,因锌与稀 H_2SO_4 发生置换反应生成 $ZnSO_4$,故反应后的溶液是 $ZnSO_4$ 溶液,应根据化学方程式计算溶液的溶质质量分数。

知识⑭ 溶解度与溶质质量分数的换算

如果已知在某温度下某物质的溶解度,计算在该温度下该物质的饱和溶液的溶质质量分数,可以根据 $\dfrac{溶质质量}{溶液质量} \times 100\%$ 来计算,也可以根据溶解度与溶质质量分数间的关系进行换算,公式为:饱和溶液的溶质质量分数 $= \dfrac{溶解度}{溶解度 + 100} \times 100\%$。

◀)) 特别提醒

不饱和溶液只能用上述第一种方法计算。

例 (2010 上海,48,4分)甲物质在水中的溶解度曲线如右图,a、b、c、d 为图像中的四个点。
①t_1℃时,甲物质的溶解度是___ g/100g 水。
②t_2℃时,25 g 水中最多能溶解甲物质___g。
③要使甲物质的饱和溶液成为不饱和溶液,可采用的一种方法是___。
④甲物质的溶液分别处于 a、b、c、d 四个点时,溶液中甲的质量分数大小关系正确的是___(选填下列编号)。

Ⅰ.c>d=b>a   Ⅱ.c=d>a=b
Ⅲ.c>a>b=d   Ⅳ.c>a=b>d

答案 ①30 ②15 ③加热(或增加溶剂) ④Ⅲ

解析 ①由图像知,t_1℃时,甲物质的溶解度为 30 g/100 g 水;②t_2℃时,甲物质的溶解度为 60 g/100 g 水,则 25 g 水中最多溶解甲物质 $60 \text{ g} \times \dfrac{1}{4} = 15 \text{ g}$;③甲物质的溶解度随着温度的升高而增大,故可采用升高温度(或增加溶剂)的方法使饱和溶液变为不饱和溶液;④a、c 两点处甲物质处于饱和状态,则其质量分数 c>a;在 t_1℃时,a 为饱和溶液,b 为不饱和溶液,故质量分数 a>b;b、d 两处均为甲的不饱和溶液,其质量分数 b=d。

科学元典

布特列洛夫 俄国有机化学家。他提出物质分子的本性取决于组合单元的本性、数量,同时还决定于其化学结构,认为分子中各原子都是相互影响化合物性质的。因此根据物质的化学结构可以推知物质的化学性质,反之,根据物质的化学性质也可推断物质的化学结构。他最先用有机结构理论解释同分异构现象。他最先合成二碘甲烷、叔丁醇、乌洛托品及糖类化合物。1873 年,他发现异丁烯的聚合反应。

✐ 方法清单

方法 1 有关化学式计算的技巧方法

1.应用比例法确定化学式

由于任何纯净物都有固定的组成,所以化合物中各元素的质量和各元素的原子数目都有其固定的比例关系,根据这种比例关系可以确定其化学式。

设元素 A、B 组成的化合物为 A_aB_b,元素 A、B 的相对原子质量分别用 A 和 B 表示,化合物中元素 A、B 质量比为 $m(A):m(B)$,则化学式中 A 和 B 的原子个数比为 $a:b = \dfrac{m(A)}{A} : \dfrac{m(B)}{B}$。

2.公式法

根据化学式所表示的意义,可推导出下列计算公式(以化合物 A_mB_n 为例):

(1)相对分子质量 = A 元素的相对原子质量 × m + B 元素的相对原子质量 × n

(2) A、B 元素的质量比 $= \dfrac{A 元素的质量}{B 元素的质量}$

$= \dfrac{A 元素的相对原子质量 × m}{B 元素的相对原子质量 × n}$

(3)A 元素的质量分数 =

$\dfrac{A 元素的相对原子质量 × m}{化合物 A_mB_n 的相对分子质量} × 100\%$

$= \dfrac{A 元素的质量}{化合物 A_mB_n 的质量} × 100\%$

(4)A 元素的质量 = 化合物 A_mB_n 的质量 × A 元素的质量分数

(5)混合物中,某物质的质量分数 $= \dfrac{某物质质量}{混合物质量}$ × 100%

例 (2010 广东肇庆,24,5 分)碘元素对青少年智力发育影响很大,加碘盐通常是在食盐中加碘酸钾(KIO_3)。下图是超市销售的一种加碘盐标签上的部分文字说明。

食盐
成分:NaCl KIO₃
含碘:20 mg/kg
重量:500g
食用注意:勿长时间加热
保存:防潮,放阴凉处

请回答下列问题:

(1)碘酸钾中钾、碘、氧三种元素质量比为_____。

(2)每袋该食盐中碘元素的质量_____mg。

(3)中国营养学会推荐:一个 18 岁的青年每天摄入碘元素的质量为 0.15mg。假设碘的来源仅靠这种加碘食盐,该青年每天摄入这种食盐应为_____g。

答案 (1)39:127:48 (2)10 (3)7.5

解析 (1)碘酸钾中钾、碘、氧三种元素的质量比 = 39:127:(16 × 3) = 39:127:48。

(2)每袋食盐重量为 500 g,每袋食盐含碘的质量为 0.5 kg × 20 mg/kg = 10 mg。

(3)设每天摄入食盐的质量为 x。

$$20 \text{ mg}:1000 \text{ g} = 0.15 \text{ mg}:x$$

$$x = 7.5 \text{ g}$$

3.关系式法

利用化合物与组成该化合物各元素之间存在的质量关系来列式解题的方法为关系式法。如:Fe_2O_3 和组成它的元素 Fe、O 之间的关系为 $Fe_2O_3 \sim 2Fe \sim 3O$,运用这种关系建立关系式,可起到简化计算过程的作用。

$$Fe_2O_3 \sim 2Fe \sim 3O$$
$$160 \quad\quad 112 \quad\quad 48$$

由关系式可知 Fe_2O_3 中 Fe、O 元素的质量比 = 112 : 48 = 7:3,Fe 元素的质量分数为 $\dfrac{112}{160} × 100\% = 70\%$。

4.巧用化学式变形解题

有些元素具有可变化合价,因此,有的元素可组成种类不同的氧化物,如:硫元素的氧化物有 SO_2、SO_3,碳元素的氧化物有 CO、CO_2。解题时根据题目给出不同物质的化学式,灵活地进行化学式变形,可快速简便解答问题。

(1)利用化学式变形求物质的质量比

如:含有相同质量铁元素的 Fe_2O_3 和 Fe_3O_4 的质量比是?

分析:设含有相同质量铁元素的 Fe_2O_3 和 Fe_3O_4 的质量分别为 x、y,为了使两者含铁元素的质量相等,可以将它们的化学式变形为铁原子数目相等的式子:

$$Fe_2O_3 \longrightarrow Fe_6O_9 \quad\quad Fe_3O_4 \longrightarrow Fe_6O_8$$
$$480 \quad\quad\quad\quad\quad\quad 464$$
$$x \quad\quad\quad\quad\quad\quad\quad y$$

$x:y = 480:464 = 30:29$。

科学元典

纽兰兹 英国分析化学家和工业化学家。纽兰兹在门捷列夫之前发现并研究了化学元素性质的周期性。1865 年他把当时已知的 61 种元素按原子量的递增顺序排列,发现每隔 7 种元素便出现性质相似的元素,如同音乐中的音阶一样,因此称为元素八音律。他这个想法当时未被人们接受,到了元素周期系确立后,人们才承认他的重要发现。因此,他 1887 年获得英国皇家学会颁发的戴维奖章。他将自己的论文收集在《论周期律的发现》一书中。

（2）利用化学式变形比较元素质量分数的大小

如：FeO、Fe_2O_3、Fe_3O_4 三种铁的氧化物按铁元素的质量分数由大到小排列的顺序为_____。

分析：三种含铁的氧化物中铁元素的质量分数计算过程分别为：$\dfrac{A_r(Fe)}{A_r(Fe)+A_r(O)}$、

$\dfrac{2A_r(Fe)}{2A_r(Fe)+3A_r(O)}$、$\dfrac{3A_r(Fe)}{3A_r(Fe)+4A_r(O)}$；不用计算结果，通过数学方法将上述三式变形为：

$\dfrac{A_r(Fe)}{A_r(Fe)+A_r(O)}$、$\dfrac{A_r(Fe)}{A_r(Fe)+\frac{3}{2}A_r(O)}$、

$\dfrac{A_r(Fe)}{A_r(Fe)+\frac{4}{3}A_r(O)}$，通过比较分母可知：$\dfrac{3}{2}A_r(O)>$

$\dfrac{4}{3}A_r(O)>A_r(O)$，故铁元素的质量分数由大到小排列顺序为：$FeO>Fe_3O_4>Fe_2O_3$。

（3）利用化学式变形比较元素的原子个数

如：质量相等的 SO_2 和 SO_3 分子中，所含氧原子的个数比为_____。

分析：SO_2 的相对分子质量为64，SO_3 的相对分子质量为80，二者的最小公倍数是320，二者相对分子质量总量相等时物质的质量相同，转化为分子个数 SO_2 为 $\dfrac{320}{64}=5$，SO_3 为 $\dfrac{320}{80}=4$，即 $5SO_2$ 与 $4SO_3$ 质量相同，所含氧原子的个数比为：$(5\times2):(4\times3)=10:12=5:6$。

5. 利用守恒法进行化学式计算

有些题目表面看上去无从下手，但通过观察可利用守恒法进行计算，解题的关键是利用化学式中恒定的原子个数比，求出各元素的质量比。

如：由 Na_2S、Na_2SO_3、Na_2SO_4 三种物质构成的混合物中，硫元素的质量分数为32%，则混合物中氧元素的质量分数为_____。

分析：在 Na_2S、Na_2SO_3、Na_2SO_4 中，钠原子与硫原子的个数比是恒定的，都是2:1，因而混合物中钠、硫元素的质量比（或质量分数比）也是恒定的。设混合物中钠元素的质量分数为 x，可建立如下关系式：

$$2Na \sim S$$
$$46 \qquad 32$$
$$x \qquad 32\%$$

$\dfrac{46}{32}=\dfrac{x}{32\%}$　解得 $x=46\%$

混合物中氧元素的质量分数为 $1-32\%-46\%$ $=22\%$。

方法2 有关化学方程式的计算技巧与方法

1. 差量法（差值法）

化学反应都必须遵循质量守恒定律，此定律是根据化学方程式进行计算的依据。但有的化学反应在遵循质量守恒定律的同时，会出现固体、液体、气体质量在化学反应前后有所改变的现象，根据该变化的差值，该差值与化学方程式中反应物、生成物的质量成正比，可求出化学反应中反应物或生成物的质量，这一方法叫差量法。此法解题的关键是分析物质变化的原因及规律，建立差量与所求量之间的对应关系。如：

①$2KClO_3 \xrightarrow[\triangle]{MnO_2} 2KCl+3O_2\uparrow$

$2KMnO_4 \xrightarrow{\triangle} K_2MnO_4+MnO_2+O_2\uparrow$

反应后固体质量减小，其差值为生成的氧气的质量。

②H_2+金属氧化物$\xrightarrow{\triangle}$金属$+$水，该变化中固体质量的减小量为生成的水中氧元素的质量。

③$CO+$金属氧化物$\xrightarrow{\triangle}$金属$+CO_2$，该变化中固体质量的减小量为气体质量的增加量。

④$C+$金属氧化物$\xrightarrow{高温}$金属$+CO_2$，反应后固体质量减小，其差值为生成的二氧化碳的质量。

⑤$2H_2+O_2\xrightarrow{点燃}2H_2O$，反应后气体质量减小，其减小值为生成水的质量。

⑥金属$+$酸$\longrightarrow$盐$+H_2$，该变化中金属质量减小，溶液质量增加，其增加值等于参加反应的金属质量减去生成的氢气的质量。

⑦金属$+$盐$\longrightarrow$盐$+$金属，该变化中金属质量若增加，溶液的质量则减小，否则相反。其差值等于参加反应的金属质量减去生成的金属质量。

⑧难溶性碱$\xrightarrow{\triangle}$金属氧化物$+$水，该变化中固体质量减小，其差值为生成的水的质量。

例1 （2010 辽宁丹东，23，8分）为了测定某些磁铁矿中四氧化三铁的质量，甲、乙两组同学根据磁铁矿与一氧化碳反应的原理，分别利用两种方法测定了磁铁矿样品中四氧化三铁的质量分数。已知磁铁

矿与一氧化碳反应的化学方程式如下(假设磁铁矿中的杂质不参加反应):$Fe_3O_4 + 4CO \xrightarrow{\text{高温}} 3Fe + 4CO_2$。(计算最终结果保留小数点后一位)

(1)甲组同学取该磁铁矿样品 10 g 与足量的一氧化碳充分反应,并将产生的气体通入足量的氢氧化钠溶液中,溶液的质量增加了 5.5 g。请你根据甲组同学的实验数据,计算出磁铁矿样品中四氧化三铁的质量分数。

(2)乙组同学取该磁铁矿样品 10 g 与足量的一氧化碳充分反应,测得反应后固体物质的质量为 8 g。请你根据乙组同学的实验数据,计算出磁铁矿样品中四氧化三铁的质量分数。

答案 (1)解:设样品中 Fe_3O_4 的质量为 x。

$$Fe_3O_4 + 4CO \xrightarrow{\text{高温}} 3Fe + 4CO_2$$

232	176
x	5.5 g

$\dfrac{232}{x} = \dfrac{176}{5.5\ g}$ 解得 $x = 7.25\ g$

样品中 Fe_3O_4 的质量分数为 $\dfrac{7.25\ g}{10\ g} \times 100\% = 72.5\%$

答:样品中 Fe_3O_4 的质量分数为 72.5%。

(2)**解法一**:设样品中杂质的质量为 x。

$$Fe_3O_4 + 4CO \xrightarrow{\text{高温}} 3Fe + 4CO_2$$

232	168
10 g $-x$	8 g $-x$

$\dfrac{232}{10\ g - x} = \dfrac{168}{8\ g - x}$ 解得 $x = 2.75\ g$

样品中 Fe_3O_4 的质量分数为 $\dfrac{10\ g - 2.75\ g}{10\ g} \times 100\% = 72.5\%$

解法二:设样品中 Fe_3O_4 的质量为 x。

$$Fe_3O_4 + 4CO \xrightarrow{\text{高温}} 3Fe + 4CO_2 \qquad \Delta m$$

232	168	232 − 168 = 64
x		10 g − 8 g = 2 g

$232 : 64 = x : 2\ g$

$x = 7.25\ g$

样品中 Fe_3O_4 的质量分数为 $\dfrac{7.25\ g}{10\ g} \times 100\% = 72.5\%$。

答:样品中 Fe_3O_4 的质量分数为 72.5%。

解析 本题属于典型的一题多解的化学方程式计算题。

(1)甲组同学的实验中被氢氧化钠溶液吸收的是 CO 还原 Fe_3O_4 生成的 CO_2,由 5.5 g CO_2 的质量作为已知条件,根据方程式可计算出 Fe_3O_4 的质量。

(2)乙组同学的实验中 10 克样品被 CO 充分还原后剩余 8 克固体,减少的质量是 Fe_3O_4 中氧元素的质量,利用产生的差值即可求出 Fe_3O_4 的质量。也可以根据题中杂质不参加反应来建立等量关系,求出 Fe_3O_4 的质量。

2. 关系式法

关系式法就是根据化学式、化学方程式和溶质质量分数等概念所包含的各种比例关系,找出已知量与未知量之间的比例关系式,直接列比例式进行计算的方法。关系式法有如下两种类型:

(1)纵向关系式

经过多步的连续反应,即后一反应的反应物为前一反应的生成物,采用"加合",将多步运算转化为一步计算。

(2)横向关系式

① 几种不同物质中含相同的量,根据该量将几种不同物质直接联系起来进行运算。

② 有多个平行的化学反应,即多个反应的生成物有一种相同,根据这一相同的生成物,找出有关物质的关系式,依此关系式进行计算可简化运算的过程。

关系式法抓住已知量与未知量之间的内在关系,建立关系式,化繁为简,减少计算误差,是化学计算常用方法之一。

例2 (2010 山东潍坊,24,10分)碳酸氢钠($NaHCO_3$)俗称小苏打,是一种白色固体,是焙制糕点所用的发酵粉的主要成分之一,它能与稀硫酸等酸反应生成 CO_2。试回答:

(1)写出 $NaHCO_3$ 与稀硫酸反应的化学方程式 _____

(2)如何用 98% 的硫酸(密度为 1.84 g/mL)配制 980 g 18.4% 的硫酸溶液? _____

(3)现将 45 g $NaHCO_3$(混有 $KHCO_3$)固体粉末加入 100 mL 稀硫酸,恰好完全反应后使气体全部逸出,固

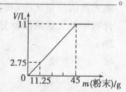

科学元典

门捷列夫 俄国化学家。1869 年,他提出了化学元素周期律:元素(以及由它形成的单质和化合物)的性质随着原子量的递增而呈周期性的变化。他根据元素周期律编制了第一个元素周期表,把已经发现的 63 种元素全部列入表里,从而初步完成了使元素系统化的任务。他还在表中留下空位,预言了类似硼、铝、硅的未知元素的性质。人们为了纪念他的功绩,就把元素周期律和周期表称为门捷列夫元素周期律和门捷列夫元素周期表。

体粉末的质量与产生 CO_2 体积的关系如图(该状况下, CO_2 的密度为 2 g/L)。通过计算:

①求 100 mL 稀硫酸中硫酸的质量。

②若稀硫酸为 120 mL 时,加入固体粉末为 58.5 g,求产生 CO_2 的体积。

答案 (1) $2NaHCO_3 + H_2SO_4 \xlongequal{\quad} Na_2SO_4 + 2CO_2\uparrow + 2H_2O$

(2)将 100 mL 98% 的 H_2SO_4 沿着烧杯内壁慢慢倒入 796 mL 水中,同时用玻璃棒不断搅拌

(3)解:① $m(CO_2) = 11\ L \times 2\ g/L = 22\ g$

设硫酸溶液中 H_2SO_4 的质量为 x。

由(1)式得: $H_2SO_4\quad\sim\quad 2CO_2$

$\qquad\qquad\qquad 98\qquad\qquad 88$

$\qquad\qquad\qquad x\qquad\qquad 22\ g$

$x = \dfrac{98 \times 22\ g}{88} = 24.5\ g$

②设与 120 mL 稀 H_2SO_4 完全反应的固体粉末的质量为 y。

$\dfrac{100\ mL}{120\ mL} = \dfrac{45\ g}{y}$ $\quad y = 54\ g < 58.5\ g$

固体粉末过量,以硫酸的量进行计算:

$V(CO_2) = \dfrac{11\ L \times 120\ mL}{100\ mL} = 13.2\ L$

答:①100 mL 稀硫酸中硫酸的质量为 24.5 g,②产生 CO_2 的体积为 13.2 L。

解析 (1)书写化学方程式时注意化学方程式的配平和"↑"的书写。(2)设配制 980 g 18.4% 的硫酸溶液需 98% 的硫酸(密度为 1.84 g/mL)的体积为 x,则: $x \times 1.84\ g/mL \times 98\% = 980\ g \times 18.4\%$, $x = 100\ mL$,需水的质量为: $980\ g - 100\ mL \times 1.84\ g/mL = 796\ g$;配制过程中应注意一定要把浓硫酸沿烧杯内壁慢慢注入水中,并用玻璃棒不断搅拌。(3)由函数图像可以看出,45 g 固体粉末与 100 mL 稀硫酸恰好完全反应生成 CO_2 11 L,11 L CO_2 的质量为 11 L × 2 g/L = 22 g,根据 CO_2 的质量可计算出稀硫酸中硫酸的质量。由 100 mL 稀硫酸能与 45 g 固体粉末完全反应,可计算出 120 mL 稀硫酸能与 54 g 固体粉末完全反应,而加入的固体粉末为 58.5 g,则固体粉末有剩余,稀硫酸完全反应。因 100 mL 稀硫酸与固体粉末恰好完全反应生成 CO_2 气体 11 L,则 120 mL 稀硫酸与 54 g 固体粉末完全反应生成二氧化碳的体积为:

$\dfrac{11\ L \times 120\ mL}{100\ mL} = 13.2\ L$。

3. 平均值法

混合物中确定各组分的有关计算是初中化学计算中难度较大的一种题型。如混合物中各组分均能与某一物质反应且得到的产物中有同一种物质,或混合物中各组成成分均含有同一种元素,要确定其成分的有关计算可用平均值法求解。解答此类题的关键是要先找出混合物中各成分的平均值(如平均二价相对原子质量、平均相对分子质量、平均质量、平均质量分数等),此平均值总是介于组分中对应值的最大值与最小值之间。利用这些平均值解题的方法叫做平均值法。下面分类进行讨论:

(1)平均二价相对原子质量法

由金属单质组成的混合物,要判断混合物的组成或计算某一成分的质量,利用二价相对原子质量法计算较为快捷、准确。解题时先设该混合物为一种纯净的二价金属,利用化学方程式或其他方法求出平均二价相对原子质量,混合物各组分中一种金属的二价相对原子质量小于平均二价相对原子质量,则另一种金属的二价相对原子质量必须大于平均二价相对原子质量,据此求出正确答案。

二价相对原子质量 $= \dfrac{相对原子质量}{化合价} \times 2$

如:Na 的二价相对原子质量 $= \dfrac{23}{1} \times 2 = 46$

Mg 的二价相对原子质量 $= \dfrac{24}{2} \times 2 = 24$

Al 的二价相对原子质量 $= \dfrac{27}{3} \times 2 = 18$

设一种二价金属 R 的质量为 m,其二价相对原子质量为 M,与足量稀 H_2SO_4 反应产生 H_2 的质量为 x。

$R + H_2SO_4 \xlongequal{\quad} RSO_4 + H_2\uparrow$

$M\qquad\qquad\qquad\qquad\quad 2$

$m\qquad\qquad\qquad\qquad\quad x$

解得: $x = \dfrac{m}{M} \times 2$

即金属与足量稀酸反应,产生 H_2 的质量与该金属质量成正比,与该金属二价相对原子质量成反比。若像 Cu 等金属与酸不反应,即产生 H_2 的质量为零,可知 Cu 的二价相对原子质量为无穷大。

🔊 特别提醒

①二价相对原子质量和相对原子质量有本质区别,前者为一假设值。

②Cu、Ag 等不与酸发生置换反应的金属,可认为其

二价相对原子质量为无穷大(∞)。

③金属与足量稀酸反应产生氢气的质量为：

$$m(H_2) = \frac{m(\text{金属质量})}{M(\text{金属的二价相对原子质量})} \times 2$$

④制取一定量的氢气需要金属的质量为：

$m(\text{金属质量})$

$$= \frac{m(H_2) \times M(\text{金属的二价相对原子质量})}{2}$$

(2)相对分子质量平均值法

由化合物组成的混合物，要判断混合物中各物质是否存在或计算某成分的质量，可用相对分子质量平均值法解题。解题时根据化学方程式或其他方法求出平均相对分子质量，混合物中一种物质的相对分子质量如果大于平均相对分子质量，则另一种物质的相对分子质量必小于平均相对分子质量，据此可求出正确答案。

(3)质量平均值法

利用混合物中平均质量解题的方法。

(4)质量分数平均值法

混合物中某元素的质量分数总是介于混合物中一种成分中该元素的质量分数与另一种成分中该元素的质量分数之间，据此可确定混合物的组成。

例3（2010 四川绵阳，29，8分）质量分数不同的硫酸溶液其密度不相同，对照表如下：

质量分数	10%	20%	30%	40%	50%
密度(g/mL)	1.07	1.14	1.22	1.30	1.40
质量分数	60%	70%	80%	90%	98%
密度(g/mL)	1.50	1.61	1.73	1.81	1.84

将 10 mL 98%的浓硫酸加入水中稀释至 100 mL，取 10 mL 该稀硫酸与足量锌反应制取氢气，请按要求完成下列问题（计算结果保留一位小数）：

(1)10 mL 98%的浓硫酸中含_____ g H_2SO_4。

(2)列式计算消耗金属锌的质量。

(3)分析表中数据，可以归纳出硫酸溶液的质量分数与密度的关系是_____。10 mL 水和 10 mL 质量分数为 b% 的硫酸溶液混合，混合后溶液的质量分数应在_____至_____之间。

答案 (1)18.0

(2)解：设 10 mL 稀硫酸与锌完全反应消耗锌的质量为 x。

$$\begin{array}{cccc} Zn & + & H_2SO_4 & \!\!\!=\!\!\!= ZnSO_4 + H_2\uparrow \\ 65 & & 98 & \end{array}$$

$$x \qquad 18.0\ g \times \frac{10\ mL}{100\ mL}$$

$$x = \frac{65 \times 18.0\ g \times \dfrac{10\ mL}{100\ mL}}{98} = 1.2\ g$$

答：消耗金属锌的质量为 1.2 g。

(3)质量分数越大密度越大 $\dfrac{b}{2}$% b%

解析 根据硫酸溶液质量分数与密度对照表可知，98%的 H_2SO_4 密度为 1.84 g/mL，则 10 mL 98%的硫酸溶质质量为 10 mL × 1.84 g/mL × 98% = 18.0 g，水的密度一般认为是 1 g/mL，当水与硫酸溶液等质量混合时，所得溶液的质量分数为 $\dfrac{b}{2}$%，当水与硫酸溶液等体积混合时，由于硫酸溶液的密度大于水的密度，故混合后溶液的溶质质量分数应大于 $\dfrac{b}{2}$%，但一定会小于 b%。

例4（2010 湖北荆州，14，1分）小明同学用6.5 g 不纯的锌与足量稀盐酸完全反应，收集到 H_2 的质量为 0.205 g。已知其中含有另一种金属杂质。这种金属杂质不可能是 （ ）

A. 铁   B. 铝

C. 铜   D. 镁

答案 C 由题意可知，两种金属混合物 6.5 g 与足量稀盐酸反应生成了 0.205 g 氢气，则该混合物的二价相对原子质量为：$\dfrac{6.5}{0.205} \times 2 = 63.4$。已知 Zn、Fe、Al、Cu、Mg 五种金属的二价相对原子质量分别为：65、56、18、∞（无穷大）、24，混合物中含有 Zn，则另一种金属的二价相对原子质量不能大于 63.4。所以这种金属杂质不可能是铜。

4. 守恒法

守恒法是根据化学问题中某化学量守恒的原则来解化学题的一种解题方法。在化学计算中灵活运用守恒法不仅能简化解题过程，而且能加深对某些化学原理内涵的理解。

化学变化中等量关系的建立有一条很重要的定律——质量守恒定律，即参加化学反应的各物质的质量总和等于反应后生成的各物质的质量总和。在实际应用中，上述定律演绎为：a 化学反应前后，物质

科学元典

拜耳 德国化学家。他的第一项成就是 1863 年发现了巴比土酸——巴比妥类安眠药的母体。1865 年，他开始了靛蓝染料的研究工作，1880 年合成了靛蓝，1883 年确定其结构。1885 年拜耳根据碳原子正四面体的模型建立了张力学说。1881 年英国皇家学会授予他戴维奖章，表彰他在靛蓝方面的成就。1905 年他因研究有机染料和氢化芳香族化合物的贡献而获诺贝尔化学奖。

发生变化生成新物质,但组成物质的元素种类不变,质量不变;b 化学反应前后,分子本身发生改变,而分子的数目虽然有的改变,但原子的种类、数目都不改变。该定律反映了化学反应中的一些等量关系,是解化学试题的思路之一。利用化学反应前后某些量之间的等量关系,推理得到正确答案的方法称为守恒法。仔细挖掘题目中隐含的等量关系是守恒法解题的关键。下面分类进行讨论。

(1)质量守恒法

①反应前后反应物与生成物质量守恒。

②溶液混合或稀释前后,溶质的总质量守恒。

③化学反应中某些元素的质量守恒等。

(2)电荷守恒法

溶液中阴、阳离子个数不一定相等,但正负电荷总数相等。

(3)比例守恒法

利用试题中潜在的某些量之间的比例恒定不变的原理来解题的一种方法。

例5 (2010 湖北荆州,23,8 分)某二价金属 M 的氧化物 10 g 与 90 g 稀硫酸恰好完全反应后,形成无色透明溶液,测得反应后溶液中溶质的质量分数为30%。请计算(计算结果保留一位小数):

(1)该金属 M 的相对原子质量和上述稀硫酸中溶质的质量分数。

(2)反应后的溶液中,氢元素与氧元素的质量比。

答案 (1)24 27.2% (2)35:352

解析 由质量守恒定律可知:反应后溶液中溶质质量为:$100 \text{ g} \times 30\% = 30 \text{ g}$。

设金属 M 的相对原子质量为 m,稀硫酸中 H_2SO_4 的质量为 x。

$$\begin{array}{ccccc} MO & + & H_2SO_4 & =\!=\!= & MSO_4 & + & H_2O \\ m+16 & & 98 & & m+96 \\ 10 \text{ g} & & x & & 30 \text{ g} \end{array}$$

$(m+16):(m+96) = 10 \text{ g}:30 \text{ g}$

解得 $m = 24$,可知 M 为镁元素。

$98:40 = x:10 \text{ g}$ $x = 24.5 \text{ g}$

硫酸溶液的溶质的质量分数为:$\dfrac{24.5 \text{ g}}{90 \text{ g}} \times 100\% = 27.2\%$。

(2)反应后溶液中 $MgSO_4$ 的质量为 30 g,则水的质量为 70 g。

氢元素的质量即水中氢元素的质量,氧元素的质量是水与硫酸镁中氧元素的质量和。

氢元素与氧元素的质量比为:

$$70 \text{ g} \times \frac{2}{18} : \left(70 \text{ g} \times \frac{16}{18} + 30 \text{ g} \times \frac{64}{120}\right) = 35:352$$

5.假设法

在化学中有类题目最终所求的是一比值,在解答该题设未知数之前,先假设一个题目中似乎缺少的关键量为假设量,即一个已知量,补充解题的条件,然后,此假设量可参与整个化学计算,使计算过程简单、清晰,但该假设的已知量只帮助解题,不会影响最终结果,这种解题方法就叫假设法,具体有两种类型:

①假设用具体的物质代替题目中抽象或不定的物质来解题。

②假设一具体数据代替题目中未知数据来解题。

a.题目中给出化学反应前后某两种物质的等量关系(已知条件),求混合物中各组分间的质量比——找等量设为假设量。

b.题目中给出某物质的质量分数(已知条件),求另一物质的质量分数——找条件中给出的质量分数所对应的物质质量为假设量。

例6 (2010 福建龙岩,18,9 分)金属氢化物如氢化钙(CaH_2)、氢化钠(NaH)是一种重要的制氢剂,与水接触时,分别发生如下反应:

$CaH_2 + 2H_2O =\!=\!= Ca(OH)_2 + 2H_2\uparrow$

$NaH + H_2O =\!=\!= NaOH + H_2\uparrow$

(1)若某化学反应需要制取 10 g 氢气,需要消耗多少克 NaH?

(2)登山运动员登山时也需通过金属氢化物与水反应获得氢气以提供必须的能量。小红认为,若用 CaH_2 替代 NaH,有利于登山运动员减轻包袱负担。为什么?

答案 (1)120 g

(2)生成等质量的氢气,消耗的氢化钙的质量比氢化钠少。

解析 解:(1)设生成 10 g 氢气需消耗 NaH 的质量为 x。

$$\begin{array}{ccccc} NaH & + & H_2O & =\!=\!= & NaOH & + & H_2\uparrow \\ 24 & & & & & & 2 \\ x & & & & & & 10 \text{ g} \end{array}$$

科学元典

穆瓦桑 穆瓦桑 1886 年 6 月 26 日制出了单质氟,在科学界引起了轰动。他还详细地研究了氟的化学性质并制得了一些化合物(SiF_4、IF_5、CF_4、有机氟化合物等)。穆瓦桑还设计出了一种用电弧加热的特殊电炉(穆瓦桑电炉),这种电炉被广泛用于加热难熔的氧化物,还原出大量的金属(钼、钽、铌等);制取出不少的金属氮化物、硼化物和碳化物。他因制出单质氟和发明穆瓦桑电炉而获 1906 年诺贝尔化学奖。

$24:2=x:10 \text{ g}$ $x=120 \text{ g}$

(2)假设均生成 4 g 氢气,设消耗 CaH_2、NaH 的质量分别为 m_1、m_2。

$$CaH_2+2H_2O=\!=\!=\!Ca(OH)_2+2H_2\uparrow$$
$$42 \qquad\qquad\qquad\qquad\qquad 4$$
$$m_1 \qquad\qquad\qquad\qquad\qquad 4 \text{ g}$$

$42:4=m_1:4 \text{ g}$ $m_1=42 \text{ g}$

$$NaH+H_2O=\!=\!=\!NaOH+H_2\uparrow$$
$$24 \qquad\qquad\qquad\qquad 2$$
$$m_2 \qquad\qquad\qquad\qquad 4 \text{ g}$$

$24:2=m_2:4 \text{ g}$ $m_2=48 \text{ g}$

显然,生成等质量的氢气,所消耗的氢化钙的质量比氢化钠要少。

6. 极端假设法(极值法)

极端假设法就是把思路引向极端状态,使问题简化得出结论。混合物问题的极值解法,就是将混合物全部看成是其中某一种物质或某两种物质进行运算,然后将计算结果与题意相比较得出结论,极值法解题可培养学生严谨的逻辑推理能力和丰富的想象能力。

例7 (2010 四川甘孜,23,6分)"节能减排"已经引起当今社会普遍关注。化石燃料燃烧会产生大量的 CO_2,大气中 CO_2 含量过高会导致温室效应等环境问题。

(1)计算 1 000 g CH_4 完全燃烧产生 CO_2 的质量 m。

(2)从下表数据分析,与煤相比,用天然气作燃料的优点是_____。

	1 000 g 物质完全燃烧产生 CO_2 的质量	1 000 g 物质完全燃烧放出的热量
CH_4	m	5.6×10^4 kJ
C	3.67×10^3 g	3.2×10^4 kJ

答案 (1)2 750 g

(2)天然气燃烧放出的热量多,生成的 CO_2 少

解析 (1)设 1 000 g CH_4 完全燃烧产生 CO_2 的质量为 m。

$$CH_4+2O_2\xrightarrow{\text{点燃}}CO_2+2H_2O$$
$$16 \qquad\qquad\qquad 44$$
$$1\ 000 \text{ g} \qquad\qquad m$$

$16:44=1\ 000 \text{ g}:m$

解得 $m=2\ 750 \text{ g}$

答:1 000 g CH_4 完全燃烧产生 CO_2 的质量为 2 750 g。

(2)对比分析表格中数据可知,燃烧等质量的 CH_4 和 C,天然气释放出的热量多,且生成的 CO_2 少。

科学元典

阿伦尼乌斯 瑞典物理化学家。他的最大贡献是 1887 年提出电离学说:电解质是溶于水中能形成导电溶液的物质;这些物质在水溶液中时,一部分分子离解成离子;溶液越稀,离解度就越大。1889 年提出活化分子和活化热概念,导出化学反应速率公式(阿伦尼乌斯方程)。他还研究过太阳系的成因、彗星的本性、北极光天体的温度、冰川的成因等,并最先对血清疗法的机理作出化学上的解释。

专题 10　化学与社会

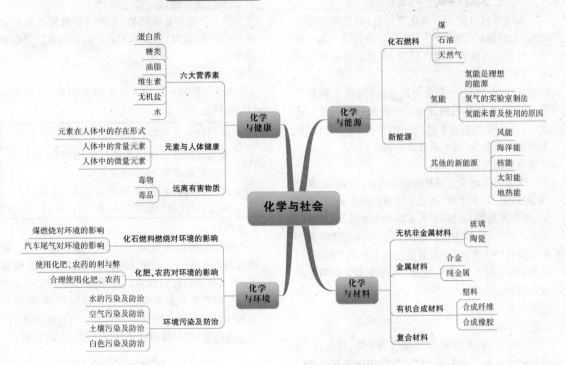

知识清单

基础知识

知识 ① 化学与健康

1. 人体需要的营养素

人类为了维持生命和健康,必须摄取食物。食物的成分主要有蛋白质、糖类、油脂、维生素、无机盐和水等六大类,通常称为营养素。

人体内主要物质的含量

化合物	蛋白质	糖类	脂肪	无机盐	水	其他
质量分数/%	15～18	1～2	10～15	3～4	55～67	1

(1)蛋白质

①蛋白质的重要性:蛋白质是构成细胞的基本物质,是机体生长及修补受损组织的主要原料。

②蛋白质的结构和元素组成:蛋白质是由多种氨基酸构成的极为复杂的有机化合物,相对分子质量很大,从几万到几百万。构成氨基酸的基本元素有氢、氧、碳、氮,但不同种类的蛋白质中可能含有除此之外的其他元素,如血红蛋白中除碳、氢、氧、氮外还含有铁元素。

③存在:主要存在于动物<u>肌肉</u>、<u>皮肤</u>、<u>毛发</u>、<u>蹄</u>、<u>角</u>、<u>血液</u>和各种<u>酶</u>中,许多植物(如<u>大豆</u>、<u>花生</u>)的种子里也含有丰富的蛋白质。

④生理作用:人体通过食物获得的蛋白质在胃肠道里与水发生反应,生成氨基酸。氨基酸通过肠壁进入血液循环,一部分氨基酸被氧化,生成尿素、二氧化碳和水等排出体外,同时<u>放出热量</u>供人体活动的需要。每克蛋白质完全氧化约放出 18 kJ 的能量。另一部分氨基酸再重新组成人体所需要的各种蛋白质,维持人体的生长发育和组织更新。

⑤蛋白质的功能

a. 血红蛋白的作用:人体内氧气的传输者,起载体作用。

正常呼吸时,在肺部,血红蛋白中血红素的 Fe^{2+} 与氧结合成为<u>氧合血红蛋白</u>,随着血液流到机体的各个组织器官,放出氧气,供体内氧化用。同时血红蛋白结合血液中的二氧化碳,携带到肺部呼出。人的呼吸作用就是这样反复进行的过程。

$$血红蛋白 + O_2 \longrightarrow 氧合血红蛋白$$

血红蛋白也能与一氧化碳结合,而且结合能力很强,大约是氧气的200~300倍。结合了一氧化碳的血红蛋白不能再与氧气结合,人就会因缺氧而中毒,甚至窒息死亡。

b. 酶的作用:酶是一类重要的蛋白质,是生物催化剂,能催化生物体内的反应。一种酶只能催化一种反应,而且是在体温和接近中性的条件下进行的。酶的催化具有专一性、高效性的特点。

⑥蛋白质的变性

当蛋白质分子受到某些物理因素(如高温、紫外线、超声波、高电压等)和化学因素(如酸、碱、有机溶剂、重金属盐等)的影响时,其结构会被破坏,导致其失去生理活性(称为蛋白质的变性)。甲醛(防腐剂福尔马林的主要成分)会与蛋白质中的氨基酸反应,使蛋白质分子结构发生变化,从而失去生物活性并发生凝固。

⑦蛋白质与健康

a. 蛋白质缺乏

成年人:肌肉消瘦、机体免疫力下降、贫血,严重者将产生水肿。成人每天需从食物中摄取60~70 g的蛋白质。

未成年人:生长发育停滞、贫血、智力发育差、视觉差。青少年每天需从食物中摄取75~80 g的蛋白质。

b. 蛋白质过量

蛋白质在体内不能储存,多了机体无法吸收,过量摄入蛋白质,将会因代谢障碍产生蛋白质中毒甚至于死亡。

例1 (2010 河北,1,2分)下列物质不能为人类生命活动提供能量的是 (   )

A. 米饭   B. 水   C. 鸡蛋   D. 花生油

答案 **B** 在人体所需的六类营养素中糖类、油脂、蛋白质均能为人体提供能量。

(2) 糖类

①糖类的组成

糖类是人类食物的重要成分,由C、H、O三种元素组成。

②糖类的生理功能

为机体活动提供能量,糖类所提供的能量占人类食物所提供的总能量的60%~70%;构成机体的重要物质;调节食品风味;维持大脑功能必需的能量;调节脂肪代谢;提供膳食纤维。

③食物中的糖类分成两类:人可以吸收利用的有效糖类如单糖、双糖、多糖和人不能消化的无效糖类如纤维素。

④常见的糖类物质

a. 淀粉:它是绿色植物光合作用的产物,化学式为$(C_6H_{10}O_5)_n$。

存在	植物种子或块茎中,如水稻、小麦、马铃薯等
消化	食物淀粉在人体内经酶的作用,与水作用最终变成葡萄糖,然后再被人体吸收
检验	淀粉遇到碘单质(常用碘水或碘酒做试验)会变蓝,以此检验淀粉的存在

b. 葡萄糖

葡萄糖的化学式为$C_6H_{12}O_6$。葡萄糖经过肠壁吸收进入血液成为血糖,输送到人体的各个组织器官,为人体组织提供营养,又在酶的作用下,转变为糖原贮藏在肝脏和肌肉中。在人体组织里,葡萄糖在酶的作用下经缓慢氧化转变成二氧化碳和水,同时放出能量,供机体活动和维持体温恒定的需要。

$$C_6H_{12}O_6 + 6O_2 \xrightarrow{\text{酶}} 6CO_2 + 6H_2O$$

c. 蔗糖

存在	贮藏在某些植物(如甘蔗、甜菜等)中,化学式为$C_{12}H_{22}O_{11}$
用途	日常生活中常用的白糖、冰糖和红糖的主要成分就是蔗糖,它是食品中常用的甜味剂

⑤糖类与健康

人体中缺乏糖类会导致全身无力、疲乏、头晕、心悸、脑功能障碍等,低血糖严重者会导致昏迷。因为葡萄糖不经过转化即可为人体吸收,所以低血糖患者可利用静脉注射葡萄糖溶液的方法迅速补充营养,时间允许时可以服用蔗糖水临时代替。当糖类过多时,人体组织吸收不了,就会转化成脂肪储存在体内,使人过于肥胖而诱发各种疾病,如高血脂、糖尿病。

例2 (2010 山东烟台,10,1分)葡萄糖($C_6H_{12}O_6$)供给人体活动和维持体温所需要能量的反应可表示为:$C_6H_{12}O_6 + 6O_2 \xrightarrow{\text{酶}} 6CO_2 + 6H_2O + 能量$,下列分析错误的是 (   )

科学元典

拉姆塞 英国化学家。1894年,拉姆塞利用镁受热后与氮气化合生成氮化物的方法,对大气进行处理。发现大气中氮含量逐渐减少。经过继续实验,终于发现有一种气体不受这种处理方法的影响。经过光谱法鉴定和重复实验,证实了这是一种新气体,被称为氩气。此后又与他人合作分离出了氖、氪、氙;准确测定出氡的原子量为222。拉姆塞因发现稀有气体,并在周期表中确定了它们的位置而荣获1904年的诺贝尔化学奖。

A. 医疗上可用一定质量分数的葡萄糖溶液给病人输液以补充能量

B. 葡萄糖氧化成二氧化碳和水,同时产生能量

C. 葡萄糖氧化产生的 CO_2 如不能及时排出人体,则血液的 pH 将增大

D. 人呼出的气体与吸入的空气相比较,CO_2 和 H_2O 的含量增加了

答案 C CO_2 如不能及时排出人体,则与人体体液中的水反应生成碳酸,使血液的 pH 减小。

(3) 油脂

①油脂的分布

在常温下,呈液态的植物油脂称为油,如花生油、豆油等;呈固态的动物油脂称为脂肪,如牛油、奶油等。植物油和动物油统称为油脂。

②功能:油脂是<u>重要的供能物质</u>,每克油脂在人体内完全氧化时放出 39.3 kJ 的能量,比糖类多一倍,因此它是重要的供能物质。在正常的情况下,人体每日需摄入 50～60 g 油脂,它供给人体每日所需能量的 20%～25%。

③油脂与健康

一般成人体内贮存的脂肪约占人体质量的 10%～20%,它是维持生命活动的备用能源。当人进食量小、摄入食物的能量不足以支付机体消耗的能量时,就要消耗自身的脂肪来满足机体的需要,此时人就会消瘦。但是过多地摄入油脂容易诱发心脑血管疾病、肥胖症,还会诱发高血压、糖尿病等。

例3 (2010 山西,5,2分)小丽最近腹泻,医生建议她暂不要吃富含蛋白质和油脂的食物,小丽应该选择的早餐是 ( )

A. 油条和豆浆　　　　　B. 馒头和稀饭

C. 鸡蛋和牛奶　　　　　D. 炸鸡腿和酸奶

答案 B 油条、炸鸡腿富含油脂,豆浆、牛奶、酸奶富含蛋白质。馒头和稀饭主要含淀粉,淀粉属于糖类。

(4) 维生素

种　类	维生素有 20 多种,多数在人体内不能合成,需要从食物中摄取
存　在	水果、蔬菜、种子、动物肝脏、鱼类、鱼肝油、蛋类、牛奶和羊奶等均含丰富的维生素
功　能	调节新陈代谢,预防疾病,维持身体健康。如维生素 C 有防癌作用,它能促进人体生长发育,增强对疾病的抵抗力
缺乏的后果	缺乏某种维生素将使人患病。如:缺乏维生素 A,会引起夜盲症;缺乏维生素 C,会引起坏血病;缺乏维生素 B,会引起皮炎、贫血、肌肉萎缩等;缺乏维生素 D,会使青少年发育不良得佝偻病,老年人会发生骨质疏松

例4 (2010 四川宜宾,3,2分)下面是某同学的午餐食谱:红烧肉、大米饭、炒花生、炖鸡汤,这位同学的食物中主要缺少的营养素是 ( )

A. 蛋白质　　B. 糖类　　C. 维生素　　D. 油脂

答案 C 红烧肉、鸡汤中含有丰富的蛋白质,米饭的主要成分是淀粉属于糖类,花生中富含油脂。从食谱上看,该同学的营养搭配不合理,缺乏维生素。

(5) 无机盐

①人体内无机盐的作用

无机盐是人体内营养元素之一,含量虽少但对正常生理活动有重要影响。主要有以下作用:构成人体组织的重要成分;维持机体的渗透压和体液酸碱平衡;维持神经细胞兴奋性;构成酶的成分或激活酶的活性;参与体内物质代谢等。

②人体内无机盐的获取及缺乏症

机体在新陈代谢过程中,随时都有一定量的矿物质以不同的途径排出体外,如汗液、尿液,因此必须及时适量补充。矿物质在食物和水中广泛存在,一般不易引起缺乏。

不同的生理状况和不同的地理环境或其他特殊条件会引起某些元素的缺乏或过量,导致诸如克山病、大骨节病等地方病的发生。

(6) 水

①水在人体内的作用

水在人体中的功能是维持细胞状态,增强代谢功能,调节血液的正常循环,溶解营养素,使之易于吸收和运输;水还能帮助机体排泄废弃物,散发热量,调节体温,并使血液保持酸碱平衡;水在食物消化、促进体液循环、润滑关节和各内脏器官保持它们正常的生理机能起着重要作用;人体内的水还能使体内器官减缓震荡。

②人体内水的散失和获取途径

张青莲 张青莲(1908－2006),无机化学家、教育家。长期从事无机化学的教学与科研工作。对同位素化学造诣尤深,是中国稳定同位素学科的奠基人和开拓者。他对中国重水和锂同位素的开发和生产起过重要作用。晚年从事同位素质谱法测定原子量的研究,1991 年测得的铟原子量,已被国际采用为新标准。

a. 人体内水分流失的途径:排尿、呼吸、体表排汗、排粪。

b. 人体内水的获取途径:饮水、食物、体内物质代谢。

c. 如果身体摄入水分不足,开始时人体可通过调节机体减少水分的排出量,保持机体水平衡,但严重不足时,自身就无法控制了。当体内水分减少达体重的2%时,身体可因脱水而造成代谢障碍;减少7%~14%时,出现严重的脱水症状;减少15%以上,即有生命危险。

例5 (2010 四川成都,9,3分) 纯净水不宜长期饮用。因为天然水中含有的硒等元素很难从食物中摄取,而在制取纯净水时,硒等元素也被除去。硒是人体必需的 ( )

A. 蛋白质 　　　　B. 微量元素
C. 稀有气体元素 　　D. 维生素

答案 B　人体必需的微量元素包括铁、铜、锌、氟、碘、硒等。

(7) 合理膳食

人体生长发育和进行各种活动,不可缺少营养物质,营养物质都来自食物。我们吃的各种食物中,含有六大类营养物质:蛋白质、糖类、脂肪、维生素、水和无机盐。每一类营养物质,都是人体所必需的。它们的来源如下:蛋白质主要从瘦肉、鱼、奶、蛋、豆类等食物中获得;糖类主要从食糖、谷类、豆类和根茎类等食物中获得;脂肪主要从猪油、奶油、蛋黄、花生油、芝麻、豆类、硬果类食物中获得;维生素主要从动物的肝脏及各种蔬菜、水果等食物中获得;而无机盐的来源则较广泛。因此应合理安排饮食,保证营养平衡,促进人体正常生长发育,保障人体健康。

例6 (2010 湖南株洲,24,3分) 在日常生活中应注意合理摄取营养物质和人体必需的元素。

(1)食物的成分主要有蛋白质、糖类、油脂、_____、无机盐和水等六大类,通常称为营养素。下列各类食物中含淀粉最丰富的是_____(填字母)。

A.西红柿 　B.大米 　C.鸡蛋 　D.牛奶

(2)小华经常食欲不振,生长迟缓,发育不良,你觉得小华体内缺少的元素是_____(填序号)。

①铁　　②硒　　③钙　　④锌

答案 (1)维生素　B　(2)④

解析 (1)营养素还包括维生素。大米中主要营养成分是淀粉

(2)当人体内缺乏锌元素时,会导致生长迟缓,发育不良等症状。

2. 厨房中的有机物

(1)乙醇

学名	乙醇
俗称	酒精
化学式	C_2H_5OH
物理性质	无色有特殊香味的液体,易挥发,密度比水小,能与水以任意比互溶,溶液不导电
化学性质	具有可燃性:$C_2H_5OH + 3O_2 \xrightarrow{点燃} 3H_2O + 2CO_2$ 完全燃烧只生成CO_2和H_2O,放出热量
用途	①作燃料 $\begin{cases}酒精灯\\车用乙醇汽油\end{cases}$ ②消毒:医院用70%~75%的酒精溶液消毒 ③溶剂:乙醇是常用溶剂之一,如碘酒就是碘的酒精溶液 ④化工原料
制取	粮食$\xrightarrow{发酵、蒸馏}$乙醇(食用酒精) 石油$\xrightarrow{催化剂}$乙醇(工业酒精)

◄))) 特别提醒

①车用乙醇汽油指在汽油中加入适量乙醇混合而成。其优点是节约石油资源,减少汽车尾气的污染。↵

②工业酒精与食用酒精主要成分相同,都是乙醇,但工业酒精中含有对人体有害的甲醇(CH_3OH),而食用酒精中不含甲醇。不法分子利用含甲醇的工业酒精勾兑白酒会严重危害人体健康。

例7 (2010 湖北恩施,5,2分) 2008年以来国际油价的持续"高烧",引发人们对未来能源供需及价格的深切关注,并且促使人们寻求石油的替代品。下列说法错误的是 ( )

A.我们应珍惜化石燃料,因为它们既是燃料,又是重要的化工原料,且不可再生

科学元典

贝克兰　美国化学家,酚醛树脂的发明者。1889年曾发明高光敏性照相纸并从事电解研究。1905年转向研究苯酚与甲醛的反应及其产物,在近五年的工作中,完成了以催化剂类型和用量控制缩聚反应;树脂的三阶段固化机理;树脂中加入木粉以克服其脆性;以高温热压法缩短固化时间和消除释放挥发物在模塑制品中产生空隙等研究,使酚醛树脂成为工业生产的第一个合成高聚物。1909年获得酚醛高温热压成型专利权。1924年被选为美国化学学会会长。

B. 在合理使用化石燃料的同时,我们应努力寻求开发新能源

C. 国家决定推广乙醇汽油的应用,乙醇汽油是一种新型化合物

D. 汽车使用乙醇汽油能减少有害气体的排放

答案 C 乙醇汽油是混合物。

(2)乙酸

学名	乙酸
俗称	醋酸
化学式	CH_3COOH
物理性质	纯净的醋酸是一种无色有刺激性气味的液体,有腐蚀性。低于16.6℃时成为固体,叫冰醋酸,易溶于水和酒精
化学性质	具有酸的通性
用途	①食醋的主要成分 ②化工原料

例8 (2010 黑龙江哈尔滨,6,2分)食醋是厨房中的一种调味品,其中含有少量醋酸。下列有关醋酸的说法不正确的是 ( )

○ 碳原子
○ 氧原子
○ 氢原子

醋酸分子结构模型

A. 醋酸分子是由碳、氢、氧三种原子构成的

B. 醋酸中碳元素的质量分数为40%

C. 醋酸分子是由碳、氢、氧三种元素组成的

D. 每个醋酸分子中含8个原子核

答案 C 从醋酸分子结构模型可以看出醋酸的化学式为 $C_2H_4O_2$ 即 CH_3COOH,故A、D正确。醋酸中碳元素的质量分数为 $\frac{24}{24+4+32} \times 100\% = 40\%$,B正确。C错误,正确的描述应为醋酸是由碳、氢、氧三种元素组成的。

3. 人体中的元素

(1)元素在人体内的存在形式

①生物细胞中的元素及其含量(见下图)

碳18% 氢10% 氮3% 钙1.5% 磷1.0% 其他1.5% 氧65%

我们周围世界的物质是由100多种元素组成的,而组成人体自身的元素约有50多种。人体中的元素在自然界都能找到。

②在人体中元素的存在形式:

a. 碳、氢、氧、氮主要以水、糖类、蛋白质、维生素和脂肪的形式存在。

b. 其他的元素主要以无机盐的形式存在于水溶液中。

c. 钙元素主要以羟基磷酸钙 $[Ca_{10}(PO_4)_6(OH)_2]$ 晶体的形式存在。

(2)常量元素

人体中含量较多的元素有11种,它们约占人体质量的99.95%。在人体中含量超过0.01%的元素,称为常量元素。

①人体中的常量元素

元素名称	元素符号	质量分数/%
氧	O	65.0
碳	C	18.0
氢	H	10.0
氮	N	3.0
钙	Ca	1.5
磷	P	1.0
钾	K	0.35
硫	S	0.25
钠	Na	0.15
氯	Cl	0.15
镁	Mg	0.05

科学元典

F. 哈伯 德国物理化学家。他发现在芳香族化合物中,C—C 键的热稳定性比 C—H 键更强,而在脂肪族化合物中则相反,C—H 键比 C—C 键的热稳定性强。这就是著名的哈伯规则。在他发表的关于硝基苯的电化学还原反应的论文中,哈伯首次提出电极电势决定还原能力的观点,认为电极电势越高,还原剂的还原能力越强。合成氨是哈伯一生最大的成就。

②一些常量元素在人体中的作用及适宜摄入量

元素	对人体的作用	每天适宜摄入量	摄入过高、过低对健康的影响	主要食物来源	在人体内的存在形式
钙	使骨骼和牙齿具有坚硬的结构支架	800 ~ 1 200 mg	缺钙主要影响骨骼的发育和结构。临床症状表现为青少年的佝偻病和成年人的骨质软化症及老年人的骨质疏松症。钙是无毒的元素，但摄入过量会导致高血钙，从而引起消化系统、泌尿系统等的疾病	海产品、豆类、奶类、各种绿叶蔬菜等	其中 99% 以羟基磷酸钙 $[Ca_{10}(PO_4)_6(OH)_2]$ 晶体形式存在于骨骼和牙齿中
钠	细胞外液和细胞内液中的 K^+ 和 Na^+ 各自保持一定的浓度，维持人体内的水分和体液恒定的 pH	2 000 ~ 2 500 mg	缺钠会引起肌肉痉挛、头痛等；过量会引起水肿、高血压、贫血等	食盐	其中一半以 Na^+ 形式存在于细胞外液中
钾		1 850 ~ 5 600 mg	缺钾会引起肌肉不发达、心律不齐等；过量会导致恶心、腹泻等	香蕉、柑橘、橙子、山楂、鲜橘汁、蘑菇、豆类及其制品等	主要以 K^+ 形式存在于细胞内液中
镁	促进骨骼发育，细胞遗传物质合成等	300 ~ 400 mg	缺镁会引起肌肉不发达、抽搐、痉挛、心律不齐等；过量会引起神经系统紊乱、肾病等	水果	70% 以磷酸盐和碳酸盐形式参与骨骼和牙齿的组成，35% 的镁存在于软组织中

(3) **微量元素**：在人体中含量在 0.01% 以下的元素。

①一些人体必需的微量元素

元素名称	元素符号
铁	Fe
钴	Co
铜	Cu
锌	Zn
铬	Cr
锰	Mn
钼	Mo
氟	F
碘	I
硒	Se

②一些必需微量元素对人体的作用及适宜摄入量

元素	人体内的含量	对人体的作用	成人适宜摄入量（每天）	摄入量过高、过低对人体健康的影响
铁	4 ~ 5 g	是血红蛋白的成分，能帮助氧气的运输	12 ~ 15 mg	缺铁会引起贫血
锌	2.5 g	影响人体发育	10 ~ 15 mg	缺锌会引起食欲不振，生长迟缓，发育不良
硒	14 ~ 21 mg	有防癌、抗癌作用	20 ~ 350 μg	缺硒可能引起表皮角质化和癌症。如摄入量过高，会使人中毒

科学元典

　　普雷格尔　奥地利分析化学家。1904 年普雷格尔在研究胆酸时，由于从胆汁中只能获得少量胆酸，促使他研究有机物的微量分析技术。利用他和库尔曼共同设计的可以称量到微克级的微量天平和其他微量分析技术，只用 1 ~ 3 毫克试样就可以进行比较迅速和准确的定量分析。1912 年他又建立了一整套有机物中碳、氢、氮、卤素、硫、羰基等的微量分析方法。普雷格尔因发明有机物的微量分析法而获得 1923 年诺贝尔化学奖。

碘	25 ~ 50 mg	是甲状腺激素的重要成分	100 ~ 200 μg	缺碘会引起甲状腺肿大,幼儿缺碘会影响生长发育,造成思维迟钝。过量也会引起甲状腺肿大
氟	1.4 mg	能防治龋齿	3.3 ~ 4.1 mg	缺氟易产生龋齿,过量会引起氟斑牙和氟骨病

③如果人体所需的元素仅从食物中摄取还不足时,可通过食品添加剂和保健药剂来予以补充。如在食品中添加含钙、锌、硒、锗的化合物,或制成补钙、补锌等的保健药剂或制成加碘食盐,来增加对这些元素的摄入量。但要注意即使是人体必需的元素,也要注意适宜的摄入量,摄入量过高或过低对人体健康都有不良的影响。

例9 (2010 辽宁本溪,3,1 分) 某人患甲状腺肿大,他缺乏的元素主要是　　　　　　　( )

A.铁元素　　B.钙元素　　C.磷元素　　D.碘元素

答案 D 成人缺碘会导致甲状腺肿大。

4.远离有害物质

(1)预防无机盐中毒

除有毒气体外,对人体造成危害的物质主要还有含铅、汞、砷等元素的无机盐,这些无机盐可以通过饮用水直接进入人体内,也可以被动植物吸收后通过食物链间接进入人体内,还可以通过大气中的可吸入颗粒物进入人体内。

🔊 特别提醒

重金属盐进入人体内,被人体吸收后,重金属盐会破坏人体内的蛋白质,致使蛋白质变性。轻微的重金属盐中毒可通过喝牛奶、鸡蛋清等富含蛋白质的食品来解毒。

(2)不吃变质食品

很多食品在加工和储存的过程中会受到菌类的污染,特别是在温暖和潮湿的环境中,这种污染会引起食物的变质。不仅使食品失去了原有的风味和营养价值,更重要的是食用后对人体造成多种危害。

霉菌在食品中生长繁殖时能产生有毒的霉菌毒素,它们是一类小分子化合物,化学性质比较稳定,只有 280 ℃以上的高温才能使其完全破坏,其中黄曲霉毒素的毒性较大。

霉变食品的表面常具有灰黄色的霉斑,内部常变为浅棕色,误食后会引起恶心、呕吐或头晕、昏迷等症状,应当妥善保存好食物,不吃霉变的食品和超过保质期的食品。

(3)拒绝烟草

香烟的烟雾中含有 4 000 多种化学物质,其中大多数是有害物质,而最为有害的物质是一氧化碳、尼古丁、焦油和重金属盐。一氧化碳可与人体内的血红蛋白结合,使红细胞输氧能力降低,导致氧气的供给不能满足身体各器官的需要,严重时会使人缺氧窒息死亡;尼古丁是一种有剧毒的兴奋剂,能使吸烟者产生对香烟的依赖性以致成瘾;焦油可黏附于咽部和支气管内壁,诱发细胞病变。它们共同作用会降低机体的免疫能力和抵抗能力,诱发多种病变,如癌变等。

吸烟还会污染家庭环境和公共环境,使周围的人受害。研究表明,被动吸烟同样危害身体健康,全世界每年由于吸烟和被动吸烟引起患病而死亡的人数以万计。吸烟是一种不良习惯,"吸烟有害健康"这样的警示语是每个人都应牢记的。

(4)珍惜生命、远离毒品

①毒品的种类

a.鸦片:是罂粟的提取物,是最臭名昭著的一种毒品。

b.吗啡:化学式为 $C_{17}H_{19}NO_3$,鸦片中含 10% 的吗啡。

c.可卡因:化学式为 $C_{17}H_{21}O_4N$,鸦片毒液中含 5% 的可卡因,通常是柯树叶的提取物,为绒毛状白色粉末,外观似雪,是一种作用极强,且成瘾极快的毒品。

d.海洛因:化学式为 $C_{21}H_{23}O_5N$,从吗啡中制得,其效力比吗啡强得多,且使人极快成瘾。

e.大麻:化学式为 $C_{21}H_{30}O_2$,是从植物大麻中提取的一种幻觉剂,吸食后使人产生兴奋和幻觉并形成心理成瘾性。

f.甲基苯丙胺(冰毒):"冰毒"指的是合成的毒品甲基苯丙胺($C_{10}H_{15}N$),它也是毒品"摇头丸"的主要成分,具有强烈的兴奋和致幻效果,作用快,易成瘾。

科学元典

玻尔 1907 年,玻尔开始研究水的表面张力问题。1913 年初根据卢瑟福的原子模型发展了对氢原子结构的新观点。1921 年,玻尔发表了"各元素的原子结构及其物理性质和化学性质"的长篇演讲,对周期表中从氢开始的各种元素的原子结构作了说明,同时对周期表上的第 72 号元素的性质作了预言。1922 年,发现了这种元素铪,证实了玻尔预言的正确。

②珍惜生命远离毒品

青少年自身应采取措施增强防毒能力。应该充分了解毒品的危害性，认识到毒品对身心健康、事业前途、爱情婚姻、家庭幸福、社会安定的危害程度；树立积极进取对社会有所作为的人生观；注意选择娱乐场所和谨慎交友，不要光顾低级趣味的娱乐场所，不要和不三不四的人交朋友，尤其不要轻易接受这些人有意送上的"好烟"；要增强心理承受能力，不要因困难或挫折而一时无所适从和精神空虚去寻求不健康的精神刺激；青少年除了提高自身防毒能力外，还应为全社会禁毒工作作贡献，有责任向父母、兄妹、亲戚、朋友讲解毒品的危害，要敢于向禁毒机关或有关部门揭露毒品犯罪和吸毒行为。

5. 有毒性的有机物：甲醛

甲醛化学式为 HCHO（或 CH_2O），是一种无色、有强烈刺激性气味的气体。易溶于水、乙醇。35%~40% 的甲醛水溶液叫做福尔马林，具有防腐杀菌性能，可用来浸制标本，但不能用来作食品的防腐剂。

甲醛是一种重要的化工原料，主要用于塑料工业、合成纤维及皮革工业、医药、染料等。

甲醛具有毒性，能与蛋白质结合，使蛋白质结构改变发生变性。体表接触或吸入高浓度甲醛，都会严重危害人体健康。在家庭生活中，装修房屋使用的黏合剂中含有甲醛。

知识② 化学与能源

1. 化石燃料

(1) 概念：化石燃料是由古代动植物的遗骸经一系列复杂变化而形成的。化石燃料包括煤（工业的粮食）、石油（工业的血液）和天然气，是不可再生能源。

(2) 煤、石油和天然气的区别

	煤	石油	天然气
形成	古代植物遗体埋在地层下经过一系列复杂变化而形成	古代动植物遗体在地壳中经过复杂变化而形成	

元素组成	主要含 C；少量：H、N、S、O 等	主要含 C、H；少量：S、N、O	主要含 C、H；主要成分是 CH_4
类别	混合物（由有机物和无机物组成）	混合物（多种有机物）	混合物
形态	黑色固体，有光泽，人称"黑色金子"，无固定的熔点、沸点，具有可燃性	黏稠液体，黑色或棕色，不溶于水，密度比水小，无固定的熔点、沸点	无色无味气体，密度比空气小，极难溶于水
性质	煤 $\xrightarrow[\text{化学变化}]{\text{干馏}}$ 焦炭、煤焦油、煤气等	石油 $\xrightarrow[\text{物理变化}]{\text{分馏}}$ 溶剂油、汽油、航空煤油、柴油等	易燃烧，产生明亮的蓝色火焰。化学方程式为：$CH_4 + 2O_2 \xrightarrow{\text{点燃}} CO_2 + 2H_2O$

🔊 **特别提醒**

①有石油的地方一般都有天然气；②海底可燃冰是甲烷的水合物；③罐装煤气不是煤气而是液化石油气，它是石油化工的一种产品，主要成分有丙烷、乙烷、丙烯、丁烯等；④沼气、坑道气、天然气主要成分都是甲烷；⑤不纯净的甲烷燃烧时，很容易引起爆炸，因此点燃前要检验其纯度。

(3) 煤

煤是固体燃料，其最大的缺点是燃烧速率慢，利用效率低，且不适用于多数运输业作动力源，还会导致严重的大气污染。从资源、经济与环境综合考虑，适宜在煤产地搞热电联产，提高煤炭转换成电能的比重，在城市发展煤气或液化燃料。

(4) 煤气

①煤气的形成：煤气作为一种生活燃料，在一些城市被使用，煤气通常情况下利用煤与水蒸气在高温条件下反应生成：$C + H_2O \xrightarrow{\text{高温}} CO + H_2$。煤气的主要成分是 CO，但同时含有 H_2、CH_4 等其他的可燃性气体。

②煤气中报警物质的特性

由于煤气的主要成分 CO 是一种无色、无味的有毒气体，当煤气泄漏时不易察觉会危害人体健康

科学元典

法扬斯 美国无机化学家和放射化学家。1913 年提出放射性位移定律。他还和戈林在 1918 年一起分离出 91 号元素的第一个同位素。他在放射性物质分离方面提出了共沉淀规则。他在研究正、负离子的极化作用时，提出了有利于极化的三种规则：①正离子半径小；②负离子半径大；③离子的电荷数大，通常称为"法扬斯规则"。

甚至危及生命。为了安全起见，通常在煤气中加入一些特殊的物质，如乙硫醇(C_2H_5SH)。乙硫醇具有特殊刺激性气味，当煤气泄漏时可以使人很快警觉，并马上采取措施，防止发生爆炸、火灾和中毒事故；同时，乙硫醇在煤气燃烧过程中也可以充分燃烧。

不仅煤气，其他可燃性气体如天然气、液化石油气中也通常加入少量报警物质。

(5)化石燃料的使用与开发

现有的化石燃料是有限的，而且是不可再生的，每种化石燃料都有用尽的时候。

下表是我国1998年探明的化石燃料储量及产量和使用年限。

	探明储量	年产量	使用年限
石油	32.7亿吨	1.6亿吨	约20年
天然气	$1.37×10^4$亿立方米	217亿立方米	约63年
煤	1 145亿吨	12.4吨	约92年

从表中数据可以看出，节约能源是完全有必要的，也是十分重要的。

节约能源就是要充分利用能源，使燃料充分燃烧，因此，可从以下两个方面着手：①燃烧时要有足够的空气；②燃料与空气要有足够大的接触面积。充足的空气才能使燃料完全燃烧，与空气充分接触才能使其反应快，对能量的利用损失较小。

例1（2010 江西,3,2分）下列措施不符合世博会"节能、环保、低碳"理念的是　　　（　）

A."阳光谷"上采阳光、下蓄雨水，可给世博园区提供照明用电和生活用水

B.主题馆的东、西两墙种植大面积的生态植物，以吸收二氧化碳

C.用煤发电，以保证充足的电力供应

D.在交通、建筑、生活设施等方面广泛应用新能源技术，以减少化石燃料的使用

答案　**C**　煤是一种化石燃料，用煤发电会产生许多污染物：粉尘、一氧化碳、二氧化硫等，与上海世博会"节能、环保、低碳"的理念相悖。

2.生物质能

指太阳能以化学能形式贮存在生物质中的能量形式，即以生物质为载体的能量，它直接或间接地来源于绿色植物的光合作用，可转化为常规的固态、液态和气态燃料，取之不尽、用之不竭，是一种可再生

能源。通常包括木材、森林废弃物、农业废弃物、水生植物、油料植物、工业有机废弃物、动物粪便等。具有可再生性、低污染性、分布广泛、总量丰富等特性。

(1)沼气

沼气是有机物质在厌氧条件下经过微生物发酵而生成的一种可燃性气体，其主要成分是甲烷。

①甲烷

化学式：CH_4。主要存在：天然气、沼气、瓦斯的主要成分。

物理性质：无色无味的气体，密度比空气小，难溶于水。

化学性质：具有可燃性，完全燃烧生成水和二氧化碳，污染小。

用途：主要用作燃料。

②沼气的制取

农村常把秸秆、杂草、人畜粪便等废弃物放在密闭的沼气池中发酵，就可以产生甲烷。

如图：

③发展沼气的意义：

a.解决农村生活的燃料问题。

b.提高农家肥的肥效。

c.减少污染物的排放，保护环境。

例2（2010 广西梧州,39,2分）关于甲烷(CH_4)或乙醇(C_2H_5OH)的叙述正确的是　　（　）

A.甲烷气体含有四个氢原子

B.乙醇分子中含有水

C.甲烷燃烧生成物只有水

D.乙醇由碳、氢、氧三种元素组成

答案　**D**　CH_4是由C、H两种元素组成，1个分子中含有四个氢原子，A错；甲烷燃烧后生成CO_2和

莫塞莱　英国物理学家。1913年他研究X射线光谱时发现，以不同元素作为产生X射线的靶时，所产生的特征X射线的波长不同。他将各种元素按所产生的特征X射线的波长排列后，发现其次序与元素周期表中的次序一致，他称这个次序为原子序数。原子序数的发现，使元素周期律有了新的含义："元素性质是其原子序数的周期函数"，并解决了门捷列夫周期律中按原子量递增顺序排列有三处位置颠倒的问题。

H_2O,C错;乙醇(C_2H_5OH)是由 C、H、O 三种元素组成的,D正确;乙醇分子是由 C、H、O 三种原子构成的,不含水分子,B错。

(2)车用乙醇汽油

将乙醇液体中含有的水进一步除去,再添加适量的变性剂可形成变性燃料乙醇,将其与汽油以一定的比例混合形成乙醇汽油。酒精中不含氮、硫等元素,因此它完全燃烧后排放的尾气污染物少,有利于保护环境,所以酒精是较汽油清洁的能源。掺有10%乙醇的汽油燃烧可使 CO 排放量减少30%,碳氢化合物排放量减少10%。这种燃料不仅可以节省石油资源和有效地减少汽车尾气的污染,还可以促进农业生产。目前在我国的一些城市正在逐步推广使用乙醇汽油。

例3 (2010·江苏苏州,17,2分)有些地区因大量焚烧秸秆,导致空气质量一度达到重度污染。下列有关处理秸秆说法错误的是　　　　（　）
A. 利用秸秆发酵产生沼气
B. 秸秆腐烂后可转化为有机肥料
C. 秸秆燃烧产生的二氧化碳是造成酸雨的主要原因
D. 秸秆燃烧产生的大量烟尘增加了空气中的可吸入颗粒物

答案 C　秸秆燃烧产生的 CO_2 会导致温室效应,但不会形成酸雨,因为 CO_2 与 H_2O 反应得到的 H_2CO_3 酸性较弱,只有 SO_2、NO_2 等排放到空气中才会形成酸雨。

3. 新能源

在合理开发、综合利用化石能源的同时,积极开发氢能、核能、太阳能、生物质能(沼气)、风能、水能、地热能、潮汐能等新型能源,以应对能源危机,减轻环境污染,促进社会可持续发展。

(1)氢能

①氢气作为未来理想能源的优点
a. 氢气的来源广泛,可以由水制得。
b. 氢气燃烧的热值比化石燃料高。如下图,大约是汽油热值的三倍。

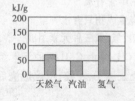

c. 最突出的优点是燃烧产物是水,不污染环境。因此氢能源具有广阔的开发前景。

②氢能源的开发
a. 电解水的方法:消耗电能太多,成本高、不经济,不能大规模地制取氢气。
b. 理想的制氢方法:寻找合适的光分解催化剂,使水在太阳光的照射下分解产生氢气。

③氢气的储存:由于氢气是一种易燃、易爆的气体,难液化,储存和运输既不方便也不安全。如何储存氢气是氢能源开发研究的又一关键问题。目前,人们发现某些金属合金如 Ti - Fe、Ti - Mn、La - Ni 等都具有储氢功能,其中 La - Ni 合金在常温、0.152 MPa 下就可以放出氢气,已用于氢能汽车和燃料电池中氢的储存,新型储氢型合金材料的研制和实际应用对氢能源开发具有重要意义。

(2)可燃冰

可燃冰是甲烷水合物,外观像冰。它由甲烷分子和水分子组成,还含有少量二氧化碳等其他气体。可燃冰在低温高压条件下形成,1 体积可燃冰可储载 100～200 倍体积的甲烷气体,具有能量高、热值大等优点。目前发现的可燃冰储量大约是化石燃料总和的 2 倍,它将成为替代化石燃料的新能源。

但是,可燃冰埋藏于海底的岩石中,目前开采在技术上还存在很大困难。如果在开采时甲烷气体大量泄漏于大气中,造成的温室效应将比二氧化碳更加严重。

(3)其他的新能源

随着社会对能量的需求量越来越大,化学反应提供的能量已经不能满足人类的需求。目前,人们正在开发和利用的新能源有太阳能、核能、风能、水能、地热能和潮汐能等。

①太阳能:地球上最根本的能源是太阳能。太阳能的利用一是通过集热器进行光热转换,如太阳能热水器;二是通过光电池直接转变为电能,如太阳能电池。

②核能:来源于原子核的变化,这类变化叫核反应。核反应过程中由于原子核的变化,而伴随着巨大的能量变化,所以核能也叫原子能。

③风能:是利用风力进行发电、扬帆助航等技术,也是一种可以再生的清洁能源。

④地热能:地壳深处的温度比地面高得多,利用地下热量也可进行发电。

科学元典

朗缪尔　美国化学家。1913 年制成充氮、充氩白炽灯。1924～1927 年发明氢原子焊枪。他在电子发射、空间电荷现象、气体放电、原子结构及表面化学等科学研究方面也作出很大贡献。他因在原子结构和表面化学方面取得成果,获得 1932 年度诺贝尔化学奖。1915 年、1920 年两度获美国化学学会的尼科尔斯奖章,1918 年获皇家学会的休斯奖章和朗福德奖章,1944 年获法拉第奖章。

⑤海洋能:在地球与太阳、月亮等的相互作用下海水不停地运动,站在海滩上,可以看到滚滚海浪,在其中蕴藏着潮汐能、波浪能、温差能,这些能量总称海洋能。

例4 (2010 天津,1,2 分)2009 年在哥本哈根召开的世界气候大会上,各国共同协商对策,以减少温室气体排放量。2010 年世界环境日的中国主题是"低碳减排·绿色生活"。利用下列能源,可以减少温室气体排放的是 ( )

A.太阳能　　B.煤　　C.石油　　D.天然气

答案 A 煤、石油、天然气燃烧均会生成 CO_2。

4. 节能

(1)解决人类能源短缺的途径

①节约能源;

②开发利用新能源。

(2)节约能源的途径

①充分燃烧燃料:如使煤粉碎或气化后燃烧;

②充分利用热能:如综合利用;

③变废物为能源:如沼气。

(3)节能标志

　　中国节能标志由"energy"的第一个字母 e 构成一个圆形图案,中间包含了一个变形的汉字"节",寓意为"节能"。缺口的外圆又构成"China"的第 1 个字母"C","节"的上半部分简化成一段古长城的形状,与下半部构成一个烽火台的图案,一起象征着中国。"节"的下部又是"能"的汉语拼音第 1 个字母"N"。整个图案中包含了中英文,以利于与国际接轨。

例5 (2010 江苏泰州,8,2 分)"节能减排"是可持续发展的一项重要举措。下列图标中,属于节能标志的是 ( )

A　　　　B　　　　C　　　　D

答案 B A 为新千年节水标志,B 为节能标志,C 为可回收标志,D 为中国环保标志。

知识 ③ 化学与材料

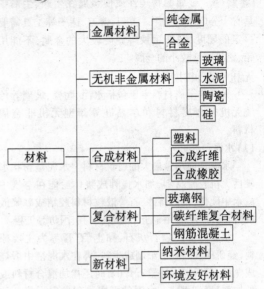

1. 金属材料

(1)金属材料的发展史:人类从石器时代进入青铜器时代,继而进入铁器时代,铜和铁作为金属材料一直被广泛的应用。铝的利用要比铜和铁晚得多,但由于铝具有许多优良的性能,铝的年产量已超过了铜,位于铁之后,居第二位。

(2)金属材料是一种重要的材料,人类的生活和生产及科技都离不开金属,金属材料分纯金属和合金。工业上根据金属材料表面的颜色把金属材料分为黑色金属和有色金属,铁、锰、铬及其合金称为黑色金属,其他金属及其合金称为有色金属。

(3)合金是指在一种金属中加入其他一种或几种金属(或非金属)一起熔合而成的具有金属特性的物质。为了满足人们不同的需求,人们制成了各种高强度、高韧性、耐高温的特种合金,如方便储存、释放氢气的储氢合金,具有形状记忆能力的记忆合金等。

(4)为了防止金属材料的锈蚀,人们可以采取多种措施。如:①把金属置于干燥的空气里;②在金属的表面增加一层保护膜;③改变金属的内部组成结构等。

例1 (2010 云南昆明,5,2 分)菜刀用铁制而不用铅制的原因是 ( )

A.铁的硬度大,铅的硬度小

B.铁的熔点高,铅的熔点低

C.铁的密度大,铅的密度小

D. 铁的导电性好,铅的导电性差

答案 A 金属的物理性质使金属在生产、生活中具有十分广泛的应用。菜刀、镰刀、锤子等工具需要一定的硬度,只能用铁等硬度较大的金属,不能用铅、铝等硬度较小的金属。

2. 无机非金属材料

无机非金属材料主要包括水泥、陶瓷、玻璃等传统无机非金属材料和单晶硅等新型无机非金属材料。

(1)水泥

水泥是使用量最大的建筑材料。水泥是粉状水硬性无机胶凝材料,加水搅拌成浆体后能在空气中或水中硬化,用以将砂、石等散粒材料胶结成砂浆或混凝土。广泛应用于土木建筑、水利、国防等工程。

水泥的生产以石灰石、黏土、石膏等为主要原料,经研碎、配料、磨细制成生料,再在水泥窑中煅烧成熟料,最后加入适量石膏(有时还掺加混合材料或外加剂)磨细而成。水泥的形成过程发生了复杂的物理、化学变化,水泥是混合物。

(2)玻璃

①主要原料:纯碱、石灰石和石英。

②主要设备:玻璃窑。

③反应原理:在高温下,发生复杂的物理、化学变化。

④其中的主要反应有:

$$Na_2CO_3 + SiO_2 \xrightarrow{\text{高温}} Na_2SiO_3 + CO_2\uparrow$$

$$CaCO_3 + SiO_2 \xrightarrow{\text{高温}} CaSiO_3 + CO_2\uparrow$$

⑤几种特种玻璃:光学玻璃、钢化玻璃、石英玻璃等。

(3)陶瓷

①主要原料:黏土。

②生产过程:原料混合—加工成型—烧结—冷却。

③种类:根据原料、烧制温度等的不同,陶瓷主要分为:陶器、瓷器、炻器等。

④重要性质:陶瓷具有抗氧化、耐酸碱、耐高温、绝缘、易加工成型等特点,广泛用于生产和生活中。

(4)单晶硅、多晶硅

①多晶硅

a. 概念:是单质硅的一种形态。熔融的单质硅在过冷条件下凝固时,硅原子以金刚石晶格形态排列成许多晶核,如这些晶核形成晶面取向不同的晶粒,则这些晶粒结合起来,就形成多晶硅。

b. 性质:具有灰色金属光泽,密度2.32~2.34 g·cm^{-3}、

熔点1 410 ℃、沸点2 355 ℃、能溶于氢氟酸和硝酸的混酸中,不溶于水、硝酸和盐酸,室温下较脆。常温下不活泼,高温下与氧、氮、硫等反应。

c. 用途:多晶硅具有半导体性质,是极为优良的半导体材料,多晶硅也是制单晶硅的原料。

②单晶硅

a. 单晶硅是硅的单晶体,纯度高达99.999 9%,甚至达到99.999 999 9%。

b. 多晶硅和单晶硅的差异主要表现在物理性质方面。例如,在力学性质、光学性质和热学性质方面,多晶硅远不如单晶硅明显;在电学性质方面,多晶硅晶体的导电性远不如单晶硅。在化学性质方面,两者的差异极小。

c. 单晶硅是高纯度的多晶硅在单晶炉内拉制而成的。

d. 单晶硅的用途:用于制造半导体器件、太阳能电池等。

例2 (2010 天津,13,2分)下列关于耐高温新型陶瓷氮化硅(Si_3N_4)的叙述正确的是 ( )

A. 氮化硅中 Si、N 两种元素的质量比为3:4

B. 氮化硅中氮元素的质量分数为40%

C. 140 g 氮化硅中含硅元素的质量为84 g

D. 氮化硅的相对分子质量为140 g

答案 BC A 项,氮化硅中 Si、N 元素的质量比为 $(28\times3):(14\times4) = 3:2$;B 项,氮化硅中氮元素的质量分数为 $\dfrac{14\times4}{28\times3+14\times4}\times100\% = 40\%$;C 项,氮化硅中硅元素的质量分数为 $1-40\% = 60\%$,$140\ g\times60\% = 84\ g$;D 项,氮化硅的相对分子质量为140,相对分子质量的单位为1。

3. 有机高分子材料

(1)有机化合物

含有碳元素的化合物称为有机化合物(一氧化碳、二氧化碳、碳酸钙等除外),简称有机物。

有些有机物的相对分子质量比较大,通常称它们为有机高分子化合物,简称有机高分子,如淀粉、蛋白质、纤维素、塑料、橡胶等。有机高分子化合物制成的材料就是有机高分子材料。棉花、羊毛、天然橡胶等属于天然有机高分子材料;塑料、合成橡胶、合成纤维等属于合成有机高分子材料,简称合成材料。

科学元典

施陶丁格 德国化学家。研究高分子化学,得出巨分子或高聚物的看法,认为这类分子由数以万计的原子组成,其分子量可高达数万乃至百万。它们的构成仍然是通过一般化学键,但由于大小悬殊而又不同于低分子化合物的性质。在适当介质中形成的所谓亲液胶体,实际是高分子溶液。还提出确立高分子溶液的粘度与分子量之间关系的施陶丁格粘度式。他的工作对高分子化学的发展起了积极的作用,为此,获得1953年诺贝尔化学奖。

（2）天然有机高分子材料

①棉花：棉花的主要成分是纤维素，纤维素含量约87%～90%。棉纤维能制成多种规格的织物，适于制作衣服，具有耐磨、能洗涤并能在高温下熨烫，良好的吸湿性、透气性和穿着合适的优点。

②羊毛：羊毛主要由蛋白质构成，是纺织工业的重要原料，具有弹性好、吸湿性强、保暖性好等优点。

③蚕丝：蚕丝是蚕结茧时形成的长纤维，也是一种天然纤维，主要成分是蛋白质。蚕丝质轻而细长，织物光泽好，穿着舒适、手感滑顺，导热差，吸湿透气性好。中国是世界上最早使用丝织物的国家。

④天然橡胶：天然橡胶是指从橡胶树上采集的天然胶乳，经过凝固、干燥等加工工序制成的弹性固状物。天然橡胶是一种以聚异戊二烯为主要成分的天然高分子化合物。分子式是$(C_5H_8)_n$，其成分中91%～94%是橡胶烃（聚异戊二烯），其余为蛋白质、脂肪酸、糖类等非橡胶物质，是应用最广的通用橡胶。

（3）有机合成材料

①聚合物

由于高分子化合物大部分是由小分子聚合而成的，所以也称为聚合物。例如，聚乙烯分子是由成千上万个乙烯分子聚合而成的高分子化合物。

②合成有机高分子材料的基本性质

a. 热塑性和热固性。链状结构的高分子材料（如包装食品用的聚乙烯塑料）受热到一定温度范围时，开始软化，直到熔化成流动的液体，冷却后变成固体，再加热可以熔化。这种性质就是热塑性。

网状结构的高分子材料一经加工成型就不会受热熔化，因而具有热固性，例如酚醛塑料（俗称电木）等。

b. 强度大。高分子材料的强度一般都比较大。例如，锦纶绳（又称尼龙绳）特别结实，用于制渔网、降落伞等。

c. 电绝缘性好。广泛应用于电器工业上。例如，制成电器设备零件、电线和电缆外面的绝缘层等。

d. 有的高分子材料还具有耐化学腐蚀、耐热、耐磨、耐油、不透水等性能，可用于某些有特殊需要的领域。但是，事物总是一分为二的，高分子材料也有不耐高温、易燃烧、易老化、废弃后不易分解等缺点。

（4）三大合成材料

1）塑料

①塑料的成分及分类

塑料的主要成分是树脂，此外还有多种添加剂，用于改变塑料制品的性能。塑料的名称是根据树脂的种类确定的。

塑料有热塑性塑料和热固性塑料两大类。受热时软化，冷却后硬化，并且可以反复加工的塑料，属于热塑性塑料，热塑性塑料是链状结构的高分子材料。如聚乙烯、聚氯乙烯、聚丙烯等。受热时软化成型，冷却后固化，但一经固化后，就不能再用加热的方法使之软化的塑料，属于热固性塑料，热固性塑料是网状结构的高分子材料。如酚醛塑料、脲醛塑料等。

②几种常见塑料的性能和用途

名　称	性　能	用　途
聚乙烯（PE）	电绝缘性能好，耐化学腐蚀，耐寒，无毒	可制食品袋、药物包装材料、日常用品、管道、绝缘材料等
聚氯乙烯（PVC）	耐有机溶剂，耐化学腐蚀，耐磨，电绝缘性能好，抗水性好，对人体有毒	可制日常用品、电线包皮、管道、绝缘材料、建筑材料等，制成的薄膜不宜用来包装食品
聚苯乙烯（PS）	电绝缘性能好，透光性好，耐水，耐化学腐蚀，无毒	可制电视机外壳，汽车、飞机零件，玩具，医疗卫生用品，日常用品等
聚丙烯（PP）	机械强度好，电绝缘性好，耐化学腐蚀，质轻，无毒，耐油性差，低温发脆，容易老化	可制薄膜、日常用品、管道、包装材料

③塑料具有优良的化学性能。一般塑料对酸、碱等化学药品均有良好的耐腐蚀能力，特别是聚四氟乙烯的耐化学腐蚀性能比黄金还要好，甚至能耐"王水"等强腐蚀性电解质的腐蚀，被称为"塑料王"。另外塑料还具有良好的透光及防护性能。多数塑料都可以作为透明或半透明制品，其中聚苯乙烯和丙

烯酸酯类塑料像玻璃一样透明。

④塑料代码及回收标志

a. 常见塑料名称、代码与对应的缩写代号

塑料名称	聚酯	高密度聚乙烯	聚氯乙烯	低密度聚乙烯	聚丙烯	聚苯乙烯	其他塑料代码
塑料代码	01	02	03	04	05	06	07
塑料缩写代号	PET	HDPE	PVC	LDPE	PP	PS	Others

塑料包装制品回收标志由图形、塑料代码与对应的缩写代号组成。其中图形中带三个箭头的等边三角形；0 代表材质类别为塑料，塑料代码为 0 与阿拉伯数字组合成的号码，位于图形中央，分别代表不同的塑料；塑料缩写代号位于图形下方。如右图所示。

2）合成纤维

①合成纤维的制取及分类

合成纤维是利用石油、天然气、煤和农副产品做原料，经一系列化学反应制成的线型高聚物。合成纤维的品种很多，涤纶、锦纶、腈纶、丙纶、维纶和氯纶在合成纤维中被称为"六大纶"。

②人造纤维与合成纤维不同，人造纤维是用本来含有纤维的物质制成的，合成纤维是用石油、煤、石灰石、空气、水等为原料加工制成的。

③常见合成纤维的性能和用途

名称	性能	用途
涤纶（商品名的确良）	弹性、耐磨性好，抗褶皱性强，不易变形，强度高但染色性、透气性较差	可制衣料制品、滤布、绳索、渔网、轮胎、帘子线等
锦纶（商品名尼龙）	质轻，强度高，弹性、耐磨性好，但耐热耐光性较差	可制衣料制品、袜子、手套、渔网、降落伞等
腈纶（商品名人造毛）	质柔软，保暖性好，耐光性好、弹性好，不发霉，不虫蛀，但耐磨性较差	可制衣料制品、毛线、毛毯、工业用布等

④合成纤维的优缺点及用途

合成纤维具有强度高、耐磨、耐腐蚀、不缩水、弹性好等优点，但合成纤维的透气和吸湿性差。天然纤维，如羊毛、棉花、木材等吸湿性和透气性好，所以，人们常把合成纤维和天然纤维混纺，这样制成的混纺织物兼有两类纤维的优点，颇受欢迎。合成纤维除供人类穿着外，在生产上也有很多用途。例如，锦纶可制衣料织品、降落伞绳、缆绳、渔网等。

⑤天然纤维与合成纤维的区分

区分天然纤维和合成纤维可以采用多种方法，用燃烧的方法来鉴别比较容易。羊毛的主要成分为蛋白质，燃烧时可闻到烧焦羽毛的刺激性气味，燃烧后的剩余物用手指可以压成粉末；棉纤维的主要成分为纤维素，燃烧时无异味，余烬为细软粉末；而合成纤维燃烧时常伴有熔化、收缩的现象，燃烧后的灰烬为黑色块状、较硬。

3）合成橡胶

①合成橡胶的特点

合成橡胶的种类很多，比如：制造轮胎使用的丁苯橡胶(苯乙烯和丁二烯的共聚物)或乙丙烯橡胶（ERP)；用于汽车配件的有氯丁橡胶及另一种具有天然橡胶各种性能的异戊橡胶。与天然橡胶相比，合成橡胶具有高弹性、绝缘性、耐油和耐高温等性能。

②几种常见合成橡胶的性质和用途

名称	性质	用途
丁苯橡胶	热稳定性、电绝缘性和抗老化性好	可制轮胎、电绝缘材料、一般橡胶制品等
顺丁橡胶	弹性好、耐低温、耐热	可制轮船、传送带、胶管等
氯丁橡胶	耐日光、耐磨、耐老化、耐酸碱、耐油性好	可制电线包皮、传送带、化工设备的防腐衬里、胶黏剂等

（5）有机合成材料对环境的影响

我们应该辩证地认识合成材料给人类社会带来的利弊。

①利：a. 弥补了天然材料的不足，大大方便了人类的生活；

b. 与天然材料相比，合成材料具有许多优良性能。

②弊：a. 合成材料的急剧增加带来了诸多环境问题，如白色污染等；

科学元典

休克尔 德国物理化学家。休克尔主要从事结构化学和电化学方面的研究。他 1923 年和德拜一起提出强电解质溶液理论，推导出强电解质当量电导的数学表达式。1931 年提出了一种分子轨道的近似计算法(休克尔分子轨道法)，主要用于 π 电子体系。他在 30 年代还对芳香烃的电子特性在理论上作出了解释，并总结出：环状共轭多烯化合物中 π 电子数符合 $4n+2$(n 为 1，2 或 3)者，具有芳香性。

b. 消耗大量石油资源。

所以我们既要重视合成材料的开发和使用，又要关注由此带来的环境问题，应开发使用新型有机合成材料，提倡绿色化学。

例3 (2010 北京,6,1 分)下列生活用品所使用的主要材料,属于有机合成材料的是　　　(　)

A.青花瓷瓶　B.塑料水杯　C.纯棉毛巾　D.不锈钢锅

答案 B　A 项,青花瓷瓶由无机非金属材料制成;D 项,不锈钢锅由金属材料制成;B 项,塑料水杯由塑料制成,塑料属于有机合成材料;C 项,纯棉是天然高分子材料。

4. 复合材料

(1)定义

将不同功能和性能的多种材料用化学方法使其结合成一体,将产生具有某些特殊性能并优点互补的新型复合材料。如钢筋混凝土、玻璃钢。

(2)优点

复合材料集中了组成材料的优点,具有更优异的综合性能。复合材料既能充分利用资源,又能节约能源。如钢筋混凝土就是钢筋和混凝土的复合材料,机动车的轮胎是合金钢与橡胶的复合材料制成的,快艇的船身、餐厅的桌椅是由塑料中嵌入玻璃纤维制成的玻璃纤维增强塑料(玻璃钢)制作的,飞机的机翼、火箭的发动机壳体是用碳纤维复合材料制成的。因此复合材料成为大有发展前途的一类新型材料。

(3)复合材料的类别

①聚合物复合材料

主要是指纤维增强聚合物材料。如将碳纤维包埋在环氧树脂中使复合材料强度增加,用于制造网球拍、高尔夫球杆和雪橇等。玻璃纤维复合材料是玻璃纤维与聚酯的复合体,可以用于结构材料,如汽车和飞机中的某些部件、桥体的结构材料和船体等,其强度可与钢材相比。增强的聚酰亚胺树脂可用于汽车的塑料发动机,使发动机质量减小,节约燃料。

②陶瓷基复合材料

为改变陶瓷的脆性,将石墨或聚合物纤维包埋在陶瓷中,制成的复合材料有一定的韧性,不易碎裂,而且可以在极高的温度下使用。这类陶瓷基复

合材料有望成为汽车、火箭发动机的新型结构材料。金属网陶瓷基材料具有超强刚性,可作为防弹衣的材料。

③金属基复合材料

在金属表面涂层,可以保护金属表面或赋予金属表面某种特殊功能,如金属表面涂油漆可以抗腐蚀;金属表面作搪瓷内衬可制作化学反应釜;金属表面镀铬可使表面光亮;金属表面涂以高分子弹性体赋予表面韧性,可作为抗气蚀材料用于水轮机、汽轮机的不锈钢叶片上,延长其使用年限;在纯的硅晶片上复合多层有专门功能的物质可用于计算机的集成电路片。近年来出现的铝 - 硼纤维,其比强度为铝合金的 2 倍。

(4)复合材料的应用前景

由于复合材料一般具有强度高、质量小、耐高温、耐腐蚀等优异性能,在综合性能上超过了单一材料,因此宇航工业就成了复合材料的重要应用领域。我们知道,质量对于飞机、导弹、火箭、人造卫星、宇宙飞船来说是一个非常重要的因素。有的导弹的质量每减少 1 kg,它的射程就可以增加几千米。而且这些航天飞行器还要经受超高温、超高强度和温度剧烈变化等特殊条件的考验,所以,复合材料就成为理想的宇航材料,它的发展趋势从小部件扩大到大部件,从简单部件扩大到复杂部件,成为宇宙航空业发展的关键所在。另外,复合材料在汽车工业、机械工业、体育用品甚至人类健康方面的应用前景也十分广阔。

5. 其他新材料

(1)纳米材料

纳米材料是指纳米尺度的粉末、纤维、膜或块状材料,这些材料具备一般材料所没有的优越性能。

经过纳米材料增强的复合材料,不仅坚韧、质轻、耐高温、耐腐蚀,而且具有很高的吸波性能,作为雷达吸收材料,可用于制造雷达无法发现的隐形战斗机。

(2)超导材料

超导材料具有在特定温度下电阻等于零的特性。1987 年中国科学院赵忠贤发现的超导体钇钡铜氧化物体系(Y - Ba - Cu - O)当温度达到 - 183 ℃时,电阻值为零。后来其他科学家研究发现铋锶钙铜氧化物体系(Bi - Sr - Ca - Cu - O)也具有超导性,温度为 - 153 ℃时,其电阻值为零。这些研究成

科学元典

谢苗诺夫　苏联物理化学家。谢苗诺夫的重大贡献是发展了链反应理论。1926 年谢苗诺夫首先用磷蒸气的氧化实验证明热化学反应也是链反应。同年,他发现了支链反应。他预言,除了存在有燃烧反应的压力下限外,还应该有反应的压力上限。超过这一界限,不能发生自燃现象,而只能是缓慢氧化过程。谢苗诺夫还发现了多分子吸附层和薄膜中的离子型多相催化;并发展了有关多相催化中自由价作用的概念。1956 年获诺贝尔化学奖。

果使超导体应用的研究向前大大迈进了一步。

（3）医用高分子材料

生物医学高分子简称医用高分子，是一类令人瞩目的功能高分子材料。医用高分子材料制品种类繁多。可以粗略地分为三类：软性即橡胶状聚合物，如人工心脏；半结晶聚合物，如肾渗析膜；其他有关聚合物，如血管扩张剂。

新材料不仅对环境无害，而且这些新型材料在宇航、建筑、机器人、仿生和医药等领域已显示出潜在的应用前景，它们的发展必将对人类的生活和社会的进步产生深远的影响。

知识④ 化学与环境

1. 化石燃料燃烧对环境的影响

（1）化石燃料充分燃烧的条件及意义

①条件：

a. 充分接触氧气（或空气）；

b. 提高氧气的浓度。

②意义：燃料燃烧若不充分，不仅使燃料燃烧产生的热量少、浪费资源，同时会产生大量的 CO 等有害气体，污染空气。

（2）煤燃烧产生的危害及防治

①煤燃烧时的危害主要有两个方面

a. 煤大量燃烧时生成的 CO_2 易造成温室效应；

b. 煤燃烧时生成的 SO_2、NO_2 等溶于水生成酸，随雨水降落，形成酸雨。

②防治：

a. 煤炭脱硫后燃烧；

b. 将煤炭进行综合利用；

c. 使用清洁能源；

d. 尾气进行处理达标后排放等。

（3）汽车尾气对环境的影响及防治

①汽车用的燃料是汽油或柴油，它们燃烧会产生一氧化碳、氮的氧化物和未燃烧的碳氢化合物、含铅化合物、烟尘等，合称尾气。这些废气排到空气中，会对空气造成污染，损害人体健康。

②为减少汽车尾气对空气的污染，需采取：

a. 改进发动机的燃烧方式，使燃烧充分；

b. 使用催化净化装置，使有害气体转化为无害气体；

c. 使用无铅汽油，禁止含铅物质排放；

d. 加大检测尾气的力度，禁止未达到环保标准的汽车上路；

e. 改用压缩天然气或液化石油气或乙醇汽油作燃料，以减少对空气的污染。

例1（2010 甘肃兰州,8,1 分）"转变传统观念，推行低碳生活"的主题旨在倡导节约能源和利用清洁能源，减少温室气体二氧化碳的排放。下列措施①少用煤作燃料；②减少使用私家车次数、多乘公交车或骑自行车；③废旧电池回收再利用；④开发新能源如太阳能；⑤焚烧废旧塑料可解决"白色污染"中符合该主题的有效措施是（　）

A. ①②④　B. ①②③⑤　C. ①③④　D. ①②③④

答案 A　回收废旧电池与减少二氧化碳的排放没有关系；焚烧废旧塑料会造成大气污染，废旧塑料应回收再利用。

2. 化肥农药对环境的影响

（1）化肥农药对环境的危害

①化肥 —— 不合理施用 ——

　　污染大气（有 NH_3 等不良气体放出）

　　污染水体（使水中 N、P 含量升高，富营养化）

　　破坏土壤（使土壤酸化、板结）

②农药的危害：农药本身是有毒物质，在杀灭病虫害的同时也带来了对自然环境的污染和人体健康的危害。

（2）合理使用化肥与农药

化肥的施用要以尽量小的投入，尽量小的对环境的影响来保持尽量高的农产品产量和保障食品品质，是我国持续农业生产的主要内容。

在施用农药时，要根据有害生物的发生、发展规律，对症下药、适时用药，并按照规定的施用量、深度、次数合理混用农药和交替使用不同类型的农药，以便充分发挥不同农药的特性，以最少量的农药获得最高的防治效果，同时又延缓或防止抗药性的产生，从而减少农产品和环境的污染。

3. 环境污染及防治

（1）水污染及防治

①水污染

水体污染的概念	大量污染物排入水体，超过水体的自净能力使水质恶化，水体及其周围的生态平衡遭到破坏对人类健康、生活和生产等造成损失和威胁的情况

水体污染源	工业污染:工业生产中不合理排放废水、废气和废渣(简称"工业三废");农业污染:农业生产中不合理使用农药、化肥,污染水体;生活污染:生活污水的任意排放,使用含磷洗涤剂造成的水体富营养化形成污染
水体污染的危害	加剧了水资源的短缺;破坏生态平衡,给人类生产、生活带来危害;有毒物质通过食物链进入人体,影响人类健康;使水体富营养化,导致水质恶化,鱼类死亡

②水体污染的预防与防治:

预防与防治水体污染应"对症下药":根据污染源,采取相应措施。

工业上	运用新技术,新工艺减少污染物的产生;对已污染的水体作处理,使之符合排放标准
农业上	合理使用农药、化肥;提倡使用农家肥
生活上	不使用含磷洗涤剂;生活污水应先处理后排放

(2)空气污染及防治

①空气污染及来源

导致空气质量下降的污染物很多。目前量多且危害严重的空气污染物主要有二氧化硫(SO_2)、氮氧化物(NO_x)、一氧化碳(CO)和可吸入颗粒物等。如表所示:

空气污染物	主要来源
二氧化硫	煤、石油等燃料的燃烧,生产硫酸等工厂排放的尾气
一氧化碳	化石燃料等不完全燃烧
氮氧化物	机动车辆等排放的废气
可吸入颗粒物	地面扬尘、燃煤排放的粉尘等

②空气污染的危害

a.酸雨:SO_2、NO_x等气体形成酸雨。

b.臭氧层破坏:氟利昂的释放,加速臭氧分解。

c.全球性气候变暖:CO_2等温室气体造成全球气候变暖。

d.其他危害:空气污染严重危害了人体健康,影响了

作物生长,破坏了生态平衡。

③空气污染的防治

a.改善燃料结构,尽量充分燃烧液体燃料和气体燃料。

b.对化石燃料进行脱硫、脱氮处理,工厂的废气要经过处理再排放。

c.开发新能源,如太阳能、风能、水能、地热能等。

d.大力开展植树造林活动,提高环境的自我净化能力。

例2 (2010陕西,17,3分)下图是2006年~2009年陕西西安蓝天天数对比示意图。

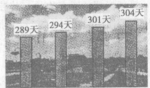

(1)蓝天多了,污染少了,是因为空气中气体污染物如 SO_2、NO_2 以及固体污染物如＿＿＿＿＿＿＿＿等逐渐减少的结果。SO_2、NO_2 减少的原因之一是化石燃料的综合利用增强了,你知道的一种化石燃料是＿＿＿＿＿＿＿＿＿＿。

(2)空气是混合物,主要成分是氮气和氧气。氧气分子是由氧原子构成的,氧原子核外有8个电子,它的原子核内质子数为＿＿＿＿。

答案 (1)可吸入颗粒物或粉尘(其他合理答案均可) 煤或石油或天然气

(2)8

解析 (1)空气中的污染物有 SO_2、CO 和 NO_2 三大有害气体和可吸入颗粒或粉尘等微小固体;煤、石油、天然气均属于化石燃料。(2)在原子中,质子数=核外电子数,故氧原子核内质子数=核外电子数=8。

(3)土壤污染及防治

①土壤污染的原因及危害

a.土壤污染的污染源:农业生产上大量施用化肥、农药;固体废弃物如塑料薄膜;大气中的有害气体和有毒废气随雨水或沉降污染土壤;污水中的重金属或有毒有害物质污染土壤。

b.危害:土壤污染导致严重的直接经济损失——农作物的污染、减产;土壤污染破坏土壤正常的生态平衡;土壤污染危害人体健康。

科学元典

狄尔斯 德国化学家。长期从事天然有机化合物,特别是甾族化合物的研究。1906年开始研究胆甾醇的结构,从胆结石中分离出纯的胆固醇,并通过氧化作用将它转变成狄尔斯酸。1927年用硒在300℃使胆甾醇脱氢,得到一种被称为狄尔斯烃($C_{18}H_{16}$)的芳香族化合物。1928年他和助手阿尔德发明双烯合成。这标志着狄尔斯-阿德尔反应的正式发现。著有《有机化学导论》。

②土壤污染的防治

防止土壤污染,要以生态农业建设为基础,做到以下几点:

a. 推广科学测土配方施肥,减少化肥使用量;

b. 开展农业病虫害综合防治技术减少农药用量;

c. 提倡和普及使用有机肥。

d. 加强工业废弃物及垃圾的管理。

e. 加强对土壤的检验监测力度,制定和完善相关法规。

(4)白色污染及防治

①白色污染的产生

白色污染即指塑料废弃物给环境带来的污染。日常生活中人们使用的塑料购物袋、塑料食品包装、聚苯乙烯一次性泡沫快餐饭盒,还有农村大量使用的家用薄膜等,这些塑料均可产生白色污染。

②白色污染的危害

塑料使用后废弃在环境中很难降解,长期堆积会破坏土壤,污染地下水,危害海洋生物的生存。而且如果焚烧含氯塑料会产生有毒的氯化氢气体,从而对空气造成污染。

特别提醒

"白色污染"是由难降解的塑料污染造成的,而不是由白色垃圾造成的。

③消除"白色污染"的措施

要解决"白色污染"问题,应该从以下几个方面入手:

a. 减少使用不必要的塑料制品,如用布袋代替塑料袋等;

b. 重复使用某些塑料制品,如塑料袋、塑料盒等;

c. 使用一些新型的、可降解的塑料,如微生物降解塑料和光降解塑料等;

d. 回收各种废弃塑料。

知识⑤ 三大环境问题

1. 酸雨

(1)酸雨的概念及成因

概念:正常情况下,由于雨水中溶有空气中的 CO_2 的缘故,使雨水的 pH<7。而酸雨通常指 pH<5.6 的雨水。

酸雨的形成:煤燃烧时会排放出 NO_2、SO_2 等污染物,这些气体溶于雨水中,会形成酸雨。

(2)酸雨危害

①使土壤酸化,肥力降低,有毒物质还毒害农作物体

系,杀死根毛,导致发育不良或死亡。

②酸雨杀死水中的浮游生物,减少鱼类食物来源,破坏水生生态系统。

③酸雨污染河流、湖泊和地下水,直接或间接危害人体健康。

④酸雨对森林的危害更不容忽视,酸雨淋洗植物表面,直接伤害或通过土壤间接伤害植物,促进森林衰亡。

⑤酸雨对金属、石料、水泥、木材等建筑材料均有很强的腐蚀作用,因而对铁轨、桥梁、房屋等均会造成严重损害。

(3)酸雨的防治

①尽量少用含硫燃料;②含硫燃料经脱硫后再使用;③除去烟气中的有害气体再排放;④开发利用新能源。

例1 (2010 广东佛山,21,6 分)"绿色亚运"是 2010 年广州亚运会的主题之一。为减轻大气污染,必须要加强对工业废气和汽车尾气的治理。根据所学知识回答下列问题:

(1)化石燃料包括煤、石油和_____。

(2)酸雨是指 pH_____(填">"、"<"或"=")5.6 的降水,煤的燃烧是导致酸雨形成的主要原因。而正常雨水的 pH 约为5.6,原因是_____

_____。

(3)煤的气化是高效、清洁利用煤的重要途径。可将煤炼成焦炭,再将焦炭在高温下与水蒸气反应得到 CO 和 H_2。其中,焦炭与水蒸气反应的基本类型属于_____。

(4)在汽车尾气排放口加装"三效催化净化器",在不消耗其他物质的情况下,可将尾气中的 CO、NO 转化为参与大气循环的气体和无毒的气体。该化学反应的方程式为_____

_____。

答案(1)天然气

(2)< 大气中的 CO_2 溶于水的缘故

(3)置换反应

(4)$2CO + 2NO \xrightarrow{\text{催化剂}} 2CO_2 + N_2$

解析 化石燃料指煤、石油、天然气。酸雨指 pH<5.6的雨水,正常的雨水因为空气中的 CO_2 溶于水形成碳酸而显酸性。焦炭与水反应的方程式为 $C + H_2O \xrightarrow{\text{高温}} CO + H_2$,属于置换反应。CO 与 NO 转化为 CO_2 和 N_2 的方程式为 $2CO + 2NO \xrightarrow{\text{催化剂}} 2CO_2$

科学元典

弗莱明 英国物理家和工程师。1877 年入剑桥大学卡文迪许实验室,在 J. C. 麦克斯韦指导下研究电学和高等数学。弗莱明在变压器设计、白炽灯、光度学、电气测量、低温下材料性能的研究等方面均有贡献。弗莱明一生共发表论文 100 多篇。1904 年根据爱迪生效应制成检波二极管,取代了原来用于无线电报机中的金属粉末检波器。这是最早出现的真空电子管。弗莱明曾多次获得荣誉奖章。1929 年因科学成就获爵士称号。

$+ N_2$。

2. 臭氧空洞

(1)1984年,英国科学家首次发现南极上空出现臭氧空洞。

(2)成因:人类在生产生活中向大气排放的氯氟烃等化学物质与臭氧发生化学反应,使臭氧含量降低,大气中的臭氧总量明显减少,在南北两极上空下降幅度最大。在南极上空,约有2 000多平方千米的区域为臭氧稀薄区,科学家们形象地称之为"臭氧空洞"。

(3)危害:臭氧有吸收太阳紫外线辐射的特性,臭氧层保护地球上的生物免受紫外线的伤害。由于臭氧层中臭氧的减少,照射到地面的紫外线增强,对地球生物圈中的生态系统和各种生物,包括人类,都会产生不利的影响。

①对人类健康的影响

a.增加皮肤癌患者:臭氧减少1%,皮肤癌患者增加4%~6%。

b.损害眼睛,增加白内障患者。

c.削弱免疫力,增加传染病患者。

②对生态影响

a.农产品减产及品质下降。

b.减少渔业产量。

c.破坏森林。

(4)保护臭氧层,防止臭氧减少

①禁止使用氟利昂。

②加大宣传力度,联合国大会通过会议,自1985年开始,每年的9月16日为"国际保护臭氧层日"。

3. 温室效应

(1)**温室效应**:大气中的二氧化碳气体能像温室的玻璃或塑料薄膜那样,使地面吸收的太阳光的热量不易散失,从而使全球变暖,这种现象叫温室效应。

(2)**产生温室效应的原因**

①由于人类消耗的能源急剧增加,向空气中排放了大量的二氧化碳;森林遭到破坏,使二氧化碳的吸收量减小,从而造成大气中二氧化碳的含量不断上升。

②臭氧(O_3)、甲烷(CH_4)、氟氯烃等也能产生温室效应。

(3)**危害**

①两极冰川融化,海平面上升淹没部分沿海城市。

②土地沙漠化,农业减产。

(4)**防治措施**

①减少使用煤、石油、天然气等化石燃料。

②开发新能源,利用太阳能、风能、地热能等。

③大力植树造林,严禁乱砍滥伐森林。

例2 (2010 山东烟台,24,7 分)2009 年世界气候大会在丹麦首都哥本哈根举行。中国承诺:到2020年单位国内生产总值所排放的二氧化碳比2005年下降40%~45%。充分展示了中国谋发展,促合作,负责任的大国形象。

(1)近年来科学家正致力于减少大气中二氧化碳含量的研究:

①将空气中的 CO_2 压缩后贮藏于冰冷的深海。但有科学家担心这样做会增加海水的酸度,导致海洋生物死亡。CO_2 使海水酸度增加的原因是_____ _____(用化学方程式表示)。

②将过多的 CO_2 和氢气在催化剂和加热的条件下反应,转化为水和甲烷。这个反应的化学方程式是_____ _____。

③将工业上产生的 CO_2 进行收集、处理,作工业原料,如用作氨碱法制纯碱的原料。CO_2 与饱和氨盐水制取碳酸氢钠的化学方程式是_____ _____。

(2)开发和利用清洁而高效的新能源替代传统能源:

①氢气是未来最理想的能源,理想的制氢方法是_____ _____。

②开发太阳能、风能、海水热能等能源。目前,烟台太阳能热水器的应用达到总户数的48%以上;风电装机容量已达到37.4 千瓦,居全省第一;并正在尝试利用海水热能来取暖。这些新能源的利用,除了能减少 CO_2 的排放外,还有哪些好处?_____ _____。(请列举一条)

(3)节能减排:烟台万华集团成功利用秸秆造出板

材,它的意义在于 _____
_____。日常生活中你有哪些做法能
直接或间接降低碳排放? _____
__。(请列举一条)

答案 (1)①$CO_2 + H_2O \xlongequal{\quad\quad} H_2CO_3$

②$CO_2 + 4H_2 \xrightarrow[\text{加热}]{\text{催化剂}} CH_4 + 2H_2O$

③$NaCl + NH_3 + H_2O + CO_2 \xlongequal{\quad\quad} NaHCO_3 + NH_4Cl$

(2)①利用太阳能分解水制氢气

②节约煤、石油等不可再生的能源(或降低对环境的污染等其他合理答案也可)

(3)减少对森林的砍伐(或减少环境污染等)　双面使用纸张(步行或骑自行车上学、随手关灯等)

解析 本题以世界气候大会为切入点,引出低碳和能源问题进行考查。(1)①海水由于吸收了二氧化碳,所以酸度增加;②③问根据题中信息找出反应物和生成物,即可写出化学方程式。(2)氢气可以由水分解而得到,最理想的制取氢气的方法是利用太阳能分解水;太阳能是取之不尽的,利用太阳能热水器可以减少对煤、石油的使用与消耗,有利于减少环境污染和温室气体的排放。(3)利用秸秆造造板材,减少了秸秆焚烧造成的空气污染,同时减少了做木质板材时对森林的砍伐,既节约了资源,又保护了环境;为了降低碳的排放,日常生活中有许多措施可降低碳的排放,如随手关灯、双面使用纸张等。

知识6 绿色化学

1. 绿色化学

其核心就是利用化学原理从源头上消除污染。绿色化学将使化学工业面貌焕然一新,有助于人类解决环境污染问题,实现人与自然的和谐共处。

2. 绿色化学(又称环境友好化学)的主要特点

①充分利用资源和能源,采用无毒、无害的原料;

②在无毒、无害的条件下进行反应,减少废物向环境的排放;

③提高原子的利用率,力图使所有作为原料的原子都被产品所容纳,实现"零排放";

④生产出有利于环境保护、社区安全和人体健康的产品。

🔊 **特别提醒**

绿色化学是指利用化学原理从源头上消除污染;而绿色食品是指无污染的食品,而不是指食品的颜色为绿色。

·········· 拓展知识 ··········

知识1 糖在人体内的消化

1. 蔗糖在人体内的消化

蔗糖在人体小肠内的蔗糖酶的作用下分解成果糖和葡萄糖。

2. 淀粉在人体内的消化

淀粉 $\xrightarrow[\text{胰肠淀粉酶}]{\text{唾液淀粉酶}}$ 麦芽糖 $\xrightarrow{\text{胰肠麦芽糖酶}}$ 葡萄糖

知识2 氨基酸

氨基酸是构成蛋白质分子的基本结构单元。参与蛋白质构成的常见的氨基酸有 20 多种,如丙氨酸、甘氨酸等。组成氨基酸的元素有 C、H、O、N。大多数氨基酸都呈现不同程度的酸性或碱性,呈现中性的较少。所以氨基酸既能与酸反应生成盐,又能与碱反应生成盐。

知识3 蛋白质种类和结构的多样性

蛋白质是一切生命的物质基础,是机体细胞的重要组成部分,是人体组织更新和修补的主要原料,没有蛋白质就没有生命,蛋白质由 20 种多种氨基酸组成,由于氨基酸组成的数量和排列顺序空间结构不同,使人体中蛋白质多达 10 万种以上,它们的结构、功能也千差万别。

知识4 酶

酶(一类重要的特殊的蛋白质)——生命过程中的催化剂。

在我们人体内进行着许多化学反应,这些反应都是在体温和接近中性的条件下进行的,反应速率快,反应完全,且易于灵活控制,能够按环境的变化和身体的需要不断加以调整。这一切都是依靠一类特殊的蛋白质——酶来完成的。

酶的催化作用的特点:

第一,在体温和接近中性的条件下进行。

第二,具有高效催化作用,酶的催化效率比普通催化剂高 $10^7 \sim 10^{13}$ 倍。

第三,具有高度的专一性,一种酶只能催化一种反应。如淀粉酶只对淀粉的水解起催化作用,蛋白酶只能催化蛋白质的水解,就如同一把钥匙只能开一把锁一样。

科学元典

L. C. 鲍林　美国化学家。鲍林主要研究结构化学。1927 年他推导出大量的离子半径数据。1928 年他测定了尿素、正链烷烃、六亚甲基四胺及一些简单芳香族化合物的结构,并在此基础上提出了第一批键长、键角的数据。1931 年他应用量子力学理论研究原子和分子的电子结构及化学键的本质,创立了杂化轨道理论。1931~1933 年提出分子在若干价键之间共振的学说,认为共振使分子特别稳定,并由此引出共振能概念。

知识⑤　糖

1. 糖的分类

糖类是人类食物的重要成分,是由 C、H、O 三种元素组成的化合物,根据聚合程度将糖分为三类:

- 多糖:淀粉、纤维素,化学式为 $(C_6H_{10}O_5)_n$
- 二糖(双糖):蔗糖、麦芽糖,化学式为 $C_{12}H_{22}O_{11}$
- 单糖:葡萄糖,化学式为 $C_6H_{12}O_6$

2. 几种重要的糖

	淀粉	葡萄糖	蔗糖
化学式	$(C_6H_{10}O_5)_n$	$C_6H_{12}O_6$	$C_{12}H_{22}O_{11}$
存在	水稻、小麦、马铃薯	葡萄和其他带甜味的水果、蜂蜜	甘蔗、甜菜

知识⑥　人不能消化纤维素的原因

纤维素 $[(C_6H_{10}O_5)_n]$ 也属于糖类,主要存在于植物体内,如树木的茎主要成分是纤维素,棉花的主要成分也是纤维素。同样是糖类,人可以从食物中摄食淀粉,并在体将淀粉最终消化成葡萄糖加以吸收利用,但人不能消化纤维素,原因在于人体内没有纤维素酶,不能使纤维素在人体内水解为麦芽糖。

知识⑦　淀粉的检验

淀粉的化学式为 $(C_6H_{10}O_5)_n$,相对分子质量从几万到几十万,属于有机高分子化合物。淀粉遇到碘溶液会变蓝,利用该性质可对淀粉进行检验。

知识⑧　人剧烈运动时体内发酸的原因

一般情况下,人体生命活动需要的能量通过有机物的氧化分解即可满足需要。但人在剧烈运动时,仅在氧气的条件下分解有机物释放的能量远远不能满足需要,如:一个女运动员可以在 60 s 内跑完 400 m,她的最大氧气吸入量为 4 L/min,而肌肉在工作达到极限时,每公斤体重每分钟需要氧气约 0.2 L,如果该女运动员体重为 50 kg,她跑完 400 m 将缺少氧气 50 kg × 0.2 L/kg − 4 L/min × 1 min = 6 L。

此时,体内的有机物(主要指葡萄糖)会在无氧的条件下分解生成乳酸($C_3H_6O_3$)同时放出能量来满足人体剧烈运动时的能量需求。因此,人剧烈运动后会有酸痛的感觉。

当人处于平静状态时,乳酸会在氧气的作用下继续分解成二氧化碳和水,所以,一段时间后,人因剧烈运动产生的酸痛会自动消失。

知识⑨　人体内的主要能源物质

在人体内,糖类、蛋白质、脂肪三种物质均能通过化学反应释放人体生命活动所需的能量。三种物质在生命活动中提供日需能量的比较见下表:

物质种类 提供能量	糖类	蛋白质	脂肪
为生命活动提供能量占全部的比例	60% ~ 70%	10% ~ 15%	20% ~ 25%

由此可见:人体内生命活动所需的能量主要由糖类提供,人体内的主要能源物质是糖类中的葡萄糖。

知识⑩　红糖变白糖的奥秘

红糖和白糖主要成分相同,都是蔗糖($C_{12}H_{22}O_{11}$),红糖中蔗糖含量较低,还有一些杂质。通常将红糖经过溶解→活性炭吸附(除色)→结晶即可得到蔗糖含量较高的白糖。

知识⑪　食用油的保存方法

含有脂肪的物质在空气中放置过久,会发生酸败。要抑制或减缓酸败的发生通常有两种方法:一是使用合适的抗氧化剂如在食用油里加入 0.01% ~ 0.02% 没食子酸正丙酯,可以有效防止酸败;二是将其保存在低温环境里,如将其置于冰箱里。

知识⑫　几种维生素的生理功能及来源

名称	生理功能	来源
维生素 A (视黄醇)	促进人体的生长发育和防止角膜炎、夜盲症等疾病	鱼肝油、绿色蔬菜
维生素 B_1 (硫胺素)	促进人体发育,帮助消化,防止脚气病、神经炎和治疗皮肤病	酵母、谷类、肝、豆类、瘦肉
维生素 B_2 (核黄素)	可防治口角炎、皮肤炎、舌炎等,能参与体内生物氧化作用	酵母、肝、蛋、蔬菜

科学元典

卡罗瑟斯　美国有机化学家。他主持了一系列用聚合方法获得高分子量物质的研究。首先合成了氯丁二烯及其聚合物,为氯丁橡胶的开发奠定了基础。1935 年以己二酸与己二胺为原料制得聚合物,由于这两个组分中均含有 6 个碳原子,当时称为聚合物 66。他又将这一聚合物熔融后经注射针压出,在张力下拉伸成为纤维。这种纤维即聚酰胺 66 纤维(见聚酰胺纤维),1939 年实现工业化后定名为耐纶,是最早实现工业化的合成纤维品种。

维生素 C （抗坏血酸）	降低毛细血管的脆性，促进外伤的愈合，并能增强机体的抵抗力，促进胆固醇代谢	新鲜蔬菜和水果
维生素 D （抗佝偻病）	可预防佝偻病、软骨病和小儿出齿迟、牙齿不健全等疾病，能调节 Ca、P 代谢	鱼肝油、蛋黄、乳类、酵母
维生素 E （生育酚）	对防止记忆力减退、抗机体早衰、预防不育症和习惯性流产有一定作用	鸡蛋、肉、肝、鱼、植物油

知识 13 黄曲霉毒素

大米、花生、面粉、玉米、薯干和豆类等，应贮存在干燥通风的地方，因为它们在温度为30℃～38℃，相对湿度达到80%～85%以上时，最容易发生霉变，滋生含有黄曲霉毒素的黄曲霉菌。黄曲霉毒素十分耐热，蒸煮不能将其破坏，只有加热到280℃以上才能破坏它。黄曲霉毒素能损害人的肝脏，诱发肝癌等疾病。因此，霉变食物绝对不能食用。

知识 14 吊白块、苏丹红、三聚氰胺、瘦肉精

1. 吊白块

吊白块是甲醛合次硫酸氢钠的俗称，化学式为 $NaHSO_2 \cdot CH_2O \cdot 2H_2O$。为白色半透明小块，易溶于水，有漂白作用，是常用的工业漂白剂。但不得作食品漂白添加剂，不法分子用于食品增白，造成了很大的危害。吊白块水溶液在60℃以上就开始分解出有害物质，120℃下分解产生甲醛、二氧化硫和硫化氢等有毒气体。食用了用吊白块漂白过的白糖、粉丝、米线、面粉、腐竹后，可能对人体的某些酶有损害，从而造成中毒者肺、肝、肾系统的损害。

2. 苏丹红

苏丹红是一种人工合成的红色染料，有四种，被广泛用于溶剂、油、蜡、汽油的增色以及鞋、地板的增光。苏丹红的化学成分中含有一种叫萘的化合物，该化合物具有偶氮结构，它具有致癌性，对人体的肝肾器官具有明显的毒性。在我国禁止使用于食品

中。但食品生产企业违规在食品中加入苏丹红，如"苏丹红鸭蛋"属于违法行为。

3. 三聚氰胺

2008年9月，中国爆发三鹿婴幼儿奶粉事件，其原因是奶粉中含有三聚氰胺。

三聚氰胺，化学式为 $C_3H_6N_6$，俗称蛋白精，是一种有机化合物，被用作化工原料。对身体有害，不可用于食品加工或食品添加剂。牛奶和奶粉中添加三聚氰胺，主要是因为它能冒充蛋白质，能提高奶粉中的含氮量。

4. 瘦肉精

"瘦肉精"学名盐酸克伦特罗，是一种平喘药，又称克喘素，本来是用来治疗人的哮喘病，有松弛支气管平滑肌的作用，该药可以增加蛋白质的合成，添加在生猪饲料中可以使猪的肥肉明显减少，瘦肉增加，所以有人干脆就称它为"瘦肉精"。

"瘦肉精"进入猪体内后具有分散快、消除慢的特点，其化学性质稳定，加热到172℃时才能分解，一般的加热方法不能将其破坏。"瘦肉精"毒性较强，医学研究表明"瘦肉精"吸收快，人或动物服后15～20分钟即起作用，2～3小时血浆浓度达峰值，作用维持时间长，一般用20微克就可以出现症状。人食用过量后会出现两手发抖、心慌、头晕、头痛、呕吐、腹泻等不良反应，严重的会危及生命，尤其对高血压、心脏病、甲亢、前列腺肥大等患者，其危害性更为严重。长期食用，有可能导致染色体畸变，会诱发恶性肿瘤。它是一种严重危害畜牧业健康发展和畜产品安全的"毒品"。

猪在吃了"瘦肉精"后，其毒性主要积蓄在猪肝、猪肺等处。人在吃了烧熟的猪肝、猪肺后，会出现中毒症状。

知识 15 几种元素的食物来源

元素种类	食物来源
钙	奶类、绿色蔬菜、水产品、肉类、豆类
铁	肝脏、瘦肉、鱼类、绿色蔬菜
锌	海产品、瘦肉、肝脏、奶类、豆类、小米
碘	海产品、加碘盐

科学元典

格伦·西伯格 美国核化学家。1940年他与麦克米伦等人共同发现了94号元素钚。战后，他长期从事超铀元素的合成和研究，他和同事一共发现了9个超铀元素：95号镅、96号锔、97号锫、98号锎、99号镱、100号镄、101号钔、102号锘和106号元素。1944年他根据重元素的电子结构提出了锕系理论。

知识 16 钙元素与人体健康

1. 每日膳食中所需钙的供给量

组别	钙的供给量/mg	组别	钙的供给量/mg
婴幼儿	400～800	哺育期	1 000～2 000
青少年	1 000～1 200	绝经妇女	1 200～1 500
成年人	800	老年人	1 000～1 200

2. 常见食物中的含钙量（mg/100 克）

名称	含钙量	名称	含钙量
青鱼	31	黄玉米面	22
腐竹	71	南豆腐	116
茄子	24	西红柿	31
全脂奶粉	676	鸡蛋黄	112
黄玉米	14	黄豆	191

名称	含钙量	名称	含钙量
苋菜	178	柿椒	14
牛乳	104	糯米	26
绿豆	81	红小豆	74
北豆腐	138	雪里蕻	230
紫菜	264	黑木耳(干)	247
稻米(粳)	3	小米	41
青豆	200	豆腐干	308
海带(水浸)	241	口蘑	169
鲤鱼	50	小黄鱼	78

3. 常用的补钙剂
① 葡萄糖酸钙
② 钙片
③ 液体钙等

知识 17 我国居民膳食中某些元素每日的适宜摄入量或推荐摄入量

年龄 岁	适宜摄入量						推荐摄入量	
	$\frac{Ca}{mg}$	$\frac{P}{mg}$	$\frac{K}{mg}$	$\frac{Na}{mg}$	$\frac{Mg}{mg}$	$\frac{Fe}{mg}$	$\frac{I}{\mu g}$	$\frac{Zn}{mg}$
0～	300	150	500	200	30	0.3	50	1.5
0.5～	400	300	700	500	70	10	50	8.0
1～	600	450	1 000	650	100	12	50	9.0
4～	800	500	1 500	900	150	12	90	12.0
7～	800	700	1 500	1 000	250	12	90	13.5
						男 女		男 女
11～	1 000	1 000	1 500	1 200	350	16 18	120	18.0 15.0
14～	1 000	1 000	2 000	1 800	350	20 25	150	19.0 15.5
18～	800	700	2 000	2 200	350	15 20	150	15.0 11.5
50～	1 000	700	2 000	2 200	350	15	150	11.5
孕妇								
早期	800	700	2 500	2 200	400	15	200	11.5
中期	1 000	700	2 500	2 200	400	25	200	16.5
晚期	1 200	700	2 500	2 200	400	35	200	16.5
乳母	1 200	700	2 500	2 200	400	25	200	21.5

科学元典

福井谦一 日本理论化学家。他总结出著名的前线轨道理论。1951 年他提出这一理论时，并未引起人们的注意。1959 年伍德沃德和霍夫曼首先肯定这一理论的价值，并用它来研究周环反应的立体化学选择定则，进一步把它发展成为分子轨道对称守恒原理。福井由于在 1951 年提出这一理论而获得 1981 年诺贝尔化学奖，他是第一位获得诺贝尔化学奖的日籍科学家，同时也是亚洲第一位诺贝尔化学奖得主。

知识⑱ 有毒无机物和有毒有机物

1. 有毒无机物的分类

(1)金属和类金属:常见的金属和类金属毒物有铅、汞、锰、镍、铍、砷、磷及其化合物。(2)刺激性气体——是指对眼及呼吸道黏膜有刺激作用的气体。刺激性气体的种类甚多,最常见的有氯、氨、氮氧化物、光气、氟化氢、二氧化硫等。(3)窒息性气体——是指能造成机体缺氧的有毒气体如氮气、一氧化碳、氰化氢、硫化氢等。(4)农药——包括杀虫剂、杀螨剂、除草剂,在生产、运输、使用和贮存过程中未采取有效的预防措施,可引起中毒。

2. 有毒有机物的分类

(1)有机化合物——大多数属有毒有害物质,例如甲苯、二甲苯、二硫化碳、汽油、甲醇、丙酮等,苯的氨基和硝基化合物,如苯胺、硝基苯等。(2)高分子化合物:高分子化合物本身无毒或毒性很小,但在加工和使用过程中,可释放出游离单体对人体产生危害,如酚醛树脂遇热释放出苯酚和甲醛具有刺激作用。某些高分子化合物由于受热、氧化而产生毒性更为强烈的物质,如聚四氟乙烯塑料受热分解出四氟乙烯、六氟丙烯、八氟异丁烯,吸入后引起化学性肺炎或肺水肿。

知识⑲ 为什么酒越陈越香

普通的酒,为什么埋藏几年后就变成了美酒呢?白酒的主要成分是乙醇,把酒埋在地下,保存好,放置几年后,乙醇就和酒中较少的成分乙酸发生化学反应 $C_2H_5OH + CH_3COOH \rightleftharpoons CH_3COOC_2H_5 + H_2O$,生成的 $CH_3COOC_2H_5$(乙酸乙酯)具有果香味。上述反应虽然是可逆反应,反应速度较慢,但时间越长,也就有越多的乙酸乙酯生成,因此酒越陈越香。

知识⑳ 石油、煤的综合利用

1. 石油的综合利用

(1)石油的分离

石油是由多种物质组成的混合物,没有固定的组成和性质,根据组成石油的各组分的沸点不同,可从石油中分离出不同的燃料,如汽油、煤油、液化气等,是一种物理变化。

(2)石油化学工业

石油不仅是优质的能量来源,还是宝贵的化工资源。石油中的大分子断裂为小分子,小分子重新组合成大分子,从而把石油转化为工农业、医疗、化工等产品,因此把石油称作"工业的血液"。石油化学工业不同于石油的分离,石油化学工业是石油发生复杂的反应,从而生成各种产品,是化学变化。

2. 煤的综合利用

(1)煤的气化: 目前主要是煤在高温下与水蒸气的反应,产物为燃料气,又可作为化工原料。主要产品有 CO、CH_4、H_2 等。

(2)煤的焦化: 也称煤的干馏,是在隔绝空气的条件下加强热,使组成煤的物质发生分解反应。主要产品及用途:

焦炭:金属冶炼;

煤焦油:重要的化工原料;

焦炉气:含有 CO、CH_4、H_2 等,既可作燃料又是重要的化工原料。

(3)煤的液化: 大的煤分子发生化学反应,分裂为小分子,利用催化剂向小分子中加入氢元素,得到与石油产品成分相近的燃料油,是一项人造石油的技术。

知识㉑ 有关能源的几种常见概念

1. 一级和二级能源

一级能源是指自然界存在的能源,如煤、石油、天然气、水能等。

二级能源是由一级能源转化产生的能源,如:水电、火电、酒精等。

汽油、柴油等石油产品都是由石油分馏产生,都没有转化,因此属于一级能源。

2. 绿色能源和清洁能源

绿色能源是指对环境无影响或影响很小的能源。如:电能、光能、风能、潮汐能、氢能等。

清洁能源是指使用时不产生污染环境的物质,但产物排放过多会对环境有影响的能源。如:乙醇、甲烷等燃料产物有 CO_2,空气中 CO_2 过多会产生温室效应。

3. 可再生能源和不可再生能源

通过大自然的循环可不断转化的能源称为可再生能源,如水能、氢能、乙醇等。要通过几百万年才能形成的能源,用一点少一点,这样的能源称为不可再生能源,如化石燃料。

4. 化学能、物理能、核能

化学能:通过化学反应获得的能量,如:化石燃

科学元典

马丁 英国分析化学家。1933年在剑桥营养学研究所工作时,专门从事食物营养成分的分析,并于1934年在《自然》杂志上发表《维生素E的吸收光谱》一文。1946年发表了论文《复杂混合物中的小分子多肽的鉴定》,介绍了利用电泳和纸色谱鉴别小分子多肽。马丁和辛格共同发明分配色谱法,用于分离氨基酸混合物中的各种组分,还用于分离类胡萝卜素。由于这一贡献,马丁和辛格共获1952年诺贝尔化学奖。

料和其他燃料燃烧产生的能量。

物理能:不通过化学反应直接获得的能量,如:水能、地热能、潮汐能、风能。

核能:通过原子核变化获得的能量,如:原子弹、氢弹爆炸释放的能量、核反应堆中产生的能量。

例 (2010 新疆乌鲁木齐,13,4 分)"新疆跨越式发展和长治久安"是中央新疆工作座谈会的主要精神,民生、环境与能源也成为新疆政府工作关注重点。

(1)煤、石油、＿＿＿＿＿属于化石燃料,是新疆的传统能源。要节约和有效利用现有的能源,新疆还应开发新能源,如:＿＿＿＿＿(填一种即可)、核能、地热能等。

(2)2010 年 4 月,美国墨西哥湾石油泄漏,大量的原油浮于水面,造成近海域生态严重破坏。在常温下,石油是一种难降解、＿＿＿＿＿(填"难"或"易")溶于水的混合物。

(3)科学家预言,氢能源将成为 21 世纪的主要绿色能源,而水是自然界中广泛存在的物质。依据下图,请你写出获取氢气的化学方程式:＿＿＿＿＿。

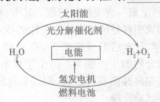

答案 (1)天然气　风能(或太阳能或氢能等)

(2)难　(3)$2H_2O \xrightarrow[\text{催化剂}]{\text{太阳能}} 2H_2\uparrow + O_2\uparrow$

解析 (1)煤、石油、天然气属于化石燃料,人类开发利用的新能源有风能、太阳能、氢能、地热能、潮汐能等。

(2)大量的原油浮于水面说明石油难溶于水。

(3)注意书写化学方程式时反应条件不是通电。

知识22 新型陶瓷

近年来,大批新型陶瓷材料不断涌现,其中高温陶瓷、压电陶瓷、透明陶瓷和高强度陶瓷等在人们的生产、生活中发挥了很大的作用。

高温陶瓷以氧化铝为主要原料,在空气中可以耐受 1 980 ℃的高温。另外,高温陶瓷的化学稳定性极好,可抵抗酸、碱等化学物质的侵蚀。

压电陶瓷是一种能将压力转变为电能的功能陶瓷,哪怕是像声波振动产生的那样微小的压力也够使它们发生形状变化,从而使陶瓷表面带电。用压电陶瓷柱代替普通火石制成的气体电子打火机,能够连续打几万次。

透明陶瓷的主要成分有氧化镁、氧化钙、氟化镁、氟化钙等。透明陶瓷不但能透过光线,还具有很高的机械强度和硬度。透明陶瓷是一种很好的透明防弹材料,还可以用来制造车床上的高速切削刀、喷气发动机的零件等,甚至可以代替不锈钢。

氮化硅高强度陶瓷以强度高著称,可用于制造燃气轮机的燃烧器、叶片、涡轮等。

知识23 常见金属基复合材料

复合材料通常是由起搭建作用的基体材料和分散于其中的增强材料两部分组成。以金属为基体的金属基复合材料,由于金属和增强材料的共同作用,使其具有强度高、密度小、耐摩擦、耐高温等性能,成为航天、航空等尖端领域的常用材料之一。

一些金属基复合材料及其用途

基体	增强	应用
铝、镁	石墨	卫星、导弹、飞机的结构部件
镁、钛	硼	天线结构、发动机叶片
铝、钴合金	碳化硅	高温发动机零件

知识24 纤维＝纤维素吗

很多学生常常存在一个认识上的误区,认为"纤维＝纤维素",其实这是两个不同的概念。纤维素是指一种特定的化学物质。通常为白色、无臭、无味、不溶于水,也不溶于一般的有机溶剂,其化学式为 $(C_6H_{10}O_5)_n$,属于多糖物质。纤维素广泛存在于自然界的植物体中:木材有一半是纤维素,棉花是自然界中较纯粹的纤维素,脱脂棉和滤纸差不多是纯粹的纤维素。纤维是指细而柔软的一类物质,分为天然纤维和化学纤维。天然纤维有植物纤维、动物纤维和矿物纤维。化学纤维分为人造纤维和合成纤维。人造纤维是指利用含有纤维素的原料经化学处理和机械加工而制成的纤维。合成纤维是指利用石油、天然气、煤为原料制成单体,再经聚合反应而生成的高分子化合物最后经拉丝工艺获得的纤维。

科学元典

齐格勒　德国有机化学家。他最大的成就是发现金属铝和氢、烯烃一起反应生成三烷基铝。在此研究成果上,齐格勒成功地进行了下列研究:①α-烯烃的催化二聚作用,合成高级 α-烯烃;②乙烯经烷基铝催化合成高级伯醇;③由烯烃合成萜醇;④由烷基铝经电化学或其他方法合成其他金属的烷基化合物;⑤利用氢化烷基铝和三烷基铝做有机物官能团的还原剂;⑥以三烷基铝与四氯化钛为催化剂(称为齐格勒-纳塔催化剂)使乙烯在常温常压下聚合成线型聚乙烯。

知识 25 几种塑料的性能和用途

名称	性能	用途
聚甲基丙烯酸甲酯(有机玻璃)	透光性好,质轻、耐水、耐酸、耐碱、抗霉、易加工,耐磨性较差,能溶于有机溶剂	可制飞机、汽车用玻璃,光学仪器,医疗器械等
酚醛塑料(电木)	绝缘性好,耐热,抗水	可制电工器材、汽车部件、涂料、日常用品等
聚四氟乙烯(塑料王)	耐低温、高温,耐化学腐蚀,耐溶剂性能好,绝缘性好,加工困难	可制电器、航空、化学医药、冷冻等工业的耐腐蚀、耐低温的制品

知识 26 认识服装的标签

当你买衣服时,怎样知道服装面料的种类呢?看服装上的标签。服装标签一般包括服装的型号、面料的纤维种类及含量、洗涤熨烫说明等内容。如果服装面料是由一种纤维材料制成的,则用"纯×"或"100% ×"来表示,如"纯棉""纯毛"或"100% 毛";如果服装是由两种或两种以上的纤维制成的,标签上应注明每种纤维的含量,如"涤纶20% 棉80%"等。

例 (2010 云南昆明,19,3 分)根据下图衣服标签回答下列问题:

合格证

标准: FZ/T81008
型号: 170/92
面料: 棉80% 涤纶20%
里料: 涤纶100%
检验: ⚠
洗涤说明:

(1)面料中的棉属于_____(填"天然"或"合成",下同)有机高分子材料,面料中的涤纶属于_____有机高分子材料。
(2)你知道合成纤维有下列哪三个优点_____(填字母)。
A. 强度高、弹性好

B. 耐磨
C. 吸水性、透气性较好
D. 耐化学腐蚀

答案 (1)天然 合成 (2)ABD

解析 (1)棉属于天然有机高分子材料,涤纶属于合成有机高分子材料;(2)合成纤维强度高、耐磨、弹性好、耐化学腐蚀,但吸水性和透气性不如天然纤维。

知识 27 利用废气二氧化碳制造可降解塑料

目前全世界每年因工业化生产过程产生并排放的二氧化碳总量超过 240 亿吨,其中 150 亿吨被植物吸收,而净增的 90 亿吨则成为污染环境的主要废气,危及人类生存空间。以二氧化碳为主的温室气体引发的厄尔尼诺、拉尼娜等全球气体异常,以及由此引发的世界粮食减产、沙漠化现象等,已引起世界各国的关注。

鉴于二氧化碳气体对环境的危害,人类一直都在探索科学利用二氧化碳的途径。众所周知,CO_2 气体不活泼,与其他化合物尤其是有机物很难聚合,极大地限制了 CO_2 的综合利用。如何能够把二氧化碳中碳、氧元素加以转化,转化成我们所需要的材料,这是科学家一直关注的问题。其中,利用二氧化碳能否取取塑料是科学家比较关注的技术之一。早在 1969 年,日本已形成年产 3 000 吨到 4 000 吨二氧化碳聚合物的生产能力。但由于成本居高不下,再加上其塑料性能有待改善,用二氧化碳制造塑料仍处于半试验阶段。

在这个方面,我国科学家于 20 世纪 80 年代也展开了研究。中科院广州化学研究所孟跃中研究组采用 CO_2 和环氧丙烷在纳米负载催化剂的作用下进行共聚,在温度为 60 ℃,压强 50 MPa 的条件下,生产出全降解塑料——聚碳酸酯,使从废气中提取的 CO_2 气体得到综合利用,形成科学合理的产业链。他的研究组攻克的二氧化碳制塑料技术,其制取的塑料可以用普通的生产工艺进行生产,经加工后可以变成日常用的饮料瓶、快餐饭盒等,有些性能上还要优于现在通用的塑料。利用此技术生产的降解塑料,不仅利用工业废气二氧化碳制造成对环境友好的可降解塑料,而且避免了传统塑料产品对环境的二次污染。

知识 28 可降解塑料

可降解塑料是指在短的时间内、在自然界的条件下能够自行降解的塑料。

科学元典

纳塔 意大利化学家,是最早应用 X 射线和电子衍射技术研究无机物、有机物、催化剂及聚合物结构者之一。他的更重要的成就是在研究催化分解过程中非均相催化剂的吸附现象和动力学方面。他于 1954 年他成功地从廉价的丙烯获得性能良好的,可用于塑料、纤维的等规聚丙烯。他首先在乙烯-丙烯共聚合上使用的催化体系,被称做齐格勒-纳塔催化剂。他因对塑料领域内的高分子的结构和合成方面的研究而与齐格勒共获 1963 年诺贝尔化学奖。

可降解塑料一般分为四大类：(1)光降解塑料——在塑料中掺入光敏剂，在日照下使塑料逐渐分解掉。它属于较早的一代降解塑料，其缺点是降解时间因日照和气候变化难以预测，因而无法控制降解时间。(2)生物降解塑料——指在自然界微生物(如细菌、霉菌和藻类)的作用下，可完全分解为低分子化合物的塑料。其特点是贮存运输方便，只要保持干燥，不需避光，应用范围广，不但可以用于农用薄膜、包装袋，而且广泛用于医药领域。(3)光-生物降解塑料——光降解和微生物降解相结合的一类塑料，它同时具有光和微生物降解塑料的特点。(4)水降解塑料——在塑料中添加吸水性物质，用完后弃于水中即能溶解掉，主要用于医药卫生用具方面(如医用手套等)，便于销毁和消毒处理。在四种降解塑料中，生物降解塑料随着现代生物技术的发展越来越受到重视，成为研究开发的新一代热点。

例 (2010 安徽芜湖,9,2 分)我市一家企业生产的"土豆农膜"是一种新型环保农膜，在塑料中添加土豆淀粉，可被细菌和微生物释放的酶分解，使塑料呈多孔状、强度下降。下列有关说法错误的是

(　　)

A. 塑料属于天然高分子材料
B. 淀粉属于高分子化合物
C. 该新型农膜有助于解决农村"白色污染"问题
D. 土豆农膜容易降解

答案 A　塑料是有机合成材料，不是天然高分子材料。

知识29　废弃塑料的资源化

利用回收的废塑料使之资源化的方法虽然很多，但主要有如下三种：

(1)直接作为材料

这种方法常称为材料再循环(material recycle)。对于材料为聚乙烯、聚丙烯、聚氯乙烯等废弃的热塑性塑料制品，可以在进行分类、清洗后再通过加热熔化，使其重新成为制品。

对于热固性塑料制品，由于它的不熔、不溶性，再利用的途径主要是把它粉碎后加入黏合剂作为加热成型产品的填料。

(2)制单体和燃料油

这是一种化学再循环(chemical recycle)。把聚合体再转变成单体的操作被看成是一种绝对循环，但目前只有有机玻璃(聚甲基丙烯酸甲酯)的加热分解和聚酯的醇解比较容易实现。

难制成单体的塑料则可以用来制造燃料油。塑料以硅铝酸盐为催化剂，在加热到 430 ℃ ~460 ℃时，即裂解成低分子的石油烃，通过分馏便得到汽油、煤油、柴油等液体燃料。

(3)制燃料气

这是一种热再循环(thermal recycle)。将塑料通过内部直接加热的内热式反应器来制造燃料气体。

知识30　大气的自净作用

大气有自净作用。进入大气的污染物，经过自然条件下的物理和化学作用，或是向广阔的空间扩散稀释，使其浓度下降，或是受重力作用，使较重粒子沉降于地面，或是在雨水洗涤下返回大地，或是被分解破坏等，从而使空气净化。这种大气的自净作用是一种自然环境调节的重要机能。应当指出的是，绿色植物的光合作用也是一种自净过程，因为在此过程中，既耗用二氧化碳，又向大气补充氧气。当大气的污染物的数量超过其自净能力时，即出现大气污染。

知识31　光化学烟雾

光化学烟雾是一种刺激性的浅蓝色的混合型烟雾，其组成比较复杂，主要是臭氧，此外还有氮的氧化物和过氧酰基硝酸酯、高活性游离基及某些醛类和酮类等。这些物质并非某一个污染源直接排放的原始污染物质，而是由氮的氧化物和碳氢化合物等一次污染物在阳光照射下，发生光化学反应而形成的二次污染物。经过研究发现，氮的氧化物和碳氢化合物是汽车排出的尾气造成的。

1970 年日本东京一个区受光化学烟雾的毒害，使两万人患眼痛病，正在操场上活动的某校学生，突然害红眼和喉痛，并相继有人昏倒。1971 年这种危害已扩展到神奈川县、千叶县等地。

知识32　富营养化污染

富营养化污染主要指水流缓慢、更新期长的地表水体，接纳大量氮、磷、有机碳等植物营养素引起的藻类浮游生物急剧增殖的水体污染。自然界湖泊存在着富营养化现象，由贫营养→富营养→沼泽→干地，但速率很慢；而人为污染所致的富营养化，速率很快。特别是在海湾地区，在水温、盐度、日照、降雨、地形、地貌、地质等合适的条件下，细胞中含有红色色素的甲藻或者其他浮游生物大量繁殖，并在上

升流的影响下聚积而出现,海洋学家称为"赤潮";如在地下水中积累,则可称为"肥水"。

富营养污染物质的来源是广泛而大量的,有生活污水(有机质、洗涤剂)、农业(化肥、农药)与工业废水、垃圾等。富营养化显著的危害是:①促使湖泊老化;②破坏水产资源,日本仅布磨滩 1972 年赤潮一次死鱼 1 428 万尾;③危害水源,亚硝酸盐、亚硼酸盐对人畜都有害。

知识33 水体的自净能力

广义的水体自净是指在物理、化学和生物作用下,受污染的水体逐渐自然净化,水质复原的过程。狭义的水体自净是指水体中微生物氧化分解有机污染物而使水体净化的作用。

水体自净大致分为三类,即物理净化、化学净化和生物净化。它们同时发生,相互影响,共同作用。(1)物理净化。物理净化是指污染物质由于稀释、扩散、混合和沉淀等过程而降低浓度。污水进入水体后,可沉性固体在水流较弱的地方逐渐沉入水底,形成污泥。悬浮体、胶体和溶解性污染物因混合、稀释,浓度逐渐降低。(2)化学净化。化学净化是指污染物由于氧化还原、酸碱反应、分解化合和吸附凝聚等化学或物理化学作用而降低浓度。流动的水体从水面上大气中溶入氧气,使污染物中铁、锰等重金属离子氧化,生成难溶物质析出沉淀。某些元素在一定酸性环境中,形成易溶性化合物,随水漂移而稀释;在中性或碱性条件下,某些元素形成难溶化合物而沉降。天然水中的胶体和悬浮物质微粒,吸附和凝聚水中污物,随水流移动或逐渐沉降。(3)生物净化,又称生物化学净化。是指生物活动尤其是微生物对有机物的氧化分解使污染物质的浓度降低。

知识34 燃料电池

燃料电池是一种化学电池,它将物质发生化学反应时释出的能量直接转变为电能。燃料电池与普通化学电池不一样,它工作时需要外界连续地向其供给燃料和氧化剂。正是由于它是把燃料进行化学反应释放出的能量变为电能输出,所以被称为燃料电池。

燃料电池在结构上与蓄电池相似,由正极、负极和电解液组成,两极多是由铁、镍等惰性微孔材料制成,它们有利于气体燃料及空气或氧气通过,但不参

与化学反应。以氢氧燃料电池为例,电池工作时,从负极将氢气输送进去,从正极将氧气输送进去,氢气和氧气在电池内部发生电化学反应,使燃料的化学能转变为电能。

除了氢气,甲烷、煤气等也可作为燃料电池的燃料。目前,已研制成功铝空气燃料电池,它是用纯铝作负极,空气作正极,铝空气电池可以代替汽油作为汽车动力。这种电池还能用于收音机、照明电源、野营炊具、野外作业工具等。

燃料电池具有能量转化率高,对环境污染小,工作时安静且无机械磨损等许多优点,在汽车、通信等许多方面得到了应用。

知识35 氢能源循环体系

右图是一种最理想的氢能源循环体系,太阳能和水是用之不竭的,而且价格低廉。极需研究的是寻找合适的光分解催化剂,它能在光照下促使水的分解速率加快。当然,氢发电机的反应器和燃料电池也是需要研究的领域。实现这一良性循环,将使人类可以各取所需地消耗电能。

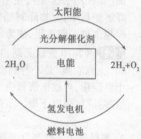

知识36 太阳能的利用方式

目前太阳能的利用方式是光热转换和光电转换两种方式:

(1)光热转换方式

太阳能的热利用是通过集热器进行光热转化的,集热器也就是太阳能热水器。它的板芯由涂了吸热材料的铜片制成,封装在玻璃钢外壳中。铜片只是导热体,进行光热转化的是吸热涂层,这是特殊的有机高分子化合物。封装材料也很讲究,既要有高透光率,又要有良好的绝热性。随涂层、材料、封装技术和热水器的结构设计等不同,终端使用温度较低的在 100 ℃以下,可供生活热水、取暖等;中等温度在 100~300 ℃之间,可供烹调、工业用热等;高温的可达 300 ℃以上,可以供发电站使用。20 世纪 70 年代石油危机之后,这类热水器曾有蓬勃发展,特别是在美国、以色列、日本、澳大利亚等国家,安装家用太阳能热水器的住宅很多(10%~35%)。20 世纪 80 年在美国已建成若干示范性的太阳能热发

科学元典

马维尔 美国有机化学家和高分子化学家。从 1933 年开始研究高分子合成,并研究了共聚物的结构。还研究了光引发聚合物和光学活性单体的聚合机理,并合成了多种新型单体。他还研究了丁二烯衍生物的合成及其聚合,以及聚硫橡胶。此后的十年内合成了大量的新单体。马维尔曾获尼科尔斯奖(1944)、吉布斯奖(1950)、普里斯特利奖(1956)等。

电站,用特殊的抛物面反光镜聚集热量获得高温蒸汽送到发电机进行发电。

（2）光电转换方式

太阳能也可通过光电池直接变成电能,这就是太阳能电池、光伏打电池。它们具有安全可靠、无噪声、无污染、不需燃料、无需架设输电网、规模可大可小等优点,但需要占用较大的面积,因此比较适合阳光充足的边远地区的农牧民或边防部队使用。已有使用价值的光电池种类不少,多晶硅（Si）、单晶硅（掺入少量硼、砷）、碲化镉（CdTe）、硒化铜铟（CuInSe）等都是制造光电池的半导体材料,它们能吸收光子使电子定向流动而形成电流。光电池应用范围很广,大的可用于微波中继站、卫星地面站、农村电话系统,小的可用于太阳能手表、太阳能计算器、太阳能充电器等,这些产品已有广大市场。

知识37 电转气

人类利用天然气燃烧发电,德国人倒行逆施,发明了一种"电转气"的方法,目的是解决风能、太阳能等可再生能源发电在短时间过剩而产生的储电难题,德国现在已经在斯图加特建立了一个"电转气"的演示设备,已开始有效运转,该设备能把电能转化为可燃气体,电转气的能量转换率超过了60%。

知识38 城市污水及处理

1. 城市污水

城市污水包括生活污水、工业废水和径流污水等,由城市排水管网汇集并输送到污水处理厂进行处理。城市污水的污染,一般经历三个历史时期:病源污染期、总体污染期和新污染期。在病源污染期,城市污水主要是生活污水。由于污水中含有病菌和病毒,污水排入水体后往往会传染疾病。在总体污染期,随着工业的发展和人口的集中,城市污水量及所含的污染物种类不断增加。污水排入水体后,造成水体中悬浮物数量和生化需氧量越来越高,水体缺氧,水生生物灭绝。在新污染期,由于工业的高度发展,污水所含的污染物种类更加复杂。工业废水已日益成为城市污水处理中的主要对象。

2. 城市污水处理

城市污水处理分为三个级别,称为污水一级处理、污水二级处理、污水三级处理。一级处理应用物理处理方法,即用格栅、沉沙池、沉淀池等构筑物,去除污水中不溶解的污染物和寄生虫卵。二级处理应用生物处理方法,即主要通过微生物的代谢作用进行物质转化的过程,将污水中各种复杂的有机物氧化降解为简单的物质。生物处理对污水水质、水温、供氧量等都有一定的要求。三级处理是用生物化学（硝化-反硝化）法、碱化吹脱法或离子交换法除氮,用化学沉淀法除磷,用臭氧氧化法、活性炭法或超过滤法除去难降解有机物,用反渗透法除去盐类,用氯化法消毒等过程中的一种或几种组成的污水处理工艺。

知识39 耐热合金

这类合金又称为高温合金,它对于在高温条件下的工业部门和应用技术领域有着重大的意义。

一般金属材料的熔点越高,其可使用的温度限度越高。一般金属材料都只能在 500～600 ℃下长期工作,这是因为随着温度的升高,金属材料的机械性能显著下降,氧化腐蚀的趋势相应增大。能在高于 700 ℃下工作的金属材料通称耐热合金。"耐热"是指其在高温下能保持足够强度和良好的抗氧化性。

（1）提高钢铁高温强度的方法很多,从结构、性质的化学观点看,大致有两种主要方法:
①增加钢中原子间在高温下的结合力。
②加入能形成各种碳化物或金属间化合物的元素,以使钢基体强化。

（2）提高钢铁抗氧化性的途径有两条:①是在钢中加入 Cr、Si、Al 等合金元素,或在钢的表面进行 Cr、Si、Al 合金化处理。它们在氧化性气氛中可很快生成一层致密的氧化膜,并牢固地附在钢的表面,从而有效地阻止氧化的继续进行。②是用各种方法在钢铁表面形成高熔点的氧化物、碳化物、氮化物等耐高温涂层。

知识40 磁性合金

材料在外加磁场中,可表现三种情况:①不被磁场所吸引的,叫反磁性材料;②微弱地被磁场所吸引的,叫顺磁性材料;③强烈地被磁场吸引的,称铁磁性材料,其磁性随外磁场的加强而急剧增高,并在外磁场移走后,仍能保留磁性。金属材料中,大多数过渡金属具有顺磁性;只有 Fe、Co、Ni 等少数金属是铁磁性的,Fe、Co、Ni 和某些稀土元素是金属中组成永磁材料的主要元素。目前使用的永磁合金有稀土－钴系、铁－铬－钴系和锰－铝－碳系合金。

磁性合金在电力,电子、计算机、自动控制和电光学等新兴技术领域中,有着日益广泛的应用。

科学元典

R. B. 梅里菲尔德 美国生物化学家。自1953年,主要研究多肽和蛋白质的合成,以及合成的生物活性多肽和蛋白质的结构与功能的关系。从1959年开始研究多肽固相合成法,1962年用固相合成法合成一个二肽。同年他又合成一个四肽。1965年梅里菲尔德制成了第一台自动化合成仪。1969年他用这台仪器高速地合成由124个氨基酸残基组成的核糖核酸酶A。他因发明多肽固相合成法,对发展新药物和遗传工程的重大贡献而获1984年诺贝尔化学奖。

知识41 自来水管道材料的变迁

目前,日常生活中输送自来水的管道主要有以下几种:

(1) 铸铁管

铸铁管有给水用和排水用两种。给水管为了承受水压,管壁较厚。铸铁管的特点是价廉、耐腐蚀,使用长久。缺点是密度大,抗冲击能力比钢管差。

(2) 镀锌钢管

镀锌钢管在卫生设备工程上使用最广,如给水管、热水供应管、杂用排水管道,它具有抗冲击能力强、价格便宜的特点,但因其在 70~90 ℃ 的热水中易受腐蚀,所以,热水供应管使用铜管或黄铜管逐渐增多。

(3) 铜管

铜管因其比钢管价格高,以前只用于高级建筑物的热水供应管和冷水管。但是由于铜管具有许多优点,近年来不仅用作热水供应管和冷水管,给水管乃至排水管也有使用。

(4) 黄铜管

由于黄铜管的许多特点比纯铜管更优,主要用于热水供应管道,有时也用于给水的支管。主要缺点是价格高、密度大(比铜管的密度还大),因而施工操作难度大。

(5) 聚氯乙烯管

聚氯乙烯管用于给水、排水管道。因其对多种物质的耐腐蚀性强,常用于含有水处理剂的管道。为了改善聚氯乙烯管的抗冲击能力,还研制和使用了硬聚氯乙烯管材。

(6) 聚丙烯管

聚丙烯管是塑料管中最耐热的管材,主要用于温泉引水管道和热水供应管道。

(7) 聚乙烯管

在给水、排水管道上,还有聚乙烯管。它除了具有塑料管材的一般优点外,还很柔软,可以卷成卷,便于搬动和安装,耐冲击性是硬聚氯乙烯的数十倍,而密度却只有硬聚氯乙烯的 2/3。

(8) 各种衬里钢管

各种衬里钢管是将塑料管的优点同钢管的优点结合起来的管材,衬里材料主要有聚氯乙烯、聚乙烯和环氧树脂等。

过去,镀锌钢管是自来水输送最常用的管道材料,但由于近来水质污染,以及自来水中杀菌用氯量的增加,特别是热水管道的大量使用,容易导致镀锌钢管的腐蚀。所以,建筑施工中多数改用其他材料作为自来水管道材料。另外,由于城市化建设的加速,道路改造、通信光缆、能源供应管道的铺设等,对各种管道材料提出了更高的要求,其品种也越来越多,常常需要根据不同地域、不同气候条件、不同地段,乃至高层建筑的不同楼层,选用不同的自来水管道材料。

知识42 重金属污染

密度在 5 kg/m³ 以上的金属统称为重金属,如金、银、铜、铅、锌、镍、钴、镉、铬和汞等 45 种。从环境污染方面所说的重金属,实际上主要是指汞、镉、铅、铬以及类金属砷等生物毒性显著的重金属,也指具有一定毒性的一般重金属如锌、铜、钴、镍、锡等。目前最引人们注意的是汞、镉、铬等。重金属随废水排出时,即使浓度很小,也可能造成污染。由重金属造成的环境污染称为重金属污染。

知识43 高分子分离膜

高分子分离膜是用具有特殊分离功能的高分子材料制成的薄膜。它的特点是能够有选择地让某些物质通过,而把另外一些物质分离掉。这类分离膜广泛应用于生活污水、工业废水等废液处理以及回收废液中的有用成分等方面,特别是在海水和苦咸水的淡化方面已经实现了工业化。在食品工业中,分离膜可用于浓缩天然果汁、乳制品加工、酿酒等,而且分离时不需要加热,可保持食品原有的风味。未来的高分子膜不仅可以用在物质的分离上,而且还能用在各种能量的转换上,如传感膜能够把化学能转换成电能,热电膜能够把热能转换成电能等。这种新的高分子膜为缓解能源和资源的不足,解决环境污染问题带来了希望。

膜分离技术是适应当代新产业发展的一项高技术,被公认为 21 世纪最有发展前途的高技术之一。

知识44 玻璃、玻璃钢和有机玻璃

1. 玻璃

玻璃是一种较为透明的固体物质,是硅酸盐类非金属材料。玻璃按主要成分分为氧化物玻璃和非氧化物玻璃。

2. 玻璃钢

玻璃钢是由环氧树脂与玻璃纤维复合而得到的强度类似钢材的增强塑料,是一种复合材料。由于使用的树脂不同,因此有聚酯玻璃钢、环氧玻璃钢和酚醛玻璃钢。

科学元典

霍夫曼 美国物理学家和化学家。霍夫曼主要从事量子化学方面的研究。他在哈佛大学工作期间,和有机化学家伍德沃德合作,进行维生素的合成研究。1965 年提出了分子轨道对称守恒原理,又称伍德沃德-霍夫曼规则。这个理论把量子力学由静态发展到动态的阶段。近几年来,霍夫曼主要从事基态及激发态分子的电子结构,特别是金属有机化合物电子结构的研究。霍夫曼因对分子轨道对称守恒原理的开创性研究,和福井谦一共获 1981 年诺贝尔化学奖。

3.有机玻璃

有机玻璃是一种塑料,属于有机合成材料。

知识 45 食品污染的类型

食品安全问题越来越得到人们的重视,常见的食品污染有如下几类:(1)微量元素中有一些有害元素,在人体内积累会影响身体健康,如铝、铅、汞的污染;(2)过量食用食品添加剂或使用非食品添加剂,如过量使用防腐剂、面粉增白剂、色素、香精,用工业用盐亚硝酸钠加工食品,添加苏丹红一号等;(3)食品制作过程受到污染,如使用工业双氧水(漂白)、甲醛泡发水产品、用硫黄熏蒸食品等;(4)食用变质原料或已被污染的原料制作食品,如用霉变大米等加工食品。

方法清单

方法 1　鉴别塑料有毒、无毒的方法

塑料	燃烧现象	颜色	透明度	质量
有毒塑料	不易燃烧,燃烧时冒烟,有臭味	一般有色	一般较差	较重
无毒塑料	易燃烧,不冒烟,无臭味	一般无色	一般半透明	较轻

方法 2　各种纤维物的燃烧鉴别法

织物	燃烧现象
尼龙	易燃,燃烧时有臭味,有火焰,余烬为灰白色
涤纶	近火时先熔化,后燃烧,燃烧后呈黑色块状,可压碎
腈纶	近火时先收缩,后燃烧,冒黑烟,有臭味,余烬呈黑色圆球
棉布	易燃烧,燃烧时无异味,余烬呈灰白色
羊毛	燃烧时发泡,有火焰,有燃烧头发的异味,余烬呈黑褐色
丝绸	燃烧缓慢,有臭味,余烬为深颜色小球,容易压碎

例 (2010 云南楚雄,3,2分)"海宝"是 2010 年上海世博会的吉祥物,其形象如右图所示。有一种"海宝"的外用材料为纯羊毛,内充物为聚酯纤维。下列说法错误的是 (　　)

A.羊毛和聚酯纤维都属于合成材料
B.羊毛和聚酯纤维都属于高分子化合物
C.羊毛和聚酯纤维都是有机物
D.可以用燃烧的方法区分羊毛和聚酯纤维

答案 A　羊毛是天然有机高分子材料,聚酯纤维属于有机合成材料,二者均为有机高分子化合物,利用燃烧的方法可区分羊毛和聚酯纤维,故只有 A 不正确。

方法 3　用定量分析的方法分析判断物质是否合格

现实生活中,广告铺天盖地,但有许多广告夸大事实,甚至是虚假广告,用定量分析计算的方法可以判断广告的真实性。一般的方法是:根据广告中给出物质的化学式计算出某元素的质量分数,再与广告给出的数据进行对比即可得出结论。

(1)判断广告是否虚假

例1 (2010 广东湛江,24,6分)小红从农贸市场买回一袋化肥,化肥包装上的标签如下图所示,请回答下列问题:

> 富家牌
> 优质化肥
> (NH_4HCO_3)
> 含氮量为20.3%

(1)该化肥是由 _____ 种元素组成的。
(2)该化肥中 N、H 两种元素的质量之比是 _____ 。
(3)该化肥的含氮量应该是 _____ (结果保留0.1%),说明此标签有误。

答案 (1)4　(2)14:5　(3)17.7%

解析 由标签上的化学式 NH_4HCO_3 可知:该化肥是由 4 种元素组成的,化学式中氮、氢元素的质量比为 14:5,NH_4HCO_3 中含氮量为 $\frac{14}{79} \times 100\% = 17.7\%$,17.7% < 20.3%。所以标签中的含氮量错误。

(2)判断物质的质量

例2 (2010 山东泰安,29,4 分)味精的主要成分为谷氨酸钠(化学式为 $C_5H_8NO_4Na$),因能增加食品的鲜味,促进食欲而成为家庭常见的调味品。某味精厂生产的"菱花"牌味精,其谷氨酸钠含量可达85%以上。请回答:

科学元典

普里戈金　比利时物理学家和化学家,比利时皇家科学院院士。他的研究领域是非平衡热力学和非平衡统计物理。1947 年他提出最小熵产生原理。后来集中研究远离平衡现象的规律,并于1969 年提出耗散结构理论。由于这一贡献,1977 年获诺贝尔化学奖。他的主要著作有《化学热力学》、《不可逆过程热力学导论》、《非平衡统计力学》和《非平衡系统中的自组织》等。

(1)谷氨酸钠的相对分子质量是______。

(2)一袋包装为 50 g 的“菱花”牌味精中，含谷氨酸钠的质量不少于______g。

答案 (1)169 (2)42.5

解析 谷氨酸钠的化学式为 $C_5H_8NO_4Na$，其相对分子质量为 12×5+8+14+16×4+23=169；由于谷氨酸钠的含量高于85%，故 50 g 包装的每袋味精内含谷氨酸钠最低为：50 g×85%=42.5 g。

(3)判断有效元素的质量

例3 (2010 山东滨州，26，10 分)钙是维持人体正常功能所必需的元素，下图所示为某种补钙剂“钙尔奇”说明书的一部分。取 1 片钙尔奇，放入盛有 10 g 稀 HCl 的烧杯中，其中碳酸钙跟盐酸恰好完全反应(其他部分与盐酸不反应)。烧杯内剩余物质为 11.34 g。

钙尔奇：Caltrate
主要成分：$CaCO_3$
规格：每片 2.0 g
用法：口服
用量：一日 2 次，每次 1 片

试计算：

(1)每片钙尔奇中含碳酸钙的质量。

(2)服用这种补钙剂，每人每天摄入钙元素的质量。

(3)所用稀盐酸中溶质的质量分数。

答案 (1)1.5 g (2)1.2 g (3)10.95%

解析 根据题意：每片钙尔奇与 10 g 稀盐酸恰好完全反应生成 CO_2 的质量为 2 g+10 g−11.34 g=0.66 g。

设每片钙尔奇中含碳酸钙的质量为 x，所用稀盐酸中溶质质量为 y。

$$CaCO_3 + 2HCl \xlongequal{} CaCl_2 + H_2O + CO_2\uparrow$$

100 73 44

x y 0.66 g

100:44 = x:0.66 g x = 1.5 g

73:44 = y:0.66 g y = 1.095 g

则每片钙尔奇中含 $CaCO_3$ 1.5 g，含钙元素的质量为 $1.5\ g \times \frac{40}{100} \times 100\% = 0.6\ g$。根据用量“一日 2 次，每次 1 片”可知，每人每天摄入钙元素的质量为 2×0.6 g=1.2 g。

稀盐酸的溶质质量分数为：$\frac{1.095\ g}{10\ g} \times 100\% = 10.95\%$。

方法 4 减少燃料燃烧对环境污染的方法

(1)对煤进行脱硫处理后再燃烧，就可减少二氧化硫的产生。目前生活用煤在煤的燃烧中占很大的比例，进行煤的脱硫处理是重要的研究课题。

根据可燃物燃烧原理，让可燃物与空气充分接触，就能使其充分燃烧。煤、石油、天然气等含碳燃料与空气充分接触燃烧时，就可减少一氧化碳的生成，减少碳颗粒的排放，因此，改进燃烧方式，使燃料充分燃烧，可以减少对空气的污染。

(2)为了减少尾气对空气的污染，主要采取以下措施：

①改进发动机的燃烧方式，以便燃料充分燃烧；

②使用催化净化装置，使有害气体转化为无害物质；

③使用无铅汽油，禁止含铅物质排放；

④使用清洁能源，例如压缩天然气(CNG)和液化石油(LPG)；

⑤在汽油中添加适量的酒精制成乙醇汽油等。另外，在管理上加大尾气的检测力度，禁止尾气没有达到环保标准的汽车上路。

(3)开发和利用环保能源，如：太阳能、风能、水能、潮汐能、地热能和氢能等。

(4)将工业废气进行处理，达标后排放。

例 (2010 湖南娄底，10，2 分)随着科学的进步，我们的生活水平大大提高，同时也产生了一些新的问题。下列做法中错误的是 ( )

A. 为减少大气污染，火力发电厂应采取加高烟囱的办法

B. 回收废旧电池，既可节约金属资源又可减少环境污染

C. 为减少水污染，工业废水和生活污水一定要处理达标后再排放

D. 使用可降解塑料代替传统塑料，有利于减轻“白色污染”

答案 A 火力发电厂以煤为燃料，煤燃烧时会产生 CO、SO_2 等有害气体，加高烟囱不能减少或转变有害气体的排放。

科学元典

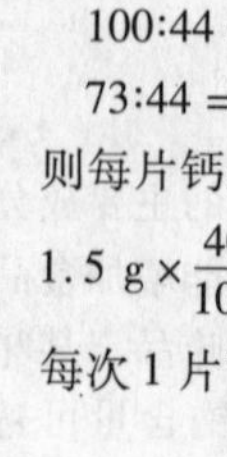

佩鲁茨 英国晶体学家和分子生物学家。1951 年他首次用 X 射线衍射法证实了蛋白质的 α-螺旋结构模型。1953 年解决了晶态蛋白质结构测定的位相难题。1962 年他与别人合作证明，当血红蛋白同氧反应时，四个亚基间的相互位置发生变化。1970 年他与同事测定出脱氧血红蛋白的结构。由于在蛋白质晶体学方面的开创性成就，他和肯德鲁同获 1962 年诺贝尔化学奖。

专题 11　科学探究

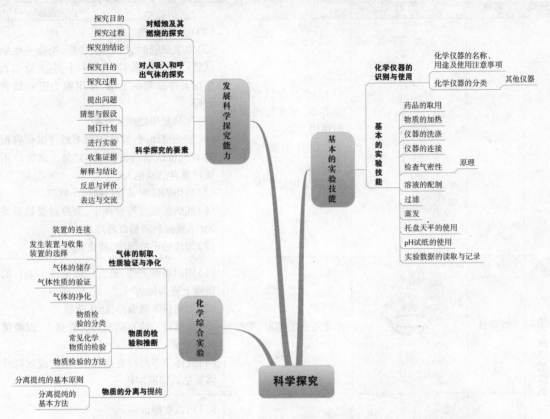

知识清单

基础知识

知识 1　实验仪器及用途

1. 常用仪器的分类

(1) 反应仪器 $\begin{cases} \text{直接加热的:试管、蒸发皿、燃烧匙} \\ \text{间接加热的:烧杯、烧瓶、锥形瓶} \end{cases}$

(2) 存放仪器 $\begin{cases} \text{广口瓶(固体)、细口瓶(液体)} \\ \text{滴瓶(少量液体)、集气瓶(气体)} \end{cases}$

(3) 加热仪器:酒精灯

(4) 计量仪器:托盘天平(称质量)、量筒(量体积)

(5) 分离仪器:漏斗、分液漏斗

(6) 夹持仪器:试管夹、铁架台、坩埚钳

(7) 取用仪器 $\begin{cases} \text{镊子(块状或较大颗粒)} \\ \text{药匙(粉末或小颗粒)} \\ \text{胶头滴管(少量液体)} \end{cases}$

(8) 其他仪器:长颈漏斗、石棉网、玻璃棒、水槽

例1　(2010 江苏苏州,3,2 分)下列玻璃仪器名称错误的是　　　　　　　　　　　　(　　)

A. 普通漏斗　B. 锥形瓶　C. 集气瓶　D. 长颈漏斗

答案　**D**　D 项图形为分液漏斗,不是长颈漏斗。

科学元典

林德　德国制冷工程师和低温实验学家,制冷科学的奠基人。在 1873～1877 年,设计出第一台利用连续压缩氨的原理进行工作的制冷机,可以用来制冰和冷却液体。1895 年利用焦耳－汤姆逊效应和逆流换热原理发明了空气液化装置。1902 年利用精馏方法设计制取纯氧的装置,使炼钢和氧－乙炔气焊等有可能大量应用纯氧。1903 年利用氮的循环过程生产纯氮。1909 年利用一氧化碳部分冷凝的方法,从水煤气制取氢气。

2.常见化学仪器的主要用途和使用方法及注意事项

常用仪器			主要用途	使用方法及注意事项
分类	名称	图示		
用于加热的仪器	试管		(1)用作少量试剂的反应容器,在常温或加热时使用 (2)作为小型气体发生器 (3)收集少量气体	(1)可直接加热 (2)拿取试管时,用中指、食指、拇指夹住距试管口1/3处;振荡时,用右手拇指、食指和中指夹持试管的上端,使用腕力甩动试管底部 (3)加热时要使用试管夹 (4)加热液体时,液体体积不超过试管容积的1/3,使试管与桌面成45°角。试管口不要对着自己或他人 (5)加热固体时试管口略向下倾斜 (6)加热前试管外壁擦干,加热时受热要均匀,不要碰到酒精灯的灯芯 (7)加热后不能骤冷,防止炸裂
	蒸发皿		用于溶液的蒸发、浓缩	(1)用坩埚钳夹持,放在三脚架或铁架台的铁圈上直接加热 (2)加热后不能骤冷,防止破裂 (3)加热后不能直接放到实验桌上,以免烫坏实验桌 (4)液体量多时可直接加热,量少或黏稠液体要垫石棉网加热
	燃烧匙		用于盛放可燃性固体物质进行燃烧实验	(1)可以直接加热 (2)不可连续高温使用,以免端头脱焊掉落 (3)用后洗净擦拭干净,防止反应物与燃烧匙反应或生锈
	烧杯		(1)溶解物质配制溶液 (2)较大量试剂反应容器 (3)常温或加热使用	(1)加热时应放在石棉网上,使其受热均匀,以防受热不均而炸裂 (2)溶解固体时要用玻璃棒轻轻搅拌,搅拌时玻璃棒不能接触器壁,防止碰破烧杯
	锥形瓶、烧瓶(圆底、平底)	圆底　平底	(1)用作较大量液体反应的容器和气体发生装置,在常温或加热时使用 (2)锥形瓶是蒸馏的接收容器	加热时需垫上石棉网,以防受热不均而炸裂

加热仪器	酒精灯		用于加热,温度为500℃左右	(1)酒精量不得超过酒精灯容积的2/3,不得少于1/4。量多受热易溢出,量少则酒精蒸气易引火爆炸 (2)禁止向燃着的酒精灯里添加酒精;点燃酒精灯用火柴,禁止用燃着的酒精灯去引燃另一盏酒精灯,防止酒精溢出发生火灾 (3)应用外焰加热,外焰酒精充分燃烧,温度高 (4)熄灭时不能用嘴吹灭,应用灯帽盖灭而且要反复盖两次,目的是防止火焰进入灯内引燃酒精失火,同时防止下次用时打不开
盛放物质的仪器	集气瓶		(1)收集和储存少量气体 (2)进行物质和气体之间的反应	(1)不允许加热,防止受热破裂 (2)用于物质和气体的某些放热反应时,集气瓶内要放入少量水或细沙,以防止受热炸裂 (3)集气瓶和广口瓶外形相似,但磨口的部位不同,集气瓶磨砂在瓶口上表面,广口瓶磨砂在瓶口内侧
	滴瓶、滴管		滴瓶用于盛放少量液体试剂;滴管用于吸取和滴加少量液体	(1)瓶塞不能弄脏、弄乱,防止沾污试剂; (2)盛放碱液改用胶塞; (3)有色瓶盛见光易分解或不太稳定的试剂; (4)滴瓶上的滴管专用,不可冲洗; (5)滴管使用时悬在容器口上方,一般不可伸入容器内,也不可接触容器壁; (6)不要平放或倒放滴管;用过的滴管应立即用水冲洗
	细口瓶		储存液体药品	
	广口瓶		储存固体药品	
计量仪器	托盘天平		称量物质的质量(精确度为0.1或0.2 g)	(1)使用前先调节天平平衡 (2)不能在托盘上直接放置药品,用称量纸或小烧杯称量; (3)左物右码,添加砝码顺序应从大到小; (4)用镊子取用砝码、拨游码
	量筒		量取一定体积的液体或间接测量气体的体积	(1)不可加热,不可作反应容器; (2)根据液体的量选择规格; (3)读数时,视线应与凹液面最低处保持水平

科学元典

漏斗	普通漏斗	过滤、注入液体	(1)过滤时,要使滤纸边缘低于漏斗边缘,漏斗内的液面要低于滤纸边缘,用水湿润滤纸并使之紧贴漏斗内壁,中间不能留有气泡 (2)过滤时要用玻璃棒引流
	长颈漏斗	用于注入液体	长颈漏斗的下端管口要插入液面以下,形成液封,避免产生的气体从长颈漏斗中逸出
	分液漏斗	(1)注入液体 (2)分液漏斗用于分离两种密度不同且互不相溶的液体	分液漏斗的下端不必插入液面以下
夹持仪器	铁架台(含铁夹、铁圈)	固定和放置各种仪器	(1)铁圈、铁夹方向应与铁架台底盘同侧; (2)铁夹夹在试管中上部; (3)夹持玻璃仪器时,勿过松或过紧,应以恰好使玻璃仪器不能移动,以防仪器脱落或夹碎
	试管夹	夹持试管进行简单的加热实验	(1)夹在试管中上部; (2)从试管底部套入、取出; (3)拇指不要按在试管夹的短柄上
	坩埚钳	夹持坩埚或夹持热的蒸发皿等	(1)尖端向上平放在实验台上;(2)温度高时应放在石棉网上
辅助仪器	水槽	排水集气	(1)水不要加满,防止实验时有水溢出 (2)防止打碎,不能加热
	药匙	取用固体药品(粉末状或小颗粒状)	(1)每次用完及时用纸擦干净 (2)保持洁净、干燥
	玻璃棒	搅拌液体、引流、蘸取液体	(1)搅拌时切勿撞击器壁,以免碰破容器; (2)注意随时洗涤、擦净; (3)过滤或转移液体时,使液体沿玻璃棒流下,防止液体洒出或溅出

科学元典

　　徐寿　徐寿是我国清末科学家。我国近代化学史上一位重要人物。他在化学方面的著作主要有《化学鉴原补编》、《化学考质》、《化学求数》等。徐寿对我国近代化学的发展起了重要的促进作用。氧气的名称就是徐寿命名的。他认为人的生存离不开氧气,所以就命名为"养气"即"养气之质",这便是"氧气"。

辅助仪器	石棉网	用于烧杯或烧瓶加热时垫在底部,使仪器受热均匀	不能与水接触,防止石棉脱落或铁丝生锈
	试管刷	用于刷洗试管等玻璃容器	刷洗试管时,不要用力过猛,以免损坏容器
	温度计	用于测量温度	(1)温度计不允许测量超过它的最高量程的温度,以防水银球炸裂 (2)温度计不能当搅拌器使用,以防水银球破裂 (3)刚刚测量过高温的温度计不可立即用冷水冲洗,以防骤冷破裂

例2 (2010 辽宁本溪,21,3分)回答下列问题:

(1)实验台上摆放着试管、蒸发皿、量筒三种仪器,其中不能被加热的仪器是_____;

(2)使用酒精灯时,要特别注意规范操作。必须用火柴或打火机等点燃酒精灯,请写出熄灭酒精灯火焰的方法:_____;

(3)下列实验操作过程中玻璃棒不起搅拌作用的是_____(填选项字母)。

A. 溶解 　　B. 蒸发 　　C. 过滤

答案 (1)量筒 (2)用灯帽盖灭 (3)C

解析 量筒是计量仪器,用来量取液体的体积,不可加热;熄灭酒精灯应用灯帽盖灭,不能用嘴吹灭;在过滤时玻璃棒用来引流。

知识2 基本实验操作

1.药品的取用

(1)药品的取用原则

①使用药品时的"三不(不触、不闻、不尝味)"原则:不能用手接触药品,不要把鼻孔凑到容器口去闻药品(特别是气体)的气味,不得尝任何药品的味道。

②取用药品时注意节约原则:取用药品应严格按照实验规定的用量取用。如果没有说明用量,一般按最少量(1~2 mL)取用液体,固体只需盖满试管底部即可。最大量,液体不超过容器容积的1/3,固体不超过1/2。

③用剩药品的处理原则:实验用剩的药品不能因为要"节约"而放回原试剂瓶,这样做会污染试剂瓶中未使用的药品。因此,用剩的药品既不能放回原试剂瓶,也不能随意丢弃,更不能带出实验室,要放在指定的容器中。

(2)固体药品的取用

①取用粉末、颗粒状药品应使用药匙或纸槽,步骤:"一横、二送、三直立",即将试管横放,用药匙或纸槽将药品送入试管底部(如下图所示),再把试管直立起来,让药品滑入试管底部。

往试管里加入粉末、颗粒状固体

②取用块状药品或较大的金属颗粒时应用镊子夹取,步骤:"一横、二放、三慢竖",即先将试管(或容器)横放,把药品放入试管(或容器)口以后,再把试管(或容器)慢慢竖立起来,使块状固体缓缓地滑到试管底部,防止打破试管(或容器)底。

往试管里加入块状固体

(3)液体药品的取用

①滴管吸取法:取少量液体时,可用胶头滴管吸取(如下图所示)。

人体中几种重要的化学物质(一) (1)盐酸:存在于胃液中,通常人体胃内pH范围为1.2~3.0。其作用是激活胃蛋白酶元,使之转变成有活性的胃蛋白酶,并提供适宜的酸性环境。胃酸过多,可服用碳酸氢钠或氢氧化铝药剂。(2)磷酸:人体内磷酸主要以磷脂和核苷酸形式存在,脑中的磷脂供给大脑活动所需的巨大能量,在脑中磷的含量为脑总重量的0.3%,科学家称磷为思维元素。但人体内磷酸较多时,会影响钙的代谢,破坏体内骨钙和血钙的平衡。

◁)) 特别提醒

使用胶头滴管时,要两两对正,滴管竖直悬空,不能伸入其中,更不能相碰。吸液后胶头滴管不可倒置或平放,防止药液腐蚀橡胶帽。若用滴管取完液体后,可用少量清水冲洗,以备再用。滴瓶上的滴管,不可交叉使用,也不可用清水冲洗。

②取用较多量时,可用倾倒法。步骤:先拿下瓶塞,倒放在桌上;然后拿起试剂瓶,标签朝向手心,瓶口要紧挨着试管口,使液体缓缓倒入试管(如下图)。

(4)定量取用药品

①物质的称量。使用托盘天平称量药品时:"使用天平先调零,左物右码要分清,玻璃器皿、称量纸,镊子夹码手不行。"即称前先将天平调平衡,称量物放在左盘,砝码放在右盘。托盘上要垫有大小一样的称量纸,如果是腐蚀性药品,要放在表面皿或蒸发皿中称量。用镊子夹取砝码,直到平衡。托盘天平只能准确到0.1克。

②液体的量取。根据被量液体的体积选择合适规格的量筒。"使用量筒先放平,量筒刻度没有零,视线凹液最低点,保持一致方可行。"

例1 (2010 云南昆明,25,4分)根据下图回答问题:

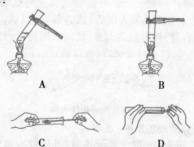

(1)给试管中的液体加热时,通常采用图 A 的加热方法,即将试管倾斜成大约45°角,其原因是_____,避免采用图 B 的加热方法,原因是_____;

(2)图 C 或图 D 向试管中加入粉末状固体时,用长柄药匙或纸槽伸到试管底部,原因是_____;

(3)给试管里的液体药品加热,液体不能超过试管容积的1/3,原因是_____。

答案 (1)增大受热面积,有利于液体回流 防止试管底部温度过高,出现暴沸使液体喷出
(2)防止粉末状药品粘在试管内壁上或可使药品集中在试管底部
(3)液体太多,加热时容易喷出

解析 (1)给试管里的液体加热,试管不能直立的原因是防止试管底部温度过高,出现暴沸液体喷出;
(2)加入粉末状药品,应注意"一横、二送、三直立";
(3)给试管里的液体加热,液体太多,加热时容易喷出。

2.物质的加热
(1)酒精灯的使用

酒精灯的灯焰

①使用前进行"两查":一查灯芯是否不平或已烧焦,若不平或已烧焦,应用剪刀剪去少许使其平整;二查灯里有无酒精。向灯里添加酒精时,通过漏斗,且不能超过酒精灯容积的$\frac{2}{3}$。

②禁止向燃着的酒精灯里添加酒精;禁止用酒精灯引燃另一盏酒精灯。

③用完酒精灯,必须用灯帽盖灭,不可用嘴吹灭。

④酒精灯不用时,必须盖上灯帽。

⑤酒精灯火焰由内到外依次是焰心、内焰、外焰三个部分。外焰酒精燃烧充分,温度最高,内焰酒精燃烧不充分,温度较低,焰心温度最低,应用外焰部分进行加热。

⑥万一洒到桌上的酒精燃烧起来,应用湿抹布或沙土扑灭火焰。

(2)常见仪器的耐热性

试管、坩埚、蒸发皿,直接加热不用问。烧杯、烧瓶、锥形瓶,石棉网下酒精灯。量筒、水槽、集气瓶,不可受热记在心。

(3)给物质加热的注意事项

给物质加热时,若被加热的玻璃容器外壁有水,应擦干再加热,以免容器炸裂;加热时玻璃容器底部不能跟灯芯接触,也不能离得太远;烧得很热的玻璃容器,不

要立即用冷水冲洗(以免容器炸裂),也不要直接放在实验台上(防止烫坏实验台),要垫上石棉网。

(4)液体的加热

如上图所示,试管可直接在火焰上(外焰)加热;试管夹夹在离管口 1/3 处;盛液不超过试管容积的 1/3;试管倾斜,管口朝上与桌面约成 45°角,管口不可对准他人或自己;先移动试管(或酒精灯),使之均匀受热,然后集中加热液体中上部,再慢慢下移加热;试管(其他加热器皿同)受热底部不能与灯芯接触,也不能立即用冷水冲洗(烧得很热时,其他加热器皿同)或放在桌上,以防骤冷炸裂。

①盛液体的烧杯的加热:多量液体加热时用烧杯,盛液量宜在烧杯容积的 1/3 ~ 2/3;外壁要擦干;加热应在垫有石棉网的三脚架或铁架台的铁圈上进行。

②盛液体的蒸发皿的加热:将稀溶液浓缩,或使少量液体加热蒸发后得到晶体用蒸发皿加热。将蒸发皿置于铁架台的铁圈上直接用火加热,盛液量不超过容积的 2/3,边加热边用玻璃棒搅拌。若需将溶剂全部蒸干获得晶体,则待蒸发皿中出现多量固体时,应减小火焰或停止加热,利用余热把剩下极少量的溶剂蒸干,以防晶体迸溅。

(5)固体的加热

固体试剂常可直接加热,盛固体试剂直接加热的仪器有试管、蒸发皿、燃烧匙等。

①盛装固体的试管的加热:试管夹夹在离管口 1/3 处;试管口稍向下倾斜(但加热 NH_4Cl 不同);先移动酒精灯(或试管)使试管均匀受热,后将灯焰固定在放固体的部位加热。

②在蒸发皿中对固体加热:应注意充分搅拌,使固体受热均匀,如烘干 $CaCl_2$ 或对不纯的二氧化锰进行灼烧等,都可以在蒸发皿中进行。

例2 (2010 安徽,14,7 分)酒精灯是实验室中常用的加热仪器,某小组同学对酒精灯火焰温度进行如下探究。

(Ⅰ)定性研究:甲同学取一根火柴梗,拿住一端迅速平放入酒精灯火焰中,1~2 s 后取出,观察到位于外焰的部分明显碳化。

(1)写出碳完全燃烧的化学方程式:＿＿＿＿＿＿。

(2)由上述现象得出结论:外焰温度最高,你认为原因是＿＿＿＿＿＿＿＿＿＿＿＿＿＿。

(Ⅱ)定量研究:乙和丙同学在老师指导下,分别利用高温传感器测得酒精灯各层火焰平均温度如下表。

火焰层	平均温度/℃	
	乙	丙
焰心	432	598
内焰	666	783
外焰	520	667

(3)由上表得出结论:＿＿＿＿(填"焰心"、"内焰"或"外焰")温度最高。

(4)结合定量研究结论,下列图示中加热方法(试管夹未画出)最合理的是＿＿＿＿(填字母序号)。

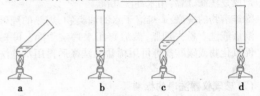

a　　　b　　　c　　　d

(Ⅲ)交流反思:不仅酒精灯的各层火焰温度不同,而且相同火焰层温度也有差异。

(5)造成乙、丙两同学所测相同火焰层温度差异的原因可能是(写出两点即可)

①＿＿＿＿＿＿＿;②＿＿＿＿＿＿＿。

答案 (1) $C + O_2 \xrightarrow{\text{点燃}} CO_2$

(2)外焰与空气(氧气)接触更充分,燃烧更旺

(3)内焰　(4)a

(5)酒精浓度　露出酒精灯的灯芯长度(其他合理答案均可)

解析 (3)由于外焰与空气的接触面大,部分热量散失,故定量的结果是内焰温度最高,实际上用酒精灯加热时用的是内焰与外焰交界的部分,所以(4)应选择 a 加热方式。

3.量筒及滴管的使用

(1)量筒的使用

取用一定量的液体药品,常用量筒量出体积。量液时,量筒必须放平,倒入液体的体积接近要求的刻度时,再用胶头滴管逐滴滴入量筒至刻度线。读数时量筒必须放平稳,视线与量筒内液体的凹液面最低处保持水平,读出液体的体积。若仰视读数,则读数偏小,若俯视读数,则读数偏大,仰视和俯视读数都不准确(如下图所示)。

(2)滴管的使用

取用少量液体时可用滴管。取液后的滴管,应保持橡胶帽在上,不要平放或倒置,防止液体倒流,污染试剂或腐蚀橡胶帽;不要把滴管放在实验台或其他地方,以免沾污滴管。用过的滴管要立即用清水冲洗干净(滴瓶上的滴管不要用水冲洗),以备再用。严禁用未经清洗的滴管再去吸取别的试剂。

4.玻璃仪器的洗涤

(1)玻璃仪器的洗涤方法

①普通洗涤法:若容器内壁附有不易洗掉的物质,可向容器中加水,选择合适的毛刷,配合去污粉、洗涤剂反复洗涤,然后用水冲洗几次。

②难溶物的洗涤:a.难溶于水的油类物,用热的纯碱溶液或洗衣粉去油脂,然后再用水冲洗干净。b.碱性氧化物或碳酸盐等可用稀盐酸洗涤后再用水冲洗干净。

(2)玻璃仪器洗净的标准

洗过的玻璃仪器内壁附着的水既不聚成水滴也不成股流下时,表明仪器已洗干净。洗净的玻璃仪器要放到指定的位置,试管要倒立在试管架上。

5.仪器的连接和组装

(1)连接仪器

连接类型	操作步骤及注意事项	图示
玻璃管插入(带孔)橡皮塞	左手拿塞,右手拿管,一端润湿,转动插入	玻璃管插入塞孔
连接玻璃管和橡胶管	左手拿橡胶管,右手拿玻璃管,一端润湿,转动插进橡胶管	玻璃管套上橡胶管
容器口塞橡皮塞	左手拿容器,右手拿塞子,慢慢转动,塞进容器口。<u>切不可把容器放在桌子上使劲塞进,以免压碎容器</u>	用橡皮塞塞住试管

(2)仪器的组装

①组装顺序一般是:由下到上,从左至右。

②制备气体并验证气体的性质、收集、吸收等顺序一般是:制气→净化→干燥→验证性质→收集→尾气处理等。

③仪器之间的连接方法是:干燥管——"大进小出";

洗气瓶——进气管在液面下,出气管在液面上。如下图所示:

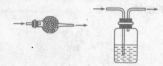

6.检查装置的气密性

(1)气密性检查的原理

通过气体发生器与附设的液体构成封闭体系,依据改变体系内压强时产生的现象(如:气泡的生成、水柱的形成、液面的升降等)来判断气密性的好坏。

(2)气密性检查的方法

①热敷或冷敷法

如右图所示装置气密性的检验方法是:把导管 b 的下端浸入水中,用手紧握来捂热试管 a,导管口若有气泡冒出,松开手后,水回升到导管 b 中形成一段水柱,则证明气密性良好。

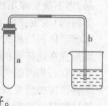

🔊 **特别提醒**

导管口不冒气泡时,不一定是气密性差,可能是手握容器时间过长,气体膨胀到一定程度不再膨胀。此时应将橡皮塞取下,将试管放入冷水中冷却后再重新检验。

②抽气法

检查如下图所示装置的气密性时,在试管中装入适量水(保证玻璃导管的下端浸没在水中),然后缓缓向外拉注射器的活塞,若看到 A 中有气泡冒出,则证明该装置的气密性良好。

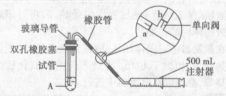

🔊 **特别提醒**

单向阀的工作原理是:向外拉注射器时,a 开 b 合;向里推注射器时,a 合 b 开。

③注水法

检查如右图所示装置气密性时,关闭止水夹 K,向长颈漏斗中注入水,一段时间后,水不能下流,在长颈漏斗中形成一段水柱(存在液面差),则证明该装置气密性良好。

科学元典

银饰品与健康(一) 银离子有很强的杀菌作用,对人体很有好处。它不仅有经济价值,美观大方,而且能做验毒工具,古人说,身带银健康富贵会相伴,这不仅因为他的贵重金属,而且医学上,它对人体的益处比黄金还要大。使用银可以检测食物是不是有毒,因为银与许多的毒素能发生化学反应,使银子变黑,易于肉眼鉴别。

例3 (2010北京,11,1分)下图所示的化学实验基本操作中,正确的是　　　(　　)

A.倾倒液体　B.称量固体　C.检查气密性　D.加热液体

答案 C　倾倒液体时标签应对着手心,试剂瓶瓶塞应倒放,试剂瓶瓶口紧贴在试管口上,故A不正确;称量固体时应左物右码,B错误;给液体加热时试管内液体体积不应超过试管容积的1/3,D错误。

7.溶液的配制

(1)配制步骤

①计算:按照配制要求计算出所需溶质和溶剂的质量,再根据密度计算出溶剂的体积。

②称量、量取:称量是指称量固体物质的质量,要用托盘天平,有腐蚀性的物质不能直接放在称量纸上,要放在玻璃器皿上称量;量取是指量取液体体积,通常用量筒量取。在选择量筒时,要选择量取范围最接近所需液体体积的量筒,以确保精确性。读数时眼睛的视线要与凹液面的最低处相平,既不能仰视读数也不能俯视读数。

③溶解:把溶质和溶剂混合,用玻璃棒搅拌,使得溶质充分溶解。溶解必须在烧杯中进行。

④装瓶存放:把配好的溶液要立即装入试剂瓶中,盖好瓶塞并贴上标签(标签上应包括药品的名称、化学式和溶液中溶质的质量分数),并放到试剂柜中。

(2)配制所需的仪器有:托盘天平、药匙、量筒、胶头滴管、烧杯、玻璃棒等。

特别提醒

配制过程中,玻璃棒的作用是搅拌,加快溶解速度。

(3)误差分析

①所配溶液溶质质量分数偏小的原因:a.药品和砝码位置放颠倒了,且使用了游码;b.量水时,仰视读数;c.烧杯内原来有水;d.固体药品中含有杂质。

②所配溶液溶质质量分数偏大的原因:a.称量时,所用砝码已生锈或沾有油污;b.量水时,俯视读数;c.量取的水未全部倒入烧杯中。

8.过滤

过滤的原理	过滤是把不溶于液体的固体物质跟液体分离的一种方法。如果是两种固体物质混合,其中一种能溶于水,另一种不能溶于水,则可以先把它们充分溶于水中,再进行过滤分离
制作过滤器	把一张圆形滤纸连续对折两次,得到一个四层的扇形滤纸,然后再用手捏住最外面一层滤纸展开,便得到一个一边是一层,另一边是三层滤纸的过滤器,用少量水润湿一下,把它贴在漏斗内壁上即可
用到的仪器	铁架台(带铁圈)、烧杯、漏斗、玻璃棒、滤纸等
过滤装置	
注意事项	操作注意事项有:一贴、二低、三靠。 一贴:滤纸紧贴漏斗内壁,以没有气泡为准,可加快过滤的速度; 二低:滤纸边缘低于漏斗边缘;漏斗内液面低于滤纸边缘,防止液体从滤纸与漏斗之间的间隙流下,使过滤不充分; 三靠:盛待过滤液体的烧杯紧靠引流的玻璃棒,防止液体溅到漏斗外面;玻璃棒的下端紧靠在三层滤纸上,防止戳破滤纸;漏斗下端紧靠烧杯内壁,防止液体溅出
过滤失败的原因	①滤纸破损 ②过滤时液面高于滤纸边缘 ③烧杯不洁净

科学元典

银饰品与健康(二) 公元前,古人就知道银子可以加速创伤愈合,防治感染,净化水质和防腐保鲜的作用。它能防止细菌生长,安五脏,定心神,止惊悸,除邪气。银具有灭菌作用,一般的抗生素平均只能对6种病菌起到作用,但是银可以消灭650种病菌。由此可见,银对健康的重要是不可忽视的。

例4 (2010 云南玉溪,5,2分)下列有关粗盐提纯实验的部分操作中,不正确的是 ( )

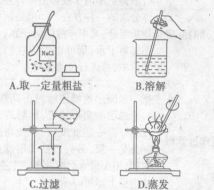

A.取一定量粗盐   B.溶解

C.过滤   D.蒸发

答案 C 过滤时,浑浊的液体需通过玻璃棒引流到漏斗内,不能直接用烧杯倾倒,漏斗下端管口应紧贴烧杯内壁。

9.蒸发

(1)仪器

铁架台、铁圈、酒精灯、玻璃棒、蒸发皿。

(2)装置

(3)原理

用加热的方法,使溶剂不断挥发而析出晶体,这是常用的一种结晶方法。

特别提醒

①加热时要用玻璃棒不断地搅拌,防止液体局部温度过高,而发生飞溅;②当蒸发皿里出现较多量固体时,停止加热,利用余热将水分蒸干;③刚加热完毕的蒸发皿不能用手拿取,也不能用冷水冲洗蒸发皿;④如果要用烧杯浓缩溶液,加热时要垫上石棉网,以防烧杯受热不均匀而破裂。

例5 (2010 上海,42,1分)粗盐提纯实验中,搭建蒸发装置时,下列操作中应首先进行的是 ( )
A. 放置酒精灯   B. 固定铁圈位置
C. 点燃酒精灯   D. 将蒸发皿放置在铁圈上

答案 A 实验装置的一般组装顺序是先下后上,先左再右,所以蒸发时要先放置酒精灯,然后根据酒精灯的高度调整铁圈。

10.蒸馏

(1)原理

蒸馏是利用互相溶解的液体混合物中各组分沸点不同进行分离提纯的操作。其过程是:加热样品使其中某组分汽化,然后使蒸气冷凝为液体加以收集。

(2)仪器

铁架台、蒸馏烧瓶、冷凝管、尾接管、锥形瓶、温度计、酒精灯、石棉网等。

(3)装置

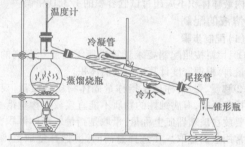

(4)注意事项

①蒸馏烧瓶里盛液体的量不要超过烧瓶容量的 $\frac{2}{3}$,也不少于其容量的 $\frac{1}{3}$。②为避免加热时液体发生暴沸现象,可以在蒸馏烧瓶里加入少量碎瓷片或几粒沸石。③冷凝管套管下端的开口用橡皮管与自来水龙头相接,上端开口接上橡皮管后通入水槽或下水道里。④温度计的水银球的位置应与蒸馏烧瓶支管的下沿齐平。⑤在实验结束时,拆卸仪器要按装配时相反的顺序,逐个拆除,即先拆卸接收器、冷凝管,然后停止加热。

(5)应用

①水的净化

②石油的分馏

11.托盘天平的使用

托盘天平的构造如下图所示。托盘天平只能用于粗略的称量,能准确到0.1 g。

(1)称量前先把游码放在标尺的零刻度处,检查天平是否平衡。如果天平未达到平衡,调节左、右的平衡螺母,使天平平衡。

科学元典

银饰品与健康(三) 银的热传导性在所有的金属中是最突出的,能迅速散发血管的热量,假设银的热传导性为100,金是53.2,铁是11.6,白金是8.2,这种鲜明的热传导性能迅速降低血脉的热量,对预防各种疾病有一定的疗效。银有吸收毒性的功能,这是它变色的原因之一,因此它有卓越的消毒性能,这种变色只是表面反应,用牙膏或者药品消除。

(2)称量时把称量物放在左盘,砝码放在右盘。砝码要用镊子夹取,先加质量大的砝码,再加质量小的砝码,最后移动游码,直到天平平衡为止。记录所加砝码和游码的质量。若砝码和被称量物质位置放反,即左码右物,则称得物质的质量为砝码减游码。

(3)称量完毕后,应把砝码放回砝码盒中,并把游码移回零刻度处。

化学实验称量的药品,常是一些粉末状或是易潮解的、有腐蚀性的药品,为了不使天平受到污染和损坏,使用时还应特别注意:

①称量干燥的固体药品前,应在两个托盘上各放一张干净的大小相同的纸片,然后把药品放在纸上称量。

②易潮解的药品,必须放在玻璃器皿(如小烧杯、表面皿)里称量。

例6 (2010 江苏镇江,9,2 分)下列实验操作及现象合理的是　　　　　　　　　　(　　)

A. 用 50 mL 量筒量取 5.26 mL 水

B. 铁丝在氧气中燃烧,发出白光,产生白色固体

C. 用托盘天平称取 5.6 g 硝酸钾固体

D. 燃着的镁条伸到充满 CO_2 的集气瓶中,镁条熄灭

答案 C　量筒的精度为 0.1 mL,不能精确量取 5.26 mL 水,也不应该用 50 mL 量筒,应选取 10 mL 量筒,A 错;铁丝在氧气中剧烈燃烧,火星四射,生成黑色固体,B 错;镁带点燃后在 CO_2 中也能燃烧,

$$2Mg + CO_2 \xrightarrow{\text{点燃}} 2MgO + C,D 错。$$

12. pH 试纸的使用

（1）内容

测定溶液 pH 的最简便方法是使用 pH 试纸,这种试纸在不同酸碱度的溶液里,显示不同的颜色。

（2）操作

用玻璃棒蘸取待测溶液滴在 pH 试纸上,然后把试纸显示的颜色跟标准比色卡对比,便可知道溶液的 pH。

（3）提示

①pH 试纸不能用水湿润,否则测得的 pH 可能会不准确,测碱溶液会导致 pH 低于实际值,测酸溶液会导致 pH 高于实际值。②不能直接将 pH 试纸浸入待测液中,因为用试纸直接蘸待测液会使待测液受到污染。③用广泛 pH 试纸测得的 pH 数值一般为整数。④显色时间不能太长,以半分钟内的变化

为准。

13. 基本实验操作中的数据

（1）向酒精灯里添加酒精要使用漏斗,但酒精量不得超过灯身容积的 2/3。

（2）用试管给液体加热时,还应注意液体体积不宜超过试管容积的 1/3。加热时试管应倾斜,与台面约成 45°角。

（3）用试管盛装固体加热时,铁夹应夹在距管口的 1/3 处。

（4）托盘天平只能用于粗略的称量,能精确到 0.1 克。

（5）用蒸发皿盛装液体时,其液体量不能超过其容积的 1/3。

（6）如果不慎将酸溶液沾到皮肤或衣物上,立即用较多的水冲洗(如果是浓硫酸,必须迅速用抹布擦拭,然后用水冲洗),再用溶质质量分数为 3% ~ 5% 的碳酸氢钠溶液来冲洗。

（7）在实验时取用药品,如果没有说明用量,一般应该按少量取用:液体取 1 ~ 2 毫升,固体只需盖满试管底部。

（8）使用试管夹时,应该从试管的底部往上套,固定在离试管口的 1/3 处。

（9）用 pH 试纸测溶液的 pH 的数值应为整数。

例7 (2010 上海,41,1 分)正确记录实验数据是一项实验基本技能。某同学记录的实验数据错误的是　　　　　　　　　　　(　　)

A. 用托盘天平称取 2.9 g NaCl 固体

B. 用 10 mL 量筒量取 8.3 mL 蒸馏水

C. 向 50 mL 小烧杯中倒入约 20 mL 蒸馏水

D. 用 pH 试纸(即广泛 pH 试纸)测得某盐酸的 pH 为 2.5

答案 D　pH 试纸的精确度为整数,不能测出带小数的读数。

14. 实验后整理

实验完毕后,应对使用的仪器进行洗涤后按正确的方法放置到原来的位置,试剂瓶应标签向外放在药品橱中,最后擦净实验桌面。

知识 3 气体的制备

1. 知识要点详解

在初中化学中,主要应掌握 O_2、H_2、CO_2 的实验室制法。可以从制备所需仪器、药品、反应原理、收集方法、实验装置、验满、验纯及操作要点等方面进行比较。通过比较,能够总结和归纳实验室制取气

科学元典

水晶的保健作用（一）　明代著名医学家李时珍在《本草纲目》中说,水晶"辛寒无毒",主治"惊悸心热"、能"安心明目、去赤眼,熨热肿"等。还可治疗"肺痈吐脓、咳逆上气"、"益毛发、悦颜色"等,具有极其重要的医疗功能。按照现代科学观点,可以从以下几个方面来理解:一、天然水晶具有特殊的"压电效应"。无缺陷的水晶单晶经加工成饰品佩戴人体后,与人体摩擦可以产生微弱的电磁场,这种电磁场具有稳定情绪,减轻病人痛苦等功能。

体的思路,即:研究反应原理→根据所选药品的状态和反应条件,选择适当的仪器组成相应的实验装置→根据实验装置的特点,设计合理的实验操作步骤,预测可能的注意事项→根据所制取气体的性质,选择相应的收集、检验、验满及验纯的方法。

实验室制取气体及其验证性质的实验,是属于基本操作的简单综合实验。通过对比发生装置和收集装置,突出气体的个性及几种气体的共性,提高记忆效果。

2.设计装置的依据

制取气体的装置分两部分:气体发生装置和气体收集装置。发生装置的选取是根据反应条件和反应物的状态而设计,收集装置是根据气体的性质(主要是物理性质)而确定的。确定收集装置的原则——气体的收集方法是由该气体的性质,如密度、在水中的溶解性、是否与空气或水反应、是否有毒等性质决定的。若气体的密度比空气大且不与空气中各成分反应,应用向上排空气法收集;若气体的密度比空气小且不与空气中各成分反应,应用向下排空气法收集;气体不易溶于水且不与水反应,则可用排水法收集。

(1)气体发生装置

①固 + 固 $\xrightarrow{\text{加热}}$ 的反应,简称"固体加热型",装置如图A所示,如:用 $KMnO_4$ 或 $KClO_3$ 和 MnO_2 制 O_2;

②固 + 液 $\xrightarrow{\text{不加热}}$ 的反应,简称"固液常温型",装置如图B、C、D、E。如用 H_2O_2 和 MnO_2 制 O_2 或用锌粒、稀 H_2SO_4 制 H_2 或用 $CaCO_3$ 与稀盐酸制 CO_2。同B装置相比,D装置具有便于添加液体药品,制取的气体量较多的优点;C装置不仅添加液体药品方便,而且通过导管上的开关控制反应的发生和停止;E装置可通过分液漏斗的活塞控制加入药品的量和速度。

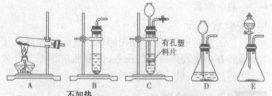

③固 + 液 $\xrightarrow{\text{不加热}}$ 的反应的发生装置的其他改进:

为了节约药品,方便操作,可设计如下图所示装置,这些装置都可自动控制。

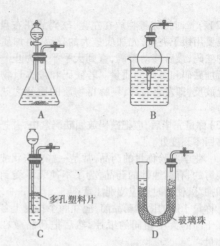

A装置可通过分液漏斗的活塞控制加药品的速度和用量。

B、C、D装置,当打开弹簧夹时,溶液进入反应器内开始反应;当关闭弹簧夹时,气路不通,反应产生的气体将溶液压出反应器外,液体与固体分离,反应停止。

(2)气体收集方法

收集装置			
选择条件	难溶或微溶于水,与水不发生化学反应的气体。如:H_2、O_2、CH_4 等	不与空气发生反应,密度比空气密度大的气体。如:O_2、CO_2 等	不与空气发生反应,密度比空气密度小的气体。如:CH_4 等
说明		①使用排水法收集的气体较纯净,但缺点是会使收集的气体中含有水蒸气。当导管口有连续均匀的气泡冒出时才开始收集,当有大量气泡从集气瓶口冒出时,表明气体已收集满。 ②用向上排空气法收集气体,应注意将导管伸到接近集气瓶瓶底,同时应在瓶口盖上玻璃片,以便尽可能地排尽空气,提高所收集气体的纯度。使用排空气法收集的气体比较干燥,但纯度较低,需要验满(可燃性气体则要注意安全,点燃之前一定要验纯,否则有爆炸危险)	

熟悉发生、收集装置的选择依据,了解所用实验仪器、装置的特点及实验中应注意的问题,就能解答

科学元典

水晶的保健作用（二） 如美国研究中心所推崇的"水晶疗法",就是将水晶按压在病人伤患处起辅助治疗作用的。而真正的天然水晶是含金红石等矿物的晶体,这些矿物各有其晶形。从水晶的光学特性看,水晶属三方晶系的一轴晶正光性结晶体,有三个方向的光轴,当按方位精工切削琢磨后,光轴方向往往会产生一定聚光、放光功能,当其刺激到人体某一穴位时,可以产生一定的理疗作用。

相关的问题。

3. 药品的选取和实验方案的设计
(1)可行性:所选取的药品能制得要制取的气体;
(2)药品廉价易得;
(3)适宜的条件:要求反应条件易达到,便于控制;
(4)反应速率适中:反应速率不能太快或太慢,以便于收集或进行实验;
(5)气体尽量纯净;
(6)注意安全性:操作简便易行,注意防止污染。

例如:①实验室制取 H_2 时选用锌粒,而不用镁条、铁片,原因是镁价格贵且反应太快而铁又反应太慢;酸选用稀硫酸,而不宜用稀盐酸、浓硫酸,因为用稀盐酸制得的 H_2,因混有 HCl 而不纯、与浓硫酸反应不生成 H_2;②制 CO_2 时可选用石灰石(或大理石)与稀盐酸,而不选用 Na_2CO_3、浓盐酸、稀硫酸,原因是 Na_2CO_3 反应太快,浓盐酸易挥发出 HCl 气体,稀硫酸反应不能进行到底,也不能煅烧石灰石,因为条件不易达到,不可操作;③用 $KClO_3$、过氧化氢制 O_2 时,要加少量的 MnO_2 作催化剂,以加快反应的速率。

4. 实验室制取气体的实验操作程序
实验室制取气体在选择好药品、仪器后操作的一般程序:
(1)组装仪器:一般按从左到右,从下到上的顺序进行;
(2)检查装置气密性;
(3)装药品:若是固体跟液体反应,一般是先装入固体再加入液体;
(4)准备收集装置:若用排水法收集气体时,应在制取气体之前将集气瓶盛满水;
(5)制取气体;
(6)收集气体并验满;
(7)拆洗仪器。

🔊 **特别提醒**
(1)给固体加热时,试管口要略向下倾斜;
(2)用加热 $KMnO_4$ 或 $KClO_3$ 的方法制取 O_2,若用排水法收集,实验完毕时应先把导管移出水槽再移走酒精灯;
(3)固体跟液体制取气体时,要注意长颈漏斗末端要插入液面以下进行液封,以防漏气。

例1 (2010 贵州贵阳,38,7 分)制取气体是初中化学重点研究的内容。某化学兴趣小组拟用下图的装置制取气体。请回答:

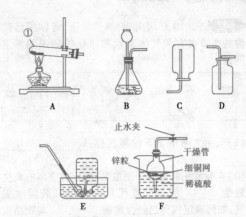

(1)仪器①的名称是 _____。实验室制取二氧化碳的发生和收集装置是 _____(填字母)。
(2)用氯酸钾和二氧化锰的混合物制取氧气,应选用的发生和收集装置是 _____(填字母),反应的化学方程式为 _____,该反应中二氧化锰是 _____。
(3)用 F 装置制氢气时,如何使反应停止 _____。

答案 (1)试管　B、D
(2)A、D 或 A、E　$2KClO_3 \xrightarrow[\Delta]{MnO_2} 2KCl + 3O_2\uparrow$　催化剂
(3)关闭止水夹或移动干燥管使锌粒与稀硫酸分离

解析 (1)实验室中要依据反应物状态和反应条件选择发生装置,依据气体的密度和水溶性选择收集装置。所以制 CO_2 应选 B 和 D;(2)制取 O_2 用固体 $KClO_3$ 和 MnO_2 加热,且 O_2 密度大于空气,不易溶于水,应选装置 A 和 D 或 A 和 E;(3)用 F 装置制 H_2 时,可以上移干燥管使锌粒与稀 H_2SO_4 脱离接触,使反应停止;也可以关闭止水夹,产生气体使干燥管内气压变大,酸液被压出,造成锌粒与酸脱离接触,使反应停止。

5. 装置的选取与连接
实验室制取气体的实验往往与气体的净化、气体的干燥综合在一起。气体综合实验的装置选择及连接顺序为:

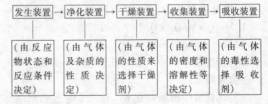

例2 (2010 广西南宁,28,16 分)请你用已经掌握的实验室有关气体制取和净化等知识回答下列问题:

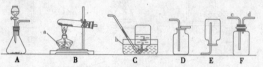

(1)写出上图中 a、b 仪器名称:a _____ ,b _____ 。

(2)实验室用高锰酸钾制取氧气时,可选用的发生装置是 _____ (填装置代号),若用 C 装置收集氧气,如何确定气体已经收集满 _____ ,实验结束时的正确操作顺序为:先 _____ 后 _____ ,写出该反应的化学方程式: _____ 。

(3)若用 F 装置收集 O_2,则 O_2 应从导管口 _____ (填"c"或"d")通入。

(4)若用 E 装置收集某种气体,则该种气体应具备的性质是 _____ ,试写出一个制取该种气体的化学方程式: _____ 。

(5)某课外小组的同学用上图 B 装置使草酸分解并用如下装置探究草酸分解的产物:

①该装置中,A 的作用是 _____ ,C 的作用是 _____ ,A、B _____ (填"能"或"不能")互相交换。

②实验观察到 A 处无水硫酸铜变蓝,B 和 F 处澄清石灰水都变浑浊,C 处澄清石灰水无浑浊现象,E 处黑色粉末变成红色,说明草酸分解的产物是 _____ 。

答案 (1)酒精灯 水槽

(2)B 瓶口有大量气泡冒出时证明气体已收集满

把导管移出水面 熄灭酒精灯 $2KMnO_4 \xrightarrow{\triangle} K_2MnO_4 + MnO_2 + O_2\uparrow$

(3)c

(4)密度比空气小 $Zn + H_2SO_4 \Longrightarrow ZnSO_4 + H_2\uparrow$ (合理即可)

(5)①检验产物是否有水 检验 CO_2 是否已除尽 不能

②H_2O、CO_2、CO

解析 (1)注意不写错别字。

(2)加热高锰酸钾制取氧气,发生装置为"固体加热型"选 B;若用排水法收集氧气,当瓶口有大量气泡冒出时说明气体已收集满;实验完毕后应先撤导管,再熄灭酒精灯,以防止水倒流炸裂试管。加热高锰酸钾的化学方程为 $2KMnO_4 \xrightarrow{\triangle} K_2MnO_4 + MnO_2 + O_2\uparrow$。

(3)用 F 装置收集氧气相当于向上排空气法,O_2 应从 c 管进入。

(4)E 装置为向下排空气法收集气体,说明气体的密度小于空气,如 H_2,$Zn + H_2SO_4 \Longrightarrow ZnSO_4 + H_2\uparrow$。

(5)在实验装置中,A 中无水硫酸铜是白色固体,遇水会变蓝,用来验证产物中是否有 H_2O;B、C 中的澄清石灰水的用途分别是验证产物中是否有 CO_2 和验证 CO_2 是否已经除尽,D 中浓硫酸的作用是干燥气体,E、F 的组合是证明产物中是否含有 CO 或 H_2,G 的作用是防止有毒的 CO 直接进入空气。在整套装置中,A、B 不能交换,否则将无法证明草酸分解是否生成了 H_2O。

6. 其他物质的制备方法

(1)金属

加热分解法、还原剂法、湿法冶金 $\begin{cases} 2HgO \xrightarrow{\triangle} 2Hg + O_2\uparrow \\ CuO + CO \xrightarrow{\triangle} Cu + CO_2 \\ Fe + CuSO_4 \Longrightarrow FeSO_4 + Cu \end{cases}$

(2)非金属

还原法:$2C + SiO_2 \xrightarrow{高温} Si + 2CO\uparrow$。

(3)非金属氧化物

①非金属 $+ O_2 \xrightarrow{点燃}$ 酸性氧化物 $C + O_2 \xrightarrow{点燃} CO_2$

②含氧酸分解 $H_2CO_3 \Longrightarrow H_2O + CO_2\uparrow$

③含氧酸盐加热分解 $CaCO_3 \xrightarrow{\triangle} CaO + CO_2\uparrow$

(4)金属氧化物

①金属 $+ O_2 \xrightarrow{\triangle}$ 碱性氧化物 $2Cu + O_2 \xrightarrow{\triangle} 2CuO$

②不溶性碱 $\xrightarrow{\triangle}$ 金属氧化物 + 水 $Cu(OH)_2 \xrightarrow{\triangle} CuO + H_2O$

③含氧酸盐加热分解 $CaCO_3 \xrightarrow{\triangle} CaO + CO_2\uparrow$

(5)碱

①碱性氧化物 $+ H_2O \longrightarrow$ 碱 $Na_2O + H_2O \Longrightarrow 2NaOH$

②碱 + 盐 $\longrightarrow$ 新碱 + 新盐 $Ca(OH)_2 + Na_2CO_3 \Longrightarrow CaCO_3\downarrow + 2NaOH$

科学元典

玉石与健康(一) 自古以来,人们对美丽的玉石,上至帝王将相,下及民间百姓,都非常珍视,认为玉石是阴阳二气的精纯,对人体健康有着神奇的作用。以矿物学分类,玉可以分为两种,一种是键状硅酸盐中的角闪石组,包括透闪石和阳起石,也称软玉。还有一种是单链状硅酸盐碱性单斜辉石,又叫硬玉(如翡翠)。中国传统的古玉大多是软玉,包括新疆玉、岫玉等。

(6) **酸**

①酸性氧化物 + H_2O ——→酸

$SO_3 + H_2O == H_2SO_4$

②酸 + 盐 ——→新酸 + 新盐

$H_2SO_4 + BaCl_2 == BaSO_4\downarrow + 2HCl$

(7) **盐**

①金属 + 酸 ——→盐 + 氢气

②金属 + 盐 ——→另一种盐 + 另一种金属

③金属 + 非金属 ——→无氧酸盐

④酸性氧化物 + 碱性氧化物 ——→含氧酸盐

⑤酸性氧化物 + 碱 ——→盐 + 水

⑥碱性氧化物 + 酸 ——→盐 + 水

⑦碱 + 酸 ——→盐 + 水

⑧盐 + 酸 ——→新酸 + 新盐

⑨碱 + 盐 ——→新碱 + 新盐

⑩盐 + 盐 ——→新盐 + 新盐

例3 (2010 山东潍坊,20,12 分)已知碱式碳酸铜[$Cu_2(OH)_2CO_3$]受热易分解、能与酸反应。孔雀石主要含 $Cu_2(OH)_2CO_3$,还含少量 Fe、Si 的化合物。某学校化学研究小组以孔雀石为原料制备 $CuSO_4·5H_2O$ 的流程如下:

孔雀石 $\xrightarrow{\text{X溶液}}$ →SiO_2 固体 →溶液 A →CO_2 $\xrightarrow[\text{过滤}]{\text{加某物质}\atop\text{调节溶液的pH}}$ →$Fe(OH)_2$ →溶液 B → $CuSO_4·5H_2O$

请回答下列问题:

(1)流程中,X 的化学式是_____;由溶液 B 获得 $CuSO_4·5H_2O$,需要经过加热蒸发、_____、过滤等操作。

(2)若通过置换反应由溶液 B 制备金属铜,反应的化学方程式是_____

若选用下列物质与氧化铜反应制备铜,写出反应的化学方程式:

①选用非金属单质_____;

②选用氧化物_____。

(3)工业上用焦炭在高温电炉中还原 SiO_2 可得到含有少量杂质的 Si 和 CO,反应的化学方程式是_____,该反应类型为_____。

答案(1)H_2SO_4　冷却结晶(或结晶)

(2)$Zn + CuSO_4 == ZnSO_4 + Cu$(其他合理答案也可)

①$2CuO + C \xrightarrow{\text{高温}} 2Cu + CO_2\uparrow$ 或 $CuO + H_2 \xrightarrow{\triangle} Cu + H_2O$

②$CuO + CO \xrightarrow{\triangle} Cu + CO_2$

(3)$SiO_2 + 2C \xrightarrow{\text{高温}} Si + 2CO\uparrow$　置换反应

解析(1)由题中信息知,X 是一种酸,而溶液 B 是 $CuSO_4$,可推知 X 是 H_2SO_4。(2)由 $CuSO_4$ 溶液制金属 Cu,可用比铜活泼的金属与 $CuSO_4$ 溶液发生置换反应制得;由 CuO 制金属 Cu,可用还原剂 C、H_2 和 CO 还原制得。(3)$SiO_2 + 2C \xrightarrow{\text{高温}} Si + 2CO\uparrow$ 符合置换反应的反应类型。

知识 4　物质的检验

1. 物质的检验方法

物质的检验包括鉴定、鉴别和推断三种类型。鉴定是指对一种物质的定性检验,一般是根据物质的特性,用化学方法检验它是不是这种物质,若是离子化合物,必须检验出它的阳离子和阴离子;鉴别通常是指对两种或两种以上的物质进行定性的辨认,一般是根据几种物质的不同特性,区别开各是什么物质;物质的推断是根据已知的实验过程和实验现象,利用物质的特征进行推理、判断。

(1)物质的鉴定

物质的鉴定通常是指对于一种物质的定性检验。它是对于一种物质的组成或某一组分加以确定的过程,因此一定要根据物质的化学特性,分别检验出阳离子、阴离子。

如鉴定一瓶溶液是盐酸:

实验步骤	实验现象	结论
取少量溶液于试管中,并加入少量紫色石蕊试液	石蕊试液变红色	有 H^+ 存在
取少量溶液于试管中,并加入少量 $AgNO_3$ 溶液,再加稀硝酸	有白色沉淀生成,沉淀不溶解	有 Cl^- 存在

(2)物质的鉴别

物质的鉴别是利用各种物质的不同特征,将两种或两种以上的物质加以区别的过程,鉴别时可根据一种物质的特征区别于另一种,也可根据几种物质的气味、溶解性、溶解时的热效应等一般性质的不同而加以区别。

物质的鉴别和验证不是一个概念,鉴别是已知物质,然后利用已知物质的性质进行区分,而验证是不知道此种物质是什么,所以要利用这种物质所具有的特性进行验证。

一般鉴别物质的方法及合理的实验方案阐述:

鉴别原则:①注意分析物质差异,先用物理性质

科学元典

玉石与健康(二)　"人养玉,玉养人",其实是民间的一个常识。玉石是一种蓄"气"最充沛的物质,千百年来,皇室贵族除了佩戴宝玉之外,还有服食玉屑珠粉之好,甚至死后,口中还都要含玉璧,或者穿着玉衣,借以保护遗体。

后用化学性质鉴别。②现象明显、操作简单方便、易分离。③安全、环保、经济。

解答鉴别题的步骤：
①取少许溶液（固体取少许配成溶液）。
②加入少量试剂。
③观察实验现象。
④判断检验结论。
⑤写出反应的化学方程式。

解答鉴别题的具体方法：
①只用一种外来试剂的鉴别
a. 可用 pH 试纸、紫色石蕊试液鉴别酸性、中性、碱性的溶液。
b. 可用稀 HCl 来鉴别不同的金属单质，金属因活动性不同或与稀 HCl 不反应，或反应速率不同。
c. 用水鉴别可溶物与不溶物。
d. 可用水鉴别溶解后温度变化不同的物质。
e. 可用可溶性的碳酸盐将多种碱与酸鉴别。
②不用外加试剂的鉴别
a. 在所给的一组物质中有一种物理性质特殊的物质，以该物质为已知条件进行依次鉴别。

b. 在所给的一组物质中，物质间两两反应有明显不同的现象，利用物质间相互反应现象的不同将物质进行区分。
c. 借助产物法：若用以上两种方法还不能将组内的一种或两种物质鉴别开来，可借用相关反应产物和酸反应加以鉴别（组内物质一般含有酸）。如鉴别 $FeCl_3$、HCl、NaCl、NaOH 四种溶液时，HCl 和 NaCl 溶液的鉴别是利用 $FeCl_3$ 与 NaOH 的反应产物 $Fe(OH)_3$ 来实现的，能使沉淀溶解的是 HCl 溶液，不能使沉淀溶解的是 NaCl 溶液。
③综合性鉴别：即不限所加试剂种类，不限定实验步骤，利用物理方法或化学方法，根据物质的主要物理特性（如：固体物质的颜色、沉淀的颜色、溶液的颜色、火焰的颜色、气体的气味等）、化学反应的特征现象对物质进行区分。

（3）物质的推断

物质的推断就是运用物质的特征反应，根据实验现象来推断未知物是（有）什么物质，不是（没有）什么物质，可能是（有）什么物质。这也是物质检验中常常遇到的问题。

2. 常见气体的检验方法及现象

物质	检验试剂或方法或装置或步骤	反应现象	结论或化学方程式
O_2	带火星的木条	木条复燃	氧气能支持燃烧
CO_2	澄清石灰水	澄清石灰水变浑浊	$CO_2 + Ca(OH)_2 \xrightarrow{\quad} CaCO_3 \downarrow + H_2O$
CO	 澄清石灰水	氧化铜由黑色变成红色，澄清石灰水变浑浊	$CO + CuO \xrightarrow{\triangle} Cu + CO_2$ $Ca(OH)_2 + CO_2 \xrightarrow{\quad} CaCO_3 \downarrow + H_2O$
H_2	 无水 $CuSO_4$	氧化铜由黑色变成红色，无水 $CuSO_4$ 变成蓝色	$H_2 + CuO \xrightarrow{\triangle} H_2O + Cu$ $CuSO_4 + 5H_2O \xrightarrow{\quad} CuSO_4 \cdot 5H_2O$
$H_2O(g)$	 无水 $CuSO_4$	无水 $CuSO_4$ 由白色变蓝色	$CuSO_4 + 5H_2O \xrightarrow{\quad} CuSO_4 \cdot 5H_2O$

科学元典

玉石与健康（三） 现代科学分析，许多玉石含有丰富的、对人体有益的微量元素，如铬、铁等，如果经常佩戴使用玉石饰品，能使这些有益的元素通过皮肤的浸润，进入人体，从而平衡阴阳气血的协调，促进身体健康。从药物学来讲，长期佩戴宝玉石，可以保持人体内各种元素的平衡，不同的宝玉石有不同的作用。据矿物医学研究证明，有些宝玉石能产生高强度的光电效应，其衍射力能释放出足以影响人体新陈代谢的巨大能量。

甲烷 (CH_4)	(1)点燃 (2)火焰上方罩一干燥的烧杯 (3)罩一内壁用澄清石灰水润洗过的烧杯	(1)产生蓝色火焰 (2)烧杯内壁有水珠生成 (3)澄清石灰水变浑浊	$CH_4 + 2O_2 \xrightarrow{\text{点燃}} CO_2 + 2H_2O$ $Ca(OH)_2 + CO_2 = CaCO_3\downarrow + H_2O$
氨气 (NH_3)	(1)有特殊刺激性气味 (2)利用湿润的红色石蕊试纸检验	(1)有氨臭味 (2)湿润的红色石蕊试纸变蓝色	$NH_3 \cdot H_2O \overset{\triangle}{=\!=\!=} NH_3\uparrow + H_2O$ $NH_3 \cdot H_2O =\!=\!= NH_4^+ + OH^-$

例1 (2010 甘肃兰州,14,2分)欲鉴别氢气、氧气、二氧化碳、甲烷 4 种气体,现有一盒火柴,还需要用到下列实验用品中的 ( )

A. 装有蒸馏水的烧杯
B. 装有无色酚酞的烧杯
C. 冷而干燥的烧杯
D. 内壁蘸有澄清石灰水的烧杯

答案 D 能使燃着的火柴熄灭的是二氧化碳,使火柴燃烧更旺的是氧气。而氢气和甲烷都能燃烧,无法鉴别,应用内壁蘸有澄清石灰水的烧杯鉴别其燃烧后的产物。

3.气体混合物分析实验

初中化学实验中,气体成分的分析(如 H_2、CO、CO_2、H_2O 等)实验占很大的比重。

通常用无水 $CuSO_4$ 粉末检验 H_2O(气)的存在,若白色 $CuSO_4$ 粉末变成蓝色,说明存在 H_2O(气)。

用灼热的 CuO 粉末检验 H_2 和 CO,黑色粉末变成红色,有水珠生成,说明存在 H_2;生成的气体通入澄清石灰水,石灰水变浑浊,说明存在 CO。(气体通过灼热的 CuO 前,必须干燥)

CO_2 的存在会对检验 CO 产生干扰,所以有时要先除去 CO_2 且确认 CO_2 已除尽,才能检验 CO。

如下图所示装置:

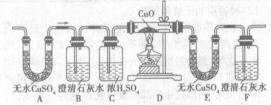

无水$CuSO_4$ 澄清石灰水 浓H_2SO_4 无水$CuSO_4$ 澄清石灰水
A   B   C   D E   F

A—检验 H_2O(气);B—检验和除去 CO_2;C—干燥;D、E—检验 H_2;D、F—检验 CO。

4.离子的检验
(1)几种常见离子的检验

离子	所用试剂	方法	现象	化学方程式
Cl^-	$AgNO_3$ 溶液和稀 HNO_3	将 $AgNO_3$ 溶液滴入待测液中,再加稀 HNO_3	生成白色沉淀,且不溶于稀 HNO_3	例如:$AgNO_3 + NaCl =\!=\!= AgCl\downarrow + NaNO_3$
SO_4^{2-}	$BaCl_2$ 溶液和稀盐酸	将稀盐酸滴入待测液中,再加 $BaCl_2$ 溶液	滴加稀盐酸无现象,滴加 $BaCl_2$ 溶液生成白色沉淀,且不溶于稀盐酸	例如:$BaCl_2 + Na_2SO_4 =\!=\!= BaSO_4\downarrow + 2NaCl$
CO_3^{2-}	盐酸(或 HNO_3)和澄清的石灰水	向待测液中加入盐酸(或 HNO_3),将产生的气体通入澄清石灰水中	产生无色无味的气体,此气体能使澄清的石灰水变浑浊	例如:$Na_2CO_3 + 2HCl =\!=\!= 2NaCl + H_2O + CO_2\uparrow$ $CO_2 + Ca(OH)_2 =\!=\!= CaCO_3\downarrow + H_2O$
OH^-	酚酞试液、紫色石蕊试液或红色石蕊试纸	①将酚酞试液滴入待测液中 ②将紫色石蕊试液滴入待测液中 ③将待测液滴在红色石蕊试纸上	①待测液变红色 ②待测液变蓝色 ③红色石蕊试纸变蓝色	—

H⁺	紫色石蕊试液或蓝色石蕊试纸	①将紫色石蕊试液滴入待测液中 ②将待测液滴在蓝色石蕊试纸上	①紫色石蕊试液变红色 ②蓝色石蕊试纸变红色	——
NH_4^+	浓 NaOH 溶液	将浓 NaOH 溶液加入待测液中,加热,将湿润的红色石蕊试纸置于试管口(或用玻璃棒蘸浓盐酸置于试管口)	放出有刺激性气味的气体,该气体能使湿润的红色石蕊试纸变蓝色(或遇到浓盐酸产生大量白烟)	例如:$NH_4Cl + NaOH \xrightarrow{\triangle}$ $NaCl + H_2O + NH_3\uparrow$
Cu^{2+}	NaOH 溶液	将 NaOH 溶液加入待测液中	产生蓝色沉淀	例如:$CuSO_4 + 2NaOH ==$ $Cu(OH)_2\downarrow + Na_2SO_4$
Fe^{3+}	NaOH 溶液	将 NaOH 溶液加入待测液中	产生红褐色沉淀	例如:$FeCl_3 + 3NaOH ==$ $Fe(OH)_3\downarrow + 3NaCl$

(2)检验中的干扰和排除

在物质的检验过程中,由于待检物质中混有杂质、选用试剂不当或试剂不纯,包括仪器不洁净、操作有误等,都会对检验造成干扰,应当予以排除。如果鉴别 CO_3^{2-} 和 SO_4^{2-} 离子共存时,我们不应选用硝酸银试剂,而应选用硝酸钡或氯化钡试剂。再如,当 CO_3^{2-} 和 SO_4^{2-} 离子共存时,我们要检验出 SO_4^{2-},则应先加盐酸酸化,排除 CO_3^{2-} 离子的干扰后,再用氯化钡试剂进行检验。

(3)检验结果的分析和判断

根据检验过程中所观察到的现象确定试样中存在哪些离子,必须把可能存在的离子全部包含,再根据每步检验的现象,肯定或否定某种离子的存在,逐步缩小范围,最终得出正确的结论。

5. 常见酸碱盐的检验

物质	检验方法	实验现象	典型化学方程式
硫酸及可溶性硫酸盐	取少量待检验溶液或固体于试管中 (1)滴入紫色石蕊试液 (2)滴入稀盐酸和 $BaCl_2$ 溶液〔或 $Ba(NO_3)_2$ 溶液〕	(1)紫色石蕊试液变红色 (2)加入稀盐酸无明显现象,再加入 $BaCl_2$ 溶液有白色沉淀生成	$H_2SO_4 + BaCl_2 == BaSO_4\downarrow + 2HCl$ $Na_2SO_4 + Ba(NO_3)_2 == BaSO_4\downarrow + 2NaNO_3$
盐酸及可溶性盐酸盐	取少量待检验溶液或固体于试管中 (1)滴入紫色石蕊试液 (2)滴入 $AgNO_3$ 溶液和稀硝酸	(1)紫色石蕊试液变红色 (2)有白色沉淀生成,且该沉淀不溶于稀硝酸	$HCl + AgNO_3 == AgCl\downarrow + HNO_3$ $NaCl + AgNO_3 == AgCl\downarrow + NaNO_3$
碳酸盐及碳酸氢盐	取少量待检验溶液或固体于试管中 (1)加入几滴稀盐酸或稀硝酸 (2)将生成的气体通入澄清的石灰水中	有气体生成,且该气体使澄清的石灰水变浑浊	$Na_2CO_3 + 2HCl == 2NaCl + H_2O + CO_2\uparrow$ $NaHCO_3 + HCl == NaCl + H_2O + CO_2\uparrow$

科学元典

怎样让苹果削皮后不变色　怎样让苹果削皮后不变色?最好的方法是:

1.在削苹果之前用盐在表皮上搓一下,然后洗掉,再削苹果,这样削出来的苹果,不但不会氧化,而且比削完再用盐水泡能保存更长的时间,且没有咸味。2.滴上几滴柠檬汁就不会变色了。把没削的苹果放到温的盐水里泡5分在削就不会变色而且味道脆甜,如果先削了皮也没关系把削好的苹果在盐水里蘸一下,再保存就行了。

酸性溶液	(1)取少量溶液于试管中,滴加几滴紫色石蕊试液 (2)用玻璃棒蘸取少量溶液滴到蓝色石蕊试纸上 (3)用玻璃棒蘸取少量溶液滴到 pH 试纸上	(1)溶液变红色 (2)蓝色石蕊试纸变红色 (3)pH 小于 7	
碱性溶液	(1)取少量溶液于试管中,滴加几滴无色酚酞试液 (2)用玻璃棒蘸取少量溶液滴到红色石蕊试纸上 (3)用玻璃棒蘸取少量溶液滴到 pH 试纸上	(1)溶液变红色 (2)红色石蕊试纸变蓝色 (3)pH 大于 7	
铵盐	将铵盐与碱混合共热	有刺激性气味气体生成	$NH_4Cl + NaOH \xrightarrow{\triangle} NaCl + NH_3\uparrow + H_2O$

例2 (2010 四川内江,7,4 分)小明走进实验室发现一瓶标明溶质质量分数为 10% 的无色溶液,旁边还分别摆放了盛有氢氧化钠、氯化钠、氢氧化钙和碳酸钠固体的试剂瓶,估计是哪位同学用这几种药品中的一种配制了这瓶溶液,但忘了标明成分,他进行如下实验检验溶液的成分:

溶液 →滴入无色酚酞→ 溶液变红 →滴入过量稀盐酸→ 溶液逐渐褪色无气泡产生

小明认为该溶液中的成分肯定不是氢氧化钙,理由是_____;根据图中所示现象分析得出这瓶溶液应该是_____。

答案 氢氧化钙微溶于水,不可能配制出 10% 的溶液 氢氧化钠溶液

解析 根据该溶液中溶质的质量分数为 10% 判断不是微溶于水的氢氧化钙溶液;根据实验现象:该溶液使无色酚酞变红,可知该溶液显碱性;又根据该溶液与稀盐酸反应无气泡产生,推断出该溶液不是碳酸盐,所以应为氢氧化钠溶液。

6. 常见物质的主要物理特征

(1)常见固体物质的颜色
①白色固体:$CuSO_4$、MgO、P_2O_5、CaO、$Ca(OH)_2$、$CaCO_3$、$KClO_3$、KCl、$NaCl$、Na_2CO_3、$NaOH$ 等。
②红色固体:Cu、Fe_2O_3。
③黑色固体:C(木炭)、CuO、MnO_2、Fe_3O_4、Fe 粉。
④蓝色固体:$CuSO_4 \cdot 5H_2O$。
⑤淡黄色固体:S。

(2)常见沉淀的颜色
①不溶于水也不溶于稀硝酸的白色沉淀物是 $AgCl$、$BaSO_4$。
②不溶于水但能溶于酸,且能产生大量气泡,生成能使澄清石灰水变浑浊的气体的白色沉淀物是 $CaCO_3$、$BaCO_3$、$BaSO_3$ 等。
③不溶于水,能溶于酸,但没有气泡生成的白色沉淀物是 $Mg(OH)_2$、$Zn(OH)_2$、$Al(OH)_3$。
④不溶于水的蓝色沉淀是 $Cu(OH)_2$。
⑤不溶于水的红褐色沉淀是 $Fe(OH)_3$。

(3)常见溶液的颜色
①常见的酸,如:盐酸、硫酸、硝酸、碳酸、磷酸是无色的;其中浓盐酸、浓硝酸有刺激性气味。
②蓝色溶液:含 Cu^{2+} 的溶液,如 $CuSO_4$ 溶液、$CuCl_2$ 溶液(带绿色)。
③黄色溶液:含 Fe^{3+} 的溶液,如 $Fe_2(SO_4)_3$ 溶液、$FeCl_3$ 溶液。
④浅绿色溶液:含 Fe^{2+} 的溶液,如 $FeSO_4$ 溶液、$FeCl_2$ 溶液。
(所以无色溶液中一定不含 Cu^{2+}、Fe^{3+}、Fe^{2+} 等)
⑤紫红色溶液:$KMnO_4$ 溶液、紫色石蕊试液。

(4)火焰的颜色
①淡蓝色火焰:H_2、S 在空气中燃烧发出淡蓝色火焰。
②蓝色火焰:CO、CH_4 在空气中燃烧发出蓝色火焰。
③蓝紫色火焰:S 在纯氧中燃烧发出蓝紫色火焰。

(5)气体的特征
①有刺激性气味的气体:HCl、SO_2、NH_3。

科学元典

生活小常识(一) 1.在山区常见大脖子病(甲状腺肿大),呆小症(克汀病),上述病患者的病因是人体缺一种元素:碘。2.用来制香烟包装、糖果的金属箔(金属纸)的金属是:铝。3.通常用来制白炽灯泡灯丝的金属是:钨。4.有位妇女将 6.10 克的旧金戒指给金银匠加工。她见工匠将戒指加热、捶打,并放入一种液体中,这样多次加工,一对漂亮的耳环加工完毕了。事隔数日后称量只有 5.20 克。那么工匠偷金时所用的液体是:王水。

②有颜色的气体：Cl_2（黄绿色）、NO_2（红棕色）。　　　③无色无味的气体：O_2、H_2、N_2、CO、CO_2。

7.特征反应

特征反应	（初中）常见反应	典型化学方程式
在催化剂作用下发生的反应	双氧水或氯酸钾的分解	$2H_2O_2 \xrightarrow{MnO_2} 2H_2O + O_2 \uparrow$　　$2KClO_3 \xrightarrow[\triangle]{MnO_2} 2KCl + 3O_2 \uparrow$
通电发生的反应	电解水	$2H_2O \xrightarrow{通电} 2H_2 \uparrow + O_2 \uparrow$
产生大量白烟的燃烧	磷燃烧	$4P + 5O_2 \xrightarrow{点燃} 2P_2O_5$
发出耀眼白光的燃烧	镁带在空气中燃烧，铝箔在 O_2 中燃烧	$2Mg + O_2 \xrightarrow{点燃} 2MgO$，$4Al + 3O_2 \xrightarrow{点燃} 2Al_2O_3$
产生明亮蓝紫色火焰并生成有刺激性气味气体的燃烧	硫在氧气中燃烧	$S + O_2 \xrightarrow{点燃} SO_2$
产生淡蓝色火焰且罩在火焰上方的小烧杯内壁上有水珠出现	氢气在空气中燃烧	$2H_2 + O_2 \xrightarrow{点燃} 2H_2O$
产生蓝色火焰的燃烧	CO 和 CH_4 在空气中燃烧	$2CO + O_2 \xrightarrow{点燃} 2CO_2$　　$CH_4 + 2O_2 \xrightarrow{点燃} CO_2 + 2H_2O$
火星四射的燃烧	铁在氧气中燃烧	$3Fe + 2O_2 \xrightarrow{点燃} Fe_3O_4$
生成蓝色沉淀的反应	可溶性碱 + 可溶性铜盐	$CuSO_4 + 2NaOH == Cu(OH)_2 \downarrow + Na_2SO_4$
生成红褐色沉淀的反应	可溶性碱 + 可溶性铁盐	$FeCl_3 + 3NaOH == Fe(OH)_3 \downarrow + 3NaCl$
溶液加酸放出 CO_2 气体	碳酸盐（或碳酸氢盐）+ 酸	$Na_2CO_3 + 2HCl == 2NaCl + H_2O + CO_2 \uparrow$
固体加酸放出气体	氢前金属或碳酸盐 + 酸	$Mg + 2HCl == MgCl_2 + H_2 \uparrow$、$CaCO_3 + 2HCl == CaCl_2 + H_2O + CO_2 \uparrow$

例3（2010 云南楚雄，9，2 分）右图是实验室里一瓶标签破损的白色粉末状固体。小明同学取出少量该固体放入一洁净试管中，加水振荡后固体溶解，形成无色透明溶液，继续加入少量盐酸，有无色无味的气体产生。该固体可能是（　　）

A. Na_2SO_4　　　　　　B. NaCl

C. $NaHCO_3$　　　　　　D. NaOH

答案 C　能与酸反应生成气体的可能是金属单质，也可能是碳酸盐或碳酸氢盐。

知识⑤ 混合物的分离和提纯（除杂）

1.分离与提纯的基本原理

（1）分离：就是用物理或化学的方法将混合物中的各组分分开，并将各物质恢复到原状态。

（2）提纯和除杂：用物理或化学的方法把混合物中的杂质除去而得到纯物质的方法。在提纯过程中，如果杂质发生了化学变化，不必恢复成原物质。

　　二者的方法在很多情况下是相似的，但分离比提纯的步骤要多，因为各组分均要保留，经过化学反应使混合物中各组分经转化而分离后还要复原为原来的组分物质。提纯和除杂过程中经常用到分离操作，二者有时又密不可分，缺一不可。

2.分离和提纯应遵循的原则

（1）不能"玉石俱焚"：即试剂一般要求与杂质反应，不与要保留的物质反应。但在特殊情况下，所加试剂可和保留物质反应，但最终要转化成需要保留的物质。如除去 $FeCl_3$ 溶液中的 NaCl，可加过量的 NaOH 溶液→过滤→洗涤→加适量稀盐酸。

科学元典

生活小常识（二） 5.黑白相片上的黑色物质是：银。6.很多化学元素在人们生命活动中起着重要作用，缺少它们，人将会生病。例如儿童常患的软骨病是由于缺少元素：钙。7.在石英管中充入某种气体制成的灯，通电时能发出比荧光灯强亿万倍的强光，因此有"人造小太阳"之称。这种灯中充入的气体是：氙气。8.在紧闭门窗的房间里生火取暖或使用热水器洗澡，常产生一种无色、无味并易与人体血红蛋白(Hb)结合而引起中毒的气体是：CO。

(2)"不增""不减":即不增加新的杂质,不减少要保留的物质。如除去 $FeCl_3$ 中的少量 $Fe_2(SO_4)_3$,应选用 $BaCl_2$,而不应选用 $Ba(NO_3)_2$,否则发生反应 $3Ba(NO_3)_2 + Fe_2(SO_4)_3 = 3BaSO_4\downarrow + 2Fe(NO_3)_3$,溶液中又增加了 $Fe(NO_3)_3$。

(3)易分离:反应后,物质的状态不同,便于分离。

(4)不污染环境:即要求所用的除杂方法不能产生可污染环境的物质。

(5)不能"旧貌变新颜":即除杂结束前,要恢复保留物质的原有状态。

3.分离和提纯的方法

物质的分离和提纯有两种主要的方法,即物理方法和化学方法。实际上在实验过程中往往需通过综合法来进行。

(1)物理方法主要包括过滤、蒸馏、结晶等

方法	适用范围	举例	注意事项
过滤	分离不溶性固体和液体	粗盐提纯	①过滤时要"一贴二低三靠";②必要时洗涤沉淀物
结晶	利用混合物中各组分在某种溶剂中溶解度随温度变化不同的性质来分离提纯物质	分离氯化钠和硝酸钾混合物	①一般先配较高温度下的浓溶液,然后降温结晶;②结晶后过滤,分离出晶体
蒸馏	沸点不同的液体混合物	石油的分馏	①温度计水银球在蒸馏烧瓶的支管口处;②加沸石(碎瓷片);③冷凝管水流方向

(2)化学方法

除杂方法	除杂原理	应用实例
化气法	与杂质反应生成气体而除去	除 Na_2SO_4 中的 Na_2CO_3,可加适量稀 H_2SO_4:$Na_2CO_3 + H_2SO_4 = Na_2SO_4 + CO_2\uparrow + H_2O$
沉淀法	将杂质转化为沉淀过滤除去	除去 $NaCl$ 中的 Na_2SO_4,可加适量的 $BaCl_2$:$Na_2SO_4 + BaCl_2 = BaSO_4\downarrow + 2NaCl$
置换法	将杂质通过置换反应而除去	除 $FeSO_4$ 中的 $CuSO_4$,可加过量的铁粉,再过滤:$CuSO_4 + Fe = Cu + FeSO_4$
溶解法	将杂质溶于某种试剂而除去	除 C 粉中的 CuO 粉末,可加适量稀硫酸,再过滤:$CuO + H_2SO_4 = CuSO_4 + H_2O$
加热法	杂质受热易分解,通过加热将杂质除去	除 CaO 中的 $CaCO_3$,可加热:$CaCO_3 \xrightarrow{\text{高温}} CaO + CO_2\uparrow$
转化法	将杂质通过化学反应转化为主要成分	除 CO_2 中的 CO,可将气体通过灼热的 CuO:$CO + CuO \xrightarrow{\triangle} Cu + CO_2$

(3)综合法

在混合物的分离或提纯时,采用一种方法往往不能达到目的,而要采用几种方法才能完成,这就是综合法。综合法主要有三种:

①物理方法的综合:主要是溶解、过滤、蒸发、结晶等方法的结合。

②化学方法的综合:当某物质所含杂质不止一种时,通常需加入多种试剂除去(或分离)不同的物质。

③物理与化学方法的综合:当某物质所含杂质不止一种,且有能用物理方法除去(或分离)的杂质时,首先应考虑用物理方法除去一种或几种杂质,然后再用化学方法除去其余杂质。

(4)除杂方法的几个优化原则

①若同时有多种方法能除去杂质,要选择那些简单易行、除杂彻底的方法。

②应尽量选择既可除去杂质,又可增加保留物质的方法,即"一举两得"。

③先考虑物理方法,再用化学方法。

科学元典

生活小常识(三) 9.地球大气圈被破坏,形成了臭氧层空洞,引起皮肤癌等病的发生,并破坏了自然界的生态平衡。造成臭氧层空洞的主要原因是:冷冻机里氟利昂泄漏。10.医用消毒酒精的浓度是:75%。11.医院输液常用的生理盐水,所含氯化钠与血液中含氯化钠的浓度大体上相等。生理盐水中 NaCl 的质量分数是:0.9%。12.发令枪中的"火药纸"打响后,产生的白烟是:五氧化二磷。13.萘卫生球放在衣柜里变小,这是因为:萘在室温下缓缓升华。

(5)常见的混合物类型及分类与提纯的方法见下表：

混合物类型		采用的方法 物理方法	化学方法
固—固混合物	可溶—可溶	结晶	把杂质变成沉淀、气体等除去
	可溶—不溶	过滤	——
	不溶—不溶		把杂质变成可溶物除去
固—液混合物		过滤	——
液—液混合物			把杂质变成沉淀、气体或被提纯物
气—气混合物			把杂质变成固体、溶液或被提纯物

例 (2010 安徽芜湖,12,7 分)某化学兴趣小组同学欲除去固体氯化钠中混有的氯化钙。设计实验方案如下,请参与实验并回答问题。

固体混合物 加水溶解 发生反应① → 加入过量 A 物质的溶液 发生反应① → 过滤 → 滤液 加入适量稀盐酸 发生反应② → 加热蒸发 → 固体氯化钠

过滤 → 不溶物

(1)写出 A 物质的化学式：_____,写出 A 物质的俗称：_____。

(2)写出反应②的化学方程式：_____。

(3)反应①中加入过量 A 物质的目的是_____。反应②中如果加入盐酸也过量,则对所得到的氯化钠纯度_____(填"有"或"没有")影响。

(4)分离后所得氯化钠的质量与分离前原混合物中氯化钠的质量相比较,结果_____(填"增大"、"不变"或"减小")。

答案 (1)Na_2CO_3 纯碱 (2)$Na_2CO_3 + 2HCl =\!=\!= 2NaCl + H_2O + CO_2\uparrow$ (3)使氯化钙完全反应(合理即可) 没有 (4)增大

解析 本题考查除杂的方法及原则：首先,不能除去一种杂质又引入另一种杂质；其次,可以使主要物质(氯化钠)的质量增加或不变,但不能使其质量减少；再次,除杂的方法简便易操作。欲除去氯化钠中的杂质氯化钙,只要除去钙离子即可,利用过量碳酸钠让氯化钙完全反应,生成碳酸钙白色沉淀。除去没反应完的碳酸钠,可以加入适量的稀盐酸,加热时氯化氢气体蒸发,除去了杂质盐酸,提纯了氯化钠。

4.常见物质的除杂

气体	除杂方法
$CO_2(CO)$	把气体通过灼热的氧化铜
$CO(CO_2)$	通过足量的氢氧化钠溶液
H_2(水蒸气)	通过浓硫酸或通过氢氧化钠固体
$CuO(C)$	在空气中(在氧气流中)灼烧混合物
$Cu(Fe)$	加入足量的稀硫酸
$Cu(CuO)$	加入足量的稀硫酸
$FeSO_4(CuSO_4)$	加入足量的铁粉
$NaCl(Na_2CO_3)$	加入适量的盐酸
$NaCl(Na_2SO_4)$	加入适量的氯化钡溶液
$NaCl(NaOH)$	加入适量的盐酸
$NaOH(Na_2CO_3)$	加入适量的氢氧化钙溶液
$NaCl(CuSO_4)$	加入适量的氢氧化钡溶液
$NaNO_3(NaCl)$	加入适量的硝酸银溶液
$NaCl(KNO_3)$	蒸发溶剂
$KNO_3(NaCl)$	冷却热饱和溶液
CO_2(水蒸气)	通过浓硫酸

(备注：括号内物质是杂质)

知识6 综合实验 化学探究

1.人吸入与呼出气体成分的探究

(1)活动与探究：我们吸入的空气和呼出的气体有什么不同？

(2)提供资料：①二氧化碳可以使澄清的石灰水变浑浊,白色浑浊越多,说明气体中二氧化碳越多。②氧气可以使带火星的木条复燃,木条燃烧越旺,说明氧气越多。③二氧化碳可以使燃着的木条熄灭。

(3)实验方案

实验探究步骤		观察物质的性质、变化、现象	结论与解释
用排水法收集气体	在两个集气瓶中装满水,用玻璃片盖住瓶口,倒放入水中。将塑料管小心插入集气瓶内,吹气	集气瓶中的水逐渐排出,收集满呼出的气体	呼出的气体几乎没有溶于水
	在水中收集满气体后,用玻璃片盖住瓶口,从水中取出正放于桌面上	气体无色	无色的气体,密度比空气的大

探究呼出气体的性质	向一个盛空气的集气瓶和一个盛呼出气体的集气瓶中，各滴入几滴澄清的石灰水，振荡	盛空气的集气瓶内澄清石灰水没有变浑浊；盛呼出气体的集气瓶内澄清的石灰水变浑浊	呼出的气体中二氧化碳的含量＞空气中二氧化碳的含量
	将燃着的木条分别插入另一个盛有呼出气体的集气瓶中和盛有空气的集气瓶中	盛有空气的集气瓶中的木条继续燃烧，无明显变化；盛呼出气体的集气瓶中燃着的木条逐渐熄灭	呼出的气体中氧气的含量＜空气中氧气的含量
	取一块干燥的玻璃片，对着呼气，并与放在空气中的另一块玻璃片进行比较	对着呼气的玻璃片上有一层水雾；放在空气中的玻璃片无明显变化	呼出的气体中水蒸气的含量＞空气中水蒸气的含量

(4) 探究说明

① 给集气瓶装水时，容易使集气瓶内留有气泡，为

了避免这个问题，首先应该把集气瓶放正、水装满，盖玻璃片时，应先盖住一小部分，然后沿水平方向推动玻璃片，将瓶口全部盖住。

② 用排水法收集呼出气体时，为了保证集气瓶中装满气体而不剩余水，可将水中倒放的集气瓶扶正，更利于气体将水排尽。

(5) 分析与讨论

① 人吸入的空气中二氧化碳的含量为 0.03%，所以通入澄清石灰水无明显现象，而呼出的气体中二氧化碳的含量为 4%，能使澄清石灰水变浑浊。

② 呼吸作用消耗氧气产生二氧化碳，呼出气体中氧气含量低，不能支持木条燃烧。

③ 人体中大部分都是水，且每天还产生一部分水，所以呼出的气体中含有的水蒸气比空气中的多。

2. 蜡烛及其燃烧的探究

(1) 探究主题： 观察蜡烛的构成，点燃蜡烛，观察蜡烛在燃烧前后的变化

(2) 提供资料： 澄清的石灰水遇二氧化碳气体变浑浊。因此，可以用澄清的石灰水检验二氧化碳气体的存在。

(3) 探究活动

	实验探究步骤	观察物质的性质、变化及现象	结论解释及文字表达式
	观察蜡烛的制作材料	烛芯棉线、外部石蜡	石蜡制成
点燃前	观察蜡烛的颜色、状态、形状	乳白色、固态、圆柱状	乳白色、固态
	用小刀切下一块石蜡，投入水中	很容易切开，浮在水面上，难溶于水	密度比水小、较软、难溶于水
点燃蜡烛	用火柴点燃蜡烛，观察蜡烛火焰	火焰分为三层，外层最明亮，内层最暗	石蜡燃烧时火焰分为三层，外层最亮，内层最暗
	将一根火柴迅速平放在火焰中，1 s 后取出	外层最先碳化，内层最后碳化（甚至不碳化）	外层温度最高，内层温度最低
	用一干而冷的烧杯罩在火焰上方，片刻取下烧杯，迅速向烧杯内倒入少量澄清石灰水，振荡	烧杯内壁有水雾，澄清石灰水变浑浊	蜡烛燃烧生成了水和二氧化碳：蜡烛＋氧气$\xrightarrow{\text{点燃}}$水＋二氧化碳
熄灭蜡烛	将蜡烛熄灭，观察	有白烟	蜡烛燃烧时先由固态转变为液态，再汽化，而后燃烧
	用火柴迅速点燃刚熄灭时的白烟	白烟燃烧	白烟是石蜡的固体小颗粒

(4)结论: 综上所述,蜡烛能在空气中燃烧,发出黄白色火焰,放出热量,生成水并产生能使澄清石灰水变浑浊的气体——二氧化碳。

3. 科学探究的要素

化学课程中的科学探究,是学生积极主动地获取化学知识、认识和解决化学问题的重要实践活动。它涉及提出问题、猜想与假设、制订计划、进行实验、收集证据、解释与结论、反思与评价、表达与交流等要素。学生通过亲身经历和体验科学探究活动,激发化学学习的兴趣,增进对科学的情感,理解科学的本质,学习科学探究的方法,初步形成科学探究能力。

科学探究是一种重要的学习方式,也是初中化学课程的重要内容,对发展学生的科学素养具有不可替代的作用。

(1)增进对科学探究的理解

新课标改革的理念倡导探究式学习,"科学探究"是化学课程中重要的学习方式,使学生养成科学的思维方法和创新精神,培养学生的实践能力,因此,科学探究就是让学生有更多的机会去体验知识的探究过程,在探究过程中学习,在合作中学习,在学生与学生、教师与学生的交流中提升。"科学探究"是以问题为中心,由学生自己运用已有的知识选择恰当的手段,探究未知的现象、数据,并通过对获得的现象、数据的分析、归纳,得出正确的实验结论,从而使学生养成科学探究的态度、获得科学方法、提高运用科学知识解决生产生活中实际问题的能力。

针对化学学科的特点,具体可从以下几个方面加强对科学探究的认识:①感受到科学探究是人们获取科学知识、认识客观世界的重要途径;②意识到提出问题和作出猜想对科学探究的重要性,知道猜想必须用事实来验证;③知道科学探究可以通过实验、观察等多种手段获取事实和证据;④认识到科学探究既需要观察和实验,又需要进行推理和判断;⑤认识到合作与交流在科学探究中的重要作用。

(2)发展科学探究能力

①科学探究过程的要素及目标

探究过程要素	达到目标
提出问题	a. 能从日常现象或化学学习中,经过启发或独立地发现一些有价值的问题 b. 能比较清楚地表述所发现的问题
猜想与假设	a. 能主动地或在他人的启发下对问题可能的答案作出猜想或假设 b. 具有依据已有的知识和经验对猜想或假设作出初步论证的能力
制订计划	a. 在教师指导下或通过小组讨论,提出活动方案,经历制定科学活动计划的过程 b. 能在教师指导下或通过小组讨论,根据所要探究的具体问题设计简单的化学实验方案,并且具有控制实验条件的能力
进行实验	a. 能积极参与化学实验 b. 能顺利地完成实验操作 c. 能在实验操作中做到观察和思考相结合
收集证据	a. 具有较强的实证意识 b. 学习运用各种方式对物质及其变化进行观察 c. 能独立地或与他人合作对观察和测量的结果进行记录,并运用图表等形式加以表述 d. 初步学会运用调查、资料查阅等方式收集解决问题所需要的证据
解释与结论	a. 能对事实与证据进行简单的加工与整理,初步判断事实与假设之间的关系 b. 能依据一定的标准对物质及其变化进行简单的分类 c. 能在教师的指导下或通过与他人讨论对所获得的事实与证据进行归纳,从而得出正确的结论 d. 初步学会通过比较、分类、归纳、概括等方法认识知识之间的联系,形成合理的认识结构

科学元典

生活小常识(六) 22.现代建筑的门窗框架,有些是用电镀加工成古铜色的硬铝制成,该硬铝的成分是:Al - Cu - Mg - Mn - Si 合金。23.氯化钡有剧毒,致死量为 0.8 克。不慎误服时,除大量吞服鸡蛋清解毒外,还可吞服一定量的解毒剂,此解毒剂是:硫酸镁。24.印刷电路板常用化学腐蚀法来生产。这种化学腐蚀剂是:氯化铁。25.液化石油气的主要成分是:丙烷和丁烷。26.天然气的主要成分是:甲烷。

反思与评价	a.具有对探究结果的可靠性进行评价的能力 b.能在教师的指导下或通过与他人讨论,对探究学习活动进行反思,发现自己与他人的长处以及存在的不足,并提出改进的具体建议 c.能体验到探究学习活动的乐趣和成功的喜悦
表达与交流	a.能用口头、书面等方式比较明确地表述探究过程和结果,并能与他人进行交流和讨论 b.与他人交流讨论时,既敢于发表自己的观点,又要善于倾听别人的意见

②科学探究能力

科学探究的活动包括观察、提问、实验、比较、推理、概括、表达及运用等活动,科学思维具有广阔性、深刻性、独立性和敏捷性。下面谈谈科学探究的几种思维方法及对几种能力的培养。

a. 观察能力

观察能力是在亲身实验的条件下观察事物的能力,是有目的、有计划地感知客观事物的能力。观察能力的培养重在观察、发现问题,在科学探究中很重要的一点就是把观察到的内容通过文字描述或者绘图等多种形式表达出来。观察是科学探究的重要手段。

b. 提出问题的能力

学生在生活、学习活动中,对自己身边的生活现象或学习化学时遇到的一些事例,能依据所给资料提出有探究价值的问题。并能对可能的答案作出猜想或假设。

c. 操作能力

科学探究往往是以实验为载体进行的,而科学探究的重要环节是通过实验验证假设与猜想,从而得出正确的结论,要动手实验,首先要掌握实验操作的基本技能,然后再按一定的操作顺序进行操作。常言道"实践出真知",就说明了动手操作的重要性。

d. 分析能力

分析是通过对整体中的各个部分进行单独研究从而了解整体本质的探究方法。实验过程中要对实验现象、实验数据进行分析,找出它们的规律,然后

要思考这些数据说明了什么,对你的假设是否有帮助。对整体中各个部分的研究是认识整体过程的基础。

e. 比较能力

比较是将两件或两件以上的事物,通过诸多方面的比较,从而得出异同的过程。比较是分类、归纳和概括的基础。比较能力的培养,对学生认识事物、掌握规律起巨大作用,因此,在科学探究中应重视比较能力的培养。

f. 归纳概括能力

归纳概括是根据一部分信息来推断总体信息。要正确地做出归纳概括,从总体中选出的样本就必须具有代表性、广泛性。如:在学习酸的化学性质时,盐酸和稀硫酸都能使紫色的石蕊试液变红色,即可归纳概括出大多数酸溶液都能使紫色石蕊试液变红色,这就利用了归纳概括技能。

g. 推理能力

当你对观察到的现象做出解释时,即在进行推理时,要注意推理不一定就是事实,即使是根据正确的观察做出的推论,也可能是错误的。要证明推论正确,唯一的方法就是再进一步观察、调查和研究。

h. 评价判断能力

做出判断就是评估某件事情的好坏对错。如:一个实验装置的设计、一个实验方案的设计是否合理,操作是否方便,对环境是否有害等就用到了判断。做出判断前,需要全面地考虑到事情的正面与反面,并明确自己持有什么样的观点和判断标准。在科学探究中要学会评价、判断。

i. 合作学习能力

化学学习中的科学探究过程,往往是学生小组或团队活动的过程,在合作探究中,学生应培养和具有团结协作、交往共事、资源共享的能力。

(3)化学实验探究题的分类

①发现问题类探究题

从生活现象、自然现象和实验现象中选出有价值的问题。解答此类问题的关键:观察、分析、联想,提出的问题要有探究价值,要有利于设计实验方案,有利于现象的观察和描述。

解答此类探究题的方法:

根据题目要求,从不同的角度提出问题,并进行猜想和假设。可从以下八个方面提出问题和进行猜想:a. 从"对立面"中发现问题和猜想;b. 从"逆向思维"中发现问题和猜想;c. 从生活或实验中发现问题

生活小常识(七) 27.装有液化气的煤气罐用完后,摇动时常听到晃动的水声,这种有水声的液体决不能私自乱倒,原因是:这种液体是含碳稍多的烃,乱倒易发生火灾。28.录音磁带是在醋酸纤维、聚酯纤维等制成的片基上均匀涂上一层磁粉制成的。制取磁粉的主要物质是:四氧化三铁。29.泥瓦匠用消石灰粉刷墙时,常在石灰中加入少量的粗食盐,这是因为粗食盐中含有的易潮解的物质潮解,有利于二氧化碳的吸收。这种易潮解的物质是:氯化镁。

科学元典

和猜想;d.从探索因果中发现问题和猜想;e.在异常中发现问题和猜想;f.在类比中发现问题和猜想;g.在归纳判断中发现问题和猜想;h.在"理所当然"中发现问题和猜想。然后结合猜想,依据已有的知识经验(如:物质的颜色、状态、气味等宏观性质和特征)去解答问题。注意提出的假设要周密、合理,要有科学依据。

例1（2010 江西,27,5 分)小辰和小昕看到一则新闻:2009 年 12 月 15 日,某市一辆满载电石的货车遇大雨引发熊熊大火。电石遇水为什么会引起火灾? 请教老师后获知:电石主要成分为碳化钙（CaC_2),它没有可燃性且遇水会产生气体。于是在老师的指导下进行了以下探究。
【实验探究】

提出问题	实验及现象	结论
(1)_____	向盛有一小块电石的试管中,滴入少量的水,发现有气泡产生,用手触摸试管外壁,感觉到_____	电石会与水反应放热
(2)电石与水反应生成的气体是否具有可燃性?	收集一小试管该气体,点火,观察到有明亮的火焰	该气体具有____性
(3)该气体可能含有碳、氢元素吗?	点燃气体,用干燥的冷烧杯罩在火焰上方,内壁上出现水雾;然后迅速将烧杯倒置,倒入少量的澄清石灰水,振荡,石灰水变浑浊	该气体____(选填"一定"或"不一定")含有碳、氢元素

【反思】通过上述素材,谈谈你对灭火方法的新认识_____。

答案 (1)电石与水反应放热吗? 烫(或热,其他答案合理均可)
(2)可燃 (3)一定
【反思】水不一定能用于灭火(其他答案合理均可)

解析 (1)结论是所提问题的结果,由结论可推知所提问题为:电石与水反应放热吗? (2)由所提问题结合实验现象,得出的结论为:该气体具有可燃性。(3)有水生成说明该气体含有氢元素,澄清石灰水

变浑浊说明该气体燃烧生成 CO_2,由变化前后元素种类不变,推知此气体中一定含碳、氢元素。生活中常用水进行灭火,但此题中物质遇水反而着火。说明水不一定能用于灭火。
②假设、验证类探究题
对问题有可能的答案作出猜想或假设,并据已有的知识经验对猜想或假设作出初步验证计划,以便设计实验方案。
解答时,一是要围绕问题从不同的角度、不同的侧面进行假设或猜想,假设越全面,结论越可靠;二是要注意假设的合理性,要符合化学规律、化学原理,不能凭空设想;三是要从本质上去认识分析现象,抓住本质提出假设。

例2（2010 广东,23,12 分)2010 年 4 月 28 日某媒体题为"排污工程施工,毒气放倒三人"的报道,引起某兴趣小组同学的思考。
【提出问题】排污管道中的毒气有什么成分?
【查阅资料】
Ⅰ.排污管道中的大部分有机物在一定条件下发酵会产生 CO、CO_2、H_2S、CH_4 等。
Ⅱ.H_2S 气体能与 $CuSO_4$ 溶液反应生成黑色沉淀。
【提出猜想】小组同学对排污管道气含有上述气体中最少 3 种成分的猜想如下:
猜想1:有 CO、CO_2、H_2S;
猜想2:有 CO、CO_2、CH_4;
猜想3:有 CO、H_2S、CH_4;
猜想4:有 CO_2、H_2S、_____;
猜想5:有 CO、CO_2、H_2S、CH_4。
【实验方案】小组同学共同设计了下图所示的装置并进行探究(夹持仪器已省略)。

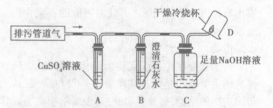

【问题讨论】
(1)如果 A 装置没有明显变化,则猜想_____成立;
如果 B 装置没有明显变化,则猜想_____成立。
(2)在验证猜想 1 的实验中,装置 C 中 NaOH 溶液的作用是_____;

科学元典

若要进一步验证气体燃烧后的产物,操作是:迅速把烧杯倒过来,向烧杯内注入 _____,振荡。

(3)要验证猜想 5 中是否有 CH_4,某同学认为图示装置有不足之处,需要在装置 C 与 D 之间加一个 _____ 装置。改进后,若气体燃烧,且 D 装置内壁出现 _____,证明气体中一定含有 CH_4。

　　为了进一步确定气体中是否含有 CO,可分别测定燃烧产物中 H_2O、CO_2 的质量,其方法是:将燃烧产物依次通过盛有 _____、_____ 的装置,分别称量吸收燃烧产物前、吸收燃烧产物后装置的质量,通过计算、分析得出结论。

【答案】【提出猜想】CH_4

【问题讨论】(1)2　3

(2)吸收 CO_2　澄清石灰水

(3)干燥(或除水)　水雾(或小水珠)

浓 H_2SO_4(或 $CaCl_2$ 或无水 $CuSO_4$)　NaOH 溶液

【解析】由资料分析知,猜想④中还可以含有 CH_4;实验过程中若 A 装置无明显变化,则说明混合气中不含 H_2S 气体,则猜想 2 成立;若装置 B 中无明显变化,说明不含 CO_2 气体,则猜想 3 成立;在猜想 1 的实验中,装置 C 中的 NaOH 溶液是为了吸收 CO_2,以便 CO 在 D 处被点燃;为证明猜想 5 中是否含有 CH_4,可证明其燃烧产物中含有 H_2O 和 CO_2,为此应在 C、D 之间加一个干燥装置,以便除去从溶液中混进气体的水分;欲证明 CO 的存在,可测定其燃烧产物中不含 H_2O 只含 CO_2,故可将生成物通过盛有浓 H_2SO_4 或无水 $CuSO_4$ 或 $CaCl_2$ 的干燥装置和 NaOH 溶液(吸收 CO_2),比较前后质量变化即可得出结论。

③收集证据、解释与结论类探究题

　　此类探究题是运用调查、查阅资料等方式收集解决问题的证据,并对所收集的证据和获得的信息进行简单的加工与整理,通过分析比较、分类、归纳概括等方法,认识知识之间的联系,从而得出正确的结论并对结论作出正确的解释。

　　收集证据,要有较强的实证意识,会观察、记录,准确精练地表述,是解答此类题目的关键。

④结果分析、反思与评价类探究题

　　此类探究题是对所获得的事实、证据进行总结、归纳,得出正确结论,对探究活动进行反思与评价。解答时可用比较、分类、概括、归纳等方法对证据和事实进行加工处理,利用逆向思维及缺点发现法,对探究结果进行评价。而实验评价题是由题目提供一套或多套方案,从某一角度或几个方面评价方案的优劣。

【例3】(2010 浙江绍兴,31,8 分)某化学兴趣小组成员在查阅资料时了解到:牙膏除主要活性成分外,还有约占牙膏成分 50% 的 $CaCO_3$[或 SiO_2、$Al(OH)_3$、$CaHPO_4$]等摩擦剂和保持牙膏湿润的甘油等物质。于是对自己牙膏中的摩擦剂是什么产生了兴趣。

【建立假设】我牙膏中的摩擦剂有碳酸钙。

【进行实验】

①取 2 厘米长牙膏于小烧杯中,加入 10 毫升蒸馏水,充分搅拌,静置一段时间,分离上层清液和沉淀,待用。

②用 pH 试纸测定所得溶液的 pH 大于 7,正确的操作方法是 _____。

③取少量沉淀物,加入过量的稀盐酸,沉淀全部溶解并有大量气泡产生,将产生的气体通入澄清的石灰水中,澄清的石灰水变浑浊。写出澄清石灰水变浑浊的化学反应方程式: _____。

【实验结论】我牙膏中的摩擦剂一定有碳酸钙。

【反思交流】有同学指出上述实验没有对 _____ 是否存在进行检验,因此,实验结论不成立。

【拓展延伸】资料表明可以利用钙离子与草酸根离子($C_2O_4^{2-}$)结合产生草酸钙沉淀来检验钙离子。请写出草酸铵[$(NH_4)_2C_2O_4$]溶液和氯化钙溶液反应的化学方程式: _____。

【答案】【进行实验】②用洁净的玻璃棒蘸取少量上层清液,滴在 pH 试纸上,并与标准比色卡对照

③$Ca(OH)_2 + CO_2 = CaCO_3\downarrow + H_2O$

【反思交流】钙离子(或 Ca^{2+})

【拓展延伸】$(NH_4)_2C_2O_4 + CaCl_2 = CaC_2O_4\downarrow + 2NH_4Cl$

【解析】本题难度不大,重点考查 pH 试纸的正确使用及化学方程式的书写。

⑤综合性探究类

　　此类探究题是对科学探究的基本过程中的八要素进行全方面的考查,体现探究的全过程,解答时要注意结合实践经验和亲身体验,探究性地提出问题,用观察到的现象和数据进行推理、判断,根据试题的目的和要求,结合题设中的材料,进行解答,思维要有开放性。

【例4】(2010 广西南宁,27,7 分)某校化学兴趣小组的同学学习了酸、碱、盐的知识后,对课本中"酸、

碱、盐之间并不是都能发生复分解反应"这句话产生了兴趣,展开了探究性学习。

(1)【提出问题】发生复分解反应应具备哪些条件?

(2)【活动探究】该小组同学进行以下四组实验,发现均能反应,写出反应④的化学方程式:

①硝酸钡溶液与稀硫酸

②稀硫酸与碳酸钾溶液

③稀盐酸与氢氧化钠溶液

④硝酸钡溶液与碳酸钾溶液:_____。

(3)【理论分析】上述反应为什么能够发生?是因为在这些反应物的溶液中有特殊的阴、阳离子,它们两两结合生成了沉淀或气体或水。如:

①中有 $Ba^{2+} + SO_4^{2-} \longrightarrow BaSO_4 \downarrow$

②中有 $H^+ + CO_3^{2-} \longrightarrow H_2O + CO_2 \uparrow$

③中有 $H^+ + OH^- \longrightarrow H_2O$

④中有_____两种离子,所以才发生化学反应。

(4)【得出结论】经过分析,该小组同学得出以下结论:生成物中是否有沉淀或气体或水,是判断酸、碱、盐之间能否发生复分解反应的主要条件。

(5)【形成网络】按照一定的顺序排列某些离子,就可以形成一种知识网络。在网络中,用"———"相连接的阴、阳离子间能两两结合生成沉淀或气体或水。现有 Ca^{2+}、HCO_3^- 两种离子,请将它们填入下面合适的"〇"内,使其形成一个更为完整的复分解反应的知识网络。

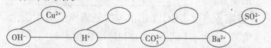

(6)【拓展应用】根据得出的结论,解决以下问题:

已知 $t\,^{\circ}\!C$ 时四种化合物在溶剂 A 和溶剂 B 中各自的溶解度(g/100 g 溶剂)如下表所示。

物质	在溶剂 A 中的溶解度	在溶剂 B 中的溶解度
$AgNO_3$	170	86
$Ba(NO_3)_2$	9.3	97.2
$AgCl$	1.5×10^{-4}	0.8
$BaCl_2$	33.3	约为 0

$t\,^{\circ}\!C$ 时表中四种化合物在溶剂 A 中发生复分解反应的化学方程式为:

$$BaCl_2 + 2AgNO_3 \stackrel{}{=\!=\!=} 2AgCl \downarrow + Ba(NO_3)_2$$

则表中四种化合物中某两种化合物在溶剂 B 中能发生复分解反应的化学方程式为_____

_____。

答案 (2) $Ba(NO_3)_2 + K_2CO_3 \stackrel{}{=\!=\!=} BaCO_3 \downarrow + 2KNO_3$

(3) Ba^{2+} 和 CO_3^{2-} (5) HCO_3^- Ca^{2+}

(6) $Ba(NO_3)_2 + 2AgCl \stackrel{}{=\!=\!=} 2AgNO_3 + BaCl_2 \downarrow$

解析 复分解反应的实质是反应物中的特殊阴、阳离子两两结合生成了沉淀或气体或水。(2)【活动探究】$Ba(NO_3)_2$ 与 K_2CO_3 溶液反应的化学方程式为:$Ba(NO_3)_2 + K_2CO_3 \stackrel{}{=\!=\!=} BaCO_3 \downarrow + 2KNO_3$,二者之所以发生反应是因为 $Ba^{2+} + CO_3^{2-} \longrightarrow BaCO_3 \downarrow$。初中化学中常见离子的组合能生成沉淀或气体或水的有:$Cu^{2+} + OH^- \longrightarrow Cu(OH)_2 \downarrow$、$OH^- + H^+ \longrightarrow H_2O$、$H^+ + CO_3^{2-} \longrightarrow H_2O + CO_2 \uparrow$、$H^+ + HCO_3^- \longrightarrow H_2O + CO_2 \uparrow$、$Ca^{2+} + CO_3^{2-} \longrightarrow CaCO_3 \downarrow$ 等。

(6)【拓展应用】由四种物质在溶剂 B 中的溶解度可知在溶剂 B 中 $BaCl_2$ 为沉淀,故在溶剂 B 中发生反应生成 $BaCl_2$ 的化学方程式为 $2AgCl + Ba(NO_3)_2 \stackrel{}{=\!=\!=} BaCl_2 \downarrow + 2AgNO_3$。

4. 实验方案的设计与评价

(1)实验设计的基本思路

实验设计是指在进行科学实验探究之前,实验者依据一定的目的、要求,运用已有的知识、原理,设计出科学、合理的实验方案(其中包括实验器材、实验原理、实验操作步骤等)。

实验方案设计的基本思路:

实验课题 ⟶ 提出实验方案 ⟶

讨论方案的可行性 ⟶ 进行实验操作

对实验进行分析、比较、评价 ⟶ 确定最佳实验方案

(2)实验设计的基本原则

①科学性。实验原理要科学正确,实验目的要明确,实验器材和实验手段的选择要恰当。整个实验思路和实验方法的确定都要根据化学基本知识和基本原理及其他学科知识,以确保实验的科学性、正确性。

②可操作性。在设计实验时,从实验器材的选取、实验操作的实施到实验结果的产生,都要具有可操作性。

③简约性。设计实验时,要考虑到实验原料容易获得且价格较低、实验装置比较简单、实验操作比较简便、操作步骤简便易行、实验时间比较短。

④安全性。设计实验时,要考虑药品是否安全无毒,实验操作时要注意安全,避免爆炸、污染环境等。

(3) 实验设计的基本要求及考查内容

①一个相对完整的化学实验设计方案一般包括下述内容:实验名称、实验目的、实验原理、实验用品(仪器、药品及规格)、实验步骤(包括实验仪器装配和操作)、实验现象记录及结果处理。

②考查内容

$$
化学实验设计
\begin{cases}
物质的制备实验设计 \\
物质的性质实验设计 \\
物质的检验实验设计 \\
测定物质的组成实验设计 \\
物质的分离或提纯实验设计 \\
测定混合物的成分实验设计
\end{cases}
$$

(4) 解题思路和方法

①明确目的原理:明确实验的目的要求,弄清题目所给的新信息。

②选择仪器药品:选择合理的化学仪器和药品。

③设计装置步骤:设计出合理的实验装置和实验操作步骤。

④记录现象数据:全面而准确地记录实验过程中的现象和数据。

⑤分析得出结论:根据实验观察到的现象和记录的数据,通过分析、计算、推理等处理,得出正确的结论。

(5) 实验设计题的类型

①单项实验设计

设计实验求证某一单项问题,或求证某一规律。设计的特点是围绕某一问题设计一个指向很单一的实验,而且实验通常一步到位。如下图所示,证明中和反应是放热反应。

酸溶液　　碱溶液

②综合实验设计

设计实验求证多个问题,其特点是多步操作、装置复杂、现象多样。常见的有对某气体从制取到组成、成分含量、性质、尾气处理等多项指标进行实验检验和求证。如下图所示的装置,将其组合起来制取气体,验证其性质等。

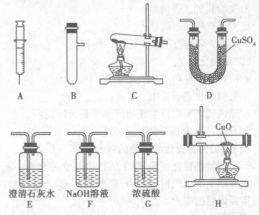

A　　B　　C　　D(CuSO₄)

澄清石灰水E　　NaOH溶液F　　浓硫酸G　　H(CuO)

③定量实验设计

通过实验,获取有关数据,然后分析数据并推理出结论。定量实验设计要精密一些,要尽可能避免一些误差。初中常见的定量实验有:分子组成测定、混合物成分含量的测定、物质溶解度的测定、气体体积的测定等。

④开放型实验设计

试题从提出问题、实验的方向、仪器的选择、装置的设计、现象的观察记录到结论的推理是完全自主完成的。解答此类试题,过程要合理完整,方法简便,现象叙述要准确,推理要符合逻辑。

(6) 实验方案设计的技巧和方法

①对比实验设计

对比实验是实验设计的一种基本思路,有利于实验现象观察对比,有利于推理论证结论。

②控制变量实验设计

一个问题常常受多方面的因素制约,为了研究每一个因素对问题的影响程度,常常采取控制变量法逐个检验,每一种现象只说明一个问题,换一个条件再检验。综合各个因素对问题的影响作出综合性的判断。

(7) 实验方案的评价

以批判思维方法对所设计的实验方案、实验方法、装置设计从某角度否定、排除不合理或不是最优的方法,选择、创新更好的方法,即实验评价。

实验方案的评价,可以从以下几个方面考虑:

①可行性

a. 实验原理是否正确、可行;

b. 实验操作是否安全、合理;

c. 实验步骤是否简单、科学;

d. 实验装置是否简单;

e. 实验现象是否明显;

f. 实验结果是否与实验目的一致等。

②"绿色化学"

a. 原料是否易得、安全、无毒;

b. 反应速率是否适中;

c. 原料利用率以及生成物的产率是否较高;

d. 合成过程中是否会造成环境污染。

(8)实验方案设计与评价的综合考查

此类题目往往将实验方案和评价综合在一起,考查学生的审题析题能力,获取信息,综合运用解决实际问题的能力。

例5(2010 上海,49,7分)在研究酸和碱的化学性质时,某小组同学想证明:稀 H_2SO_4 与 NaOH 溶液混合后,虽然仍为无色溶液,但确实发生了化学反应。请与他们一起完成实验方案的设计、实施和评价。

①方案一:测定稀 H_2SO_4 与 NaOH 溶液混合前后的 pH(20 ℃)。

测定某 NaOH 溶液的 pH,pH _____ 7(选填"大于"、"等于"或"小于")。

将一定的稀 H_2SO_4 加入该 NaOH 溶液中,混合均匀后测定其 pH,pH 小于 7。

结论:稀 H_2SO_4 与 NaOH 溶液发生了化学反应,并且 _____ 过量。

②方案二:观察 _____。(根据图示实验步骤,概括方案要点)

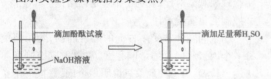

结论:稀 H_2SO_4 与 NaOH 溶液发生了化学反应,反应的化学方程式为 _____。

③上述两个方案在设计思想上的相同点是 _____。

④为了进一步获取稀 H_2SO_4 与 NaOH 溶液确实发生了化学反应的证据,依据中和反应是 _____(选填"放热"、"吸热"或"无热量变化")的反应,采用同温下的稀 H_2SO_4 与 NaOH 溶液进行实验,整个实验中至少需要测定溶液温度 _____ 次。

答案①大于 稀硫酸

②酸碱指示剂酚酞在反应前后颜色变化 $H_2SO_4 + 2NaOH \xrightarrow{\quad} Na_2SO_4 + 2H_2O$

③通过反应前后对比证明发生了化学反应

④放热 两

解析①NaOH 属于碱,其水溶液的 pH > 7;当滴加稀 H_2SO_4 后 pH < 7,说明酸过量;②方案二的设计原理是根据指示剂颜色的变化,判断反应是否发生,NaOH 能使酚酞试液变红,酸碱中和后红色褪去;③两个方案的设计思路均是将变化前后作对比而得到结论;④利用中和反应的放热现象可进一步研究中和反应的发生。

········· 拓展知识 ·········

知识①药品的存放

1. 酸类

实验室常用的三大强酸(盐酸、硫酸和硝酸)都有很强的腐蚀性,储存和使用时要特别注意安全。

①浓盐酸:它容易挥发,应密封存放在阴凉处。

②浓硫酸:它易吸水,会腐蚀橡胶塞,因此浓硫酸应密封保存在具有玻璃塞的细口瓶里。

浓硝酸:它易挥发,见光易分解,硝酸具有强腐蚀性,不能使用橡胶塞,应密封保存在具有玻璃塞的棕色细口瓶内,并且放在阴凉处。

2. 碱类

①烧碱(氢氧化钠):它易吸收水蒸气而潮解;吸收二氧化碳发生化学变化:$2NaOH + CO_2 \xrightarrow{\quad} Na_2CO_3 + H_2O$,所以要密封保存。若把氢氧化钠溶液保存在玻璃瓶中,一定要选用橡胶塞而不是玻璃塞,烧碱易腐蚀玻璃,以免瓶塞跟瓶体黏在一起,不便打开。

②熟石灰(氢氧化钙):易吸收二氧化碳而变质,要密封保存在塑料瓶中。

$Ca(OH)_2 + CO_2 \xrightarrow{\quad} CaCO_3 + H_2O$

③碱石灰(氧化钙与氢氧化钠的混合物):它可以作干燥剂,要密封保存,理由同上。

④石灰水:易吸收空气中的二氧化碳,常出现浑浊现象,所以要密封保存,一般情况下使用现配制,不宜长时间存放。

⑤氨水:易挥发、易分解,密封保存在棕色试剂瓶中,且置于阴凉处。

3. 盐类

①硝酸银:见光受热易分解,应密封于棕色瓶内或用黑纸包裹,置于阴凉处保存。

②碳酸氢铵固体:见光受热易分解,密封保存于阴凉处,且不能与碱性物质混放,以免遇碱性物质放出氨

科学元典

生活小常识(十二) 47. 文艺演出时,经常看到舞台上烟气腾腾,现在普遍用的发烟剂是:乙二醇和干冰。48. 用自来水养金鱼时,将水注入鱼缸之前需在阳光下晒一段时间,目的是:使水中的次氯酸分解。49. 若长期存放食用油,最好的容器是:玻璃或陶瓷容器。50. 不粘锅之所以不粘食物,是因为锅底涂上了一层特殊物质:"特富隆",其化学名叫聚四氟乙烯,俗名叫塑料王。

气而失效。

③无水氯化钙：易吸水而潮解，应密封保存，以免失效。

④氯酸钾、高锰酸钾、硝酸钾：它们是强氧化剂，应与易燃物（炭粉、硫黄、磷、酒精）分开存放。

4. 单质

①白磷：白磷易被空气中的氧气氧化，且着火点低，易自燃，所以把白磷保存在盛水的广口瓶里（切割时，也应在水中进行），而红磷、硫黄、镁粉等易燃物应远离火种，置于阴凉通风处。

②钾、钙、钠的活动性很强，不能跟空气、水接触，所以要保存在煤油中，以免跟空气、水接触燃烧，甚至爆炸。

③碘：受热时易升华，必须保存在棕色瓶中，且存放在阴凉处。

5. 其他类

①双氧水（过氧化氢）：受热易分解，密封保存且置于阴凉处。

②生石灰（氧化钙）：它易吸收空气中的水分和二氧化碳而变质，所以要密封保存在塑料瓶中。如果把生石灰长期暴露在空气中，最终会转化为碳酸钙。

$$CaO + H_2O =\!=\!= Ca(OH)_2$$
$$Ca(OH)_2 + CO_2 =\!=\!= CaCO_3 + H_2O$$

③有机溶剂（如酒精、乙醚等）：易燃烧，单独存放，密封保存于阴凉处。

知识② 意外事故处理

1. 有危险的化学实验实例和安全措施

实验名称	产生事故的原因	防止事故的措施	备注
仪器和零件的连接	将玻璃管插入橡胶管或橡皮塞、软木塞时，用力过猛，管被折断，导致手被刺伤	①将玻璃管用水湿润，增强其润滑性 ②用力要轻而均匀，使玻璃管以旋转的方式插入	将温度计、分液漏斗、胶头滴管等插入橡皮塞时，也属于此种情况
	将橡皮塞塞入烧瓶口时用力过猛，弄破瓶口将手刺伤；或把烧瓶放在桌上以硬压的方式塞入塞子，将烧瓶压破致使手受伤	要将烧瓶拿在手中，使塞子以旋转式慢慢进入烧瓶口	将橡皮塞安装在试管口上、锥形瓶口上、广口瓶口上、干燥管口上时，也属于此种情况
使用酒精灯	灯内酒精太多，受热膨胀溢出引起火灾；灯内酒精太少，空气太多引起灯内爆炸	控制灯内酒精体积在灯体容积的 1/3 ~ 2/3 之间	
	拿酒精灯到另一盏燃着的酒精灯上去对火，引起失火	要用火柴点燃酒精灯，切不可"灯与灯对火"	
	熄灭酒精灯时用嘴吹灭，引起灯内酒精的燃烧	熄灯时要用灯帽盖灭，不可用嘴吹灭	

科学元典

有杀菌消毒作用的高锰酸钾　高锰酸钾俗称灰锰氧，是一种有结晶光泽的紫黑色固体。高锰酸钾易溶于水，溶液呈鲜艳的紫红色。高锰酸钾水溶液能将细菌微生物组织氧化，因而它具有杀菌消毒作用。0.1% 的高锰酸钾溶液可用来清洗伤口，也可以用来给茶具和水果消毒。使用高锰酸钾溶液消毒时要注意，溶液要现用现配，放置时间长了，消毒效果会降低，当溶液变为棕黄色时，它的消毒能力就完全没有了。

给玻璃仪器加热	试管外壁有水,或没有用小火对试管预热,或试管架置的角度有误或试管触及了灯芯,导致试管炸裂或掉下管底,引发其他事故	加热前将试管外壁擦干,加热时先以小火对试管预热,试管中盛的是固体时应让管口略低于管底,要用酒精灯的外焰加热,切忌试管触及灯芯	
	烧瓶外壁有水,或烧瓶底下未垫石棉网,或烧瓶内液体蒸干,导致烧瓶炸裂,引发其他事故	加热前将烧瓶外壁擦干,在烧瓶底下垫石棉网加热,勿将烧瓶干烧	对烧杯、锥形瓶的加热,也属于此种类型
制氢气	一般用锌粒跟稀硫酸反应制取。做氢气的燃烧实验在点火时,火经导管进入发生器内,可能发生爆炸。主要原因可能是装置气密性不好,或点燃前没有检验氢气的纯度,或检验纯度的操作方法不当等	①检查发生器内确实没有混入空气时再点火 ②尽量不要在发生器上点火 ③选择安全的发生装置	制备 $CH{\equiv}CH$ 等其他易燃易爆的气体,与这种情况类似
制氧气	①研磨氯酸钾和二氧化锰混合物时,如其中混有木屑、炭粉、硫粉、纸屑等可燃物时,可能会发生爆炸 ②把木炭粉误当作二氧化锰,与氯酸钾混合研磨,可能发生爆炸 ③高锰酸钾受热分解制氧气时,高锰酸钾中混有可燃物,可能也会引起爆炸	①氯酸钾或高锰酸钾都要用 c.p 等级(三级) ②预先把二氧化锰放在坩埚中灼烧,燃烧掉其中的可燃物	
制氯气	在氯气的制备和性质实验中,吸入过量氯气会中毒。在洗刷氯气制备装置或盛氯气的容器时,没有排气,就用水冲洗,大量氯气逸出,使人中毒	在冲洗氯气发生装置和盛氯气的容器之前,要先在通风橱中除去氯气,或用碱液吸收氯气后再清洗	制 HCl、H_2S 等有毒的气体,与这种情况类似
浓硫酸稀释	把水加入浓硫酸中,因放热而使水和硫酸飞溅	应该把浓硫酸缓慢加入水中,边加边搅拌	将浓硫酸与乙醇、硝酸等液体混合,与这种情况类似

2. 更多的意外事故的处理方法

意外事故	处理方法
使用酒精灯时烫伤	立即用水冲洗烫伤处,再涂上烫伤膏
使用玻璃管时划伤手指	立即进行消毒再包扎处理
眼睛里溅进了酸或碱溶液	立即用水冲洗,切不可用手揉眼睛,洗的时候要眨眼睛,必要时请医生治疗

洒在桌面上的酒精燃烧起来	立即用湿抹布或沙子扑灭
稀酸飞溅到皮肤上	立即用大量水冲洗再涂上 3%～5% 的小苏打溶液
误服氯化钡溶液	立即喝大量鲜牛奶或鸡蛋清
$NaOH$ 溶液溅到皮肤上	立即用大量水冲洗再涂上硼酸溶液

科学元典

为什么吸铁石不能吸附其他金属(一) 吸铁石学名磁铁,磁铁是磁体的一种。磁铁能够吸住铁、镍、钴等金属,俗称为吸铁石。可分为一般常见的永久磁铁,以及通电时才具备磁性的电磁铁。磁铁分为大型磁铁和小型磁铁。大型磁铁的用途很广泛,利用电磁铁制成的起重机在通电后产生强大的磁性,能吸住笨重的钢铁,放下钢铁时只要切断电源即可。指南针既小又轻,磁性也弱了许多。指南针的作用不在于吸铁,而在于反映地球的磁力。

例 (2010 江苏苏州,20,2 分)为防止实验室意外事故的发生,下列预处理方法中错误的是 (　　)

选项	须预防的意外事故	预处理方法
A	少量浓硫酸溅到皮肤上	备氢氧化钠浓溶液直接清洗
B	打翻燃着的酒精灯	备湿抹布用来扑灭火
C	使用玻璃管时划伤手指	将玻璃管口熔圆并备好创可贴
D	铁丝在氧气中燃烧时炸裂瓶底	预先在集气瓶里放少量水或细沙

答案 A　A 项,氢氧化钠浓溶液同样也会对皮肤造成伤害;B 项,利用隔绝 O_2 的方法可以灭火;C 项为实验安全的一种常用措施;D 项,在集气瓶中放入少量水或细沙可以防止铁丝燃烧时溅落物炸裂瓶底。

知识③ 观察和描述实验的基本方法

1.**观察化学实验的基本方法(三阶段)**

实验前━━━━→实验中━━━━→实验后

(观察物质的颜色、状态、气味等)　(观察是否吸热、放热、发光、变色,生成沉淀或气体等)　(观察物质的颜色、状态、气味、种类等)

2.**描述实验的基本方法**

实验操作过程→实验现象→实验结论。

例 (2010 北京,22,1 分)下列是分析已变质氢氧化钠溶液的相关实验,其中合理的是 (　　)

序号	实验目的	实验过程
①	证明变质	取少量溶液,滴加盐酸,将生成的气体通入石灰水
②	确定成分	取少量溶液,加入石灰水,过滤,向滤液中滴加酚酞试液
③	测定纯度	取一定量溶液,加入盐酸,用氢氧化钠固体吸收气体,称量
④	除去杂质	取溶液,滴加石灰水至恰好完全反应,过滤

A.②③　　B.①③　　C.②④　　D.①④

答案 D　氢氧化钠溶液吸收空气中的 CO_2 生成 Na_2CO_3 而变质。①取少量溶液,滴加盐酸,将生成

的气体通入澄清石灰水变浑浊则可证明氢氧化钠溶液已变质,①合理。②若证明氢氧化钠溶液全部变质还是部分变质,应取少量溶液,加入氯化钙溶液(或氯化钡溶液),过滤后向滤液中滴加酚酞试液才能达到目的,不能加氢氧化钙溶液,②不合理。③取一定量溶液,加入盐酸后用氢氧化钠固体吸收气体不合理,因为氢氧化钠固体既可吸收水分也可吸收二氧化碳气体。④合理,$Na_2CO_3 + Ca(OH)_2 \Longrightarrow CaCO_3\downarrow + 2NaOH$,既可除去 Na_2CO_3,又会增加 NaOH 的质量,且反应后的物质通过过滤很容易分离。

知识④ 确定气体收集方法的技巧

1.**排水集气法:**
　　适用于"不易或验证溶于水且不与水反应的气体",如下图 A。

2.**向上排空气法:**
　　适用于"密度比空气大且不与空气成分反应的气体"(相对分子质量大于 29 的气体),如下图 B。

3.**向下排空气法:**
　　适用于"密度比空气小且不与空气成分反应的气体"(相对分子质量小于 29 的气体),如下图 C。

4.**不能用排空气法收集的气体**
(1)当气体的密度与空气的密度相近且难溶于水时,一般采用排水法。
(2)当气体与空气中某一成分反应时,用排水法收集。

5.**有毒气体收集方法的确定**
(1)有毒,但气体难溶于水时,一般采用排水法收集,如下图 D。
(2)有毒,但气体又易溶于水时,则采用双孔胶塞(一长一短的导气管)利用排空气法收集该气体,但必须接尾气处理装置,以免多余的有毒气体逸散到空气中,污染空气,如收集氨气可用图 E。

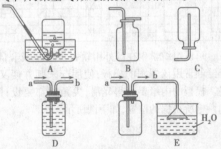

为什么吸铁石不能吸附其他金属(二) 磁铁吸引铁、钴、镍等物质的性质称为磁性。磁铁两端磁性强的区域称为磁极,一端为北极,一端为南极。同性磁极相互排斥,异性磁极相互吸引。铁中有许多具有两个异性磁极的原磁体,在无外磁场作用时,这些原磁体排列紊乱,对外不显磁性。当把铁靠近磁铁时,这些原磁体在磁铁的作用下,整齐地排列起来,使靠近磁铁的一端具有与磁铁极性相反的极性而相互吸引。而铜、铝等金属没有原磁体结构,所以不能被磁铁吸引。

知识 ⑤ 洗气瓶的应用

如下图所示,带有双孔胶塞的洗气瓶有以下几种用途:

1. 收集气体

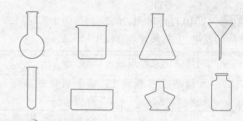

(1)瓶中有空气,用排空气法收集气体,被收集的气体既可从 a 口导入,也可从 b 口导入;瓶子可正放,也可倒放。气体导入原则为若被收集的气体密度比瓶中气体的密度小,则从位置高的地方进,即 b 为进口;若被收集气体的密度比瓶中气体的密度大,则从位置低的地方进,即 a 为进口。

(2)瓶中装满水,用排水法收集气体,气体应从 b 口进,水从 a 口出;若想测出被收集气体的体积,则由 a 口出的水可直接导入量筒中,测得水的体积即为收集到气体的体积。

2. 检验

可在瓶中装入某种溶液,由 a 口导入某种气体,二者反应,产生明显现象,以证明导入气体的存在。例如,瓶中装有石灰水,导入 CO_2 气体。

3. 除杂

瓶中装有某种溶液,由 a 口导入某种混合气体,使溶液与混合气体中的杂质反应,以除去杂质。例如,瓶中装有 NaOH 溶液,除掉 CO 中混有的 CO_2。

4. 干燥

瓶中装有浓 H_2SO_4,由 a 口导入除去气体中混有的水蒸气。

知识 ⑥ 几种常用仪器示意图画法

绘制仪器时,应注意图形是否正确,比例是否合理,线条是否清晰,画面是否整洁,仪器各关键部位的正视投影应有比较合乎实际的比例。下图中的仪器所占纵横格数,可供参考。

可以组织学生在课外用软胶片或厚纸卡自制一个绘制常用仪器图的模板,使用起来既方便又有兴趣。模板的内缘要做得光滑,尖角处都要设计好留出画笔所占据的位置,如下图所示。

知识 ⑦ 气体的干燥和净化

1. 气体净化的几种方法

(1)吸收法:用吸收剂将杂质气体吸收除去。如除去 CO 中混有的少量 CO_2,可先用浓 NaOH 溶液吸收 CO_2,再用浓硫酸等干燥剂除去水蒸气。

吸收剂	吸收的气体杂质	吸收剂	吸收的气体杂质
水	可溶性气体:HCl、NH_3 等	NaOH 固体	CO_2、HCl、H_2O
无水 $CuSO_4$	H_2O	碱石灰	CO_2、HCl、H_2O
灼热的铜网	O_2	NaOH 溶液	CO_2、HCl
灼热的 CuO	H_2、CO	浓硫酸	H_2O

(2)转化法:通过化学反应,将杂质气体转化为所要得到的气体。如除去 CO_2 中的少量 CO,可将混合气体通过足量的灼热 CuO,$CO + CuO \xrightarrow{\triangle} Cu + CO_2$。

2. 气体的干燥

气体的干燥是通过干燥剂来实现的,选择干燥剂要根据气体的性质,一般原则是:酸性干燥剂不能用来干燥碱性气体,碱性干燥剂不能用来干燥酸性气体,干燥装置由干燥剂的状态决定。

(1)常见的干燥剂

干燥剂名称或化学式	酸碱性	状态	可干燥气体	不可干燥气体
浓 H_2SO_4	酸性	液态	H_2、N_2、O_2、CO_2、HCl、CH_4、CO 等	NH_3
固体 NaOH、生石灰、碱石灰（氢氧化钠和生石灰的混合物）	碱性	固态	H_2、O_2、N_2、CH_4、CO、NH_3 等	CO_2、SO_2、HCl
无水 $CaCl_2$	中性	固态	除 NH_3 外所有气体	NH_3

科学元典

为什么晒太阳有益健康 维生素 D_3 是人和很多动物生长、繁育、维持生命必不可少的脂溶性维生素。如果人缺乏维生素 D_3,将会患上软骨病或者佝偻病。走出户外晒太阳则是人类最古老、最经济、最舒服的补充维生素 D_3 的方式。其原理是:人体皮肤中的一种化合物在接触阳光中的紫外线之后,会形成维生素 D 的前体(维生素原),维生素原中的两个碳原子会自动重新排列,形成维生素 D_3。

（2）干燥装置的选择

①除杂试剂为液体时，常选用洗气瓶，气体一般是"长进短出"，如下图 A。

②除杂试剂为固体时，常选用干燥管（球形或 U 形），气体一般是"大进小出"，如下图 B、C。

③需要通过加热与固体试剂发生化学反应除去的气体，常采用硬质玻璃管和酒精灯，如下图 D。

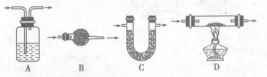

3. **装置连接顺序的确定规律**

（1）除杂和干燥的先后顺序

①若用洗气装置除杂，一般除杂在前，干燥在后。原因：从溶液中出来的气体肯定混有水蒸气，干燥在后可将水蒸气完全除去。如除去 CO 中混有的 CO_2 和水蒸气，应将气体先通过 NaOH 溶液，再通过浓 H_2SO_4。

②若用加热装置除杂，一般是干燥在前，除杂在后。原因：加热时气体中最好不要混有水蒸气。如除去 CO_2 中混有的 CO 和水蒸气，应将气体先通过浓 H_2SO_4，再通过灼热的 CuO。

（2）除去多种杂质气体的顺序

一般是酸性较强的气体先除去。如 N_2 中混有 HCl、H_2O（气）、O_2 时，应先除去 HCl，再除去水，最后除去 O_2（用灼热的铜网）。

（3）检验多种气体的先后顺序：（一般先验水）

有多种气体需要检验时，应尽量避免前步检验对后步检验的干扰。如被检验的气体中含有 CO_2 和水蒸气时，应先通过无水 $CuSO_4$ 检验水蒸气，再通过澄清的石灰水检验 CO_2。

知识 **8** 碳酸钙的提纯

碳酸钙是白色不溶于水的固体，是大理石、石灰石、钟乳石、方解石的主要成分。在牙膏和一些药品中，常用轻质碳酸钙粉末作填充剂或载体。人们制取轻质碳酸钙的方法是：将石灰石煅烧制得氧化钙，再将氧化钙加水制成石灰乳［主要成分是 $Ca(OH)_2$］，然后将净化后的石灰乳与二氧化碳作用得到碳酸钙。涉及的化学方程式有：

$$CaCO_3 \xrightarrow{\text{高温}} CaO + CO_2 \uparrow$$

$$CaO + H_2O === Ca(OH)_2$$

$$Ca(OH)_2 + CO_2 === CaCO_3 \downarrow + H_2O$$

知识 **9** 粗盐的提纯

（1）粗盐是指通过海水晒盐而得到的盐，粗盐中含有较多的可溶性杂质（氯化镁、氯化钙等）和不溶性杂质（泥沙等）。粗盐需要经过提纯才能得到精盐。

（2）主要步骤：溶解、过滤、蒸发、计算产率。

（3）玻璃棒的作用

溶解：搅拌，加大溶解速率

过滤：引流，防止液体溅出

蒸发：搅拌，使液体受热均匀

转移：将食盐从蒸发皿中转移到纸上

（4）蒸发时的注意事项

①蒸发皿是可直接加热的仪器，蒸发时，倒入液体的体积不超过蒸发皿容积的 $\dfrac{2}{3}$。

②加热时，需不断用玻璃棒搅拌。

③待蒸发皿内出现较多固体时，停止加热，利用余热使滤液蒸干，绝不能将滤液完全蒸干。

例 （2010 重庆，22，5 分）粗盐中含有较多的杂质，小林按照课本"活动与探究"的要求做粗盐提纯实验。

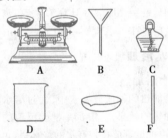

（1）仪器 B 的名称是_____，在实验中用得最多的仪器是_____（填序号）。

（2）称量时食盐应放在仪器 A 的_____盘，蒸发时防止液滴飞溅的操作是_____。

（3）"活动与探究"中，操作步骤有：①计算产率、②过滤、③溶解、④蒸发，正确的操作顺序为_____（填序号）。

答案 （1）漏斗　F

（2）左　搅拌

（3）③②④①

解析 粗盐提纯的步骤有:溶解、过滤、蒸发、计算产率。在溶解时用玻璃棒搅拌,加速溶解;在过滤时用玻璃棒引流;蒸发时用玻璃棒搅拌,防止液滴飞溅。

知识⑩ 判断离子能否共存的方法

复分解反应的实质就是两种化合物相互交换离子,生成两种新的化合物,所以同一溶液中的离子之间如符合下列条件之一就会发生反应,即离子不能在溶液中大量共存。

(1)生成沉淀:如 Ag^+ 和 Cl^-,Ba^{2+} 和 SO_4^{2-},Ca^{2+} 和 CO_3^{2-},Cu^{2+} 和 OH^- 等不能大量共存。

(2)生成气体:如 H^+ 和 CO_3^{2-}、HCO_3^-,NH_4^+ 和 OH^- 等不能大量共存。

(3)生成水:如 H^+ 和 OH^- 不能大量共存。

特别提醒

可能会有附加条件,如溶液无色透明、$pH=1$(酸性溶液)、$pH=14$(碱性溶液)等。

例 (2010 江苏苏州,28,2分)在水中能大量共存的一组离子是 ( )

A. Ba^{2+}、SO_4^{2-}、K^+ B. NH_4^+、Na^+、OH^-

C. Na^+、Cl^-、NO_3^- D. Cu^{2+}、Cl^-、OH^-

答案 C A 项,$Ba^{2+}+SO_4^{2-}\!\!=\!\!=BaSO_4\downarrow$;B 项,$NH_4^++OH^-\!\!=\!\!=NH_3\uparrow+H_2O$;C 项,各离子之间均不能发生反应;D 项,$Cu^{2+}+2OH^-\!\!=\!\!=Cu(OH)_2\downarrow$。

知识⑪ 水浴加热

1.什么是水浴加热

把要加热的物质放在水中,通过给水加热达到给物质加热的效果,一般都是把要反应的物质放在试管中,再把试管放在装有水的烧杯里,再在烧杯中插一根温度计,控制反应的温度。

2.水浴加热的优点

水浴加热可以避免直接加热造成的过度剧烈和温度的不可控制性,可以平稳均匀的加热,许多反应需要严格控制温度,就需要水浴加热。

知识⑫ 水电解的装置

1.人教版教材电解水的装置图

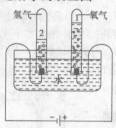

电解水的实验装置

2.沪科版教材电解水的装置图

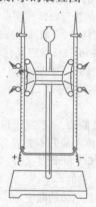

电解水的实验装置

3.自制电解水装置

用一个大瓶子,截去瓶底,留瓶口一段约高 8～10 cm。瓶口配一胶塞,由里向外塞紧。用镀铬曲别针伸直一段由塞子上扎出,在瓶塞露头处连接导线,做成电解槽如下图Ⅰ。

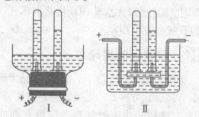

自制电解水装置

也可用普通玻璃杯(或烧杯)作电解槽。把硬导线跟镀铬曲别针用焊锡焊牢,导线用塑料管套起来,管口可以用蜡或沥青封住。把做好的电极固定在一块木板上,如图Ⅱ,电极的硬导线可以架在玻璃杯

(电解槽)的壁上,测气管倒放在木板上。

4.其他装置

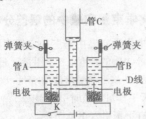

管C

弹簧夹 ——— 弹簧夹

管A ——— 管B

——————D线

电极 ——— 电极

K

例 (2010 上海,50,3分)①科学家用通电的方法使水分解,从而证明了水的组成。

把水注入水电解装置甲中,接通直流电,可以观察到 a 管中的电极上＿＿＿＿＿＿＿＿＿＿＿＿＿。

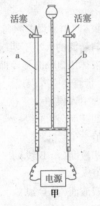

活塞 ——— 活塞

a ——— b

电源

甲

检验 b 管中产物的方法是 ＿＿＿＿＿＿＿＿＿。

Ⅰ.用点燃的木条接近玻璃管尖嘴部分,慢慢打开活塞

Ⅱ.用带火星的木条接近玻璃管尖嘴部分,慢慢打开活塞

Ⅲ.用内壁沾有澄清石灰水的烧杯罩在尖嘴上方,慢慢打开活塞

②科学家还用点燃氢气,证明燃烧产物的方法,证实了水的组成。

如果将电解水产生的氢气直接缓缓地通过装有足量无水硫酸铜的仪器 c,在导管口 d 处点燃,然后把盛有冷水的烧杯置于如下图所示的位置。实验过程中可以观察到的现象是＿＿＿＿＿＿＿＿＿＿＿＿＿＿。

电解水产生的H_2

冷水

c

d

(夹持仪器均已省略)

乙

答案 ①有气泡产生 Ⅰ、Ⅱ

②无水硫酸铜变蓝,导管口有淡蓝色火焰,盛有冷水的烧杯底部有水珠凝结

解析 ①水电解后产生 H_2 和 O_2,故可观察到 a 管中的电极上有气泡产生;检验 b 管中产物时,可用点燃的木条,若木条燃烧更旺,说明是 O_2;也可用带火星的木条,若带火星木条复燃说明是 O_2。②仪器 c 中的无水硫酸铜用于吸收 H_2 中含有的水蒸气,以保证 d 处点燃的是纯净的 H_2。无水硫酸铜遇水变蓝,H_2 燃烧时产生淡蓝色火焰,产物水遇冷凝结,烧杯底部有水珠出现。

知识⑬ **用来吸收蜡烛燃烧生成物的装置**

用燃烧蜡烛的方法验证质量守恒定律,为了保证正确的现象和结论,应如何设计实验装置?

用来吸收蜡烛燃烧生成物的装置

蜡烛燃烧生成物为二氧化碳和水(气)。碱石灰能有效地吸收这两种物质。这种吸收装置的制作方法如下:

(1)截取一段长度为 10 cm,直径约为 25 mm 的玻璃管(可用破了底的大试管截取)。

(2)装入金属网栅。从破旧石棉网上剪一块直径略大于玻璃管内径的圆网,从玻璃管的一端轻轻推入,使圆网撑住在离管口约 2 cm 处作为放置碱石灰的网栅(如网栅容易滑下,可以用回形针改制成一个带有弹性的圆环,弹紧在玻璃管的内壁作为挡圈,使网栅不致下滑),装置如图Ⅰ所示。

(3)加入碱石灰,制成吸收器。碱石灰要选较大的颗粒,使间隙较大,保证气体流通。碱石灰层厚约 4 ~ 5 cm。

a

b

图Ⅰ 吸收蜡烛燃烧生成物的装置

a.金属网栅 b.弹性挡圈

食物的色、香、味与食品添加剂(二) 在食品中加入食用香料可以增加食品的香味,增加人的食欲。大多食用香料来源于天然植物的不同组部分,如丁香。另外还有一些单体香料,可以通过有机合成的方法制得,如玫瑰油。有研究人员对烧牛肉散发出来的香味进行分析,其成分有 30 种醇类、41 种醛类、32 种酮类、22 种酸类、23 种含硫化合物、23 种呋喃类、34 种吡嗪类、10 种噻吩类化合物等。将上述化合物按比例进行调配,就可以得到具有牛肉香味的人造牛肉。

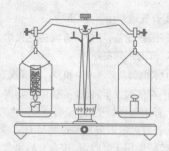

图Ⅱ 测定蜡烛燃烧时的质量变化

(4)将吸收器固定在天平左盘蜡烛的正上方(如图Ⅱ),即可进行实验。

(5)这一实验成败关键在于蜡烛是否正常燃烧,生成的气体是否顺利通过吸收器。所以,蜡烛火焰的大小,吸收器离火焰的距离都要事先试验好。如果实验正常,3 min后即有明显现象。天平最好选用感量为0.02 g的物理天平。

知识14 探究活动(或实验)报告的填写

(1)探究活动(或实验)完成后,应认真写出报告。你可以参考以下格式写报告,也可以自己设计报告的格式。

探究活动(或实验)报告

姓名 _____ 合作者 _____
班级 _____ 日 期 _____

探究活动(或实验)名称:
探究活动(或实验)目的:
用品(如仪器、药品等):

步骤和方法 (可用图示)	现象	分析、结论

结论:
问题和建议:

(2)填写实验报告时,应重点明确实验名称和目的。在实验过程中,要填写清楚进行实验时的操作方法(或实验步骤),在实验过程中细致观察、准确记录实验现象,并写出实验现象的分析和结论。如果自己的实验现象、结论与其他同学有较大误差还应写出误差(或失误)的原因分析。最后在全部完成实验的基础上依据自己的实际情况提出进行实验时存在的问题及对实验的改进建议。

(3)在考试中对实验报告的考查有时只考查其中的某个方面,如实验的名称、实验的目的、实验方案的设计、实验现象的观察、对实验现象的分析等。

知识15 化学定量实验中的误差分析

在初中化学实验中有三处定量实验:一是用托盘天平称量物质的质量,二是用量筒量取液体的体积,三是用pH试纸测量溶液的pH。

(1)托盘天平称量物质时引入误差。

①天平没有平衡引入正负误差。

②物码错位引入误差

正确放置:左物右码 物质质量 = 砝码质量 + 游码质量

错位放置:左码右物 物质质量 = 砝码质量 - 游码质量

(2)量筒量取液体时引入误差

①量取液体量与量筒的大小不匹配

如量取10 mL液体用20 mL量筒即可,如果用50 mL量筒或100 mL量筒会引入误差。

②观察量筒液面引入误差

如果俯视观察凹液面(沿A线)

观察值 > 实际值

如果平视观察凹液面(沿B线)

观察值 = 实际值

如果仰视观察凹液面(沿C线)

观察值 < 实际值

(3)pH试纸测定溶液 pH引入误差

　　pH试纸在测量前用水润湿相当于将溶液稀释。

　　如果测定酸性溶液 pH偏大。

　　如果测定碱性溶液 pH偏小。

例 (2010 云南楚雄,26,3分)正确的实验操作对实验结果很重要。

(1)用高锰酸钾制氧气时,收集到的氧气略显红色,可能的错误操作是 _____。

(2)用水将 pH试纸润湿后,再测某稀盐酸的pH,结果 _____(填"偏大"、"偏小"或"无影响")。

(3)配制溶质质量分数一定的溶液,用量筒量取水时,视线俯视凹液面最低处(如右图所示),所配溶液的溶质质量分数是 _____(填"偏大"、"偏小"或"无影响")。

答案 (1)试管口未放一小团棉花 (2)偏大

（3）偏大

解析 （1）用高锰酸钾制氧气时,应在试管口处放一小团棉花,否则,氧气流会使高锰酸钾粉末喷出,导致收集到的氧气有颜色。（2）用pH试纸测溶液的pH时,若事先用水将试纸润湿,再测酸性溶液pH时会导致pH偏大。（3）用量筒量取液体时,若俯视读数,将会导致实际量取的液体量小于需要值,故配制溶液时由于溶剂质量变小导致溶液的溶质质量分数偏大。

知识16　实验安全操作的注意事项

1. 防倒流倒吸

用试管加热固体时,试管底部要略高于管口,如用 $KClO_3$、$KMnO_4$ 制取氧气。加热法制取并用排水法收集气体时容易发生倒吸,要注意熄灯顺序。

2. 防爆炸

点燃可燃性气体或用 CO、H_2 还原 Fe_2O_3、CuO 之前,要检验气体纯度。

3. 防暴沸

加热液体或蒸馏时常在加热的装置中加入沸石或碎瓷片,防止液体暴沸。

4. 防失火

实验室中的可燃物质一定要远离火源。

5. 防腐蚀

强酸、强碱对皮肤有强烈的腐蚀作用,如果皮肤上沾有强酸、强碱要用水冲洗,再涂抹稀氨水、硼酸。

6. 防中毒

在制取或使用有毒气体时,应在通风橱中进行,注意尾气处理。如用 CO 还原 Fe_2O_3、CuO 要处理好尾气。

7. 防炸裂

普通玻璃制品都有受热不均匀易炸裂的特性,因此:①试管加热时先要预热;②做固体在气体中燃烧实验时要在集气瓶底预留少量水或铺一层细沙;③注意防止倒吸。

8. 防堵塞

加热高锰酸钾制氧气时,在试管口放一团棉花。

9. 防污染

①已取出的未用完的试剂一般不放回原瓶(块状固体,如钠、白磷除外);②用胶头滴管滴加液体时,不伸入瓶内,不接触试管壁;③取用试剂时试剂瓶盖倒放于桌面上;④药匙和胶头滴管尽可能专用(或洗净、擦干后再取其他药品);⑤废液及时处理。

10. 防意外

（1）中毒事故防止和处理

一氧化碳中毒应迅速离开所处房间,到通风良好的地方呼吸新鲜空气。误食重金属盐(如铜盐、铅盐、银盐等)应立即服用蛋白或生牛奶。

（2）火灾处理

①酒精及其他易燃有机物小面积失火,应迅速用湿抹布扑盖;②钠、磷等失火宜用沙土扑盖;③会用干粉及泡沫灭火器;④火警电话"119",急救电话"120",也可拨"110"求助;⑤因电失火应先切断电源,再实施灭火。

知识17　"万能瓶"的功效

"万能瓶"是最普通但很重要的一种仪器,它在化学实验中有广泛的应用。如果我们知道了它的诸多功能,解答试题时就会得心应手,事半功倍。"万能瓶"在化学实验中有以下一些功能:

（1）洗气(长进短出):

当制得的气体不纯时,或者要对气体进行除杂时,都要想办法去掉杂质气体,这就是所谓的"洗气"。洗气瓶内装有吸收杂质的液体,混合气从长端进、短端出(即长进短出或深入浅出)。如除去 CO 中混有的 CO_2 和水蒸气,应先通过 $NaOH$ 溶液,再通过浓硫酸。混合气体从 A 端进,两次洗气后 CO 从 B 端出(如上图)。

（2）集气(贮气):

①排空气法收集气体(如图A):

排空气法收集密度比空气大的气体(如 O_2 或 CO_2 等),气体从 a 端通入,空气从 b 端导出。

排空气法收集密度比空气小的气体(如 H_2 等),气体从 b 端通入,空气从 a 端导出。

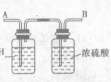

②排水法收集气体(如图B):

瓶中盛满水,气体从 b 端进,水从 a 端出。

(3)量气(短入长出,如右图):

瓶内先装满水,气体从 a 端进入,b 端接一个量筒,通过测量量筒内水的体积从而测得生成气体的体积。若气体能与氧气反应,可在瓶内水面上加一层油。

(4)验气(检验或证明某气体,如右图所示):

洗气瓶内装有验证某气体所需试剂,检验时必须要有现象来证明。气体流向是:长进短出,即 a 进 b 出。如检验 CO 中是否混有 CO_2,应通过 $Ca(OH)_2$ 溶液,观察有无白色沉淀生成。

例 (2010 江苏镇江,14,2 分)下列几种气体可用下图所示装置干燥、收集的正确组合是 ( )

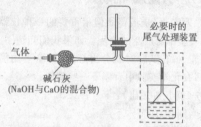

①H_2 ②O_2 ③CO_2 ④SO_2 ⑤CH_4 ⑥NH_3

A. ①②⑤   B. ②③⑤

C. ③④⑥   D. ①⑤⑥

答案 D 碱石灰不能用于干燥溶于水后显酸性的气体,所以图示装置不能干燥③、④;图示的收集方法为向下排空气法,故不能用来收集②;①、⑤、⑥的气体均能用该装置进行干燥、收集。

方法清单

方法 1 装置气密性检验的方法小结

装置气密性检查的原理是通过气体发生器与附设的液体构成封闭体系,依据改变体系内压强时产生的现象(如:气泡的生成、液柱的形成、液面的升降等)来判断气密性的好坏。常用的检查装置气密性的方法有:

1. 加热法

这是中学化学检验装置气密性最常用的方法之一,也是最基本的装置气密性检验方法。这种检验方法的原理

是利用气体受热膨胀之后从装置中逸出来,看到有气泡冒出。具体的操作方法是这样的:将导管的一端浸在水里,用手紧握容器外壁,也可用酒精灯微热,若看到导管口有气泡冒出,松开手或撤离酒精灯以后,导管末端有一段水柱上升,证明该装置的气密性良好,不漏气(如上图所示)。

2. 液差法

液差法是利用装置内外的压强差产生的"托力",将一段水柱托起,不再下降。对于不同的实验装置,利用液差法进行气密性检验的时候,所采取的实验操作方法是有所不同的。下面介绍两种常见的用液差法检验装置气密性的操作方法。

(1)启普发生器的气密性检验:关闭导气管活塞,向球形漏斗中加水,使得漏斗中的液面高于容器内的液面,静置片刻后液面不再改变,即可证明启普发生器的气密性良好。如下图所示。

(2)另一种气密性检验的方法,如右图所示,具体操作是这样的:连好仪器,将导管一端用止水夹夹住,向长颈漏斗中注入适量的水,使得长颈漏斗末端液面高于锥形瓶内的液面。静置片刻后,若液面保持不变,则证明该装置的气密性良好。

例 (2010 广东广州,28,8 分)实验室用如下装置制备几瓶氧气用于性质实验。

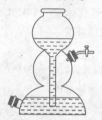

(1)检查气密性时发现装置漏气,请在装置图中用箭头标出可能发生漏气的位置(标出两处)。

(2)试管中装入的药品是 $KClO_3$ 和 MnO_2,生成氧气的化学方程式为_____。

(3)收集氧气的操作过程是：等集气瓶中的水排完后，一只手扶稳集气瓶，另一只手首先小心地将导管从瓶口移开，然后 ＿＿＿＿＿＿＿＿＿＿＿＿＿＿＿ ＿＿，最后把集气瓶正放在桌子上。

(4)实验室也常用上述实验装置制备甲烷，推测其反应物是 ＿＿＿＿＿（填序号）。

A. CH_3COONa 固体和碱石灰

B. Al_4C_3 固体和水

C. CO 和 H_2

答案(1)

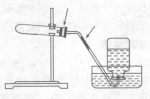

(2)$2KClO_3 \xrightarrow[\triangle]{MnO_2} 2KCl + 3O_2\uparrow$

(3)在水面下用玻璃片将集气瓶口盖好

(4)A

解析 本题考查了气体的制取。(1)漏气应该是在连接处，所以漏气的位置应该是玻璃管和橡胶塞的缝隙、橡胶塞和试管间的缝隙、橡胶管和玻璃导管的缝隙等处。(3)用排水法收集气体，等集气瓶集满气体后，应从水底先用玻璃片盖好集气瓶，再将集气瓶取出。(4)用高锰酸钾制氧气的发生装置属于"固体加热型"，选A。

方法 2 **有关氧气性质实验的技巧和注意事项**

(1)铁在氧气中燃烧的实验不容易成功，所以实验时要注意以下几点：

①铁丝要事先用砂纸打磨，除去表面的铁锈；

②铁丝要绕成螺旋状，增大受热面积，否则铁丝不易被点燃；

③为防止火柴梗消耗过多的氧气，要待火柴梗即将燃尽时再将铁丝伸入集气瓶；

④铁丝要自上而下慢慢伸入，防止瓶中的氧气受热膨胀逸出；

⑤集气瓶底要预留少量水或铺一层细沙，防止生成物溅落下来炸裂集气瓶。

(2)木炭、硫、磷在氧气中燃烧的实验，为了保障有明显的现象，应将点燃后的木炭、硫、磷由集气瓶口缓慢伸向底部，这样能使氧气充分反应，而不能快速伸到底部，这样会使上部的氧气逸到集气瓶外。

方法 3 **酸、碱、盐溶液中的除杂技巧**

①被提纯物与杂质所含阳离子相同时，选取与杂质中的阴离子不共存的阳离子，再与被提纯物中的阴离子组合出除杂试剂。如 $Na_2SO_4(NaOH)$：可选用稀 H_2SO_4 为除杂试剂($2NaOH + H_2SO_4 === Na_2SO_4 + 2H_2O$)。$KCl(K_2SO_4)$：可选用 $BaCl_2$ 溶液为除杂剂($K_2SO_4 + BaCl_2 === 2KCl + BaSO_4\downarrow$，过滤除去)。

②被提纯物与杂质所含阴离子相同时，选取与杂质中阳离子不共存的阴离子，再与被提纯物中的阳离子组合出除杂试剂，如 $NaCl(BaCl_2)$：可选用 Na_2SO_4 溶液为除杂试剂($BaCl_2 + Na_2SO_4 === BaSO_4\downarrow + 2NaCl$，过滤除去)。再如 $KNO_3(AgNO_3)$：可选用 KCl 溶液为除杂试剂($AgNO_3 + KCl === AgCl\downarrow + KNO_3$，过滤除去)。

③被提纯物质与杂质所含阴、阳离子都不相同时，应选取与杂质中阴、阳离子都不共存的阳、阴离子组合出除杂试剂。如：$NaCl(CuSO_4)$：可选用 $Ba(OH)_2$ 溶液为除杂试剂[$CuSO_4 + Ba(OH)_2 === BaSO_4\downarrow + Cu(OH)_2\downarrow$，过滤除去]。

例 (2010 山东烟台,20,2 分)要除去下列物质中混有的少量杂质(括号内为杂质)，所用的试剂和操作都正确的是 （　　）

A. $CaCl_2$ 固体($CaCO_3$)　加足量稀硫酸、蒸发、结晶

B. NaCl 固体(Na_2CO_3)　加足量稀盐酸、蒸发、结晶

C. Fe 粉(Cu)　加足量稀盐酸、过滤、洗涤、干燥

D. MnO_2 固体(KCl)　加足量水溶解、过滤、洗涤、干燥

答案 BD A 选项加入稀硫酸后会产生新的杂质硫酸钙，不正确；C 选项中加稀盐酸会将铁粉反应掉，过滤干燥后得到的是杂质铜，不正确。

方法 4 **解答物质推断题的方法技巧**

物质的转化与推断考查的是学生综合运用物质的性质、物质间联系的技能，考查学生的综合能力，因此历来都被中考命题者所青睐。解答物质的转化与推断的诀窍是选择正确的突破口，从突破口向周围推导，最后完成试题。

1. 推断题的类型

(1) 文字叙述型

此类题目一般给出物质范围和实验现象,要求考生判断出混合物中一定存在、一定不存在和可能存在的是什么物质。

(2) 框图型

这类题型一般不限定物质范围,以框架结构的形式给出相关物质间的转化关系,要求考生推断出各未知物,往往需要反复推敲论证才能解答正确。

(3) 连环型

以数学学科中集合图的形式,利用两圆之间的关系,如相交、相离、包含等,简洁明了地表示物质间的反应关系或有关概念间的从属关系等。

2. 解题步骤

(1)审题:认真审读原题,弄清文意和图意,理出题给条件,深挖细找,反复推敲。

(2)分析:抓住关键,找准解题的突破口,突破口也称为"题眼",指的是关键词、特殊现象、物质的特征等等,然后从突破口出发,探求知识间的内在联系,应用多种思维方式,进行严密的分析和逻辑推理,推出符合题意的结果。

(3)解答:根据题目的要求,按照分析和推理的结果,认真而全面地解答。

(4)检验:得出结论后切勿忘记验证。其方法是将所得答案放回原题中检验,若完全符合,则说明答案正确。若出现不符,则说明答案有误,需要另行思考,推出正确答案。

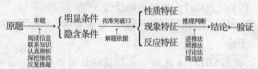

3. 解题方法

解答这种类型的试题,就好比公安人员破案一样,寻找出对破案有用的线索,找准突破口(又称"题眼")是解题的关键。突破口主要包括:沉淀、气体、溶液的特殊颜色、特征的反应、反应条件和反应形式、转化规律、基本类型等。根据突破口然后进行正推(顺藤摸瓜),或者逆推(由果索因),或者正推与逆推相结合(旁敲侧击),对所给信息通过综合分析和思维加工,进行逻辑推理、分析比较、推理论证等从而得出正确答案。

(1) 文字叙述型

可将题意转化为图示,对于给出物质范围的推断题,一般用分层推断法,先分层推理出每一层的分结论,再进行综合整理得出总结论。

(2) 框图型

①框图型推断题的解题方法,主要是利用初中化学常见的有特征的物质、一些重要的反应及反应条件等。

②利用图示分析物质性质和物质之间的内在联系,抓住物质特征和实验现象这条主线,先认定一个熟悉的特征反应为突破口,然后逐步推理。

③以物质的转化关系为依据,用逆推法由果求因,再用顺推法加以验证。

(3) 连环型

理解两圆相交、相离、包含的位置关系,掌握常见物质间的反应现象及关系,了解常见概念间的从属关系是解题关键。

4. 突破口的选择

(1)颜色特征:根据物质的特殊颜色进行判断。包括常见固体、沉淀、溶液、火焰的颜色。

(2)反应特征

(3)物质状态特征

常见固体单质:Fe、Cu、C、S、P;气体单质:H_2、O_2、N_2;气体化合物:CO、CO_2、CH_4、SO_2;常温下呈液态的物质:H_2O、H_2O_2、酒精、H_2SO_4。

(4)反应条件特征

点燃:有 O_2 参加的反应;通电:H_2O 的电解;MnO_2 作催化剂:$KClO_3$ 分解制 O_2、H_2O 分解制 O_2;高温:$CaCO_3$ 分解、C 还原 CuO、炼铁的原理;加热:$KClO_3$、$KMnO_4$、$Cu_2(OH)_3CO_3$ 的受热分解。

(5)以三角关系为突破口

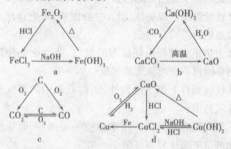

(6)以物质特征现象为突破口

①能使澄清石灰水变浑浊的无色无味气体是 CO_2。

②能使黑色 CuO 变红（或红色 Fe_2O_3 变黑）的气体是 H_2 或 CO,固体是 C。

③能使燃烧着的木条正常燃烧的气体是空气,燃烧得更旺的气体是 O_2,熄灭的气体是 CO_2 或 N_2;能使带火星的木条复燃的气体是 O_2。

④能使白色无水 $CuSO_4$ 粉末变蓝的气体是水蒸气。

⑤在 O_2 中燃烧火星四射的物质是 Fe。

⑥在空气中燃烧生成 CO_2 和 H_2O 的物质是有机物,如 CH_4、C_2H_5OH 等。

⑦能溶于盐酸或稀 HNO_3 的白色沉淀有 $CaCO_3$、$BaCO_3$;不溶于稀 HNO_3 的白色沉淀有 $AgCl$、$BaSO_4$。

（7）以元素或物质之最为突破口

①地壳中含量最多的元素是 O,含量最多的金属元素是 Al。

②人体中含量最多的元素是 O。

③空气中含量最多的元素是 N。

④形成化合物最多的元素是 C。

⑤质子数最少的元素是 H。

⑥相对分子质量最小、密度也最小的气体是 H_2。

⑦相对分子质量最小的氧化物是 H_2O。

⑧自然界中硬度最大的物质是金刚石。

⑨空气中含量最多的气体是 N_2。

⑩最简单的有机物是 CH_4。

⑪最常用的溶剂是 H_2O。

⑫人体中含量最多的物质是 H_2O。

（8）以特定的实验结果为突破口

实验结果	可能情况分析
固体混合物加水后出现不溶物	a. 原混合物中有不溶物,如 $CaCO_3$、$Al(OH)_3$ 等 b. 混合物中物质反应生成沉淀,如 Na_2SO_4 和 $BaCl_2$、Na_2CO_3 和 $Ca(OH)_2$ 等
向固体混合物中加水得到无色溶液	混合物一定不含 Fe^{2+}、Fe^{3+}、Cu^{2+}、MnO_4^-

生成有色沉淀	a. 生成红褐色 $Fe(OH)_3$,是 Fe^{3+} 的盐与碱溶液反应,如 $FeCl_3 + 3NaOH == Fe(OH)_3\downarrow + 3NaCl$ b. 生成蓝色沉淀,是 Cu^{2+} 的盐与碱溶液反应,如 $2NaOH + CuSO_4 == Cu(OH)_2\downarrow + Na_2SO_4$
常见沉淀的性质 ①既不溶于水又不溶于酸	如 $BaSO_4$ 和 $AgCl$
②能溶于酸但不生成气体	不溶的碱,如 $Mg(OH)_2$
③能溶于酸且生成气体	不溶的碳酸盐,如 $CaCO_3$
④加足量酸沉淀部分溶解	沉淀为混合物既含 $BaSO_4$ 或 $AgCl$ 中的至少一种,又含有 $CaCO_3$、$Mg(OH)_2$ 等不溶物

方法⑤　解答探究类信息给予题的方法

1.题型特点

（1）从题型结构看,信息给予题一般由"题干"和"问题"两部分组成。

（2）题干部分提供解题所需的信息,其来源往往选自后续学习内容、生产生活实践、新闻媒体报道、科技成果介绍、历史事件记载和社会热点焦点等;问题部分主要是围绕题干所给的新信息,从不同角度、不同侧面、不同层次进行设问。

（3）从解答要求看,要求学生运用题给信息,迁移所学知识,分析解决实际问题,具有"高起点,低落点"的特点。

（4）从题型看,主要有选择、填空、简答、实验及计算等题型。

2.解信息给予题的一般方法

（1）综观信息,即认真阅读题干,观察和提取信息,并初步找到信息与知识的结合点。

（2）提取信息,即结合提出的问题,筛选出有效信息,剔除干扰信息,从中找出规律。

（3）迁移信息,即将发现的规律与所学知识进行整合、加工提炼,得出正确结论。

例 （2010 浙江嘉兴,35,8 分）小明在购买氢气球时,看到摊主正在把废旧铝锅碎片投入盛有某种液

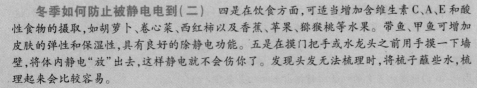

科学元典

体的铁制容器中,盖上容器盖子后,氢气就从导管口出来。

　　小明根据初中学过的化学知识,认为铁制容器中的液体肯定不是稀硫酸或盐酸。这种液体到底是什么? 第二天小明请教老师,老师没有直接告诉答案,而是在实验室配制了一种液体后,对小明说:铁制容器中装的就是这种液体,它是一种常见化合物的溶液。还提供了相关信息,请小明自己动手探究。

　　提供的信息:许多金属或它们的化合物在灼烧时都会使火焰呈现特殊的颜色。如:钾——紫色;钠——黄色;钡——黄绿色;钙——砖红色。

　　下表是小明的实验步骤和现象记录:

序号	实验步骤	实验现象
①	观察溶液	无色液体
②	取少量该溶液于试管中,滴加紫色石蕊试液	紫色石蕊试液变蓝色
③	另取少量溶液在酒精灯火焰上灼烧	火焰呈现黄色
④	取少量该溶液于试管中,先滴加硫酸铜溶液,再滴加稀盐酸	先有蓝色沉淀生成,加入稀盐酸后沉淀消失,无其他明显现象

回顾与解释:

(1)小明认为铁制容器中的液体肯定不是稀硫酸或盐酸,理由是 _____。

(2)在步骤④中,小明加入稀盐酸的目的是防止 _____（填写离子符号）的干扰。

(3)小明通过实验,可得出该溶液中的溶质是 _____。

(4)小明想进一步了解铝和这种溶液反应的原理,再次请教化学老师,老师启发小明说:铝和这种溶质以及水发生反应,生成含有偏铝酸根离子(AlO_2^-)的盐和氢气两种物质。请你尝试写出该反应的化学方程式: _____。

答案 (1)铁会和稀硫酸或盐酸反应　(2)CO_3^{2-}
(3)氢氧化钠(或 NaOH)　(4)$2Al + 2NaOH + 2H_2O$
$=\!\!=\!\!= 2NaAlO_2 + 3H_2\uparrow$

解析 (1)铁制容器中不能盛放稀硫酸或盐酸,因为它们会发生反应损坏容器。(2)根据实验步骤和现象:②说明溶液显碱性,③说明化合物中含有 Na 元素,④滴加硫酸铜溶液有蓝色沉淀生成,再加入稀盐酸蓝色沉淀消失,无其他明显现象,说明溶液中不含 CO_3^{2-},那么该溶液只能是 NaOH 溶液。(4)根据所给信息,反应物为 Al、NaOH、H_2O,生成物为 $NaAlO_2$、H_2,即可写出反应的化学方程式。

科学元典

久置的红薯为何比新挖的红薯甜　大家都有这样的经验,久置的红薯比新挖的红薯甜,这是什么原因呢:表面上,我们能看到,红薯放久了,水分减少很多,皮上起了"皱纹"。水分的减少对甜度的提高有很大的影响,原因有两个:一是水分蒸发减少,相对的增大了红薯中糖的浓度。二是在放置的过程中,水参与了红薯内淀粉的水解反应,淀粉水解变成了糖,这样使红薯内糖分增大。因此,我们感到放置久的红薯比新挖出土的红薯要甜。

附录1 初中化学常见物质的俗名或别称

类型	化学式	俗名(别称)
单质	C	金刚石、石墨、木炭
	S	硫黄
	P	红磷
	Hg	水银
	Pt	白金
金属氧化物	MgO	苦土
	CaO	生石灰
	Al_2O_3	刚玉
	Cu_2O	赤铜矿
	MnO_2	软锰矿
	Fe_2O_3	铁红
	Fe_3O_4	铁黑
	HgO	三仙丹
	Pb_3O_4	红丹、铅红、铅丹
非金属氧化物	CO_2	干冰(固态CO_2)、碳酸气
	SiO_2	石英、水晶、脉石
	$mSiO_2 \cdot nH_2O$	硅胶
	As_2O_3	砒霜、信石、红矾
	N_2O	笑气
碱	KOH	苛性钾
	NaOH	苛性钠、烧碱、火碱
	$Ca(OH)_2$	熟石灰、消石灰
	$NH_3 \cdot H_2O$	氨水
钾盐	K_2CO_3	草木灰
	KNO_3	硝石、火硝
	$KMnO_4$	灰锰氧、PP 粉

科学元典

　　牙齿的保护神——牙膏(一)　首先,从牙膏的成分谈起。牙膏中最重要的三种成分是摩擦剂、洗涤剂与香料。牙膏的摩擦剂,大多是一些白色的不溶性固体粉末,在牙膏中,摩擦剂一般占50%左右。摩擦剂在刷牙时,借助于牙刷地来回运动,摩擦牙齿,去除污垢,使牙齿变得洁白。洗涤剂常是肥皂,最近也有采用合成洗涤剂的,主要的作用是去污、杀菌、防止牙齿被龋蚀,清除食物碎屑与附着的污垢。

钠盐	NaCl	食盐
	Na₂CO₃	纯碱、苏打
	NaHCO₃	小苏打
	Na₂SO₄·10H₂O	芒硝
钙盐	CaCO₃	大理石、石灰石、白垩
	2CaSO₄·H₂O	熟石膏
	CaSO₄·2H₂O	石膏、生石膏
	Ca(ClO)₂ 和 CaCl₂	漂白粉
	Ca₃(PO₄)₂	磷石粉
	Ca(H₂PO₄)₂	重钙、重过磷酸钙
	Ca(H₂PO₄)₂ 和 CaSO₄	普钙、过磷酸钙
镁盐	MgCO₃	菱镁矿
	MgSO₄·7H₂O	泻盐
钡盐	BaSO₄	重晶石
铜盐	Cu₂S	辉铜矿
	Cu₂(OH)₂CO₃	铜绿、孔雀石
	CuSO₄·5H₂O	蓝矾、胆矾
锌盐	ZnSO₄·7H₂O	皓矾
铁盐	FeS₂	硫铁矿
	FeSO₄·7H₂O	绿矾
复盐	KAl(SO₄)₂·12H₂O	明矾
有机物	CH₄	天然气、沼气、坑气
	C₂H₂	电石气
	$\begin{array}{c}\overline{}CH_2-C=CH-CH_2\overline{}_n\\ \mid\\ CH_3\end{array}$	天然橡胶
	C₂H₅OH	酒精
	CH₃OH	木精、木醇
	HCOOH	蚁酸

科学元典

牙齿的保护神——牙膏(二)　牙膏中的香料不仅使牙膏馨香怡人,而且能减轻口臭。此外,牙膏还含有胶合剂,如淀粉、羧甲基纤维素、黄蓍树胶粉等。赋形剂,如甘油、水、淀粉,主要是为了牙膏能保持半流体的"膏"状,便于挤出、使用。甜味剂,如蔗糖、糖精、蜂蜜等,为了使牙膏甜丝丝的,特别是儿童牙膏就更甜一些。至于防腐剂,如水杨酸钠、安息香酸钠等,则是为了防止牙齿被细菌侵入而腐败。

有机物	CH₃COOH	醋酸
	COOH | COOH	草酸
	35%~40% 的 HCHO 水溶液	福尔马林
	─[C₆H₃(OH)CH₂]ₙ─	电木
	C₁₇H₃₅COONa	肥皂
	CO(NH₂)₂	尿素
其他	SiC	金刚砂
	Na₂SiO₃、CaSiO₃ 和 SiO₂	普通玻璃
	3CaO·SiO₂、 2CaO·SiO₂、 3CaO·Al₂O₃	普通水泥

附录 2　**新分子和新材料的飞速增长**

年份	已知化合物数目
1900	55 万种化合物
1945	110 万种化合物,大约 45 年加倍
1970	236.7 万种化合物,大约 25 年加倍
1975	414.8 万种化合物
1980	593 万种化合物,大约 10 年加倍
1985	785 万种化合物
1990	1 057.6 万种化合物,大约 10 年加倍
1999	超过 2 000 万种
2000	超过 3 000 万种

科学元典

　　朱砂印章　古画变得灰黄而没有光泽,但它上面的印章却鲜红,这是什么原因呢? 考古学家经过认真的研究和科学地测定发现,绘画的颜料大多使用了铅白,随着时间的推移,铅白极易发生化学反应生成新的氧化物;而古代印章使用的印泥是用朱砂和麻油搅拌而成的,在空气中不容易发生化学反应,所以保持了原有红润鲜艳的颜色。朱砂的化学成分是硫化汞,硫化汞的化学性质非常稳定,在日光下长期暴晒也不变色,而且能耐酸、耐碱,正因为这样,它才被用作颜料。

附录3 初中化学常见物质的颜色、名称及化学式

颜色	物质名称及化学式
红色	铜(Cu 红色)　氧化铁(Fe_2O_3 红色)　红磷(P 红棕色)　氢氧化铁[$Fe(OH)_3$ 红褐色]　氧化亚铜(Cu_2O 砖红色)　氧化汞(HgO 红色)
黑色	炭粉(C)　氧化铜(CuO)　四氧化三铁(Fe_3O_4)　二氧化锰(MnO_2)　铁粉(Fe)　锰酸钾(K_2MnO_4)
黄色	硫(S)　氯化铁溶液($FeCl_3$)　硫酸铁溶液[$Fe_2(SO_4)_3$]　工业浓盐酸(含 Fe^{3+})
蓝色	氢氧化铜[$Cu(OH)_2$]　硫酸铜晶体($CuSO_4 \cdot 5H_2O$)　硫酸铜溶液($CuSO_4$)　氯化铜溶液($CuCl_2$)　硝酸铜溶液[$Cu(NO_3)_2$]
绿色	氯化亚铁溶液($FeCl_2$)　硫酸亚铁溶液($FeSO_4$)　硫酸亚铁晶体($FeSO_4 \cdot 7H_2O$)
白色	碳酸钙($CaCO_3$)　碳酸钠(Na_2CO_3)　碳酸氢钠($NaHCO_3$)　碳酸钡($BaCO_3$)　碳酸镁($MgCO_3$)　无水硫酸铜($CuSO_4$)　硫酸钡($BaSO_4$)　氯化银($AgCl$)　氢氧化铝[$Al(OH)_3$]　氢氧化镁[$Mg(OH)_2$]　氢氧化亚铁[$Fe(OH)_2$]　氧化镁(MgO)　绝大部分金属(银白色)等。

附录4 1~20号元素的原子结构示意图

(+1)) 1 氢(H)								(+2)) 2 氦(He)
(+3) 2 1 锂(Li)	(+4) 2 2 铍(Be)	(+5) 2 3 硼(B)	(+6) 2 4 碳(C)	(+7) 2 5 氮(N)	(+8) 2 6 氧(O)	(+9) 2 7 氟(F)	(+10) 2 8 氖(Ne)	
(+11) 2 8 1 钠(Na)	(+12) 2 8 2 镁(Mg)	(+13) 2 8 3 铝(Al)	(+14) 2 8 4 硅(Si)	(+15) 2 8 5 磷(P)	(+16) 2 8 6 硫(S)	(+17) 2 8 7 氯(Cl)	(+18) 2 8 8 氩(Ar)	
(+19) 2 8 8 1 钾(K)	(+20) 2 8 8 2 钙(Ca)							

科学元典

　　"魔鬼"垃圾(一)　一个化工厂的工人下班回家,他看见路边的垃圾堆里有一条链子,觉得还不错,于是他就捡起来揣在裤兜里。回到家后不久,他觉得腿不能动,于是赶紧拨打了急救电话。最后把腿截掉才算保住了性命。后来,人们都传开了,说他捡了一条吃人的链子。其实,这条链子是报废的铱放射源,这类垃圾一般都有毒,被称为"魔鬼"垃圾。"魔鬼"垃圾是各种危险性极大的垃圾的总称,对人类和环境的危害很大。

附录5 国际单位制中的一些单位

物理量	国际制单位			
	名称	中文简称	国际符号	量纲式
长度	米	米	m	L
面积	平方米	米²	m²	L²
体积	立方米	米³	m³	L³
时间	秒	秒	s	T
质量	千克	千克	kg	M
密度	千克每立方米	千克/米³	kg/m³	ML^{-3}
压强	帕斯卡	帕	Pa	$ML^{-1}T^{-2}$
表面张力	牛顿每米	牛/米	N/m	MT^{-2}
流量	立方米每秒	米³/秒	m³/s	L^3T^{-1}
热力学温度	开尔文	开	K	Ⓗ
摄氏温度	摄氏度	度	℃	Ⓗ
热量	焦耳	焦	J	ML^2T^{-2}
溶解热	焦耳每千克	焦/千克	J/kg	L^2T^{-2}
汽化热	焦耳每千克	焦/千克	J/kg	L^2T^{-2}
物质的量	摩尔	摩	mol	N
热值	焦耳每千克	焦/千克	J/kg	L^2T^{-2}
电流	安培	安	A	I
电荷量	库仑	库	C	TI
电压	伏特	伏	V	$ML^2T^{-3}I^{-1}$
发光强度	坎德拉	坎	cd	J

附录6 初中化学中几类常见的化学反应及主要现象

1.化合反应

(1) $C + O_2 \xrightarrow{\text{点燃}} CO_2$

在空气中持续红热、无烟、无焰。

在氧气中剧烈燃烧,发出白光,放出热量,生成使澄清石灰水变浑浊的气体。

(2) $S + O_2 \xrightarrow{\text{点燃}} SO_2$

在空气中发出微弱的淡蓝色火焰,放出热量,生成一种无色有刺激性气味的气体。

在氧气中发出明亮的蓝紫色火焰,放出热量,生成一种无色有刺激性气味的气体。

(3) $4P + 5O_2 \xrightarrow{\text{点燃}} 2P_2O_5$

在空气中发生黄白色火焰,伴随着放热和大量的白烟。

在氧气中发出耀眼的白光,放出热量,产生大量白烟。

(4) $3Fe + 2O_2 \xrightarrow{\text{点燃}} Fe_3O_4$

在空气中灼烧至红热,离火后变冷,不易燃烧。

在氧气中剧烈燃烧,火星四射,放出大量的热,生成黑色固体。

科学元典

"魔鬼"垃圾(二) "魔鬼"垃圾一般是由一些矿山、工厂和医院等排出的垃圾。它们可使人慢性中毒或引发癌症,造成急性或慢性死亡。医院里废弃的针头、器械、血液、解剖的动物肢体及其他不洁物品,常含有大量的病菌。人如果直接接触或间接接触它们,极易受到感染,甚至会染上艾滋病。有些垃圾有腐蚀性,如硫酸、硝酸等废弃物,处理不当也会使人伤残。有毒垃圾主要是农药、石棉、砷、汞、镉、铅以及氰化合物等废弃物。

(5) $4Al + 3O_2 \xrightarrow{\text{点燃}} 2Al_2O_3$

在空气中灼烧至红热,离火后变冷,表面失去银白色金属光泽,变为白色,不易燃烧。

在氧气中剧烈燃烧,发出耀眼的白光,放出大量的热,生成白色固体。

(6) $2Mg + O_2 \xrightarrow{\text{点燃}} 2MgO$

在空气中就能剧烈燃烧,放出耀眼的白光,放出大量的热,生成白色固体。

在氧气中比在空气中更加剧烈。

(7) $CO_2 + H_2O == H_2CO_3$

无明显现象。

(8) $CaO + H_2O == Ca(OH)_2$

由块状变成粉状,并放出大量的热。

2. 分解反应

(1) $2H_2O \xrightarrow{\text{通电}} 2H_2\uparrow + O_2\uparrow$

在通电后,电极上有气泡产生,一段时间后,正极产生的气体与负极产生的气体体积比约为1:2。

(2) $2H_2O_2 \xrightarrow{MnO_2} 2H_2O + O_2\uparrow$

产生大量气泡,并使带火星的木条复燃。

(3) $2KClO_3 \xrightarrow[\triangle]{MnO_2} 2KCl + 3O_2\uparrow$

产生能使带火星的木条复燃的气体。

(4) $2KMnO_4 \xrightarrow{\triangle} K_2MnO_4 + MnO_2 + O_2\uparrow$

暗紫色晶体逐渐变成黑色粉末,产生能使带火星的木条复燃的气体。

(5) $2HgO \xrightarrow{\triangle} 2Hg + O_2\uparrow$

(6) $H_2CO_3 == H_2O + CO_2\uparrow$

(7) $CaCO_3 \xrightarrow{\text{高温}} CaO + CO_2\uparrow$

(8) $NH_4HCO_3 \xrightarrow{\triangle} NH_3\uparrow + H_2O + CO_2\uparrow$

产生刺激性气味的气体,有水雾生成,产生能使澄清的石灰水变浑浊的气体。

(9) $Cu_2(OH)_2CO_3 \xrightarrow{\triangle} 2CuO + H_2O + CO_2\uparrow$

绿色粉末逐渐变黑,有水雾生成,产生能使澄清的石灰水变浑浊的气体。

3. 置换反应

(1) $C + 2CuO \xrightarrow{\text{高温}} 2Cu + CO_2\uparrow$

黑色粉末逐渐变成光亮的红色,产生能使澄清的石灰水变浑浊的气体。

(2) $H_2 + CuO \xrightarrow{\triangle} Cu + H_2O$

黑色粉末逐渐变成光亮的红色,在试管只有水雾生成。

(3) $Mg + 2HCl == MgCl_2 + H_2\uparrow$

$Mg + H_2SO_4 == MgSO_4 + H_2\uparrow$

剧烈反应,产生大量气泡,放出热量,得到无色溶液。

(4) $Zn + 2HCl == ZnCl_2 + H_2\uparrow$

$Zn + H_2SO_4 == ZnSO_4 + H_2\uparrow$

产生大量气泡,得到无色溶液

(5) $Fe + 2HCl == FeCl_2 + H_2\uparrow$

$Fe + H_2SO_4 == FeSO_4 + H_2\uparrow$

缓慢的产生气泡,溶液由无色变为浅绿色。

(6) $2Al + 6HCl == 2AlCl_3 + 3H_2\uparrow$

$2Al + 3H_2SO_4 == Al_2(SO_4)_3 + 3H_2\uparrow$

产生大量气泡,得到无色液体。

(7) $2Al + 3CuSO_4 == Al_2(SO_4)_3 + 3Cu$

银白色的铝丝上附着一层红色物质,溶液由蓝色变为无色。

(8) $Fe + CuSO_4 == Cu + FeSO_4$

银白色的铁丝上附着一层红色物质,溶液由蓝色变为浅绿色。

(9) $Cu + 2AgNO_3 == 2Ag + Cu(NO_3)_2$

红色的铜丝上附着一层光亮的银白色物质,溶液由无色变为蓝色。

4. 复分解反应

(1) $Fe_2O_3 + 6HCl == 2FeCl_3 + 3H_2O$

$Fe_2O_3 + 3H_2SO_4 == Fe_2(SO_4)_3 + 3H_2O$

红棕色固体逐渐减少至消失,溶液由无色变为黄色。

(2) $CuO + 2HCl == CuCl_2 + H_2O$

$CuO + H_2SO_4 == CuSO_4 + H_2O$

黑色固体逐渐减少至消失,溶液由无色变为蓝色。

(3) $2NaOH + H_2SO_4 == Na_2SO_4 + 2H_2O$

$Ca(OH)_2 + H_2SO_4 == CaSO_4 + 2H_2O$

$NaOH + HCl == NaCl + H_2O$

$Ca(OH)_2 + 2HCl == CaCl_2 + 2H_2O$

无明显现象。

(4) $CaCO_3 + 2HCl == CaCl_2 + H_2O + CO_2\uparrow$

$Na_2CO_3 + 2HCl == 2NaCl + H_2O + CO_2\uparrow$

科学元典

饮豆浆四忌 忌饮未煮熟的豆浆。饮用后会发生恶心、呕吐、腹泻等中毒症状。忌冲入鸡蛋。鸡蛋中的粘液性蛋白会与豆浆所含的胰蛋白酶结合,产生不易被人体吸收的物质,并失去鸡蛋和豆浆里的营养。忌加红糖。红糖里有机酸较多,与豆浆里的蛋白质和钙质结合易产生醋酸钙、乳酸钙块状物,会影响人体对豆浆里营养物质的吸收。忌空腹饮。空腹饮豆浆,豆浆里的蛋白质会在人体内化为热量而被消耗掉,不能充分起到补益作用。

$Na_2CO_3 + H_2SO_4 =\!\!= Na_2SO_4 + H_2O + CO_2\uparrow$

白色固体减少至消失,有气泡产生。

(5) $AgNO_3 + HCl =\!\!= AgCl\downarrow + HNO_3$

$BaCl_2 + H_2SO_4 =\!\!= BaSO_4\downarrow + 2HCl$

有白色沉淀产生(加入稀硝酸,沉淀不消失)

(6) $CuSO_4 + 2NaOH =\!\!= Na_2SO_4 + Cu(OH)_2\downarrow$

有蓝色沉淀生成,溶液由蓝色变为无色。

$Ca(OH)_2 + Na_2CO_3 =\!\!= CaCO_3\downarrow + 2NaOH$

有白色沉淀生成

$3NaOH + FeCl_3 =\!\!= Fe(OH)_3\downarrow + 3NaCl$

有红褐色沉淀产生,溶液由黄色变为无色。

(7) $AgNO_3 + NaCl =\!\!= AgCl\downarrow + NaNO_3$

$BaCl_2 + Na_2SO_4 =\!\!= BaSO_4\downarrow + 2NaCl$

有白色沉淀生成(加入稀硝酸,沉淀不消失)

5. 其他反应

$CO_2 + Ca(OH)_2 =\!\!= CaCO_3\downarrow + H_2O$

澄清的石灰水变浑浊。

$Fe_2O_3 + 3CO \xrightarrow{\text{高温}} 2Fe + 3CO_2$

红色粉末逐渐变成黑色,产生能使澄清的石灰水变浑浊的气体。

$CuO + CO \xrightarrow{\triangle} Cu + CO_2$

黑色粉末逐渐变成红色,产生能使澄清的石灰水变浑浊的气体。

附录 7 部分酸、碱、盐的溶解性表(20℃)

阳离子 \ 阴离子	OH⁻	NO₃⁻	Cl⁻	SO₄²⁻	CO₃²⁻	PO₄³⁻
H⁺		溶、挥	溶、挥	溶	溶、挥	溶
NH₄⁺	溶、挥	溶	溶	溶	溶	溶
K⁺	溶	溶	溶	溶	溶	溶
Na⁺	溶	溶	溶	溶	溶	溶
Ba²⁺	溶	溶	溶	不	不	不
Ca²⁺	微	溶	溶	微	不	不
Mg²⁺	不	溶	溶	溶	微	不
Al³⁺	不	溶	溶	溶	—	不
Mn²⁺	不	溶	溶	溶	不	不
Zn²⁺	不	溶	溶	溶	不	不
Fe²⁺	不	溶	溶	溶	不	不
Fe³⁺	不	溶	溶	溶	—	不
Cu²⁺	不	溶	溶	溶	不	不
Ag⁺	—	溶	不	微	不	不

说明:"溶"表示那种物质可溶于水,"不"表示不溶于水,"微"表示微溶于水,"挥"表示挥发性,"—"表示那种物质不存在或遇到水就分解了。

科学元典

日常饮食中注意"九多九少"(一) 蛋白质:多素少荤。蛋白质的希腊语是"第一"或"最重要"的意思,可见蛋白质在人体健康中的地位。根据其来源,可分为动物性蛋白与植物性蛋白,前者存在于动物性食品即通常所说的荤食中,后者则存在于植物性食品中。那么,两者如何选择呢?俄罗斯专家设计出如下食谱:每天总热量的25%由时令蔬菜拌的沙拉提供,25%为新鲜水果,25%是熟蔬菜,10%是由鱼、蛋、奶组成的蛋白质,10%为大米、面包及糖类提供的碳水化合物,5%为动物脂肪。

附录8 历年世界环境日主办城市、主题和中国主题

年份	日期	主办城市	世界主题	中国主题
1974	6月5日	1987年以前的主办城市不详	只有一个地球	2004年以前中国没有世界环境日主题活动
1975			人类居住	
1976			水:生命的重要源泉	
1977			关注臭氧层破坏、水土流失、土壤退化和滥伐森林	
1978			没有破坏的发展	
1979			为了儿童和未来——没有破坏的发展	
1980			新的十年,新的挑战——没有破坏的发展	
1981			保护地下水和人类食物链,防治有毒化学品污染	
1982			纪念斯德哥尔摩人类环境会议十周年——提高环保意识	
1983			管理和处置有害废物,防治酸雨破坏和提高能源利用率	
1984			沙漠化	
1985			青年、人口、环境	
1986			环境与和平	
1987		内罗毕(肯尼亚)	环境与居住	
1988		曼谷(泰国)	保护环境、持续发展、公众参与	
1989		布鲁塞尔(比利时)	警惕全球变暖	
1990		墨西哥城(墨西哥)	儿童与环境	

科学元典

日常饮食中注意"九多九少"(二) 脂肪:多禽少畜。不少人对脂肪抱有戒心,因为它与多种严重疾患关系密切。但人们不可因之而走向另一个极端——完全拒食。在这方面,法国加斯科尼地区居民的经验值得借鉴。法国人的人均脂肪摄入量比美国人高出许多倍,但心脏病的发生率仅为美国人的1/4,原来他们选择的是禽类脂肪。畜肉脂肪中饱和脂肪酸多,而禽类脂肪以不饱和脂肪酸为主,其结构更接近于橄榄油,不仅无害而且有保护心脑血管的作用。

1991		斯德哥尔摩（瑞典）	气候变化——需要全球合作	
1992		里约热内卢（巴西）	只有一个地球——关心与共享	
1993		北京（中国）	贫穷与环境——摆脱恶性循环	
1994		伦敦（英国）	一个地球，一个家庭	
1995		比勒陀利亚（南非）	各国人民联合起来，创造更加美好的世界	
1996		伊斯坦布尔（土耳其）	我们的地球、居住地、家园	
1997		汉城（韩国）	为了地球上的生命	
1998		莫斯科（俄罗斯）	为了地球上的生命，拯救我们的海洋	
1999		东京（日本）	拯救地球就是拯救未来	
2000		阿德莱德（澳大利亚）	环境千年，行动起来	
2001		都灵（意大利）哈瓦拿（古巴）	世间万物，生命之网	
2002		深圳（中国）	让地球充满生机	
2003		贝鲁特（黎巴嫩）	水——二十亿人生命之所系	
2004		巴塞罗那（西班牙）	海洋存亡，匹夫有责	
2005		旧金山（美国）	营造绿色城市，呵护地球家园	人人参与，创建绿色家园
2006		阿尔及尔（阿尔及利亚）	莫使旱地变为沙漠	生态安全与环境友好型社会
2007		特罗瑟姆（挪威）	冰川消融，后果堪忧	污染减排与环境友好型社会
2008		惠灵顿（新西兰）	促进低碳经济	绿色奥运与环境友好型社会
2009		墨西哥城（墨西哥）	地球需要你：团结起来应对气候变化	减少污染——行动起来
2010		基加利（卢旺达）	多样的物种，唯一的星球，共同的未来	低碳减排，绿色生活

科学元典

　　日常饮食中注意"九多九少"（三）　糖：多红少白。食糖是人体能量的主要来源之一，有红糖、白糖之分。相当多的人青睐白糖，但并非明智选择，因为常吃白糖会给你招来肥胖、高血脂、糖尿病、动脉硬化、龋齿等麻烦。红糖则不然，不仅无上述弊端，而且能阻止体内中性脂肪及胰岛素含量的上升，减少肠道对葡萄糖的过多吸收，防止动脉硬化，故为食糖的最佳选择。

附录9　世界水日及中国水法宣传周主题

年份	日期	主题	中国水周（3月22日-3月28日）
1995	3月22日	女性和水	
1996	3月22日	解决城市用水之急	依法治水、科学管水、强化节水
1997	3月22日	世界上的水够用吗？	水与发展
1998	3月22日	地下水——无形的资源	依法治水——促进水资源可持续利用
1999	3月22日	让每个人都生活在下游	江河治理是防洪之本
2000	3月22日	21世纪的水	加强节约和保护,实现水资源的可持续利用和保护
2001	3月22日	水与健康	建设节水型社会,实现可持续发展
2002	3月22日	水为发展服务	以水资源的可持续利用,支持经济社会的可持续发展
2003	3月22日	未来之水	依法治水,实现水资源可持续利用
2004	3月22日	水与灾害	人水和谐
2005	3月22日	生命之水	保障饮水安全,维护生命健康
2006	3月22日	水与文化	转变用水观念,创新发展模式
2007	3月22日	应对水短缺	水利发展与和谐社会
2008	3月22日	涉水卫生	发展水利,改善民生
2009	3月22日	跨界水——共享的水,共享的机遇	落实科学发展观,节约保护水资源
2010	3月22日	保障清洁水源,创造健康世界	严格水资源管理,保障可持续发展

附录10　历年化学明星分子

1989	首次当选为明星分子的是DNA聚合酶（DNA Polymerase）。
1990	人造金刚石（Synthetic Diamond）。1990年也因此被称为钻石年。
1991	碳-60（C_{60}），又称巴基球（Buckyball）、福勒烯（Fullerenes）等。
1992	第二信使一氧化氮（Nitric oxide），它是一种新型生物信使分子,广泛分布于生物体内各组织中,1992年被美国Science杂质评选为明星分子。
1993	肿瘤抑制基因（简称为P53）。
1994	DNA修复酶（DNA Repair Enzyme System）。
1995	Bose – Einstein Condensate（BEC）。
1996	Human immunodeficiency virus（HIV）,

科学元典

日常饮食中注意"九多九少"（四）　维生素:多食物少药物。人体健康离不开维生素,维生素有两种来源:一是食物,二是维生素药物。传统观点认为,服用维生素药片可防止心脑血管病及癌症,故在欧美等国家"维生素热"曾风靡一时。但专家的多项研究却得出了相反的结论,如服用β胡萝卜素的男性患肺癌的几率比未服用者高18%;服用维生素E的男性中风率也比未服用者高。这些数字提醒人们,维生素药物不可多用。

1997	克隆羊(Cloning:The Lamb that Roared)。
1998	1998 年的科技突破在天文学,其内容是"Cosmic Motion Revealed"。
2008	绿色荧光蛋白(green fluorescent protein),简称 GFP。

附录 11 国际禁毒日及主题

年份	日期	主题
1992	6月26日	毒品,全球问题,需要全球解决
1993	6月26日	实施教育,抵制毒品
1994	6月26日	女性,吸毒,抵制毒品
1995	6月26日	国际合作禁毒,联合国90年代中禁毒回顾
1996	6月26日	滥用毒品与非法贩运带来的社会和经济后果
1997	6月26日	让大众远离毒品
1998	6月26日	无毒世界我们能做到
1999	6月26日	亲近音乐,远离毒品
2000	6月26日	面对现实,拒绝堕落和暴力
2001	6月26日	体育拒绝毒品
2002	6月26日	吸毒与艾滋病
2003	6月26日	让我们讨论毒品问题
2004	6月26日	抵制毒品,参与禁毒
2005	6月26日	珍惜自我,健康选择
2006	6月26日	毒品不是儿戏
2007	6月26日	控制毒品
2008	6月26日	依法禁毒,构建和谐
2009	6月26日	珍惜生命,远离毒品,预防艾滋病
2010	6月26日	参与禁毒斗争,构建和谐社会

科学元典

日常饮食中注意"九多九少"（五） 蔬菜:多绿少白。营养学家在分析了各种蔬菜的养分之后发现了一个规律,那就是蔬菜的营养价值与其颜色深浅有关。颜色越深的蔬菜含有的维生素与胡萝卜素越多,反之就越少。按此规律排出的座次是:绿色蔬菜－红黄色蔬菜－白色蔬菜。前苏联高加索地区是世界少有的几个长寿地区之一,居民中有许多百岁以上的"寿星",当地菜地是绿油油的一片。由此不难想象,绿色蔬菜在延年益寿中的独特优势。

附录12 世界禁烟日及主题

年份	日期	主题
1988	5月31日	要烟草还是要健康,请您选择
1989	5月31日	妇女与烟草
1990	5月31日	青少年不要吸烟
1991	5月31日	在公共场所和公共交通工具上不吸烟
1992	5月31日	工作场所不吸烟
1993	5月31日	卫生部门和卫生工作者反对吸烟
1994	5月31日	大众传播媒介宣传反对吸烟
1995	5月31日	烟草与经济
1996	5月31日	无烟的文体活动
1997	5月31日	联合国和有关机构反对吸烟
1998	5月31日	在无烟草环境中成长
1999	5月31日	戒烟
2000	5月31日	不要利用文体活动促销烟草
2001	5月31日	清洁空气,拒绝二手烟
2002	5月31日	无烟体育——清洁的比赛
2003	5月31日	无烟草影视及时尚运动
2004	5月31日	控制吸烟,减少贫困
2005	5月31日	卫生工作者与控烟
2006	5月31日	烟草吞噬生命
2007	5月31日	创建无烟环境
2008	5月31日	无烟青少年
2009	5月31日	烟草健康警示
2010	5月31日	两性与烟草:关注针对女性的促销行为

科学元典

日常饮食中注意"九多九少"(六) 肉食:多新鲜少卤肉。在酱卤肉制品中加入少量亚硝酸钠作为防腐剂和增色剂,不但能防腐,还能使肉的色泽鲜艳。但专家提醒,亚硝酸进入人体内可转化成强致癌物亚硝胺,所以,亚硝酸钠是一种潜在的致癌物质,过量或长期食用对人的身体会造成危害,甚至会致癌。卤制品虽然口感好,吃起来方便,但是不利于人体健康。故从长远利益看,吃肉应坚持多新鲜少卤肉的原则。

附录13　历年诺贝尔化学奖获得者及主要贡献

得奖年份	获奖者姓名	生卒年份	国籍	主要贡献
1901	范托夫 J. H. Vant Hoff	1852 – 1911	荷兰	溶液渗透压定律和化学动力学定律的发现
1902	费歇尔 E. Fischer	1852 – 1919	德国	对糖类和嘌呤及其合成的研究
1903	阿伦尼乌斯 S. A. Arrhenius	1859 – 1927	瑞典	创立电离学说
1904	拉姆塞 W. Ramsay	1852 – 1916	英国	发现了空气中的稀有气体元素并确定它们在元素周期表中的位置
1905	拜耳 A. Baeyer	1835 – 1917	德国	对有机染料和氢化芳香族化合物的研究
1906	莫瓦桑 H. Moissan	1852 – 1907	法国	分离出单质氟并发明高温电炉
1907	毕希纳 E. Buchner	1860 – 1917	德国	对酶及无细胞发酵等生化反应的研究
1908	卢瑟福 E. Rutherford	1871 – 1937	英国	关于元素蜕变和放射化学的研究
1909	奥斯特瓦尔德 F. W. Ostwald	1853 – 1932	德国	对化学平衡和化学反应速率以及催化作用的研究
1910	瓦拉赫 O. Wallach	1847 – 1931	德国	对脂环类化合物领域的开创性的研究
1911	居里 M. S. Curie	1867 – 1934	法国籍波兰人	发现元素钋和镭，提纯镭以及研究镭的性质
1912	格利雅 V. Grignard	1871 – 1935	法国	发明了格氏试剂，大大加速了有机化学的发展
1912	萨巴蒂埃 P. Sabatier	1854 – 1941	法国	发明了有机化合物的催化加氢的方法，加快了有机化学的进步
1913	维尔纳 A. Werner	1866 – 1919	瑞士籍法国人	对分子中原子成键的研究
1914	理查兹 T. W. Richards	1868 – 1928	美国	精确测定了大量化学元素的相对原子质量
1915	维尔斯泰特 R. M. Willstatter	1872 – 1942	德国	对植物色素的研究，特别是叶绿素的研究
1916	无			
1917	无			

科学元典

日常饮食中注意"九多九少"（七）　调味：多醋少盐。吃盐多不利于健康是一个老生常谈的问题，高盐膳食与高血压等疾病的关系已被越来越多的研究证实。向大家介绍一个替代办法：调味多用醋。醋的保健美容作用一再为专家所称道，小至失眠，大到癌症等疾患都奈何不了醋。近年来，食醋减肥法开始风行，醋中丰富的氨基酸既是人体的养分，又是减肥剂。日本雕塑家北村西望一生食醋，经常在酒杯中加入一匙食醋，已近百岁高龄仍耳聪目明，皮肤也较一般同龄老人柔润。

1918	哈伯 F. Haber	1868 – 1934	德国	对单质合成氨的研究
1919	无			
1920	能斯特 W. H. Nernst	1864 – 1941	德国	对热力学的研究
1921	索迪 F. Soddy	1877 – 1956	英国	对放射性化学物质的研究及对同位素的研究
1922	阿斯顿 F. W. Aston	1877 – 1945	英国	利用质谱仪发现了许多非放射性元素的同位素并阐明相对原子质量的整数法则
1923	普雷格尔 F. Pregl	1869 – 1930	奥地利	发明有机化合物微量分析法
1924	无			
1925	席格蒙迪 R. A. Zsigmondy	1865 – 1929	德国	证明胶体溶液的多相性以及确立了现代胶体化学的基础
1926	斯维德伯格 T. Svedberg	1884 – 1971	瑞典	对胶体化学中分散系系统的研究
1927	魏兰德 H. O. Wieland	1877 – 1957	德国	发现胆汁酸及其化学结构
1928	温道斯 A. O. R. Windaus	1876 – 1959	德国	研究胆固醇(胆甾醇)和维生素取得重要成果
1929	哈登 A. Harden	1865 – 1940	英国	对糖类的发酵和发酵酶的研究和探索
	奥伊勒－歇尔平 H. V. Euler – Chelpin	1873 – 1964	瑞典	
1930	费歇尔 H. Fischer	1881 – 1945	德国	血红素和叶绿素的结构研究,特别是关于血红素的合成
1931	波斯 C. Bosch	1874 – 1940	德国	发明和改进高压化学技术
	贝吉乌斯 F. Bergius	1884 – 1949	德国	
1932	朗缪尔 I. Langmuir	1881 – 1957	美国	对表面化学的研究与发现
1933	无			
1934	尤里 H. C. Urey	1893 – 1981	美国	发现了重氢
1935	弗雷德里克·约里奥－居里 J. F. Joliot – Curie	1900 – 1958	法国	人工合成放射性元素
	伊伦娜·约里奥－居里 I. Joliot – Curie	1887 – 1956	法国	
1936	德拜 P. J. W. Debye	1884 – 1966	美籍荷兰人	研究分子偶极矩、X射线和电子衍射

科学元典

日常饮食中注意"九多九少"(八) 茶叶:多吃少饮。我们讲吃茶,实际上是饮茶,将茶叶浸泡在开水中喝其浸出液。这样虽可摄取不少茶叶中的养分,但高温的破坏以及难溶性成分的浪费,大大削弱了茶叶的保健价值。将茶叶研成碎末拌入食品中吃下,显著地提高了茶叶的营养价值,诸如茶叶挂面、茶叶汤面、茶叶馒头、茶糖、茶糕、茶叶巧克力等,值得效法。

年份	获奖者	生卒年	国籍	贡献
1937	霍沃思 W. N. Haworth	1883 – 1950	英国	研究碳水化合物和维生素 C
	卡勒 P. Karrer	1889 – 1971	瑞士	对类胡萝卜素、核黄素及维生素 A 和维生素 B_2 的研究
1938	库恩 R. Kuhn	1900 – 1967	德国	对类胡萝卜素及维生素的研究
1939	布特南特 A. Butenandt	1903 – 1995	德国	在性激素方面的研究
	鲁齐卡 L. Ruzicka	1887 – 1976	瑞士	从事萜烯、聚甲烯结构研究
1940 1941 1942	无			因第二次世界大战评奖停止
1943	赫维西 G. Hevesy	1885 – 1966	匈牙利	用同位素作为示踪物来研究化学过程
1944	哈恩 O. Hahn	1879 – 1968	德国	发现重核裂变
1945	维尔塔南 A. I. Virtanen	1895 – 1973	芬兰	对农业化学和营养化学的研究,特别是发明饲料贮存方法
1946	诺斯洛普 J. H. Northrop	1891 – 1987	美国	制取纯酶和病毒蛋白
	萨姆纳 J. B. Sumner	1887 – 1955	美国	发现酶可以结晶
	斯坦利 W. M. Stanley	1904 – 1971	美国	制取纯酶和病毒蛋白
1947	鲁宾逊 S. R. Robinson	1886 – 1974	英国	在植物产物,特别是在生物碱方面的研究
1948	蒂塞留斯 A. W. K. Tiselius	1902 – 1971	瑞典	对电泳现象和对吸附分析的研究,特别是血清蛋白的复杂性质的发现
1949	吉奥克 W. Giauque	1895 – 1982	美国	在化学热力学领域的贡献,尤其对超低温下物质性质的研究
1950	狄尔斯 O. P. H. Diels	1876 – 1954	德国	发现了双烯合成反应,即"狄尔斯 – 阿尔德反应"
	阿尔德 K. Alder	1902 – 1958	德国	
1951	麦克米伦 E. M. Mcmillan	1907 – 1991	美国	发现超铀元素
	西博格 G. T. Seaborg	1912 – 1999	美国	

科学元典

日常饮食中注意"九多九少"(九) 酒:多红少白。从健康的角度看,酒不宜饮。但有些人难以抗拒其诱惑,怎么办呢?可多选择红葡萄酒,少饮或不饮白酒及其他烈性酒。红葡萄酒中含有一定量的阿司匹林,此物质会降低血小板的凝聚力,化解血栓,使血、脑等器官受益。如果以花生做下酒菜,效果更佳,因为花生中含有一种有益于心脏的化合物白藜芦醇。地中海沿岸居民罹患心脑血管病几率最低的秘密即在于此。

1952	马丁 A. J. P. Martin	1910 – 2002	英国	对色谱的研究和发现
	辛格 R. L. M. Synge	1914 – 1994	英国	
1953	施陶丁格尔 H. Staudinger	1881 – 1965	德国	对高分子的研究以及确立高分子概念
1954	鲍林 L. C. Pauling	1901 – 1994	美国	对化学键性质的研究和用化学键理论来阐明复杂物质的结构
1955	维格诺德 V. du Vigneaud	1901 – 1978	美国	对含硫化合物的研究,特别是第一次合成了多肽激素
1956	谢尔伍德 S. C. N. Hinshelwood	1897 – 1967	英国	对链式化学反应机理的研究
	谢苗诺夫 N. N. Semenov	1896 – 1986	俄国	
1957	托德 S. A. Todd	1907 – 1997	英国	对核苷酸和核苷酸辅本科的结构的研究
1958	桑格 F. Sanger	1918 –	英国	对蛋白质的研究,特别对胰岛素分子的一级结构的确定
1959	海洛夫斯基 J. Heyrovsky	1890 – 1967	捷克	发现和发展了极谱分析方法
1960	利比 W. F. Libby	1908 – 1980	美国	发明用碳 – 14 同位素测定地质年代的方法
1961	卡尔文 M. Calvin	1911 – 1997	美国	研究光合作用中的化学过程
1962	佩鲁茨 M. Perutz	1914 – 2002	英国	对肌红蛋白的结构的研究
	肯德鲁 J. C. Kendrew	1917 – 1997	英国	
1963	齐格勒 K. Ziegler	1898 – 1973	德国	对高聚物的研究和发明了齐格勒 – 纳塔催化剂
	纳塔 G. Natta	1903 – 1979	意大利	
1964	霍奇金 D. Hodgkin	1910 – 1994	英国	用 X 射线衍射技术测定复杂晶体和大分子的空间结构
1965	伍德沃德 R. B. Woodward	1917 – 1979	美国	在有机合成上的杰出贡献
1966	马利肯 R. S. Mulliken	1896 – 1986	美国	在分子化学键和电子结构方面的奠基性的研究

科学元典

人体每天至少需要 800 毫克钙（一） 在我国传统饮食中,特别是在粮谷类、肉禽类、瓜茄类以及水果类食品中,钙元素的含量普遍偏低。每 100 克食品的含钙量,大米中是 24 毫克,猪肉中是 6 毫克,青椒中是 18 毫克,西红柿中是 10 毫克,苹果中是 4 毫克,鸡蛋中是 46 毫克。假如一个成年人一餐吃了 4 两米饭、一个西红柿炒蛋、一个青椒肉丝,饭后又来了一个苹果,他的钙摄入量只有 200 毫克左右。尤其对于婴幼儿、中小学生、老年人等几种人群,更需要补钙。

1967	艾根 M. Eigen	1927 –	德国	对高速化学反应的研究
	波特 G. Porter	1920 – 2002	英国	
1968	昂萨格 L. Onsager	1903 – 1976	美国	发现了昂萨格倒易关系,奠定了不可逆过程热力学理论的基础
1969	巴顿 D. H. R. Barton	1918 – 1998	英国	发展了以三级结构为基础的构象概念,为发展立体化学理论作出了贡献
	哈塞尔 O. Hassel	1897 – 1981	挪威	
1970	莱洛尔 L. F. Leloir	1906 – 1987	阿根廷	发现了糖核苷酸及其在碳水化合物合成中所起的作用
1971	赫兹贝格 G. Herzberg	1904 – 1999	加拿大	对分子的电子构造与几何形状,特别是对自由基的研究
1972	安芬森 C. B. Anfinsen	1916 – 1995	美国	对核糖核酸酶的研究,尤其是氨基酸顺序和生物活性关系的研究
	穆尔 S. Moore	1913 – 1982	美国	关于核糖核酸酶活性中心的分子化学结构与催化活性关系的研究
	斯坦 W. H. Stein	1911 – 1980	美国	
1973	威尔金森 G. Wilkinson	1921 – 1996	英国	在有机金属化学上的开拓性工作的研究
	费歇尔 E. O. Fischer	1918 –	德国	
1974	弗洛里 P. J. Flory	1910 – 1985	美国	在高分子物理化学理论和实验方面的基础研究
1975	康福斯 J. W. Cornforth	1917 –	澳大利亚	对酶催化反应的立体化学的研究
	普雷洛格 V. Prelog	1906 – 1998	瑞士	对有机分子和反应的立体化学的研究
1976	利普斯科姆 W. N. Lipscomb	1919 –	美国	对硼烷结构的研究
1977	普利高津 I. Prigogine	1917 – 2003	比利时	研究非平衡态热力学,提出了"耗散结构"理论
1978	米切尔 P. Mitchell	1920 – 1992	英国	为化学渗透理论建立了公式
1979	布朗 H. Brown	1912 – 2004	美国	将硼和磷及其化合物用于有机合成之中
	维提格 G. wittig	1897 – 1987	德国	

科学元典

人体每天至少需要 800 毫克钙(二) 补钙应该首选牛奶。因为牛奶中钙的含量丰富,而且奶中钙是以乳钙的形式存在的,口感好,吸收利用率高。如果每天能喝下半斤或更多,基本上就能解决缺钙问题,对于 0～3 岁的婴幼儿,每天应该喝牛奶 1 斤以上。但有相当一部分人喝牛奶容易腹胀、闹肚,原因是牛奶中含有乳糖,分解乳糖需要乳糖酶,但这种酶在亚洲人体内含量较低,对乳糖有不良反应的人可以选择酸奶或低乳糖乳制品。补钙除饮食外还要注重多锻炼身体,多晒太阳。

1980	伯格 P. Berg	1926 –	美国	对核酸的生物化学的研究,特别是对 DNA 重组的研究
	桑格 F. Sanger	1918 –	英国	发现核苷酸排列顺序
	吉尔伯特 W. Gilbert	1932 –	美国	
1981	福井谦一 Kenichi Fukui	1918 – 1998	日本	各自独立发展了化学反应过程的理论
	霍夫曼 R. Hoffmann	1937 –	美国	
1982	克卢格 H. Taube	1926 –	英国	用晶体电子显微镜方法测定核酸—蛋白质复合体的结构
1983	陶布 H. Taube	1915 – 2005	美国	关于电子转移的反应机理,特别是在金属配位化合物的电子转移反应机理方面的研究
1984	梅里菲尔德 R. B. Merrifield	1921 –	美国	发展了多肽固相化学合成方法
1985	豪普特曼 H. A. Hauptman	1917 –	美国	发明了测定晶体结构的直接方法
	卡尔勒 Jerome Karle	1918 –	美国	
1986	李远哲 Yuan T. Lee	1936 –	美籍华人	关于化学基元反应动力学过程的研究
	赫施巴赫 D. R. Herschbach	1932 –	美国	
	波拉尼 J. Polanyi	1929 –	加拿大	
1987	佩德森 Charles. J. Pedersen	1904 – 1989	美国	研究和使用对结构有高选择性的分子
	克拉姆 D. J. Cram	1919 – 2001	美国	
	莱恩 J. M. Lehn	1939 –	法国	
1988	戴森霍菲 J. Deisenhofer	1943 –	德国	光合作用反应中心的三维结构的确定
	胡贝尔 R. Huber	1937 –	德国	
	米歇尔 H. Michel	1948 –	德国	

科学元典

六大因素影响人体对钙的吸收（一） 1.年龄:处于生长发育期的儿童和青少年对钙的吸收能力强,年龄增加,钙的吸收率就下降。婴幼儿可高达50% ~60% ,儿童青少年30% ~40% ,成人20% ~30% ,中年人10% ~20% ,60 岁以上低于10% 。所以摄入足够的钙,对老年时的骨骼质量,有着深远的重大意义。2.维生素 D 可以促进钙的吸收,保持血液中钙和磷的比例,使钙和磷能够钙化,沉积在骨骼中。如果没有维生素 D 参与钙的代谢,人体对钙的吸收率达不到10% 。

1989	切赫 T. Cech	1947 –	美国	发现核糖核酸(RNA)的催化性质
	阿尔特曼 S. Altman	1939 –	美国	
1990	科里 E. Corey	1928 –	美国	开发了计算机辅助有机合成的理论和方法
1991	理查德·恩斯特 R. Ernst	1933 –	瑞士	开发了高分辨核磁共振
1992	鲁道夫·马库斯 R. A. Marcus	1923 –	美国	对创立和发展电子转移过程理论的贡献
1993	穆利斯 K. B. Mullis	1944 –	美国	聚合酶链式反应(PCR)方法的发明
	史密斯 M. Smith	1932 – 2000	加拿大	创立基于寡聚核苷酸定点诱变技术并开展对蛋白质的研究
1994	乔治·欧拉 G. Olah	1927 –	美国	对碳正离子化学反应的研究
1995	保罗·柯鲁森 P. Crutzen	1933 –	荷兰	研究平流层臭氧化学,特别是提出平流层臭氧受人类活动的影响,并阐明其机理
	莫利纳 M. Molina	1943 –	美国	
	罗兰德 S. Rowland	1927 –	美国	
1996	罗伯特·F·柯尔 R. F. Curl	1933 –	美国	发现碳元素的球状结构——富勒式结构,开创了化学研究的新领域
	理查德·E·斯莫利 R. E. Smalley	1943 –	美国	
	哈罗德·W·克罗托 H. W. Kroto	1939 –	英国	
1997	保罗·博耶 P. D. Boyer	1918 –	美国	阐明了三磷酸腺苷(ATP)合成酶的工作机理
	约翰·沃克尔 J. E. Walker	1941 –	英国	
	延斯·斯科 J. C. Skou	1918 –	丹麦	发现了一种离子传输酶,发明了钠钾离子泵
1998	沃特·科恩 W. Kohn	1923 –	美国	对电子密度泛函理论的研究
	约翰·波普尔 J. A. Pople	1925 – 2004	英国	对量子化学的计算方法的研究
1999	艾哈迈德·泽维尔 A. Zewail	1946 –	美国 埃及 双重国籍	用飞秒激光光谱研究化学反应中间过程

科学元典

六大因素影响人体对钙的吸收(二) 3.愈是缺钙吸收率越好,机体不缺钙时;吸收率低,摄入多余的钙可从汗、尿中排出体外。4.高脂肪膳食或对脂肪吸收不良时,会使钙与脂肪酸结合,形成不溶性钙皂而影响吸收。5.消化吸收不良时,情绪状态如紧张、抑郁、愤懑也会影响钙的吸收。6.含草酸高的蔬菜,如苋白、竹笋、菠菜、苋菜可使钙结合为难溶解的草酸钙而影响钙的吸收。如果在下锅前,先在热水锅中炒一分钟,可使大部分草酸丢失。此外,食品多样化有促进钙吸收的作用。

2000	黑格 A. J. Heeger	1936 –	美国	对导电聚合物的研究
	马克迪尔米德 A. G. Macdiarmid	1927 –	美国	
	白川英树 Hideki Shirakawa	1936 –	日本	
2001	威廉·诺尔斯 William S. Knowles	1917 –	美国	在"手性催化还原反应"领域取得成就
	野依良治 Ryoji Noyori	1938 –	日本	
	巴里·夏普莱斯 K. Barry Sharpless	1941 –	美国	
2002	约翰·芬恩 John B. Fenn	1917 –	美国	发明了对生物大分子进行确认和结构分析的方法和发明了对生物大分子的质谱分析法
	田中耕一 Koichi Tanaka	1959 –	日本	
	库尔特·维特里希 Kurt Wüthrich	1938 –	瑞士	发明了用核磁共振技术测定溶液中生物大分子三维结构的方法
2003	彼得·阿格雷 Peter Agre	1949 –	美国	对细胞膜中的水通道的发现和对离子通道的研究
	罗德里克·麦金农 Roderick Mackinnon	1956 –	美国	
2004	切哈诺沃 A. CiRchanover	1947 –	以色列	发现了泛素调节的蛋白质降解
	阿夫拉姆·赫什科 A. Hershko	1937 –	以色列	
	欧文·罗斯 I. Rose	1926 –	美国	
2005	肖万 Y. Chauvin	1930 –	法国	对烯烃复分解反应的研究
	格拉布 R. H. Grubbs	1942 –	美国	
	施罗克 R. R. Schrock	1945 –	美国	
2006	罗杰·科恩博格 R·O·kornberg	1947 –	美国	对真核转录的分子基础的研究
2007	格哈德·埃特尔	1936 –	德国	在"固体表面化学过程"研究中作出杰出贡献

科学元典

绿豆在铁锅中煮熟后为何会变黑　绿豆在铁锅中煮了以后会变黑,苹果、梨子用铁刀切了以后,表面也会变黑。这是因为绿豆、苹果、梨子与多种水果的细胞里,都含有鞣酸,鞣酸能和铁反应,生成黑色的鞣酸铁。有时,梨子、柿子即使没有用铁刀去切,皮上也会有一些黑色的斑点,这是因为鞣酸分子中含有许多酚羟基,对光很敏感,极易被空气中的氧气氧化,变成黑色的氧化物。

2008	下村修 Osamu Shimomura	1928 –	日本	在绿色荧光蛋白的研究和应用方面作出突出贡献
	马丁·沙尔菲 Martin Chalfie	1947 –	美国	
	钱永健 Roger Y. Tsien	1952 –	美籍华裔	
2009	拉马克里希南 Venkatraman Ramakrishnan	1952 –	美籍印度人	对核糖体的结构和作用的研究
	托马斯·施泰茨 Thomas A. Steitz	1940 –	美国	
	阿达·约纳特 Ada E. Yonath	1939 –	以色列	
2010	理查德·海克 （Richard F·Heck）	1931 –	美国	有机合成中钯催化交叉耦合
	根岸英一 （Ei－ichi Negishi）	1935 –	日本	
	铃木章 （Akira Suzuki）	1930 –	日本	

科学元典

硒在人体中的作用　硒是人体必需的微量元素。硒是谷胱甘肽过氧化物酶的一个不可缺少的组成部分。谷胱甘肽过氧化物酶参与人体的氧化过程，可阻止不饱和酸的氧化，避免产生有毒的代谢物，从而大大减少癌症的诱发物质，维持正常的代谢。大蒜有预防癌症的作用，就是因为大蒜中含有较多的硒元素。此外，硒对导致心脏病的镉以及砷、汞等有毒物质也有抵抗作用。

附录 14 初中化学基本概念的相互联系

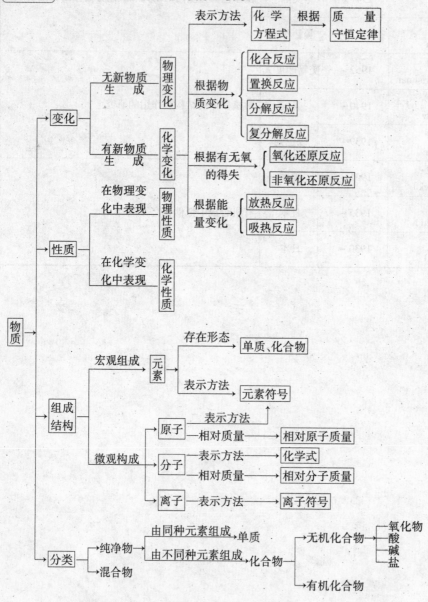

科学元典

铝对人体的健康的影响 世界上有许多老人患有老年性痴呆症。许多科学家经过研究发现，老年性痴呆症与铝有密切关系。同时还发现，铝对人体的脑、心、肝、肾的功能和免疫功能都有损害。因此，世界卫生组织于 1989 年正式将铝确定为食品污染物，而加以控制。提出成年人每天允许摄铝量为 60 毫克。从我国的目前情况来看，如果不加以注意，铝的摄入量会超过这个指标。

诚聘优秀作者 诚征优秀书稿

北京曲一线图书策划有限公司怀揣对教育事业的热爱，凭借对教育教学改革的敏锐把握，依靠经验丰富的教师团队，使《5年高考3年模拟》《知识清单》等书逐渐成为助学读物的一面旗帜。为了不断进步，打造更实用更完美的图书品牌，曲一线诚邀全国初高中名师加盟，诚征初高中优秀教辅书稿。

加盟曲一线，真诚到永远！

凡加盟者可享受如下待遇： ❶ 稿酬从优，结算及时。❷ 参编者一律颁发荣誉证书。❸ 参编者将免费获得曲一线提供的各种图书资料和培训机会。

✉ **来信请寄：**北京市100176信箱09分箱　策划部收　100176

@ **邮箱：**exian.gz@163.com　☎ **电话：**010-87605580　★ 请在信封上注明"应聘作者"

✂- -

读者反馈表　《初中·知识清单》

亲爱的读者：

您好！ 感谢您使用《知识清单》系列丛书，感谢您对我们的大力支持！

为进一步提高图书质量，请您把使用过程中发现的不足和建议反馈给我们，我们将会认真对待您的每一条意见，并用心把书做得更好。

您的进步是我们的希望，您的成功是我们的欣慰。（反馈内容可另外用纸填写！）

姓名：	电话：	邮箱：
科目：	年级：	邮编：
通讯地址：		
错误记录		
主要不足		
主要优点		

✉ **来信请寄：**北京市100176信箱09分箱　总编室收　100176

@ **邮箱：**exian.gz@163.com　☎ **电话：**010-87602687　★ 请在信封上注明"读者反馈"

图书在版编目(CIP)数据

初中化学知识清单/曲一线主编. —北京:首都
师范大学出版社,2011.5
ISBN 978-7-5656-0373-0

Ⅰ.①初… Ⅱ.①曲… Ⅲ.①中学化学课—初中
—教学参考资料 Ⅳ.①G634.83

中国版本图书馆 CIP 数据核字(2011)第 081953 号

CHUZHONG ZHISHI QINGDAN · HUAXUE
初中知识清单 · 化学
丛书主编 曲一线

责任编辑 魏健伟   责任录排 李利华
出版发行 首都师范大学出版社
           北京西三环北路 105 号   100048
           教育科学出版社
           北京·朝阳区安慧北里安园甲 9 号   100101
电   话   68418523(总编室)   68982468(发行部)
网   址   www.cnupn.com.cn
北京一鑫印务有限责任公司印刷
全国新华书店发行
版   次   2011 年 6 月第 1 版
印   次   2011 年 6 月第 1 次印刷
开   本   787 毫米×1092 毫米   1/16
印   张   17
字   数   680 千
定   价   32.80 元